中國現代史書籍論文資料舉要

（三）

胡平生　編著

臺灣　學生書局　印行

序

本書的第一、二冊，已分別於民國八十八年（1999年）的二月及八月出版，雖然比預期出版的時間晚了半載和一年，但卻給了我多事增補及再三檢閱的機會，使其內容更形充實，並且減少了一些桀誤，也未嘗不是「失之東隅，收之桑榆」。我原來的規劃，第三冊的內容是專題部分中的「十年建國」、「八年抗戰」和「戰後的國共對決」三個單元。由於「十年建國」的內容涵蓋較廣，這方面的論著資料亦極其之多，如再加上「八年抗戰」、「戰後的國共對決」的論著資料，篇幅將會超過一千三百餘頁。為了與第一、二冊的篇幅有所配合起見，茲決定將原定的第三冊分成兩冊出版，而為本書的第三、四冊，依此類推，則原定的第四冊，也就成為本書的第五冊了。

這樣的更動，實屬情非得已，而且基本上對整套書的結構也無甚影響。儘管如此，但畢竟還是有違我的「初衷」，或許因此會帶給讀者們一些不便，特於此申致歉忱！

編者謹識

民國八十九年四月

第三冊目次

編述說明

中國現代史是以中華民國及中華人民共和國為主的一部歷史，由於臺灣海峽兩岸的歷史學者對於中國現代史的起點有著不同的看法，臺灣方面多主張以1911年為起點（以1894年興中會成立及其後十七年的革命運動為其序幕、背景）；中國大陸方面多主張以1919年（五四運動）為起點（其以前為中國近代史，日本史學界大致持同樣的看法），本書係以前者為準（至於歐美史學界所謂Modern Chinese History，是指中國近代史或現代史而言，Contemporary Chinese History，則為當代中國史，多指1949年以後的中華人民共和國史而言）。所收錄的書籍論文資料是以1996年12月及其以前出版者為限，此外，尚有如下幾個通則：

一、本書所列舉者，以專書、資料集、論文集、論文（含一般性的文章，本書中所謂的論文，即是指載於期刊上，論文集等中的單篇論文、文章而言）為主。散篇的資料、文稿（如中國大陸出版的全國各級《文史資料選輯》、《近代史資料》等所刊載者；且李永璞主編有《全國各級政協文史資料篇目索引（1960-1990）》，北京，中國文史出版社，1992；共五大冊，足資參閱）及報紙上的文章，因數量太多，過於瑣細，原則上不予舉述。又各種人物傳記專書（含辭典）中的個人專傳及書評（Book Review）亦同此，原則上也不予舉述。

二、本書所列舉者，以中、日、英文之出版品為限。

三、本書所列舉者，其出版年份，凡1949年及其以前之中國大陸及其以後臺灣之出版品，一律用民國紀年。凡中國以外國家、地區和1950年及其以後之中國大陸出版品，一律用西元紀年，俾易於辨識其為中華民國或中華人民共和國之出版品。

四、名稱過長者，當酌情簡稱之，如「中國人民政治協商會議全國委員會文史資料研究委員會」簡稱為「全國政協文史資料研究委員會」，「中國國民黨中央委員會黨史史料編纂委員會」簡稱為「國民黨黨史會」，「華東師範大學學報」簡稱為「華東師大學報」，「國立臺灣大學歷史學系學報」簡稱為「臺大歷史學系學報」等。

五、本書所列舉1950年及其以後中國大陸出版之各大學學報，均係其哲學社會科學版，而非其自然科學版；列舉時，不再註明其版別。又各專書其出版年份之後未特別註明者，均為初版或一版。

六、本書所列舉之國內外博、碩士論文，均以專書視之，以別於載於期刊、雜誌、學報上之論文。符號之使用，以《》代表書名，以〈〉代表論文篇名，其出處、出版年月，概用括號說明之。

七、國內外學術會議上宣讀的各論文，如未彙集成冊且正式出版者，原則上均不予舉述。

八、歐美作者的英文姓名，其姓氏一律置於其名字之後(凡華人有英文名字者亦同此)，中、日作者的英文譯姓名，則其姓氏一律置於名字之前，以尊重其習慣，並求其統一。

七、十年建國（1928-1937）

是指抗戰前十年（1928-1937）而言。有關此十年間史事的資料及研究成果相當多，尤其是1949年以後之中國大陸出版品遠較臺灣為多，相形之下，日、英文方面的資料及著作則較少。

(一)通　論

中國文化建設協會編《十年來的中國》（上海，商務印書館，民26；香港，龍門書店影印，1965，易名爲《抗戰前十年之中國》；臺北，龍田出版社亦予以影印出版，民69），共收當時專家、學者所撰之專文33篇。薛光前主編《艱苦建國的十年（民國16年至民國26年）》（臺北，正中書局，民60），係根據1969年7月14日至25日在美國紐約聖若望大學（St. Johns University）舉行「中國建國十年討論會」時所提出之英文論文及評述，譯為中文而編成，計有9篇論文及其評述。中央研究院近代史研究所編《抗戰前十年國家建設史研討會論文集：1928-1937》（2冊，臺北，編者印行，民73），共收論文24篇。張玉法主編《中國現代史論集·第8輯：十年建國》（臺北，聯經出版公司，民71）、中華文化復興運動推行委員會編《中國近代現代史論集·第25編：建國十年》（臺北，臺灣商務印書館，民75）、Lloyd E. Eastman, The Abortive Revolution: China Under Nationalist Rule, 1927-1937.（Cambridge: Harvard University Press, 1974；其中譯本爲易勞逸著、陳謙平、陳紅民等譯《流產的革命：1927-1937年國民黨治下的中國》，北京，中國青年出版社，1992），作者從負面的角度來評估所謂「黃金十年」、「建國十年」中國在政治、經濟等方面的發展，全書共七章，對於「藍衣社」及閩變，均有專章論述之，對於國民政府的秕政缺失，有尖銳的批評：Lloyd E. Eastman, Jerome Ch'en, Suzanne Repper and Lyman P. Van Slyke, The Nationalist Era in China, 1927-1937.（Cambridge: Cambridge University Press, 1991）：曹敏〈1927-1937年中國的奮鬥歷程〉（收入氏著《曹敏七十文錄》，臺北，黎明文化事業公司，民68）、向青等《三十年代中國》（北京，北京大學出版社，1996）、Lloyd E. Eastman, China Under Nationalist Rule: Two Essays, The Nanking Decade, 1927-1937, The War Years, 1937-1945.（Center for Asian Studies, Urbana-Champaign, University of Illinois, 1981）、藤井昇三編《一九三〇年代中國の研究》（東京，アジア經濟研究所，1975）。

(二)派系爭執與軍事異動

抗戰前十年間國民黨內反蔣與擁蔣的派系爭執及軍事異動迄未中斷，如民國十八至十九年（1929-1930）由桂系首起異動所引致的「護黨救國軍運動」，民國十九年的「中原大戰」，二十年的「寧粵分裂」，二十二年的「察馮事件」、「閩變（福建事變）」，二十五年（1936）的「兩廣事變」及「西安事變」等。綜述此十年國民黨「內爭」、「內戰」的有薛謀成編著《國民黨新軍閥史略》（廈門，廈門大學出版社，1911）、張同新編著《國民黨新軍閥混戰史略》（哈爾濱，黑龍江人民出版社，1982）、王光遠〈國軍黨新軍閥混戰大事記(一)（初稿）〉（《北京鋼鐵學院學報》1986年1期）及〈國民黨新軍閥混戰概述〉（《歷史教學》1988年1

期）、徐海〈1927年後的國民黨軍閥大混戰〉（同上，1951年1期）、鄔家能〈國民黨新軍閥混戰原因探析〉（同上，1992年2期）、張同新〈國民黨新軍閥的形成及其混戰的歷史線索〉（《教學與研究》1984年2期）、王澤宣〈淺談土地革命戰爭時期新軍閥之間的長期分裂和戰爭〉（《中州學刊》1982年4期）、王勤、王秀枝〈軍閥混戰與工農武裝割據之初探〉（《駐馬店師專學報》1994年2期）、姜克夫編《民國軍事史略稿·第2卷：國民黨新軍閥和工農紅軍》（北京，中華書局，1991）、荐萃學社編集《1927-1934年的反蔣戰爭》（2冊，香港，大東圖書公司，1978）、佃隆一郎〈「中國新軍閥混戰」への諸考察一第1部中國大陸ぐの研究動向〉（《愛知論叢》57號，1994）及〈「中國新軍閥混戰」への諸考察(2)—第2部日中關係史としての一側面(上)(下)〉（同上，59號及61號，1995及1996）、C. Martin Wilbur, " Military Separatism and the Process of Reunification Under the Nationalist Regime."（In Tsou Tang and Ho Ping-ti, eds., China in Crisis, Vol. l, bk.l, Chicago, The University of Chicago Press, 1968）、劉治平編著《反蔣運動史》（廣州，中國青年軍人社，民23；臺北，李敖出版社翻印，民80，分上下2冊）全書分武漢政府、護黨救國、擴大會議、非常會議、抗日同盟軍、福建人民政府六個時期述說反蔣運動的意義和過程；石柏林〈試論國民黨內的反蔣運動〉（《求索》1993年2期）、李守孔〈國民政府之國家統一運動〉（載《抗戰前十年國家建設史研討會論文集》上冊，臺北，民73）、潘公展〈十年來的中國統一運動〉（載中國文化建設協會編集《十年來的中國》，上海，商務印書館，民26）、M. T. Kennedy Jr., The Kuomintang and

Chinese Unification, 1928-1931.（Ph. D. Dissertation, Harvard University, 1958）、R. E. Bedeski, The Politics of Naking Unification: China, 1928-1936.（Ph. D. Dissertation, University of California-Berkeley, 1969）、Jiu Hwa-lo Upshur, China Under the Koumingtang: The Problem of Unification, 1928-1937.（Ph. D. Dissertation, University of Michigan-Ann Arbor, 1972）。其他相關的著述有郭緒印主編《國民黨派系鬥爭史》（2冊，上海，上海人民出版社，1992）、Wang Ke-wen（王克文），"Counter-Revolution From Above: The Party Consolidation Campaign of the Guomintang, 1928-1929."（Republican China, Vol.15 No.1, Nov. 1989）、張天任〈由民國18年至21年中國國民黨的兩次統一論「公平內政」與「均權共治」〉（載《國父建黨革命一百周年學術討論集》第2冊，臺北，近代中國出版社，民84）、管任福〈國民黨多次公開分裂的內因〉（《衡陽師專學報》1995年5期）、鄒孟賢〈新軍閥史下限應為1949年〉（《華中師大學報》1991年1期）、鄭全備〈英國在一九二七至一九三一年中國軍閥戰爭中的多邊操縱政策〉（《廈門大學學報》1986年2期）、吳振漢《國民政府時期的地方派系意識》（臺北，文史哲出版社，民81）、國民革命建軍史編纂委員會撰述、朱瑞月編輯《國民革命建軍史·第2冊：安內與攘外》（臺北，國防部史政編譯局，民81）、陳訓正《國民革命軍戰史初稿·第2輯》（臺北，國防部印製廠重印，民41）等。

1.桂系及護黨救國軍的異動

此處所謂的桂系，是以李宗仁（1891-1969）、黃紹竑

(1895-1966)、白崇禧(1893-1966)等人為中心的新桂系軍人，有別於民初以陸榮廷為首的舊桂系軍閥，有關新桂系的論著和資料為數不少，專書如莫濟杰、陳福霖主編《新桂系史》(南寧，廣西人民出版社，1991)、廣西壯族自治區政協文史資料委員會編《廣西文史資料選輯·第29輯及31輯：新桂系紀實》(2冊，廣西人民出版社，1990年3月及10月)、王文裕《北伐前後的桂系與國民政府》(政治大學歷史研究所碩士論文，民81年6月)、湖北省政協文史資料委員會編《湖北文史資料·第18輯：新桂系在湖北專輯》(武漢，湖北人民出版社，1987)、曹裕文《新桂系與中國共產黨》(南寧，廣西教育出版社，1993)、Diana Lary, Region and Nation: The Kwangsi Clique in Chinese Politics, 1925-1937.(London, Cambridge University Press, 1974)，係就其博士論文—The Kwangsi Clique in Kuomintang Politics, 1929-1936.(University of London, 1968)加以訂定而成；Eugene William Levich, The Kwangsi Way in Kuomintang China, 1931-1939.(Armonk, New York: M. E. Sharpe, 1993)，係為其博士論文—Mobilization and Reconstruction in Kwangsi Province，1931-1939.(University of Chicago, 1984)加以訂正而成。論文則有黃宗炎、韋春景〈論新桂系的形成及其統一廣西的歷史意義〉(《近代史研究》1985年1期)、莫濟杰〈關於新舊桂系軍閥的幾個問題〉(《廣西地方志》1987年2期)及〈軍閥的基本特徵和新舊桂系的比較研究〉(《學術論壇》1985年2期)、曹裕文〈新桂系崛起原因探析〉(《社會科學家》1990年6期)、徐平〈〝新桂系〞興衰錄〉(《軍事歷史研究》1993年4期)、鄧以彭〈閒話桂系人物—廣西政要是非功過〉

(《中外雜誌》26卷3期，民68年9月)、吳忠才〈大革命中的新桂系試析〉(《學術論壇》1986年3期)、黃宗炎〈李濟深扶植新桂系起家略論〉(《玉林師專學報》1984年1期)、李炳東〈新桂系利用政局變幻發展實力〉(《廣西大學學報》1988年2期)、胡逢清〈〝鄉土意識〞與新桂系〉(《江西大學學報》1990年3期)、顧建鍵〈新桂系軍閥在〝四·一二〞政變中的作用〉(《史林》1990年3期)、伍文浩、譚肇毅〈談新桂系與〝四·一二〞政變〉(《廣西師大學報》1984年3期)、李光正〈蔣介石的三次下野與新桂系勢力的消長〉(《河池師專學報》1986年2期)、高虹霞、廖大偉〈桂蔣矛盾的歷史作用評析〉(《史林》1992年3期)、曹裕文〈論大革命時期我黨與新桂系的合作和破壞〉(《學術論壇》1992年4期)、王續添、郭正秋〈南京國民政府時期新桂系與東北軍關係述評〉(同上，1993年1期)、孟端星〈鄂人治鄂與新桂系在湖北的失敗〉(《昭通師專學報》1989年2、3期)、申曉雲〈三十年代新桂系治桂述論〉(《南京大學學報》1993年2期)、廖建夏〈試評三十年代新桂系的廣西建設〉(《廣西民族學院學報》1995年2期)、袁麗亞〈新桂系時期的廣西基層政權建設〉(《學術論壇》1989年5期)、朱寒冬〈抗戰前新桂系主桂建設述論〉(《安徽大學學報》1993年2期)、李炳東〈評新桂系的〝廣西建設綱領〞〉(《廣西大學學報》1986年1期)、郭曉合〈新桂系〝廣西建設運動〞述評〉(《桂海論叢》1991年5期)、王彥民、朱寒冬〈抗戰前新桂系廣西經濟建設評析〉(《廣西師大學報》1991年4期)、侯雅雲〈新桂系官僚資本的形成和發展〉(《學術論壇》1983年2期)、岑進開〈新桂系軍閥集團官僚資本的形成〉(《玉林師專學報》1984年1期)、唐凌

〈新桂系與廣西礦業〉(《廣西師大學報》1989年3期)、黃習禮〈新桂系三自三寓政策和《廣西建設綱領》述評〉(《學術論壇》1989年5期)、西山榮久〈廣西三自政策の檢討〉(《日本諸學振興委員會研究報告》第9篇—第2回經濟學,1941)、梁學乾〈三自政策對廣西的貢獻和評價〉(《廣西文獻》63期,民83年1月)、叔龍〈三自政策與廣西鄉村建設〉(同上,46期,民78年10月)、朱杰軍〈新桂系廣西民團述論〉(《廣西師大學報》1988年3期)、朱浤源〈1930年代廣西的動員與重建〉(《中央研究院近代史研究所集刊》17期,民77年6月)、羅樹杰〈桂系軍閥民族政策簡述〉(《廣西民族學院學報》1995年2期)、湯麗霞〈〃九一八〃事變後新桂系政治態度的變化〉(《社會科學戰線》1992年2期)、郭曉合、羅嘉寧〈〃兩廣事變〃前後新桂系政治態度的變化〉(《廣西大學學報》1985年1期)、王樹祥〈論兩廣事變中中共與桂系的合作〉(《學術論壇》1994年6期)、李炳東〈新桂系與兩廣「六一」事變〉(《西南軍閥史研究叢刊》第5輯,廣州,廣東人民出版社,1986)、申曉雲〈新桂系與西安事變〉(載江蘇省歷史學會編《抗日戰爭史事探索》,上海,上海社會科學院出版社,1988)、張壯強〈新桂系的抗日態度與西安事變〉(《廣西民族學院學報》1995年2期)、盧家翔、李鳴〈議西安事變中新桂系的態度及其影響〉(《廣西黨校學報》1987年3期)、時平〈桂系、空軍發展史略〉(《軍事歷史研究》1993年4期)、梁志強〈桂系空軍概況〉(《廣西軍事志通訊》1989年1期)及〈桂系空軍襲擊長征紅軍始末〉(同上,1987年4期)、曹裕文〈論抗戰前夕新桂系的〃騎牆政治〃〉(《學術論壇》1991年1期)、杜玉華、文軍〈論抗戰前後我黨與新桂系的合作關係〉(《探索》1995年2期)、高曉林〈桂系國民黨地方實力派與第二次國共合作〉(《理論探討》1996年5期)、李鳴、盧家翔〈論新桂系從〝反蔣抗日〞到〝擁蔣抗日〞的政策轉變〉(《廣西社會科學》1987年3期)、徐方治、陸炬烈、趙世懷〈論新桂系的抗戰方略及其實踐〉(同上)、曹光哲〈新桂系〝焦土抗戰論〞述評〉(同上)及〈桂軍抗戰述評〉(《廣西黨校學報》1988年2期)、韋書善〈新桂系與抗日戰爭〉(《廣西地方志》1994年4期)、趙萬鈞、石青〈抗日戰爭中的桂系〉(《史學月刊》1990年6期)、曹光哲〈試論新桂系在抗日戰爭中的歷史地位〉(《廣西師大學報》1989年3期)、徐方治〈新桂系的抗日主張及李宗仁在臺兒莊戰役中的作用〉(《廣西民族學院學報》1995年1期)、陸大鉞〈抗戰初期李宗仁將桂系兵工廠交中央接辦始末〉(《檔案史料與研究》1993年1期)、王續添〈略論抗戰時期蔣桂之間的矛盾鬥爭〉(《學術論壇》1990年1期)、汪頂勝〈抗戰中期蔣桂財政紛爭之一瞥〉(《歷史教學》1986年12期)、童志強、周蕙〈桂系主皖和安徽省民眾總動員委員會〉(《抗日戰爭研究》1994年4期)、張愛民〈抗戰期間桂系與CC系在安徽的矛盾與鬥爭〉(《安徽史學》1993年3期)、武菁〈論抗日戰爭時期安徽的新桂系〉(同上,1992年4期)、郭曉合等〈抗戰初期新桂系對安徽的統治〉(《廣西大學學報》1987年2期)、張梅玲〈中國共產黨與桂系在發動全民抗戰中的合作〉(《社會科學探索》1990年5期)、桂玉華、文軍〈論抗戰前後我黨與新桂系的合作關係〉(《探索》1995年2期)、曹裕文〈抗戰初期我黨與桂系的合作關係〉(《學術論壇》1990年1期)及〈新桂系策劃皖南事變探緣—新桂系決心〝把安徽造成廣西第二〞〉（《桂海論叢》1992年1期）、譚肇毅〈桂系與皖南事變〉（《廣西師大學報》1990年3期）、曹光哲〈新桂系與皖南事變〉（《安徽史學》1991年1期）、梁志強〈新桂系遭到的第一次沉重打擊〉（《廣西軍事志通訊》1987年4期）、蕭公聞〈衡寶戰役與新桂系的覆亡〉（《衡陽師專學報》1992年2期）、譚肇毅〈蔣桂矛盾與國民政府的覆亡〉（《學術論壇》1995年2期）、王玉貴〈試析新桂系久踞民國政壇的原因〉（《廣西社會科學》1996年3期）。

另鍾文典主編《20世紀30年代的廣西》（桂林，廣西師大出版社，1992），全書分為政治篇（共6章）、經濟篇（共9章）、軍事篇（共5章）、文化教育篇（共6章），有不少篇幅述及新桂系的活動和治續。朱浤源《從變亂到軍省：廣西的初期現代化，1860-1937》（臺北，中央研究院近代史研究所，民84），書中對新桂系在廣西的軍事、政治、經濟等建設，亦有深入的論述。

關於新桂系三巨頭（李宗仁、黃紹竑、白崇禧）有黃宗炎〈李、黃、白統一廣西述略〉（《廣西社會科學》1987年1期）、俞德華〈淺議李、黃、白到李、白、黃的合作〉（同上）、陽慶平〈略論李宗仁、黃紹竑統一廣西的進步意義〉（《社會科學家》1992年5期）、黃宗炎〈試論李宗仁、黃紹竑所以能統一廣西的原因〉（《南寧師院學報》1983年2期）、黃旭初〈李、黃、白再起與張桂軍攻粵之役〉（《春秋》119期，1962年6月16日）及〈擴大會議瓦解後之李、白困境〉（同上，121期，1962年7月16日）、郝旭〈西安事變發生後的李宗仁和白崇禧〉（《民國春秋》1995年1期）、李靜之、申曉雲〈李、白和蔣介石之間〉（同上，1987年2期）、奎松〈李宗仁、白崇禧〝和共〞內幕〉（《炎黃春秋》1995年4期）、羅飛鵬編著《李宗仁與白崇禧》(漢口,建國書店,民27)、珠江日報社叢書部編纂《李宗仁與白崇禧》(珠江日報社,民27)、程山輯《前線上李白兩將軍訪問記》(南寧,民團週刊社,民27)、吳志明〈桂系三巨頭在南京政府覆亡前的抉擇〉(《民國春秋》1992年4期)。李宗仁口述、唐德剛整理《李宗仁回憶錄》(2冊,南寧,廣西人民出版社,1980;香港,南粵出版社,1986)、李宗仁《李宗仁回首話當年》(武漢,湖北人民出版社,1981)、申曉雲、李靜之《李宗仁的一生》(鄭州,河南人民出版社,1992)、陳鐵管等《李宗仁將軍傳》(上海,亞東圖書館,民19)、趙軼琳《李宗仁將軍傳》(上海,大時代書局,民27)、楊君杰編《虎鎮徐州的李宗仁將軍》(戰時出版社,民27)、程思遠《李宗仁先生晚年》(北京,文史資料出版社,1980)、梁升俊《蔣、李鬥爭內幕》(香港,亞聯出版社,1954年序;臺北,新新聞文化公司,民81)、黃繼樹《大對抗:蔣李恩怨國共鬥爭》(2冊,臺北,風雲時代出版公司,民80)、王朝柱《李宗仁和蔣介石》(北京,中國青年出版社,1996)、郭彬尉《蔣介石和李宗仁》(長春,吉林文史出版社,1994)及《跑路總統—李宗仁的權力悲歌》(臺北,日臻出版社,民84)、蘇理立《李宗仁與郭德潔》(長沙,湖南文藝出版社,1992)、李秀文口述、譚明整理《我與李宗仁》(桂林,漓江出版社,1986)及《我與李宗仁(續集)》(同上,1995)、蘇理立《李宗仁和他最後一位夫人》(天津,百花文藝出版社,1992)、顧笑言《李宗仁歸來》(長春,吉林人民出版社,1980)、北辰出版社編《中外人士心目中之李宗仁先生》(2冊,編者印行,1948);《李宗仁的聲音》(香港,國際文摘出版社,1965)、懷鄉《論李宗仁與中美反動派》（香港，宇宙書屋，1948）、李家駿編著《第一任副總統李宗仁先生傳》（上海，吼聲書局，民37）。黃啟漢〈國民黨桂系見聞錄：讀《李宗仁回憶錄》後記〉（《學術論壇》1986年5-6期，1987年3-5期）、陳存恭〈評《李宗仁回憶錄》一兼論新桂系與中央的關係〉（《國史館館刊》復刊第1期，民76年1月）、徐承倫〈關於胡適、李宗仁的口述歷史及其他：唐德剛教授訪問記〉（《文史哲》1993年6期）、李靜之〈李宗仁論綱〉（《民國檔案》1986年1期）、羅重實〈新桂系李宗仁在玉林發家淺論一桂系軍閥史研究之一〉（《玉林師專學報》1984年1期）、程思遠〈李宗仁習武軼事〉（《中華武術》1985年1期）、張凝〈李宗仁統一廣西〉（《蘇州大學學報》1991年1期）、陳壽民〈李、黃、白崛起統一廣西經緯〉（《廣西文獻》28期，民74年4月）、梁學乾〈李宗仁與黃紹竑合作經過〉（同上，43期，民78年1月）、李善欽〈二十年代初期李宗仁、黃紹竑統一廣西原因新論〉（《桂海論叢》1992年3期）、陽庄平〈略論李宗仁、黃紹竑統一廣西的進步意義〉（《社會科學家》1992年5期）、黃燕清〈略論蔣介石與李宗仁的第一次合作與分裂〉（《上海大學學報》1989年5期）、謝永雄〈試論李宗仁與蔣介石〉（《廣西社會科學》1996年3期）、薛謀成〈李宗仁、唐生智之戰〉（《黨史研究》1985年5期）、黃旭初〈李宗仁出任反蔣軍第一方面軍〉（《春秋》120期，1962年7月1日）、趙德教〈李宗仁對蔣介石不抵抗政策的揭露和抨擊〉（《河南師大學報》1985年2期）、黃燕清〈略論蔣介石與李宗仁的第二次合作與分裂〉（《上海大學學報》1990年5期）、張梅玲〈李宗仁逼蔣抗日的歷史作用應予充分肯定〉（《探索》1987年4期）、舒福榮選編〈兩廣六一事變後蔣介石與李宗仁來往函電〉（《歷史檔案》1987年4期）、朱德新〈關於李宗仁等在西安事變中一則通電的人數和日期的考訂〉（《檔案史料與研究》1992年2期）、郝旭〈西安事變發生後的李宗仁和白崇禧〉（《民國春秋》1995年1期）、鄭建民〈論李宗仁與臺兒莊大戰〉（《宜春師專學報》1995年4期）、鍾紹恩〈李宗仁和臺兒莊戰役〉（《廣西社會科學》1988年1期）、中國第二歷史檔案館〈臺兒莊戰役期間李宗仁密電選〉（《歷史檔案》1984年3期）、解力夫〈李宗仁率雜牌軍血戰臺兒莊〉（《炎黃春秋》1995年7期）、蔣順興、杜裕根〈李宗仁隨棗三挫敵鋒〉（《江蘇歷史檔案》1996年2期）、三好章〈李宗仁の抗戰思想と臺兒莊の大勝〉（《中國研究月報》1996年2月號）、曾成貴〈論李宗仁的抗戰思想〉（《湖北社會科學》1987年8期）及〈再論李宗仁的抗戰思想〉（《學術論壇》1988年4期）、郭曉合〈李宗仁的〝焦土抗戰論〞〉（《廣西大學學報》1989年1期）、周聖亮〈李宗仁主皖略論〉（《安徽黨史研究》1989年6期）、夏侯敍五〈楊樹誠與李宗仁交往秘事〉（《江淮文史》1996年4期）、曾巍〈李宗仁為何殺死心腹幹將王公度〉（《民國春秋》1995年1期）、青地晨〈國民黨總統代理李宗仁北京入りの內幕〉（《中央公論》81卷1號，1966年1月）、孫禮明〈李宗仁與1949年國共和談〉（《江西大學學報》1989年3期）及〈李宗仁為何拒絕和平協定〉（《福建黨史月刊》1988年12期）、曹裕文〈李宗仁拒絕《國內和平協定》原因探析〉（《廣西師大學報》1992年1期）、季雲飛〈傳統政治心理制約與李宗仁拒簽國內和平協定〉（《學術論壇》1993年4期）、王青山〈李宗仁拒簽和平協議原因探尋〉（《廣西黨校學報》1990年4期）、謝正清

〈李宗仁為什麼拒絕在《國內和平協定》上簽字〉(《益陽師專學報》1995年2期)、吳雪晴〈南京解放前夕的李宗仁〉(《南京史志》1989年2期)、謝永雄〈試論李宗仁與蔣介石〉(《廣西社會科學》1996年3期)、張宗高〈蔣介石密殺李宗仁內幕〉(《黨史縱橫》1995年4期)、楊振寶〈試論李宗仁歸國的歷史必然性〉(《南都學壇》1990年5期)、胡明華〈李宗仁海外歸來始末〉(《南京史志》1996年2期)、秦九鳳〈籌劃九年與約法三章：李宗仁歸國的前前後後〉(《黨史縱橫》1995年4期)、王曦〈歸來之後一憶我同李宗仁先生共同生活的三年〉(《中外婦女》1987年4期)、謝正清〈李宗仁和平解決臺灣問題的建議初探〉(《益陽師專學報》1993年1期)及〈二論李宗仁和平解決臺灣問題的建議：兼論李宗仁回國〉(同上，1993年3期)、曹裕文〈李宗仁愛國主義思想的表現及根源〉(《學術論壇》1994年5期)、鄢慕先等〈李宗仁軍事思想論綱〉(《軍事歷史》1993年5期)、Robert E. Bedeski, “Li Tsung-jen and the Demise of China's “Third Force” (Asian Survey, Vol.5, No.12, Dec. 1965)。黃紹竑《五十回憶》(2冊，杭州，風雲出版社，民34再版)、馮璜〈黃紹竑傳略〉(《學術論壇》1981年2期)、李潔〈閒話桂系人物㈠—㈥—黃紹竑〉(《中外雜誌》40卷6期、41卷1-5期，民75年12月、76年1-5月)及〈又談黃紹竑—閒話桂系人物第二部〉(同上，42卷5、6期，民76年11、12月)、陸仰淵〈孫中山委黃紹竑〝廣東討賊總指揮〞質疑〉(《學術研究動態》1982年3期)、黃宗炎〈黃紹竑與廣西近代建設〉(《廣西社會科學》1988年4期)、董中生〈黃紹竑三任省主席—七省主席幕中記之二〉(《中外雜誌》42卷1、2期，民76年7、8月)、鄧定旭〈黃紹竑與周恩來在抗戰期間的交往〉（《廣西黨史》1996年1期）。賈廷詩等訪問、陳存恭記錄整理《白崇禧先生訪問紀錄》（2冊，臺北，中央研究院近代史研究所，民73）、黃嘉謨編《白崇禧將軍北伐史料》（同上，民83）、蘇志榮等編輯《白崇禧回憶錄》（北京，解放軍出版社，1987）、張國平編《白崇禧將軍傳》（上海，新中國出版社，民27）、蕭志華等編《小諸葛白崇禧外傳》（鄭州，河南人民出版社，1989）、程思遠《白崇禧傳》（香港，南粵出版社，1989）、俞德華〈白崇禧傳略〉（《玉林師專學報》1989年1、2期）、黃雲文執筆、王成聖、黃啟武校訂〈白崇禧傳〉（《中外雜誌》41卷4期—42卷5期，民76年4—11月）、劉鳳翰〈白崇禧〉（載《中華民國名人傳》第8冊，臺北，近代中國出版社，民77）、劉弼〈談「小諸葛」白崇禧〉（《傳記文學》20卷3期，民61年3月）、唐柱國〈小諸葛真是小諸葛：白崇禧傳奇〉（《中外雜誌》53卷5期，民82年5月）、唐德剛〈白崇禧秘史－老諸葛是小說，小諸葛是歷史〉（同上，60卷1、2期，民85年7、8月）、謝康〈白崇禧別傳〉（同上，25卷2-6期、26卷1期，民65年2-7月）、鄧以彭〈白崇禧的功過－閒話桂系人物之二〉（同上，27卷4期，民69年4月）；〈陸軍一級上將白崇禧百年誕辰紀念專輯〉（《廣西文獻》60期，民82年4月）、黃啟武〈憶述白健公生前數事〉（同上，22-31期，民72年10月-74年1月）、梁家駒〈懷念一代名將白崇禧將軍〉（同上，18期，民71年10月）、向隅〈白崇禧早期崛起廣西的經緯〉（同上，第2期，民67年9月）、王尚寬〈現代孔明白崇禧〉（《中外雜誌》57卷3-5期，民84年3-5月）、常啟明〈白崇禧將軍與桂林回族伊斯蘭教片斷〉（《回族研究》1996年2期）、石永貴〈白崇禧與中國回教〉（《中外雜誌》60卷1期，民85年7月）、程思遠〈白崇禧和蔣介石之間〉（《人物》1985年6期）、程思遠〈我所知道的白崇禧〉（《學術論壇》1985年1、2、3、6期及1986年1、2、3、6期）、黃嘉謨〈白崇禧與西北國防問題〉（《廣西文獻》60期，民82年4月）、黃廷瑋〈抗日英雄俠骨柔腸：白崇禧的故事〉（《中外雜誌》60卷5期，民85年11月）、張志輝〈白崇禧與抗日游擊戰〉（《軍事歷史》1995年4期）、黃漢星〈湘江戰役中的白崇禧〉（《炎黃春秋》1993年3期）、程思遠〈在兩面作戰中白崇禧所用的策略〉（《學術論壇》1987年1期）、胡隆鎂、劉顯才〈試述白崇禧的抗日活動〉（《廣西黨校學報》1987年5期）、中國第二歷史檔案館〈解放戰爭時期白崇禧等策動〝和平運動〞情報〉（《民國檔案》1989年3期）、陳三井〈白崇禧與二二八事件〉（載《中華民國史專題論文集：第一屆討論會》，臺北，國史館，民81年12月）、〈白崇禧與二二八事件〉（《中外雜誌》52卷4期，民81年10月）及〈白崇禧與二二八善後〉（同上，59卷6期，民85年6月）、黃嘉謨〈追求大是大非：白崇禧宣慰臺灣記〉（同上，60卷2、3期，民85年8、9月）及〈白崇禧與臺政改進—《白崇禧上將與臺灣二二八事件座談會》發言〉（《廣西文獻》74期，民85年10月）、陳存恭〈族群融和的典範—白崇禧將軍〉（同上）、陳三井〈二二八事件與白崇禧來臺宣慰〉（同上）、牟甲銖〈白上將崇禧來臺處理「二二八」事件經過〉（《廣西文獻》40期，民77年4月）、黃嘉謨〈白崇禧宣慰臺灣紀實〉（同上，73期，民85年7月）、陳三井〈族群融和的典範：白崇禧與二二八善後〉（《中外雜誌》59卷6期，民85年6月）、李佐杰〈如此興亡得幾回——徐蚌·淮海·白崇禧〉（《史學通訊》25

期，民81年5月）、張軍〈白崇禧在武漢的最後的日子〉（《民國春秋》1995年2期）、劉鳳翰〈白健生先生幾個重要階段〉（《廣西文獻》73期，民85年7月）、王熙蘭〈白崇禧在臺暴死之謎〉（《江淮文史》1995年2期）。

其他的新桂系將領如黃旭初（1892-1975）、李濟深（1885-1959）、李明瑞（1896-1931）等人則有關立雄〈黃旭初的一生〉（《玉林師專學報》1984年1期）、廣西建設研究會《黃旭初言論集》（民30年出版）、黃嘉謨〈黃旭初的後期著作〉（《廣西文獻》63-66期，民83年1、4、7、10月）、馮樹〈黃旭初先生主桂之治績〉（同上，第3期，民68年1月）、李濟深著、民革中央宣傳部編《李濟深詩文選》（北京，文史資料出版社，1985）、廣西壯族自治區政協文史研究委員會等編《李濟深紀念文集》（南寧，廣西人民出版社，1986）、姜平、羅克祥〈李濟深傳〉（北京，檔案出版社，1993）、李寶靖〈愛國名將李濟深〉（北京，接力出版社，1994）、李甲孚〈李濟深評傳〉（《中外雜誌》57卷6期，民84年6月）、劉樂揚〈訪問李濟深〉（《新聞研究資料》18輯，1983）、徐鑄成〈我所認識的李濟深先生〉（《名人傳記》1985年1期）、張克明〈李濟深先生二三事〉（《中國建設》1986年2期）、夏煜〈對《政壇回憶》〉的幾點訂正：關於李濟深史料的訂正〉（《學術論壇》1984年6期）、彭述新〈李濟深研究概況〉（《學術研究動態》1992年4期）、黃宗炎〈李濟深扶植新桂系起家略論〉（《玉林師專學報》1984年1期）、楊鐵如〈李濟深在桂林二三事〉（《學術論壇》1981年5期）、姜平〈第一次北伐期間的李濟深〉（《民國檔案》1993年4期）、彭建新〈李濟深對和平解決西安事變的貢獻〉（《人文雜誌》1993年4期）、杜士勇〈李濟深與中國共產黨〉（《桂海論叢》1992年4期）、王覺源〈李濟深與「民促會」—中國黨派滄桑錄之五〉（《中外雜誌》27卷3期，民69年3月）、陳言《蔣介石和李濟深》（長春，吉林文史出版社，1996）、陳伯強〈李濟深的三次革命轉變〉（《武漢大學學報》1987年1期）、王凌雲〈為和平、民主奔走不息—記李濟深三次被國民黨開除黨籍〉（《民國春秋》1987年3期）、彭建新〈〝九一八〞事變後李濟深不斷進步的原因探究〉（《桂海論叢》1995年3期）、〈李濟深擁護抗日民族統一戰線〉（《廣西黨史研究通訊》1992年2期）及〈論李濟深的抗日救國主張〉（《桂海論叢》1993年3期）、杜士勇〈抗日戰爭時期的李濟深〉（《廣西黨史》1995年6期）、張靜英〈抗日戰爭時期李濟深在廣西的積極作用〉（《廣西黨校學報》1990年5期）、姜平〈李濟深抗日救國活動述評〉（《檔案史料與研究》1993年1期）、楊革平、劉莉玲〈李濟深與陪都抗戰〉（《廣西大學學報》1995年3期）、姜平〈李濟深與國民黨革命委員會的建立〉（載《近代中國人物》第3輯，北京，中國社會科學院近代史研究所，1986）、平野正〈李濟深と中國國民黨革命委員會〉（《西南學院大學國際文化論集》11卷1號，1996年9月）、南聯社編《李濟深將軍在香港》（編者印行，1947）。覃尚文編著《紅軍名將李明瑞》（南寧，廣西教育出版社，1989）、吳智棠、李應芬〈李明瑞的一生〉（《廣西大學學報》1983年2期及1984年1期）、吳智棠〈評價李明瑞思想發展的一份史料〉（《學術論壇》1983年3期）、李藝之〈〝虎將〞、名將—李明瑞〉（《軍事史林》1986年試刊1期）、覃應機等〈紅軍的優秀指揮員，黨的忠貞戰士—紀念紅七軍、紅八軍總指揮李明瑞同志〉（《廣西黨史研究通訊》1984年6期）、盧家翔〈卓越的紅七軍領導人李明瑞〉（《玉林師專學報》1982年1期）、陳大文〈關於李明瑞與改組派的關係問題〉（《廣西黨史研究通訊》1992年2期）、曹治雄〈百色起義的革命先烈—李明瑞烈士傳略〉（《革命烈士傳通訊》1985年1期）、Graham Hutchings, "The Troubles Life and After-Life of a Guangxi Communist: Some Notes on Li Mingrui and the Communist Movement in Guangxi Province Before 1949."（The China Quarterly, No. 104, 1985）。李品仙《李品仙回憶錄》（臺北，中外雜誌社，民64）及《戎馬生涯—皖疆述略》（臺北，大中書局，民60年再版）、王成聖〈李品仙別傳〉（《中外雜誌》51卷1、2、3、5期，民82年1、2、3、5月）、吳智棠〈北伐戰爭前的李品仙〉（《廣西社會科學》1988年3期）、廖富蓀〈北伐戰爭後的李品仙〉（《學術論壇》1990年1期）、童志強〈抗日戰爭中的李品仙〉（《安徽史學》1990年2期）、梁學乾〈李品仙先生的抗戰詩及其背景〉（《廣西文獻》68期，民84年4月）。莫鳳欣〈廖磊傳略〉（《學術論壇》1981年3期）、梁學乾〈夏威將軍事蹟紀略〉（《廣西文獻》73期，民85年7月）、張樹華〈紀念胡宗鐸先生〉（《湖北文獻》42期，民66）。

關於桂系異動（蔣桂戰爭）及護黨救國軍反蔣行動的論著和資料則有陸仰淵〈略論第一次蔣桂戰爭〉（《民國檔案》1986年1期）及〈第一次蔣桂戰爭及其影響〉（《史學論文集（江蘇）》第2輯，1983）、薛謀成〈論蔣桂戰爭〉（《廈門大學學報》1982年4期）、袁競雄、李啟賢〈論蔣桂矛盾的產生和發展〉（《廣西師大學報》1990年2期）、盤福東〈蔣桂衝突和平解決問題新探〉（《社會科學家》1994年3期）、盧家翔〈論蔣桂戰爭中李明瑞的反戈倒桂〉（《河池師專學報》1988年2期）、劉基奎〈蔣介石討桂戰略述略〉（《軍事歷史研究》1986年1期）、孔天熹、段治文〈蔣介石與桂系、馮系、閻系—專論蔣氏取勝的原因〉（《民國檔案》1993年4期）、薛謀成〈蔣馮戰爭述論〉（《廈門大學學報》1989年1期）、簡又文〈西北軍反蔣實錄〉（《中央導報》11期，民20年9月）、高華〈倒戈將軍石友三浦口兵變〉（《南京史志》1985年2期）；魯了翁〈第二馬日事變之前因後果〉（《湖南文獻》3卷3期，民64年7月），係述民國十八年（1929）二月桂系異動的發動—葉琪奉李宗仁命派師長李明瑞、楊騰輝率部夜襲長沙，驅走湘省主席魯滌平之始末。中國國民黨廣東省執行委員會宣傳部編印《討伐桂系軍閥宣傳集》（廣州，民18）；《討伐桂系軍閥》（民18年出版）、中國國民黨漢口特別市黨部整理委員會宣傳部編印《蔣主席討伐桂逆言論集》（漢口，民18）、第一方面軍總政治訓練處編印《護黨救國陣亡將士榮哀錄》（廣州，民20）。至於張發奎（1896-1980）、唐生智（1889-1970）二人異動的論著似付諸闕如，但有關二人生平的論著尚有一些，如張發奎編《第四軍紀實》（臺北，文海出版社影印，民67）、張發奎《抗日戰爭回憶記》（蔡國楨出版，香港，耀群慰金公司印，1981）、廣東省政協文史資料研究委員會等編《揮戈躍馬征塵：張發奎將軍北伐抗戰紀實》（廣州，廣東人民出版社，1990）、朱樸編著《張發奎將軍》（漢口，群力書店，民27）、謝鍾璉譯〈張發奎的一生〉（《傳記文學》36卷5期，民69年5月）、楊天石〈張發奎談南昌起義〉（《檔案與史學》1995年2期）、鄧以彭〈張發奎與廣西〉（《傳記文學》68卷2-4期，民85

年2-4月）、張英南〈試述南昌起義前後的張發奎〉（《江西黨史研究》1989年1期）、繆培基〈張發奎與鐵軍之興衰〉（《中外雜誌》40卷2-4期，民75年8-10月）、廖佳成〈論大革命失敗後張發奎對我黨態度的變化〉（《吉安師專學報》1987年3期）、九坪室主〈張發奎先生與浙江〉（《浙江月刊》4卷11期，民61年11月）、繆培基〈張發奎與抗日戰爭〉（《中外雜誌》44卷1-5期，民77年7-11月）、左雙文〈張發奎與兩廣抗戰述論〉（《抗日戰爭研究》1995年4期）、楊天石〈張發奎在美國哥倫比亞大學訪談對話〉（《傳記文學》68卷2期，民85年2月）。周全《黃埔將帥唐生智》（2冊，北京，長征出版社，1995）、葉惠芬《唐生智與北伐前後政局》（政治大學歷史研究所碩士論文，民81年6月）及〈唐生智與北伐時期政局的轉變〉（《中華民國史專題論文集：第二屆討論會》，臺北，國史館，民83）、孫宅巍〈唐生智論綱〉（《學海》1994年2期）、歐陽雪梅〈試論北伐戰爭中的唐生智〉（《湘潭大學學報》1990年3期）、韓冰〈論唐生智北伐期間的表現〉（《民國檔案》1993年4期）、何紹緣〈北伐戰爭時期的唐生智將軍〉（《零陵師專學報》1988年1期）、鍾鎮藩〈第一次國內革命戰爭時期的唐生智〉（《江漢論壇》1983年3期）、王宣仁〈試論唐生智驅趙反吳歸附革命對北伐戰爭的影響〉（《湘潭大學學報》1988年3期）、寧教奎〈唐生智不可能參與策劃〝馬日事變〞〉（《湖湘論壇》1991年5期）、薛謀成〈李宗仁、唐生智之戰〉（《黨史研究》1985年5期）、劉繼增〈對唐生智〝艷電〞的質疑〉（《黨史研究資料》1986年1-2期）、趙宗鼎〈唐生智鄭州叛變記〉（《中外雜誌》23卷2期，民67年2月）、孟慶春〈從唐生智力主守衛南京城說起〉（《齊齊哈爾師院學報》1995年5

期）、唐善理〈唐生智和南京保衛戰〉（《零陵師專學報》1994年1、2期）、孫宅巍〈評唐生智在南京保衛戰中的功過〉（《歷史檔案》1985年4期）、宅巍、德英〈保衛南京：唐生智蒙冤〉（《炎黃春秋》1993年7期）。

2.中原大戰

為民國成立以來至此規模最大的一次內戰，幾乎當時 所有反蔣、反中央人士如閻錫山（1883-1960）、馮玉祥（1882-1948）、李宗仁、張發奎等軍事將領、國民黨之西山派、改組派（擁汪精衛為精神領袖），均投入此一內戰，除軍事而外，反中央人士還在北平發起成立「中國國民黨中央黨部擴大會議」（簡稱「擴大會議」）及「國民政府」，以與南京之中央方面對抗。關於改組派的資料和論著約有查建瑜編《國民黨改組派資料選編》（長沙，湖南人民出版社，1986）、中國國民黨中央執行委員會宣傳部《改組派之真面目》（民18年印行）、瞿秋白等《反對汪精衛與改組派》（民18年印行）、賀君山《改組派的檢討及汪精衛理論之批評》（南京，拔提書店，民19）、中國國民黨北平特別市黨務指導委員會編《改組派之總檢查》（編者印行，民19）、劉建皋〈改組派初探〉（《歷史研究》1981年6期）、張圻福〈國民黨改組派探析〉（《江海學刊》1985年6期）、李有清〈論國民黨改組派〉（《吉林大學學報》1988年5期）、魯振祥〈關於國民黨改組派〉（《歷史教學》1981年5期）、林德龍〈談談改組派的幾個問題〉（《鄭州大學學報》1982年2期）、宋汝香〈試論國民黨改組派的性質〉（《齊魯學刊》1983年2期）、郭文亮〈國民黨改組派性質新探〉（《湘潭大學學報》1990年1期）、夏國祥〈國民黨改組派性質新論〉（《學術月刊》1991年4期）、山田辰雄〈中國國民黨改組派の政治路線について〉（《1930年代中國の研究》，東京，アジア經濟研究所，1975）、宋仲福〈改組派的性質與中國共產黨的策略〉（《西北師院學報》1985年2期）、石川忠雄、山田辰雄〈中國共產黨の國民黨改組派評價〉（載《市古教授退官記念論叢編集委員會編《論集近代中國研究》，東京，山川出版社，1981年7月）、周長明、樊鋭〈試論國民黨改組派與中國共產黨〉（《自貢師專學報》1990年2期）、孫淑〈瞿秋白論國民黨改組派〉（《南京大學學報》1991年2期）、土屋光芳〈汪精衛は「改組派」の指導者か？〉（《政經論叢（明治大學）》60卷5·6號，1992年3月）、夏國祥〈國民黨改組派存在時間辨析—兼論改組派與汪派的關係〉（《學術月刊》1994年12期）、陳四新〈國民黨改組派思想風行一時的原因〉（《汕頭大學學報》1994年2期）、曹必宏〈國民黨改組派出版宣傳活動述略〉（《檔案史料與研究》1993年3期）、周偉嘉〈武漢政府崩壞後の第三黨と國民黨改組派〉（《東洋學報》77卷3·4號，1996年3月）、賀軍〈國民黨改組派與三·一四鬧劇（1929年）〉（《南京史志》1985年2期）、三谷孝〈大刀會と國民黨改組派—1929年の溧陽暴動について〉（載《中國史における社會と民衆：增淵龍夫先生退官記念論集》，東京，汲古書院，1983）。其他相關者如王光遠〈新軍閥混戰中的汪精衛〉（《北京科技大學學報》1988年2期）。

關於引發中原大戰要因之一的「裁兵」之舉，這方面的論著和資料則有劉維開《編遣會議的實施與影響》（臺北，商務印書館，民78）、國民黨黨史會編輯《革命文獻·第24輯：國民政府成立前後之政治建制史料(4)—國軍編遣》（臺中，編輯者印行，民50）、周開慶〈編遣會議與中原大戰〉（《四川文獻》165期，民66年12月）、李守孔〈國軍編遣會議與中原大戰〉（載《史政學術講演專輯(三)》，臺北，國防部史政編譯局，民78）、柳定〈論1929年國民黨軍編遣會議〉（《安徽史學》1988年1期）、何應欽〈全國編遣會議之意義及使命〉（《軍事政治月刊》21期，民18年3月）、陸建洪〈南京國民〝政府國軍編遣委員會〞組織概況〉（《民國檔案》1992年2期）、松山清一郎〈編遣會議と亡國戰爭〉（《上海時論》4卷6月號，1929年6月）、柴田六郎〈支那の裁兵と軍政問題に就て〉（同上，3卷11月號，1928年11月）、劉其奎〈國民黨新軍閥的裁兵之爭〉（《復旦學報》1984年6期）、梁平〈論蔣介石的〝削藩〞〉（《民國檔案》1993年4期）。

另一要因—國民黨第三次全國代表大會，則有陳公博《所謂三次代表大會價值的估量》（民19年2版）；《中國國民黨第三次全國代表大會快覽》（南京，三民導報社，民18）、奚楚明編《中國國民黨第三次全國代表大會提案彙刊·第1集：黨國重要提案訓政實施計畫》（民18年序）、劉世昌〈第三次全國代表大會〉（《中華學報》4卷1期，民66年1月）、易正義《中國國民黨第三次全國代表大會之研究》（政治大學三民主義研究所碩士論文，民77年6月）、久保亨〈南京政府成立期の中國國民黨：1929年の三全大會を中心に〉（《アヅア研究》31卷1號，1984年4月）。

以中原大戰為題的有張橋編《蔣馮閻桂中原大血戰》（民國風雲秘錄叢書，北京，團結出版社，1995）、山西文史資料編輯部編《中原大戰內幕》（太原，山西人民出版社，1994）、陳森甫《中原戰爭史》（臺南，德華出版社，民66）、鄭孝時《一枕黃粱一蔣馮閻中原逐鹿記》（上海，上海人民出版社，1996）、李靜之〈試論蔣馮閻中原大戰〉（《近代史研究》1984年1期）、郭曉合〈蔣馮閻桂中原大戰〉（《歷史學習》1992年10期）、范力〈論中原大戰〉（《山西大學學報》1990年1期）、陳申如〈評〝中原大戰〞〉（《軍事歷史研究》1992年4期）、艾經武〈中原大戰內幕〉（《縱横》1988年2期）、張安東〈論1930年國民黨新軍閥中原大戰〉（《淮北煤師院學報》1994年2期）、徐有禮〈中原大戰河南戰場史事考〉（《許昌師專學報》1995年1期）、孔子靜〈中原大戰中的許昌風雲〉（《中州今古》1995年1期）、蔣永敬〈張學良與中原戰爭資料舉要〉（《傳記文學》51卷5期，民76年11月）、鄭志廷〈中原大戰期間蔣介石對張學良的引誘和爭取〉（《歷史教學》1989年9期）、周俊儀、王珩、趙淑芹〈中原大戰期間張學良為何能夠倒向蔣介石〉（《佳木斯教育學院學報》1996年3期）、郭緒印〈評中原大戰中馮玉祥的決策〉（《軍事歷史研究》1990年3期）、顧關林〈中原大戰後地方實力派的抗蔣圖存〉（同上，1989年2期）、孔祥毅〈蔣閻馮中原混戰與晉省金融〉（《山西財經學院學報》1980年2期）、宣介溪〈憶中原大戰關鍵性角色韓傑〉（《傳記文學》36卷2期，民69年2月）、沈雲龍〈中原大戰與犧牲救國同盟會〉（同上，31卷5期，民67年10月）、王禹廷〈中原大戰與西安事變〉（同上，39卷6期，民70年12月）、莊民生〈論中原大戰後地方軍閥爭鬥的特點〉（《上海大學學報》1992年3期）。至於其他馮玉祥、閻錫山與中原大戰之關係的論著，已在「軍閥政治」單元中〈國民軍系〉、〈晉系〉條中舉述，可參閱之。

以擴大會議為題的有鄒魯《擴大會議》（北平，中國國民黨擴大會議，民19）、不同《所謂擴大會議》（天津，撰者印行，民19）、中國國民黨中央執行委員會宣傳部編印《擴大會議與汪逆精衛》（2冊，南京，民19）、沈雲龍〈擴大會議之由來及經過〉（《傳記文學》33卷4期，民67年10月）、孫彩霞〈反蔣〝擴大會議〞述評〉（《晉陽學刊》1983年4期）、胡平生〈反蔣派大聯合—擴大會議的成因與反思〉（《歷史月刊》67期，民82年8月）、王光遠〈1930年中國國民黨中央擴大會議大事記〉（《北京檔案史料》1987年1期）、韓信夫〈閻錫山的黨統主張與北平擴大會議〉（《民國檔案》1994年2期）、趙效沂〈「擴大會議」的政治風暴〉（《傳記文學》33卷4期，民67年10月）、顧耕野〈北平擴大會議與東北之態度〉（《東北文獻》10卷4期，民69年5月）及〈北平擴大會議與東北促成統一之史實〉（同上，12卷4期，民71年5月）。

其他相關者如張菊春〈閻錫山反蔣始末〉（《北京科技大學學報》1988年2期）、李炳圭等〈1930年軍閥何鍵兩次失守長沙述評〉（載《西南軍閥史研究叢刊》第3輯，1985）、簡又文〈西北軍反蔣實錄（下篇）〉（《中央導報》11期，民20年9月）、國民黨中央執行委員會宣傳部編印《討伐叛黨禍國殃民的閻錫山、馮玉祥》（南京，民19）、柴田六郎〈蔣・馮の鬥爭〉に就て〉（《上海時論》4卷6月號，1929年6月）。

3.寧粵分裂

亦稱廣東事變，係因胡漢民事件（亦稱湯山事件，為蔣中正、胡漢民兩人之衝突）而引致成國民黨內之廣東派聲援胡氏，再擴大為所有反蔣、反中央人士參與的寧粵分裂（反蔣、反中央人士在廣州發起成立「中國國民黨中央執監委員非常會議」及「國民政府」，與南京方面相抗。廣西之李宗仁、白崇禧等亦支持廣東，一致行動）。關於胡漢民（1879-1936）的資料和論著有胡漢民《不匱室詩鈔》（8卷，共2冊，南京，國葬典禮委員會，民25；臺北，中華叢書委員會影印，民47）、國民黨黨史會編《胡漢民先生文集》（4冊，臺北，編者印行，民67）、《胡漢民先生詩集》（同上）、《胡漢民先生墨蹟》（同上）及《胡漢民先生遺稿》（中華民國史料研究中心編，臺北，臺灣中華書局，民67）、胡漢民講《胡漢民先生演講集》（上海，民智書局，民16）及《胡漢民先生在俄演講錄》（同上）、山西省黨部編印《胡漢民先生最近講演集》（民17年印行）；《胡漢民先生遺教輯錄》（廣州，中央黨部西南執行部，民25）、袁清平等編《胡漢民先生名著集》（軍事新聞社，民25）、吳曼君選《胡漢民選集》（臺北，帕米爾書店，民48）、胡漢民著、王養沖編《南京的對日外交：胡漢民先生政論選輯》（中興學會，民24）、胡漢民《胡漢民自傳》（臺北，傳記文學出版社，民58；臺北，國民黨黨史會，民67）及〈胡漢民自傳續篇〉（《近代史資料》1983年2期）、胡主席治喪委員會《胡先生紀念專刊》（廣州，民25；臺北，文海出版社影印，民62）、民團週刊社編印《胡主席漢民先生逝世紀念日》（廣州，民27）、中國國民黨駐安南總支部《胡主席展堂先生榮哀錄》（民25年序）、存萃學社編集《胡漢民事跡資料彙輯》（5冊，香港，東大圖書公司，1980）蒐集各家撰傳及胡氏自傳、言論，凡二百餘萬言，共三千餘頁，足供研治此時期史事之參考採摭印證；時希聖編《胡漢民言行錄》（上海，廣益書局，民20）；《胡主席事略及年表》（南京，首都各界追悼胡主席大會，民25）、姚漁湘《胡漢民先生傳》（臺北，中央文物供應社，民43）、墨人《詩人革命家—胡漢民傳》（臺北，近代中國出版社，民67）、周聿峨、陳紅民《胡漢民評傳》（廣州，廣東人民出版社，1989）、須力求《胡漢民評傳》（鄭州，河南教育出版社，1990）、蔣永敬〈胡漢民先生年譜稿〉（載吳相湘主編《中國現代史叢刊》第3册，臺北，正中書局，民50）及《胡漢民先生年譜》（臺北，國民黨黨史會，民67；臺北，臺灣商務印書館將此書列爲其「新編中國名人年譜集成」第12輯，書名改爲《民國胡展堂先生漢民年譜》，民70年1月出版）、梁寒操、蕭次尹《胡漢民先生》（臺北，胡漢民先生九秩冥誕紀念會印行，民57）、Lau Yee Cheung, Hu Han-min: A Scholar-revolutionary in Contemporary China.（Ph. D. Dissertation, University of California-Santa Barbara, 1986）、William Tze-fu Chu, Hu Han-min: A Political Profile（1879-1936）.（Ph. D. Dissertation, St. John's University, 1978）、陳肇棋編《胡漢民先生過越彙記》（南圻華僑日報，民17）、陳紅民〈胡漢民年表（1931年9月-1936年5月）〉（《民國檔案》1986年1、2期）、Melville T. Kenney, Jr., "Hu Han-min: His Career and Thought"（In Hsüeh Chün-tu ed., Revolutionary Leaders of Modern China, London: Oxford University Press,1971）、David P. Barrett, Socialism, Marxism and Communism in the Thought of Hu Han-min.（Ph. D. Dissertation, London University, 1978）、巴雷特（David P. Barrett）〈國民黨中國的外國模式：胡漢民的評論（1927-1936）〉（載《民國檔案與民國史學術討論會論文集》，北京，檔案出版

社，1988）、蔣永敬〈胡漢民先生重要事蹟及其影響〉（《傳記文學》28卷6期，民65年6月）、陶季邑〈對胡漢民的再認識〉（《社會科學戰線》1993年4期）、盧偉林〈胡漢民書生報國〉（《中外雜誌》44卷4期，民77年10月）及〈胡漢民先生的勛業〉（《廣東文獻》18卷1期，民77年3月）、王茂勳〈開國元勳胡漢民先生〉（《屏女學報》第6期，民69年10月）、張萬熙〈胡漢民的風格才情〉（《中外雜誌》31卷5期，民71年5月）、李大超〈當代革命哲人胡漢民先生〉（《廣東文獻》8卷4期，民67年12月）及〈胡先生的風骨與識見〉（《傳記文學》28卷6期，民65年12月）、張志韓〈有所為有所不為的胡漢民先生〉（同上）、沈雲龍〈胡漢民先生是民國史上的關鍵性人物〉（同上）、周雍能〈我對展堂先生的認識〉（同上）、鄭彥棻〈胡展堂先生的生平及其對國父革命思想的闡釋〉（《傳記文學》33卷6期，民67年12月）及〈胡展堂先生的生平及其對國父革命思想的闡揚〉（《中國現代史專題研究報告》第9輯，民68）、陶季邑〈胡漢民與《民報》〉（《益陽師專學報》1992年3期）、周聿峨〈論辛亥革命時期的胡漢民〉（《近代史研究》1988年3期）及〈辛亥革命時期的胡漢民〉（《廣州研究》1986年11期）、蔣永敬〈胡漢民與民國創建〉（《近代中國》84期，民80年8月；又載《中國現代史專題研究報告》14輯，民81）、中國第二歷史檔案館〈有關胡漢民被袁免職後粵省政局的一組史料（1913年7月至10月）〉（《歷史檔案》1986年3期）、望月敏弘〈五四運動をめぐる孫文グループ－胡漢民の主張を中心として〉（《慶應義塾大學法學研究科論文集》17號，1982）、陶季邑〈五四時期胡漢民對唯物史觀的宣傳〉（《貴州師大學報》1992年3期）、左雙文〈胡漢民與五四時期的社會主義思潮〉（《廣東社會科學》1989年2期）、李彥紅、苦人〈胡漢民與社會主義在中國的傳播〉（《湘潭師院學報》1989年5期）、馮崇義〈論1919-1927年的胡漢民〉（《近代史研究》1989年3期）、David P. Barrett, "The Role of Hu Hanmin in the First United Front: 1922-27."（The China Quarterly, No. 89, March 1982），其中譯文為〈〝第一次統一戰線〞中的胡漢民〉（載《國外近代中國史研究》第9輯，北京，中國社會科學出版社，1988）、吳群力〈簡論大革命時期的胡漢民〉（《嶺南文史》1993年3、4期）、李耀堂、陸春〈論胡漢民對國共合作態度的演變〉（《廣州師院學報》1991年4期）、黃季陸〈胡先生與西山會議〉（《傳記文學》28卷6期，民65年6月）、郭恒鈺〈胡漢民訪問蘇俄〉（《國史館館刊》復刊21期，民85年12月）、朱和中〈與胡漢民先生遊俄八個月之回想〉（載吳相湘主編《中國現代史叢刊》第3册，臺北，正中書局，民49）、陳瑞雲〈胡漢民與南京國民政府〉（載張憲文主編《民國研究》第2輯，南京大學出版社，1995年7月）、陳鳴鐘等〈南京國民政府成立後胡漢民曾出任主席質疑〉（《民國檔案》1985年2期）、蔣永敬〈胡漢民與清黨運動〉（《中華民國史料研究中心十周年紀念論文集》，臺北，民68）、Lau Yee-Cheung, "Begining of the End: Hu Han-min's Role in the Final Breakdown of the First KMT-CCP Collaboration."（《香港中國近代史學會會刊》第2期，1988）、劉永國《胡漢民對於三民主義理論闡揚之研究》（政治大學三民主義研究所碩士論文，民72）、羅剛〈胡展堂先生對三民主義的研究〉（《學宗》1卷3期，民49年9月）、吳相湘〈胡漢民主持編訂新法典〉（載氏著《民國人物列傳》上册，臺北，傳記文學出版社，民75）、鄭彥棻〈胡展堂先生對憲政的貢獻〉(《廣東文獻》8卷4期，民67年12月)、桂崇基〈立法院長時期之胡漢民先生〉(《傳記文學》28卷6期，民65年12月)、席富群〈1928-1931年的胡漢民〉(《史學月刊》1994年2期)、中國第二歷史檔案館〈胡漢民孫科為擬訂訓政大綱致譚延闓等電〉(《歷史檔案》1983年3期)、李黎明〈蔣胡約法之爭初探〉(《史學月刊》1996年2期)、金以林〈胡漢民與〝非常會議〞〉(《近代史研究》1991年2期)、陳紅民〈九一八事變後的胡漢民〉(《歷史研究》1986年3期)、劉世平〈九一八事變後胡漢民與汪精衛民族主義觀之比較〉(《黨史研究與教學》1996年2期)、蔣永敬〈國民黨三巨頭胡汪蔣的分合》(《傳記文學》62卷3期，民82年3月)及〈胡汪蔣關係之演變〉(載《近代中國歷史人物論文集》，臺北，中央研究院近代史研究所，民82)、李松林〈論一二八事變前後蔣介石、胡漢民、汪精衛圍繞對日政策之爭〉(《黨史研究資料》1992年9期)、中國第二歷史檔案館〈蔣介石抵制胡漢民孫科在歐活動函電選〉(《歷史檔案》1984年2期)、徐金根、趙文霞〈胡漢民軍事倒蔣的三封密札〉(《南京史志》1993年6期)、楊天石〈胡漢民的軍事倒蔣密謀與胡蔣和解—海外訪史錄〉(《抗日戰爭研究》1991年1期)、李殿元〈對胡漢民兩組信函的研究〉(《四川文物》1993年2期)、楊振亞〈胡漢民的三項政策不是舊三民主義〉(《江海學刊》1988年4期)、王智榮《胡漢民政治人格之研究》(政治作戰學校政治研究所碩士論文，民76)、陳紅民、周聿峨〈關於胡漢民與孫中山關係的幾個問題〉(《南京大學學報》1987年1期)、董劍平、趙矢元〈孫中山與胡漢民關係述評〉(《社會科學輯刊》1986年5期)、邱捷〈國民黨〝一大〞前後孫中山與胡漢民的關係〉（載《孫中山研究論叢》第2集，1984）、蕭杰《蔣介石和胡漢民》（長春，吉林文史出版社，1995）、陳彬龢〈蔣胡鬥爭〉（《三民主義月刊》2卷6期，民31年3月）、鄭梓《民國前期胡漢民思想研究（1879-1911）》（《東海大學歷史研究所碩士論文，民68年5月）、成臺生《胡漢民的政治思想》（中國文化學院政治研究所碩士論文，民65年7月）、李黎明〈胡漢民〝訓政〞思想的形成和特點〉（《齊魯學刊》1995年2期）、席富群〈胡漢民民族主義思想述評〉（《河南大學學報》1993年4期）、劉世平〈九一八事變後胡漢民與汪精衛民族主義觀之比較〉（《黨史研究與教學》1996年2期）、華友根〈胡漢民法律思想初探〉（《東岳論叢》1992年4期）、左雙文〈胡漢民的中國社會改造思想〉（《廣州研究》1987年1期）、Lau Yee-Cheung, "The Socialist Thought of Hu Han-Min."（In Philip Yuen-sang Leung & Edwin Pak-wah Leung, eds., Modern China in Transition: Studies in Honor of Immanuel C. Y. HSü, Claremont, Calif.: Regina Books, 1995）、陶季邑〈試論辛亥革命時期胡漢民的社會主義思想〉（《貴州社會科學》1992年10期）、尹世哲〈胡漢民的社會主義思想〉（載張憲文主編《民國研究》第2輯，1995年7月）、李其駒、王炯華〈胡漢民與唯物史觀在中國的最初傳播〉（《社會科學評論》1987年3期）、鄭彥棻〈胡漢民先生的教育思想〉（《中外雜誌》26卷1期，民68年7月）、蔣永敬〈胡漢民先生提倡女權的思想及其成就〉（《食貨月刊》復刊8卷7期，民67年10月）及 "Hu Han-min's Ideas on Womens Right and His Achievements."（New York: China in History, Summer 1977）、劉義章〈胡漢民的抗日思想〉（載《紀念抗日戰爭勝利五十周年學術討論會論文集》，香港，1996）、鄭彥棻〈胡漢民先生的「學生修身學」〉（《廣東文獻》9卷1期，民68年3月）、李雲漢〈研讀胡先生言論著述的一點心得〉（《傳記文學》28卷6期，民65年12月）。

關於「非常會議」、寧粵分裂及「寧粵上海和平會議」有中國國民黨中央執監委員非常會議編印《討蔣文電集（初編）》（廣州，民20）及《討蔣言論集（初編）》（同上）；非常會議尚出版有《中央導報》（週刊），共23期（民20年7月1日至21年1月1日），亦載有不少「討蔣」言論；聞少華、孫彩霞〈〝非常會議〞中的幾個問題〉（《近代史研究》1985年6期）、馮詔霆〈國民黨非常會議史料一束（1931年10-12月）〉（《檔案與歷史》1988年1期）、金以林〈胡漢民與〝非常會議〞〉（《近代史研究》1991年2期）、王軍〈孫科與非常會議〉（《湘潭大學學報》1995年3期）、沈雲龍〈廣州非常會議的分裂與寧粵滬四全代會的合作〉（《傳記文學》35卷3期，民68年9月）、林能士〈約法之爭與派系糾葛—寧粵的分裂與影響〉（《歷史月刊》67期，民82年8月）、張天任《寧粵分裂之研究—民國20年至21年》（中壢，宏泰出版社，民81）及〈寧粵「上海和平會議」之研究〉（《中正嶺學術研究集刊》第4集，民74年6月）；中國第二歷史檔案館提供〈1931年寧粵和平會議〉（《歷史檔案》1982年1期）、和平促進會編印《和平會議重要言論集（附和會經過紀實）》（民20年出版）；《會議錄（第1-7次）》（民20年出版）記上海之寧粵和平會議的地點、日期、出席代表、報告事項等。

其他如中國國民黨中央執行委員會宣傳部編印《規箴廣東事變之文電》（民20年）、中國國民黨安徽省黨務整理委員會宣傳部編印《粵變之認識》（民20年出版）、中國國民黨廣東省黨務特派員辦事處編印《粵變、文件匯編》（民20年出版）、中國國民黨駐美國總支部編印《二十年和平運動之函電》（民20年出版）、中國青年軍人社編印《和平協作的真偽》（民20年出版）、趙英蘭〈論1931年西南倒蔣運動〉（《社會科學戰線》1992年3期）、中國國民黨廣東省黨部執行委員會宣傳科編印《為什麼要彈劾蔣中正》（廣州，民20）、張天任〈中國國民黨召開「四全大會」背景之研究〉（《中正嶺學術研究集刊》第3集，民73年6月）、胡春惠〈第四次全國代表大會〉（《中華學報》4卷1期，民66年1月）、潘緝賢〈馮玉祥策動石友三反張倒蔣再探〉（《東北地方史研究》1990年4期）、杜連慶、張軍〈〝九一八〞事變前夕的〝張、石之戰〞〉（《遼寧師大學報》1986年3期）、旅大警備區黨史資料徵集辦公室〈討伐石友三集團作戰經過〉（《軍史資料》1987年2期）。

4.察馮事件

有李雲漢〈馮玉祥察省抗日事件始末〉（《中央研究院近代史研究所集刊》第2期，民60年6月）、謝國興〈察馮事件前後的輿論〉（《中國歷史學會史學集刊》14期，民71年5月）、河北省政協文史資料研究委員會編《馮玉祥與抗日同盟軍》（石家庄，河北人民出版社，1985）、印興娣〈馮玉祥與察綏抗日同盟軍〉（《徐州師院學報》1989年1期）、陳長河〈馮玉祥與民眾抗日同盟軍〉（《歷史大觀園》1990年3期）、宋連生〈馮玉祥解散民眾抗日同盟軍原因初探〉（《河北師院學報》1988年4期）、鄭全備、薛謀成〈察哈爾民眾抗日同盟軍的崛起和失敗〉（《歷史教學》1983年2期）、王非〈察哈爾民眾抗日同盟軍大事記〉（《河北學刊》1983年1期）、孫宅巍〈察哈爾抗日同盟軍的愛國壯舉〉（《江海學刊》1984年2期）及〈察哈爾抗日同盟軍史實辨析二則〉（《歷史教學》1986年5期）、王志昂〈試論吉鴻昌籌組民眾抗日同盟軍的原因〉（《殷都學刊》1985年4期）、陳長河、丁思澤〈吉鴻昌與察哈爾民眾抗日同盟軍〉（《歷史檔案》1984年4期）、薛謀成〈國共合作與察哈爾抗日同盟軍〉（《廈門大學學報》1987年2期）、清迅、家富〈黨在察哈爾抗日同盟軍的活動〉（《新時期》1981年8期）、韓陸〈中國共產黨在察哈爾民眾抗日同盟軍成立前後的活動〉（《黨史通訊》1987年5期）、胡寧〈〝左〞傾關門主義與冒險主義對抗日同盟軍的危害〉（《黨史研究》1987年3期）、張會民〈中國共產黨與察哈爾民眾抗日同盟軍〉（《近代史研究》1989年5期）、梁玉魁〈察哈爾民眾抗日同盟軍失敗的原因〉（《歷史教學》1985年1期）、鍾瑞琴〈察哈爾民眾抗日同盟軍失敗的經驗教訓〉（《內蒙古師院學報》1994年2期）、王龍勝選編〈察哈爾民眾抗日同盟軍抗日史料選輯〉（《北京檔案史料》1995年4期）、趙謹三編〈察哈爾抗日實錄〉（上海，軍學書社，民22）、察哈爾抗日同盟軍四週年紀念會編印《察哈爾抗日同盟軍四週年紀念冊》（民26年出版）。

5.福建事變（閩變）

有福建省檔案館編《福建事變檔案資料（1933.11-1934.11）》（福州，福建人民出版社，1984）、薛謀成、鄭全備選編《〝福建事變〞資料選編》（南昌，江西人民出版社，1983）、王順生、楊大緯《福建事變：1933年福建人民政府始末》（福州，福建人民出版社，1983）、中國共產黨左派反對派宣傳部《福建事變與反對派》（政治問題討論集之1，民23）、臺灣省總督府警務局保安課《福建事變概說》（臺北，1935）、日本陸軍省調查部《福建獨立運動に就て》（1934年）、蔡行濤《福建事變敗亡原因之分析》（臺北，三民書局，民67）、廣州先導社編輯《所謂閩變》（編輯者印行，民22）、李敖編〈閩變研究與文星訟案〉（臺北，編者印行，民54）及〈現代史辨偽方法論一用「閩變」作例子〉（《文星》12期，民52年5月）、方慶秋〈福建事變述論〉（《歷史檔案》1983年1期）、鄭勉己、陳能南〈福建事變初探（1933年11月）〉（《福建師大學報》1982年4期）、史敏〈1933年的福建事變〉（《歷史教學問題》1959年3期）、方長明等〈黃火青同志談在福建事變時的經過〉（《黨史研究資料》1982年8期）、范兆琪〈1933年〝福建事變〞的發生和失敗〉（《史學月刊》1983年6期）、符玉玲等〈閩變概況〉（《黨史研究資料》1982年7期）、李守孔〈閩變之研究〉（《珠海學報》16期，1988年10月）、佟謙等〈〝福建事變〞性質初探〉（《中國現代史學會通訊（河南）》1983年1期）、董謙、方孔木〈〝福建事變〞性質探討〉（《近代史研究》1983年4期）、蓋軍、劉文軍〈關於〝福建事變〞幾個問題的探討〉（《黨史研究》1983年2期）、朱德新〈論福建事變、兩廣事變、西安事變的關係〉（《學術論壇》1992年5期）、駱希文〈閩變·西南軍變·崑崙關戰役〉（《中外雜誌》31卷1期，民71年1月）、劉鴻喜〈福建事變與西安事變的歷史比較〉（《寶雞師院學報》1987年1期）、呂迺澄〈陳銘樞與福建事變〉(《歷史教學》1981年3期)、趙社民〈第三黨與福建事變〉(《洛陽師專學報》1988年1期)、王盛譯〈第三黨與福建事變〉(《福建史志》1989年6期)、周偉嘉〈福建事變發動における第三黨の役割〉(《法學政治學論究(慶應大學)》23號,1994年12期)、陳存恭〈「十九路軍」與「閩變」〉(載《史政學術講演專輯(二)》,臺北,國防部史政編譯局,民73)、張曉東〈中國社會性質問題論戰與福建事變〉(《福建論壇》1988年2期)、Angela N. S. Hsi, "Socialist Reform and Fukien Rebellion, 1932-34." (Journal of Asian History, Vol. 11, No.1, 1977)、施雪芹〈華僑與〝閩變〞〉(《八桂僑史》1993年2期)、蘇黎明〈共產國際與福建事變〉(《福建黨史月刊》1990年7期)、本庄比佐子〈福建事變と中國共產黨〉(《中國近代研究センター彙報》15號,1971年10月)、Frederick S. Litten, "The CCP and Fujian Rebellion." (Republican China, Vol. 14, No.1, November 1988)、William Franklin Dorrill, "The Fukien Rebellion and the CCP: A Case of Maoist Revisionism." (The China Quarterly, No.1-3, 1969)、侶潔志〈應實事求是地評價中共對〝福建事變〞的態度〉(《山東醫科大學學報》1991年2期)、張曉東〈福建事變與紅軍長征〉(《黨史資料與研究》1986年6期)、高田甲子太郎〈福建事變と工農紅軍—江西第5次戰役の軍事指導〉(《新防衛論集》9卷1號,1981年6月)、陳松青〈閩變與閩東革命的崛起〉(《福建黨史通訊》1986年2期)、薛謀成〈福建事變與統一戰線〉(《黨史通訊》1983年3期)、本庄比佐子〈福建事變時における「反日反蔣的初步協定」について〉(《東洋學報》66卷1、2、3、4號,1985年3月)及〈福建訪問記一福建事變と閩西ソビェト區と〉（《近代中國研究彙報》第8號，1986年3月）、丁長清〈毛澤東是否提出過利用福建事變實行戰略外線作戰的建議〉（《探索》1991年4期）、溫銳、周聲柱〈毛澤東在〝福建事變〞期間是否提出過〝間接配合〞十九路軍作戰的戰略性建議〉（《江西大學學報》1987年2期）、方長明等〈福建事變前後我黨與十九路軍的合作關係紀事〉（《星火燎原》1984年1期）、符玉玲等〈我黨與十九路軍合作情況〉（《革命史資料》1983年12輯）、鄭復龍〈試析黨內對十九路軍合作問題的分歧〉（《福建黨史月刊》1991年9期）、高炳康〈前事不忘，後事之師一關於紅軍與十九路軍聯合問題〉（《福州師專學報》1982年2期）、王順生〈福建事變期間十九路軍與紅軍的幾次談判〉（《歷史教學》1983年2期）、孫堂厚、楊華〈中共與十九路軍秘密會談紀事〉（《福建黨史月刊》1996年4期）、宮力〈十九路軍何時派陳公培到王臺與彭德懷談判〉（《中共黨史研究》1989年1期）、李元健〈朋口戰鬥是促使十九路軍聯共反蔣的重要一仗〉（《福建黨史月刊》1991年9期）、林蘊暉〈〝左〞傾教條主義者在處理福建事變中的錯誤紀實一駁李德《中國紀事》中的謊言〉（《革命史資料》1983年12輯）、杜秀〈淺析第三次左傾機會主義在福建事變問題上的錯誤〉（《山東師大學報》1991年3期）、葉心瑜〈福建事變中的王明〝左〞傾關門主義錯誤〉（《黨史研究》1982年6期）、羅添時、陳道源〈〝福建事變〞和王明的〝左〞傾錯誤〉（《江西師院學報》1982年3期）、蔣建農〈誰是福建事變的政治領導〉（《黨史研究資料》1989年9期）、蔣仁、佘奎元〈閩變期間國民黨〝討逆〞軍集結浦城和蔣介石的坐鎮指揮〉（《福建史志》1988年1

期）、陳長河〈〝閩變〞後蔣介石曾坐鎮浦城指揮〉（《學術月刊》1986年9期）、仝順祥〈試論福建事變失敗的原因〉（《山東師大學報》1987年6期）、鄭澄桂〈福建事變後是先有人民政府還是先有生產人民黨〉（《福建黨史月刊》1993年11期）；《福建人民日報（1933.11.21-1934.11.12）》（福建圖書館藏，北京，中華書局影印，1986）則為研究閩變不可或缺之重要參考資料。安聞、曉鐘〈三十年代〝福建人民政府〞機關報《人民日報》評析〉（《黨史資料與研究》1987年4期）。

關於生產人民黨（1933年11月閩變上演時，由領導和參與事變的陳銘樞、李濟深、蔣光鼐、蔡廷鍇、黃琪翔等人在福州發起的黨派，由陳銘樞任總書記，閩變失敗後，黨部移往香港，不久即解體）有張潔〈生產人民黨的形成、政綱及其解體〉（《溫州師院學報》1990年1期）、中國第二歷史檔案館〈生產人民黨總綱草案〉（《歷史檔案》1983年1期）、張秋炯〈福建事變中共產黨生產人民黨合作的問題〉（《黨史研究與教學》1995年5期）。

關於「中華共和國人民革命政府」有中華共和國人民革命政府秘書處《開國文獻》（福州，民22）、新免康〈東トルキスタン共和國（1933-34年）に關する一考察〉（《アヅア·アっリカ語言文化研究（東京外語大學）》46、47號，1994）、薛謀成、鄭全備〈福建人民革命政府的成立和失敗〉（《廈門大學學報》1980年1期）、橋本浩一〈福建人民革命政府の政權構想、組織およびその實態〉（《歷史研究（大阪教育大學）》29號，1992年2月）及〈福建人民革命政府の財政經濟基盤と經濟政策について〉（《近きに在りて》25號，1994年5月）、張曉東〈財政問題與〝福建人民政

府″之命運〉（《福建論壇》1992年6期）及〈計口授田政策與福建人民政府運動〉（《黨史研究與教學》1990年6期）、吳用耕〈試評福建人民政府的計口授田政策〉（《福建黨史通訊》1987年5期）、邱松慶〈略論福建人民政府的土地政策〉（《中國社會經濟史研究》1994年4期）、中國第二歷史檔案館（孫修福輯錄）〈福建人民政府中央委員會會議紀錄〉（《民國檔案》1994年1、2期）、李小青〈潛在危機：論1933年福建人民政府及其政策的脆弱性〉（《寧德師專學報》1988年1期）、李德明〈蘇維埃中央政府及紅軍並未與福建人民政府簽訂抗日反蔣協定〉（《黨史研究資料》1988年11期）、石川忠雄〈福建人民革命政府事件と中國共產黨〉（《法學研究》33卷2號，1960年2月）、周偉嘉〈第三黨と福建人民革命政府內の黨派關係〉（《慶應大學法學政治學論究》27號，1995年12月）、張曉東、陳淑貞〈海外華僑與福建人民政府運動〉（《福建論壇》1991年2期）、橋本浩一〈福建人民革命政府の華僑政策と華僑の動向〉（《歷史研究》33號，1996年2月）、沈家五〈試論福建人民革命政府失敗的原因及其影響〉（《歷史檔案》1983年3期）。

關於閩變要人如陳銘樞（1889-1965）、蔣光鼐（1887-1967）、蔡廷鍇（1892-1968）等人及十九路軍（陳銘樞舊部、廣東系統之部隊，1930年由蔣光鼐之第61師及蔡廷鍇之第60師為基礎，擴編為第十九路軍，蔣任總指揮、蔡任軍長，1931年5月，由上海調駐福建，閩變失敗後由南京國府收編，更改番號）有民革中央宣傳部編《陳銘樞紀念文集》（北京，團結出版社，1989）、朱宗震、汪朝光《鐵軍名將—陳銘樞》（蘭州，蘭州大學出版社，1996）、雷嘯岑遺稿〈陳銘樞其人其事〉（《傳記文學》59卷2期，，民80年8月）、朱伯康〈陳銘樞新傳〉（《中外雜誌》57卷1-4期，民84年1-4月）、呂迺澄〈陳銘樞與福建事變〉（《歷史教學》1981年3期）、民革中央宣傳部編《蔣光鼐將軍》（北京，團結出版社，1989）、王能達〈福建事變中的蔣光鼐〉（《革命人物》1987年6期）、廣東省政協文史資料研究委員會等編《一代名將蔡廷鍇》（即《廣東文史資料》71輯，廣東人民出版社，1992）、蔡廷鍇《蔡廷鍇自傳》（2冊，香港，自由旬刊社，1946；哈爾濱，黑龍江人民出版社，1985）、賀朗《蔡廷鍇》（廣州，廣東人民出版社，1991）、李劍翁《蔡廷鍇》（上海，愛國書店，民22）、羅定縣政協文史資料研究委員會編《羅定文史資料·11輯—蔡廷鍇將軍歷史選輯》（1987年印行）、許桂燊、黎民安〈記淞滬抗戰中的蔡廷鍇將軍〉（《報告文學》1984年3期）、卞杏英〈〝一·二八〞淞滬抗戰中的蔡廷鍇〉（《近代中國史論叢》，1984；《上海黨史》，1992年1期）及《蔡廷鍇將軍—從淞滬抗戰到福建事變》（福州，福建人民出版社，1994）、李以劻〈記淞滬抗日名將蔡廷鍇的一生〉（《傳記文學》69卷4期，民85年10月）、青倫〈蔡廷鍇〝違令〞抗日〉（《廣東黨史》1995年3期）、招國富、李揚〈愛國將領蔡廷鍇〉（《廣州研究》1985年6期）、章國棟等〈蔡廷鍇將軍二三事〉（《華夏》1987年3期）、廖榮富〈蔡廷鍇的兩次失誤及教訓〉（《福建黨史月刊》1995年10期）、鄒畢兆〈紅軍與蔡廷鍇、陳濟棠之間的幾件往事〉（《革命史資料》1981年4期）、胡江平〈胡文虎與蔡廷鍇〉（《華夏》1985年4期）、李以劻〈紀念抗日名將蔡廷鍇百歲誕辰〉（《黃埔》1992年4期）、張曉東〈為〝福建事變〞捐軀的徐名鴻〉

（《福建論壇》1986年5期）、黃坤池《抗日名將翁照垣》（廣州，廣東旅遊出版社，1990）；丘國珍《十九路軍興亡史》（香港，宇宙出版社，1969；臺北，文海出版社影印，民67）、歐陽佑民〈淞滬抗戰前的十九路軍〉（《廈門大學學報》1992年2期）、潘湘官、歐陽佑民〈略論淞滬戰爭爆發和十九路軍備戰〉（《福州大學學報》1992年1期）、抗日急進會編印〈十九路軍抗日血戰之真相〉（民21年出版）、戰地新聞社編印《十九路軍抗日戰史·第1、2集》（上海，民21年出版）、華振中、朱伯康編《十九路軍抗日血戰史》（上海，神州國光社，民22）、高慎行編《十九路軍血戰全史》（上海，遠東編譯社，民21）、夢餘山館主人編印《中華十九路軍血戰史》（民21年印行）、夢蝶《十九路軍殺賊記》（舊金山，世界日報社印刷，民21）、廣東省政協文史資料研究委員會編《淞滬烽火：十九路軍〝一二八〞淞滬抗戰紀實》（廣州，廣東人民出版社，1991）、于翔麟〈十九路軍簡史及其幹部略歷〉（《傳記文學》52卷1、2期，民77年1、2月）、劉敬揚、張曉東〈十九路軍〝閩西銀行〞紙幣性質芻議〉（《福建學刊》1993年2期）、馮都〈抗日先鋒第十九路軍的輝煌與哀傷〉（《廣東黨史》1995年6期；亦載《黨史博采》1996年2期）、彭澤〈華僑對十九路軍抗戰的支援〉（《福建黨史月刊》1995年5期）、陳燕茂、黃和春〈十九路軍史略〉（《廣東文史資料》23、24輯，1979年6月、9月）、蔣建農〈神州國光社與十九路軍〉（《史學月刊》1992年3期）。至於李濟深的資料和有關論著已在前「新桂系」中列舉，可參見之。

其他相關者尚有周偉嘉〈福建省における初期第三黨の發展と中共〉（《法學政治學論究》20號，1994年3月）、陳淑銖〈閩變前

後福建的〝計口授田〞政策（民21.5-23.1月）〉（《中國歷史學會史學集刊》24期，民81年7月）。

6.兩廣事變

以陳濟棠（1890-1954）為首的廣東軍政集團與以李宗仁為首的廣西軍政集團，雙方合作反蔣反中央，僅只三個多月，便以失敗收場。關於陳濟棠、李宗仁等的資料和論著前已列舉，不再贅述。關於兩廣事變則有施家順《兩廣事變之研究》（高雄，復文圖書出版社，民81）、李靜之〈兩廣事變性質初探〉（《歷史檔案》1985年2期）、沙東迅〈論〝兩廣事變〞的性質〉（《軍事史林》1988年2期）、夏潮〈試論〝兩廣事變〞〉（《近代史研究》1986年3期）、譚慶〈如何正確評價〝兩廣事變〞〉（《廣西社會科學》1995年6期）、張廣川〈〝兩廣事變〞新議〉（《爭鳴》1991年2期）、王錦俠等〈兩廣事變與中國共產黨逼蔣抗日方針的形成〉（《中共黨史研究》1990年2期）、王錦俠〈兩廣事變的性質是「逼蔣抗日」〉（《廣西大學學報》1991年1期）、郭曉合、羅嘉寧〈〝兩廣事變〞前後新桂系政治態度的變化〉（同上，1985年1期）、李炳東〈新桂系與兩廣「六一」事變〉（《西南軍閥史研究叢刊》第5輯，1986）、王樹祥〈論兩廣事變中中共與桂系的合作〉（《學術論壇》1994年6期）、羅雲材、王錦俠〈試論中國共產黨與〝兩廣事變〞〉（《廣西社會科學》1988年4期）、曹光哲、劉俐〈中國共產黨對兩廣事變策略新議〉（《桂海論叢》1991年3期）、王錦俠、張奇〈兩廣事變與中國共產黨〝逼蔣抗日〞方針的形成〉（《中共黨史研究》1990年2期）、王青山〈共產國際的影響與中國共產黨對兩廣事變的策略〉（《社會科學家》1993年6期）、劉莉玲〈救國會與兩廣事變〉（《廣西大學學報》1990年1期）、李安葆〈紅軍長征與兩廣事變〉（《黨史與教學》1990年4期）；〈兩廣事變紀〉（《廣西地方志通訊》1988年3、5期）、劉廷芳〈我説服蔣介石化解一場內戰危機〉（《文史精華》1996年4期）、〈記兩廣〝六一事變〞未曾公開的一段內幕〉（《傳記文學》50卷2期，民76年2月）、張珂〈對劉廷芳、唐德剛〝兩廣事變〞大文的補充〉（同上，50卷3期，民76年3月）、繆俊杰〈他解開了〝兩廣事變〞中一個歷史之謎—記劉廷芳先生的一段重要經歷〉（《人物》1989年3期）、陳誠口述、柳克述筆記〈兩廣六一事變處理經過〉（《民國檔案》1989年1期）、錢根娣、張重言選編〈兩廣事變後蔣介石與陳濟棠來往函電（1936年6月-8月）〉（《檔案與歷史》1989年1期）、程思遠〈白崇禧與兩廣事變—我所知道的白崇禧〉（《學術論壇》1987年2、4期）；〈〝六一事變〞後蔣介石李宗仁等往來函電選〉（《傳記文學》53卷4期，民77年10月）、重慶市檔案館編《歷史檔案—兩廣六一事變後蔣介石與李宗仁等來往函電選》（北京，歷史檔案雜誌出版社，1987）、雲南省檔案館編《歷史檔案—兩廣六一事變前龍雲與蔣介石等來往函電選》（同上）；〈〝六一事變〞前龍雲與兩廣及中央來往函電選〉（《傳記文學》53卷4期，民77年10月）、韋永成〈再談六一運動〉（《廣西文獻》第9期，民69年7月）、李德標〈廣東空軍飛京記〉（《傳記文學》30卷1期，民66年1月）、李繼唐〈廣東空軍北飛記—陳濟棠失機下野內幕〉（《中外雜誌》41卷5、6期，民76年5、6月）、鄭梓湘〈記當年廣東空軍挽回粵戰危局的一幕往劇〉

(《廣東文獻》4卷4期,民63年12月)、馬偉鷃〈〝兩廣事變〞與〝西安事變〞〉(《廣西民族學院學報》1986年2期)、陳鳴鐘〈蔣介石解決〝兩廣事變〞的方針和策略〉(《歷史檔案》1983年2期)、陳漢孝〈馮玉祥與兩廣事變的和平解決〉(《近代中國人物》第3輯,北京,中國社會科學院近代史研究所,1986)、王靜〈論〝兩廣事變〞之和平解決〉(《河北學刊》1994年4期;亦載《黨史研究資料》1994年8期)、陳存恭〈從「兩廣事變」的和平解決檢討「安內攘外」政策〉(載《抗戰前十年國家建設史研討會論文集》上册,民73)、王青山、鄧學藝〈兩廣事變和平解決原因探析〉(《社會科學家》1989年6期)。

其他相關者有威達《西南異動始末之回想》(廣州,國民印務有限公司,民25)、鄭俊琰〈試析西南反蔣時期的陳蔣關係〉(《長沙水電師院學報》1990年3期)、中國第二歷史檔案館〈吳鐵城關於西南政局及實力派倒蔣活動密電選〉(《民國檔案》1996年3期)、鄭俊琰〈試析西南反蔣時期廣東軍事集團的財經措施〉(《中國社會經濟史研究》1988年4期)、John Fitzgerald, "Increased Disunity: The Politics and Finance of Guangdong Separatism, 1926-1936" (Modern Asian Studies, Vol.24, NO.4, October 1990)、中國國民黨西南執行部編印《西南執行部黨務年刊》(民21-24年)、中國國民黨西南執行部秘書處編印《西南黨務月刊》(民21-24年)、國民革命軍第一集團軍總司令部政治訓練處編印《軍聲月刊》(民20-23年)、國民革命軍第一集團軍總司令部特別黨部編印《心聲月刊》(民25年)、國民革命軍討逆軍第八路軍總指揮部編印《軍聲月刊》(民17-25年)、朱浤源《從變亂到軍省：廣西的初期現代化，1860-1937》（臺北，中央研究院近代史研究所，民84）。

7.西安事變

關於發動此事變最重要的兩位當事人－張學良（1901-）及楊虎城，前者專書方面有人民日報新聞信息中心、東北大學瀋陽校友會、東北工學院合編（執筆主編為畢傳永、閻景月，編者為方振慶等）《張學良將軍資料索引》（瀋陽，東北工學院出版社，1992）錄有1922年至1991年間有關張學良各種活動與事迹、事件記載或評述的篇目、書目共計三千餘條，為研究張氏所必備的工具書，惟未蒐錄外文所撰之有關資料、論著，是其缺點。畢萬聞主編、畢萬聞、周毅、那麗編注〈張學良文集〉（北京，新華出版社，1992）、張學良、楊虎城《抗日救亡言論集·第1輯》（西安，抗日聯軍臨時西北軍事委員會，民25）、NHK取材班、臼井勝美《張學良の昭和史最後の證言》（東京，角川書店，1991；其中譯本爲周季華、蔣立峰譯《張學良訪談錄》，呼和浩特，內蒙古人民出版社，1993；另一中譯本並加註解者爲管寧等譯注《緘默50餘年：張學良開口説話－日本NHK記者專訪錄》，瀋陽，遼寧人民出版社，1992）、瀋陽市政協文史資料研究委員會編《瀋陽文史資料·第11輯：張學良將軍史料專輯》（1986）、遼寧省政協文史資料研究委員會編《遼寧文史資料·第18輯：張學良將軍資料選》（瀋陽，遼寧人民出版社，1986）、小三貞知《張學良研究資料》（1931年抄本）。常城〈張學良將軍〉（哈爾濱，黑龍江教育出版社，1988）、劉恩銘《張學良將軍》（北京，中國文聯出版社，1988）、張永濱等《張學良傳》（哈爾濱，黑龍江人民出版社，1995）、禮廣貴《張學良將軍（畫冊，中英對照）》（瀋陽，遼寧人民出版社，1990）、王朝柱、于今編著《張學良將軍》（北京，中國戲劇出版社，1993）、張魁堂《張學良傳》（北京，東方出版社，1991）、武育文、王維遠、楊玉芝《張學良將軍傳略》（瀋陽，遼寧大學出版社，1987）、司馬桑敦《張學良評傳》（原連續於香港之《中華月報》，1973年5月至1974年6月；香港，星輝圖書公司，1986；臺北，傳記文學出版社，民78，其他之版本尚多，不一一列舉）、陳崇橋、胡玉海《張學良外傳》（南昌，江西人民出版社，1988）、王益知《張學良外紀》（香港，南粵出版社，1989；臺北，曉園出版社，民79）、武育文《張學良將軍外傳》（瀋陽，遼寧大學出版社，1987）、孟凡主編《民族功臣張學良》（瀋陽，遼寧人民出版社，1988）、姚北樺、曹明編《千古功臣張學良》（南京，江蘇人民出版社，1991）、范克明《少帥張學良》（武漢，長江文藝出版社，1989）、趙雲聲、李政《少帥傳奇》（長春，吉林人民出版社，1983）、蘇墱基《張學良生平年表：東北少帥榮枯浮沉實錄》（臺北，遠流出版公司，民85）、張友坤、錢進主編《張學良年譜》（2冊，北京，社會科學文獻出版社，1996）、李敖《張學良研究》（2冊，正集及續集，臺北，李敖出版社，民77）、魯泌《論張學良》（香港，時代出版社，1948）、劉百川《論張學良》（香港，時代批評社，1948）、司馬桑敦《張學良秘史；最新秘聞大公開》（臺北，金蘭文化出版社，民77）、趙高山編《張學良軼聞趣事》（臺北，天工書局，民84）、團結報編《張學良的往事和近事》（北京，民革中央，1986）、郭冠英《張學良側寫》（臺北，傳記文學出版社，民81）、吉本浩三《張學良の横顔》（東京，赤爐閣書房，1932）、惠德安《張學良將軍軼事》（瀋陽，遼寧人民出版社，1985）、松本一男《張學良：忘れられた貴公子》（東京，中央公論社，1991）、司馬春秋《張學良傳奇：少師張學良悲壯歲月》（臺北，群倫出版社，民76）、漢笛編《張學良生涯論集—海內外專家論文精選》（北京，光明日報出版社，1991）、團結報編輯部編（執行編輯全靈）《張學良的往事和近事》（長沙，岳麓書社，1986）、李永等《張學良生活實錄》（北京，工人出版社，1993）、劉恩銘、薛景平、韓索林《張學良將軍生活紀事》（瀋陽，遼寧大學出版社，1990）、周大文《張學良的家世》（同上，1988）、汪樹屏、汪紀澤《我所認識的張學良》（北京，中國廣播電視出版社，1990）、王卓然《張學良到底是個怎樣人？》（北平，東方書店，民26；瀋陽，遼寧大學出版社，1988）、松本一男〈張學良と中國：西安事變立役者の命運〉（東京，サイマル出版會，1990；中譯本爲王枝忠、魯忠慧譯《張學良與中國》，北京，北京師院出版社，1992；吳常春譯《張學良—西安事變主角的命運》，北京，中國青年出版社，1993；及《張學良與中國》，臺北，林白出版社，民79；臺北，新潮出版社，民81）、大風編著《張學良的東北歲月—少帥傳奇生涯紀實》（北京，光明日報出版社，1991）、Wan Chi, Young Marshal Chang Hsueh-liang and Manchuria, 1928-1931.（Ph. D. Dissertation, Georgetown University, 1969）、司馬桑敦等《張老帥與張少帥》（臺北，傳記文學出版社，民73）、《張學良暨東北軍將領傳》編輯組編《張學良暨東北軍將領傳》（北京，中國華文出版社，1993）、陸軍、杜連慶《張學良與東北軍》（瀋陽，遼寧人民出版社，1991）、方正、俞興茂、紀紅民《張學良和東北軍（1901-

1936）》（北京，中國文史出版社，1986）、王振乾《張學良和東北軍》（同上，1991）、牟文海等編著《少帥風雲錄—侍從副官趙維振跟隨張學良將軍十年》（西安，三秦出版社，1989）、宋黎主編《張學良和他們的將軍們》（瀋陽，遼寧人民出版社，1994）、惠德安《張學良將軍戎幕見聞》（同上，1993）、遼寧省政協文史資料研究委員會編《遼寧文史資料·第17輯：在同張學良相處的日子裏—紀念西安事變五十周年》（同上，1986）、唐熊編《新編張學良鎗斃楊宇霆·常蔭槐》（上海，大新書局，民18）、鄭重、程世榮等《張學良與楊常事件》（瀋陽，遼寧人民出版社，1986）、臼井勝美著、陳鵬仁譯《張學良與日本》（臺北，聯經出版公司，民84）、劉心皇輯注、王鐵漢校《張學良進關秘錄》（臺北，傳記文學出版社，民79）、尾形洋一《「滿洲事變」直前の張學良政權》（早稻田大學文學研究所碩士論文，1973）、西村成雄《張學良：日中の霸權と「滿洲」》（《現代アヅアの肖像》，東京，岩波書店，1996）、北平前進社編印《剿匪時代的張學良》（出版年份不詳）、藤川京介《張學良と蔣介石》（東京，森田書房，1936）、王朝柱《少帥與蔣介石》（北京，解放軍文藝出版社，1989）及《張學良與蔣介石》（北京，中國青年出版社，1992）、李敖編《蔣介石張學良秘聞》（臺北，李敖出版社，民79）、王維禮、范廣傑《蔣介石和張學良》（長春，吉林人民出版社，1994）、趙雲聲《張學良與趙四小姐》（香港，星辰出版社，1987；北京，新華出版社，1991）、傅虹霖著、王海晨、胥波譯《張學良的政治生涯：一位民族英雄的悲劇》（瀋陽，遼寧人民出版社，1988；按是書原爲英文本，係傅虹霖氏就讀New York University時之博士論文—A Study of Chang Hsueh-liang's Role in Modern Chinese History，經祖炳民審訂而成，其另一中譯本名爲《張學良與西安事變》，臺北，時報文化出版公司，民81）、岸田五郎《張學良はなぜ西安事變に走たか　：東アジアを搖るがした二周間》（東京，中央公論社，1995）、應德田著、岳龍、王秦整理《張學良與西安事變》（北京，中華書局，1980）、佐藤幸世《張學良與西安事變》（政治大學東亞研究所碩士論文，民84年1月）、遠方編《張學良在1936年：西安事變內幕紀實》（北京，光明日報出版社，1991）、周康燮主編《為第二次國共合作鋪平道路的－西安事變與張學良》（香港，大東圖書公司，1978）、楊奎松《西安事變新探－張學良與中共關係之研究》（臺北，東大圖書公司，民84）、郝建生編著《西安事變後的張學良》（西安，陝西師大出版社，1991）、劉志清、訾喜升《張學良從〝西安事變〞走來》（瀋陽，春風文藝出版社，1991）、河北人民出版社編輯《張學良囚禁生涯》（石家庄，編輯者印行，1986）、王爱飛《張學良的幽禁歲月－中國現代史上最具傳奇色彩的將軍》（2冊，臺北，臺灣先智出版公司，民85）、高山流《張學良幽居生活實錄》（香港，春秋雜誌社，1967，西安事變珍史·第3輯）、劉恩銘《秘密囚禁中的張學良》（濟南，山東文藝出版社，1986）、袁紹棠、董有華《張學良在溪口》（北京，團結出版社，1990）、鄧人璋編著《鳳凰山上憶少帥》（長沙，岳麓書社，1995）、貴陽市政協文史資料研究委員會編《貴陽文史資料選輯·第20輯：張學良在囚禁中》（貴陽，1986）、劉既白、王天驥《張學良將軍：臺灣生涯四十五年》（北京，光明日報出版社，1991）、曉蕭《張學良與臺灣－五十年幽禁生活紀實》（同上）、張魁堂《張學良在臺灣》（內部發行，北京，新華出版社，1990）、郭冠英編著《張學良在臺灣》（北京，中國友誼出版社，1993）。

論文方面有沈大方〈近年來張學良研究述要〉（《東北地方史研究》1991年3期）、胡國順、楊乃坤〈峰高谷低論短長：近年來張學良研究述評〉（《黨史縱橫》1992年4期）、魚汲勝〈近年來張學良研究的新進展〉（《社會科學述評》1990年5期）、吳世良〈遼寧張學良研究述評〉（《理論界》1992年4期）、畢萬聞〈張學良研究之我見〉（《近代史研究》1989年2期）及〈對張學良研究的幾點看法〉（《蒲峪學刊》1988年3期）、常城〈略論張學良將軍〉（《東北師大學報》1986年6期）、畢萬聞〈張學良縱橫談〉（《學術研究叢刊》1992年3期）、王益知〈張學良外紀〉（《社會科學戰線》1985年3期）、金玉芳〈赤誠抗日愛國的張學良將軍：紀念抗戰勝利50周年〉（《山東醫科大學學報》1995年4期）、周谷〈張學良是非功過〉（《中外雜誌》60卷6期，民85年12月）、王禹廷〈功在國家・名垂青史—試為張學良先生作定評〉（《明報》26卷12期，1991年12月）、路夢輝〈千古功臣張學良〉（《河北大學學報》1986年4期）、陸永山〈〝千古功臣〞張學良：紀念〝西安事變〞五十五周年〉（《龍江黨史》1991年6期）、張德良〈論民族英雄張學良〉（《遼寧大學學報》1990年4期）、何惟忠〈國府委員張學良〉（《大夏週刊》59期，民17）、李俊清〈也談張學良：從培讀英文說起〉（《傳記文學》68卷2期，民85年2月）、方慶瑛〈對張學良先生評論〉（《東北文獻》27卷1、2期，民85年12月）、方正〈張學良析產——段未被披露的史料〉（《藍盾》1987年8期）、畢萬聞〈青年時代的張學良〉（《歷史月刊》54期，民81年7月）、王素琴〈青年時期之張學良〉(《史薈》29期，民85年5月)、蔣永敬〈胡適日記中的張作霖、張學良父子〉(《傳記文學》60卷3期，民81年3月)、王福時〈張學良懇求普賴德調停直奉戰爭〉(《炎黃春秋》1996年3期)、于曉航等〈張學良在五卅運動中〉(《革命春秋》1989年2期)、于軍〈北伐時在河南的張學良將軍〉(《中州學刊》1992年2期)、毛愛梅〈《玉悄瑤華》：1928年張學良收到的七封重要書信〉(《文獻》1995年2期)、朱海北〈皇姑屯事件後的張學良〉(《大成》164期，民76)、李仲明、劉麗〈張學良與東北易幟〉(《軍事歷史》1993年5期)、杜連慶〈東北易幟—張學良的歷史功績〉(《遼寧師大學報》1990年6期)、田曉輝〈淺談張學良東北易幟的原因及歷史作用〉(《哈爾濱師大研究生論壇》1988年1期)、王也平〈日本干涉與張學良東北易幟〉(《社會科學輯刊》1990年5期)、潘喜廷、武育文〈張學良將軍與東北易幟〉(同上，1979年1期)、胡國順〈試論張學良〝東北易幟〞的歷史意義〉(《瀋陽師院學報》1981年3期)、唐雄信〈張學良將軍〝東北易幟〞的歷史意義：紀念〝東北易幟〞六十五周年〉(《華夏》1993年5期)、趙潭〈張學良與東北易幟〉(《歷史教學》1990年8期)、畢萬聞〈張學良、蔣介石和東北易幟〉(《歷史月刊》79期，民77年10月)、Akira Iriye (入江昭)，"Chang Hsueh-liang and the Japanese" (The Journal of Asian Studies, Vol. 20, No.1, November 1960；其中譯文爲郭根山譯〈張學良與日本人〉，載《河南師大學報》1991年4期)、寧承恩〈張學良改造兵工廠與楊宇霆之死〉(《傳記文學》62卷2期，民82年2月)、王維遠〈張學良槍斃楊、常原因淺析〉(《松遼學刊》1987年3期)、常城〈略論〝東北易幟〞與〝槍斃楊常〞〉(《社會科學戰線》1982年3期)、陳崇橋、蕭鴻〈罕見的歷史奇迹—張學良、張作相互讓〝帥位〞紀實〉(《社會科學輯刊》1994年1期)、呂明軍〈張學良與〝中東路〞事件〉(《遼寧大學學報》1988年5期)、杜連慶、陸軍〈張學良與〝中東路〞事件〉(《北方論叢》1987年2期)、李明〈1929年中ソ間の中東鐵路紛爭と張學良〉(《社會科學研究(中央大學)》6卷2號,1986)、曹東方〈張學良與東疆戰爭〉(《吉林師院學報》1994年4期)、蔣永敬〈張學良與中原戰爭資料舉要〉(《傳記文學》51卷5期,民76年11月)、鄧以彭〈説張〔學良〕入關,還有〔劉〕震寰〉(同上)、趙煥林等〈中原大戰中的張學良〉(《民國檔案》1993年4期)、周俊儀、王珩、趙淑芹〈中原大戰期間張學良為何能夠倒向蔣介石〉(《佳木斯教育學院學報》1996年3期)、胡玉海〈張學良執政方針淺析〉(《遼寧大學學報》1990年5期)、西村成雄〈張學良の政治的肖像—その四にびの轉機と中國政治〉(《現代中國》63號,1989年7月;其中譯文爲晴雪譯、張玉祥校〈張學良的政治形象:他的四次轉折和中國政治〉,載《東北地方史研究》1990年1期)及〈張學良政權下の幣制改革:「現大洋票」の政治的含意〉(《東洋史研究》50卷4號,1992)、王貴忠〈張學良與東北鐵路建設〉(《瀋陽師院學報》1989年4期)、李國鴻〈張學良重視教育的實踐活動〉(《黨史縱横》1989年6期)、王頻〈張學良早年教育軼事〉(《唯實》1996年4期)、解傳路〈頌張學良將軍興辦的高等軍事教育:紀念西安事變58周年(《遼寧高等教育研究》1994年6期)、趙希鼎〈張學良辦教育〉(《社會科學戰線》1983年1期)、盛雪芬、車樹實〈張學良教育主張初探〉(《瀋陽師院學報》1988年2

期）、董慧雲〈張學良與遼寧教育〉（《遼寧地方志通訊》1985年5期）、趙守仁〈張學良與東北大學〉（《遼寧師大學報》1987年5期）、衛宣〈張學良與東北大學〉（《中外雜誌》51卷5期，民81年5月）、王福時〈張學良與東北大學〉（《東北文獻》22卷3期，民81年3月）、董偉、趙麗明〈張學良與東北大學〉（《民國春秋》1996年1期）、馬文良〈東北大學與張學良將軍〉（《遼寧大學學報》1993年5期）、李永森〈張學良將軍與東北大學的西遷〉（《西北大學學報》1992年1期）、夏嘉等〈陶行知、梁啟超、張學良與南開學校〉（《天津師大學報》1987年3期）、董慧云〈張學良在北京創辦同澤新民儲才館〉（《北京檔案史料》1992年4期）、孟玉昆〈張學良將軍與體育〉（《體育文史》1983年2期）、隋增質〈張學良與體育〉（《張家口師專學報》1996年2期）、李榮〈張學良與舊中國體育事業〉（《體育文史》1993年3期）、李明〈張學良政權の中央化その限界〉（《東洋史論集（東北大學）》第2號，1986）、王維遠〈論張學良時期東北經濟的發展〉（《遼寧大學學報》1983年3期）、張德元〈張學良與肇新窰業公司〉（《東北地方史研究》1989年3期）、鍾靜波〈張學良將軍與復州煤礦〉（同上，1988年2期）、王雲鵬〈張學良與八道壕煤礦〉（《遼寧大學學報》1994年1期）及〈張學良將軍與少帥礦〉（載《日本中國近現代東北地域史研究會刊》1991年1期）、建東、永路〈張學良與東北海軍〉（《東北地方史研究》1991年2期）、方正〈張學良與東北空軍〉（《縱橫》1985年6期）、馬毓福〈張學良創建東北軍事航空〉（《文史雜誌》1992年2期）、陳崇橋、魏素華〈張學良在東北的歲月〉（《革命春秋》1989年2期）、張魁堂〈張學良主政東北三年的建樹〉（《齊魯學刊》1990年4期）、王貴忠〈張學良與東三省保路運動〉（《日本研究》1991年3期）、馮學忠〈張學良與〝中村事件〞〉（《檔案與社會》1992年6期）、孫欣悅、惠斌、諾美〈混戰中的恩怨：九一八事變前的張學良與石友三〉（《黨史縱橫》1994年3期）、杜連慶、陸軍〈〝九·一八〞事變前夕的〝張、石之戰〞〉（《遼寧師大學報》1986年3期）、劉蘇選編〈張學良討伐石友三文電一組〉（《北京檔案史料》1996年6期）、里蓉〈張學良在北平協和醫院〉（《中國檔案》1995年3期）、孫德沛〈不抵抗命令與張學良將軍〉（《縱橫》1984年4期）、溫永錄〈略論張學良將軍執行不抵抗政策的心態及其原因〉（《社會科學輯刊》1995年1期）、夏敬山〈〝九·一八事變〞與張學良將軍〉（《方志研究》1993年2期）、張德良〈張學良與〝九·一八〞事變〉（《社會科學輯刊》1991年5期）、李鐵民〈「九一八」與張學良〉（《民潮》1卷4期，民32年9月）、潘喜廷〈九一八事變與張學良將軍〉（載《遼寧省社會科學院學術論文選（歷史分册）》，瀋陽，1982）、呂正操〈九一八事變與張學良將軍〉（《抗日戰爭研究》1991年2期）、俞辛焞〈九一八事變時期的張學良和蔣介石〉（同上，1991年1期）、孫向遠、孟森〈〝九·一八〞事變前後的蔣介石和張學良〉（《遼寧大學學報》1991年6期）、中國第二歷史檔案館〈九一八事變後張學良致蔣介石等密電一組〉（《民國檔案》1994年4期）、愷子〈九一八事變後張學良對日不抵抗原因新說〉（《革命春秋》1993年2期）、魚汲勝〈〝不抵抗將軍〞的罵名可以休矣—重評九·一八事變時期的張學良〉（《學術研究叢刊》1992年3期）、〈〝千秋功罪〞，誰人曾與評說？：九一八事變60周年之際試評張學良將軍當年對日寇

〝不抵抗的抵抗〞〉(《遼寧師大學報》1991年5期)及〈重評九一八事變時期的張學良〉(《黨史研究與教學》1992年6期)、土田哲夫〈張學良與不抵抗政策〉(《南京大學學報》1989年3期)、孫德沛〈不抵抗命令與張學良〉(《縱橫》1984年4期)、王維遠〈九一八事變張學良執行不抵抗政策原因初探〉(《遼寧師大學報》1996年4期)、雷家君〈〝九一八〞事變張學良放棄東北的深層原因探析〉(《蒲峪學刊》1996年3月)、田雨時〈張學良揹「九一八事變」苦難十字架六十年—從蔣張利害恩怨中探討中國現代史核心〉(《明報》26卷9期，1991年11月)、馬越山〈〝九·一八〞事變後張學良支持東北軍民抗日鬥爭簡述〉(《東北地方史研究》1990年4期)、卞直甫、王鴻賓〈張學良將軍與東北抗日義勇軍〉(《社會科學輯刊》1985年5期)、穆景元〈張學良與東北抗日義勇軍〉(《錦州師院學報》1993年3期)、黃宇宙〈張學良與遼東抗日義勇軍〉(《縱橫》1991年6期)、劉岳〈張學良與北平地區的抗日救亡運動〉(《北京黨史研究》1991年6期)、于耀洲〈張學良、蔣介石對解決錦州危機態度的差異〉(《遼寧師大學報》1995年4期)、王光遠〈張學良與汪精衛之爭〉(《縱橫》1993年3期)、王軍〈張學良與1932年南京政潮〉(《河南大學學報》1993年1期)、李國興〈重評熱河抗戰中的張學良〉(《湖南師大學報》1992年1期)、蔣文祥〈張學良與抗日戰爭〉(《黨史研究與教學》1995年6期)、許曉敏〈張學良與長城抗戰〉(《日本研究》1991年3期)、鄭志廷、徐玉增〈蔣介石逼張學良下野新探〉(《河北大學學報》1993年1期)、張子清〈張學良下野淺論〉(《天津社會科學》1990年2期)、王光遠〈張學良三次辭職〉(《北京檔案史料》1993年1

期）、西村成雄著、孫國群譯、蘇智良校〈一九三三年張學良的歐洲之行〉（《檔案與史學》1996年1期）、苑紅〈略論武漢時期的張學良將軍〉（《遼寧大學學報》1992年2期）、蔡孟堅〈張學良駐武昌趣聞〉（《傳記文學》40卷1期，民71年1月）、張德良〈論以張學良為首的東北抗日流亡政治集團〉（《日本研究》1991年3期）、陳毓述〈談張學良與東北學生的抗日救亡運動〉（《綏化師專學報》1993年1期）、耿麗華等〈為國籌思，淡于榮利：張學良為實現全國抗戰所作的貢獻〉（《日本研究》1991年3期）、杜菊輝〈西安事變以前的張學良與蔣介石〉（《益陽師專學報》1996年4期）、張梅玲〈張學良從東北易幟到西安事變的思想轉變〉（同上，1988年5期）、張俊英〈從〝訓詞〞看西安事變前張學良將軍的思想軌跡〉（《文博》1993年1期）、趙守仁〈評張學良將軍的思想演變〉（《遼寧師大學報》1986年1期）、王維遠〈論張學良思想的革命轉變〉（《遼寧大學學報》1986年5期）、西村成雄〈張學良「游歐體驗」の精神史─「救國」と「救亡」の葛藤〉（《立命館經濟學》44卷6號，1996）、張桂英〈西安事變前張學良政治思想的轉變〉（《歷史教學》1986年10期）、武育文〈略論張學良將軍軍事思想〉（《軍事歷史研究》1989年1期）、李敏〈張學良開發建設西北思想初探〉（《文博》1992年5期）、畢萬聞〈張學良教育思想論綱〉（《社會科學戰線》1995年6期）、陳毓述、武固有〈九一八事變前後張學良教育思想的愛國特色〉（《學術研究叢刊》1991年3期）、車錦華、張偉〈張學良早期的體育實踐與思想〉（《東北地方史研究》1987年4期）、劉國華〈論張學良愛國主義思想的發展歷程〉（《安徽史學》1996年1期）、孫玉蘭〈試談張學良愛國主義思想的發展及其特點—紀念〝西安事變〞五十周年〉(《朝陽師專學報》1986年4期)、柴再項、林分雲〈張學良的愛國主義精神永垂史冊:紀念西安事變60周年〉(《天中學刊》1996年3期)、靳方前〈論張學良愛國統一思想及其革命轉變〉(《遼寧大學學報》1995年4期)、水野明〈張學良の對日抵抗策〉(載鄭樑生主編《中國與亞洲國家關係史學術研討會論文集》,臺北,淡江大學歷史系,民82年10月)、王維遠〈論張學良抗日思想的形成〉(《東北地方史研究》1991年4期)、畢萬聞〈從新發現的史料談張學良的抗日主張〉(《歷史月刊》95期,民84年12月)、溫永錄〈張學良將軍抗日理論探析〉(《東北地方史研究》1992年2-3期)、〈順應人民意願和歷史發展:張學良聯共抗日思想的形成〉(《龍江黨史》1995年2期)及〈愛國主義的升華:略述張學良聯共抗日的思想形成〉(《社會科學輯刊》1996年5期)、張魁堂〈張學良是怎樣走上抗日聯共道路的〉(《文史雜志》1988年1、2、3期)、彭洪志〈張學良是怎樣走上聯共抗日道路的〉(《黔南教育學院學報》1988年1期)、張桂英〈張學良走上聯共抗日道路的歷史探原〉(《近代史研究》1987年6期)、孫曉芹〈略談張學良從擁蔣〝剿共〞到聯共抗日的轉變〉(《南都學壇》1988年2期)、申伯純〈爭取張學良聯合抗日的經過〉(《縱橫》1986年6期、1987年1期)、周毅〈張學良由〝剿共〞到聯共的思想轉變初探〉(《黨史縱橫》1988年5期)、張魁堂〈揭開張學良「聯共」之謎〉(《明報》26卷12期,1991年12月)、邱路(即楊奎松)〈也談「劉鼎在張學良那裏工作的時候」〉(《中共黨史研究》1990年2期)、葉心瑜〈十年內戰時期的中國共產黨與張學良〉(《理論月刊》1987年11期)、米鶴都〈中國共產黨與張學良及東北軍的統一戰線〉（《黨史研究》1985年5期）、楊奎松〈有關張學良加入中共問題的探討〉（《近代史研究》1995年4期）、劉維開〈西安事變前張學良與中共的接觸〉（《中國歷史學會史學集刊》26期，民83年9月）、蔣永敬〈西安事變前張學良與中共之關係—兼介楊奎松新著《西安事變新探》稿〉（《國父建黨革命一百週年學術討論集》第3冊，民84）、蘇墱基〈西安事變前的張學良與共產黨〉（《傳記文學》67卷6期，民84年12月）、畢萬聞〈張學良與紅軍—從新發現的寫給周恩來的親筆密函談張學良何時要與紅軍〝合在一起幹〞〉（《社會科學戰線》1996年6期）、牛桂雲〈張學良與紅軍長征三大主力勝利會師〉（《上海黨史研究》1996年6期）、力平〈歷史檔案回答了張學良對長征的一個疑問〉（《炎黃春秋》1996年5期）、江麗〈紅軍東征前後中共與張學良、楊虎城的關係〉（《北京黨史研究》1996年6期）、陶柏康〈西安事變前潘漢年與張學良的三次重要會面〉（《上海黨史研究》1993年1期）、黃啟鈞〈李克農與張學良的三次〝洛川會議〞〉（《黨的文獻》1989年2期）、劉潤生〈西安事變前夕李克農與張學良的秘密談判〉（《炎黃春秋》1994年6期）、邵宗海〈從美國軍事密檔談西安事變中張學良與中共角色定位的問題〉（《現代中國軍事史評論》第3期，民76年12月）、波多野善大〈西安事變における張學良と中共の關係について〉（《名古屋大學文學部研究論集》56號，1972）、高存信〈張學良、蔣介石在〝攘外〞與〝安內〞問題上的分歧〉（《抗日戰爭研究》1992年1期）、王維遠〈論張學良將軍的革命轉變〉（《遼寧大學學報》1986年5期）、高景生、宋福財〈論張學良從新軍閥到民族英雄的轉變〉（同上，1995年3期）、張厚杭〈從〝不抵抗將軍〞到〝千古功臣〞原因淺析〉（《山東師大學報》1995年增刊）、畢萬聞〈從新發現的兩份史料談張學良人生轉折〉（《民國春秋》1995年5期）、楊拯民〈〝西安事變〞張學良與楊虎城的一些交往〉（《人物》1992年4期）、陳家付〈互疑－互諒－互信：西安事變前的張學良與楊虎城〉（《黨史縱橫》1995年12期）、陸永山〈張學良楊虎城為什麼能聯合發動西安事變〉（同上，1988年12期；《東北師大學報》1990年1期）、武育文〈論張學良和楊虎城合作的思想政治基礎〉（《東北地方史研究》1991年2期）、房成祥〈論西安事變與張、楊的愛國主義〉（《人文雜志》1996年1期）、蔣文祥〈西安事變張、楊命運異同論〉（《江海學刊》1992年2期）、房成祥〈西安事變期間張楊八字宗旨之再探討〉（《四川師大學報》1988年6期）、李景民〈西安事變前張學良與西安學生的愛國運動〉（《陝西地方志通訊》1985年1期）、畢萬聞〈西安事變前張學良與陳誠的爭論〉（《民國春秋》1995年3期）、張魁堂〈張學良兵諫想法始於何時〉（《人物》1995年3期）、李雲飛〈張學良〝臨潼兵諫〞抉擇之探析〉（《江海學刊》1996年4期）、申伯純〈西安事變前夕的張學良〉（《瞭望》1986年49期）、施文魁〈西安事變爆發的原因及張學良在事變中的作用〉（《瀋陽師院學報》1985年1期）、呂秀蓮〈試論張學良將軍在西安事變中的作用〉（《佳木斯師專學報》1989年3期）、房棟〈由西安事變論張學良〉（《陰山學刊》1995年2期）、何仁康〈張學良公開西安事變秘計〉（《上海文史》1993年1-2期）、張學良原著〈張學良西安事變回憶錄摘要〉（《傳記文學》56卷6期，民79年6月）、永橋弘價〈西安事件の原因に關する一考察－張學良の思想を中心として〉（《國士館大學政經論叢》80號，1992年6月）、今井駿〈張學良と西安事變〉（《季刊中國》20號，1990）、馬貴凡譯〈蘇聯《真理報》1936年12月發表的造謠污蔑張學良將軍的兩篇評論文章〉（《黨史資料通訊》1982年11期）、楊日旭〈史迪威論張學良與西安事變：美國軍事情報密檔專案研究〉（《現代中國軍事史評論》第3期，民76年12月）、畢萬聞〈張學良是叛國嗎？—西安事變的臺前幕後〉（《明報》26卷12期，1991年12月）、劉心皇〈西安事變兩主角：蔣介石與張學良〉（《傳記文學》53卷2、3、4、6期，民77年8、9、10、12月）、孫剛〈從張蔣政見分歧看西安事變〉（《北京大學研究生學刊》1996年4期）、張魁堂〈蔣介石同張楊矛盾激化與西安事變〉（《抗日戰爭研究》1992年4期）及〈西安事變中的另一幕—記張學良與韓復榘的交往〉（《人物》1993年1期）、朱大紅〈關於張、楊西安事變通電全國的時間判定〉（《江西社會科學》1994年1期）；〈張學良：舉行諍諫與對日抗戰的決心（1936年12月14日）〉（《檔案工作》1986年11期）、張建芳〈張學良是否提出過〝逼蔣抗日〞的主張—與榮維木、趙剛商榷〉（《安慶師院學報》1994年4期）、于軍〈西安事變發生後張學良的態度〉（《遼寧大學學報》1987年2期）、劉玉梅、宋淑華〈張學良在和平解決西安事變中的作用—西安事變和平解決原因探討之一〉（《遼寧大學學報》1996年1期）、張學君〈張學良與西安事變的和平解決〉（《近代史研究》1985年1期）、楊奎松〈張學良與西安事變之解決〉（《中國社會科學》1996年5期）、胡京春、季如迅〈張學良在西安事變中的一份手令〉（《文物天地》1984年6期）、劉心皇〈張學良的愚忠—西安事變發動速，結束奇〉

（《中外雜誌》48卷1期，民79年7月）、李傳信〈論張學良送蔣〉（《江漢大學學報》1987年4期）、魚汲勝〈〝滄海橫流方顯出英雄本色〞：試析張學良送蔣回寧的思想動機〉（《黨史研究與教學》1990年6期）、尹業香〈張學良送蔣返寧之管見〉（《荊州師專學報》1995年6期）、劉紅旗〈也談張學良送蔣返寧〉（《社科信息》1994年11期）、陳九如〈簡評張學良送蔣返寧〉（《民國檔案》1996年4期）、林雲生〈張學良送蔣回寧初探—紀念愛國將領張學良將軍90誕辰〉（《人文雜志》1990年5期）、魚汲勝〈千古功臣的千古奇冤—張學良陪送蔣介石回寧問題新探〉（《黨史文匯》1987年1期）、熊靚〈張學良陪蔣介石回寧得失評析〉（《湖南教育學院學報》1994年4期）、季雲飛〈張學良〝送蔣返京〞舉措之評析〉（《學術界》1996年4期）、李昕〈張學良送蔣歸寧是以國家民族利益為重的義舉〉（《陝西師大學報》1996年3期）、楊澤民〈西安事變的一個曲折—也評張學良陪蔣回寧〉（《黨史資料與研究》1987年1期）、谷麗娟〈西安事變一個令人遺憾的結尾—也評張學良陪蔣回寧〉（同上）、郭溪士〈西安事變一個令人難忘的結尾—評張學良陪蔣回寧〉（《黨史資料與研究》1986年3期）、張友坤〈對張學良送蔣返寧的再認識〉（《近代史研究》1994年1期）、唐若玲、陳封椿〈張學良為何陪送蔣介石回南京〉（《海南師院學報》1992年2期）、羅玉明〈張學良送蔣回寧的原因及影響〉（《懷化師專學報》1994年3期）及〈張學良送蔣回寧原因新探〉（《人文雜志》1996年4期）、朱谷生、楊唐清〈張學良陪蔣回寧是和平解決西安事變的必要環節〉（《曲靖師專學報》1991年4期）、孫遜、平濤〈張學良四度到金陵：追憶少帥今與昔〉（《南京史志》1992年1

期）、周慧平〈論張學良性格對西安事變及其晚年悲劇的影響〉（《江蘇歷史檔案》1996年5期）、盧海鳴〈張學良將軍當年受審何處〉（《南京史志》1993年6期）、谷麗娟〈張學良在軍事法庭上沒有宣讀蔣介石的不抵抗電報〉（《延安大學學報》1988年4期）、楊連勝〈張學良將軍的又一愛國壯舉〉（《文物天地》1985年4期）、張友坤〈愛國何所罪，青史有定評：張學良愛國獲罪略析〉（《近代史研究》1991年4期）、何聯華〈張學良愛國詩詞簡論〉（《中南民族學院學報》1996年4期）、張嚴佛〈張學良被軍統監禁略述〉（《文史通訊》1981年5期）、巴遷〈張學良幽禁南京軼事〉（《金陵百花》1985年2期）、宋恩夫〈張學良被幽禁的生涯〉（《歷史知識》1983年4期）、沈醉〈囚禁中的張學良〉（《瞭望》1984年9期）、劉心皇〈歷史的傷口—張學良被囚情結〉（《中外雜誌》47卷4期，民79年4月）、楚江月〈張學良在溪口〉（《東海》1982年4期）、張魁堂〈身在禁中，心憂國事—張學良將軍在奉化寫的三封信〉（《縱橫》1983年2期）、王舜祁〈張學良在奉化〉（《民國春秋》1996年5期）、夏明義〈記張學良當年在奉化〉（《中國建設》1983年6期）、周吾〈張學良在黃山〉（《安徽史學》1985年3期）、施昌旺〈張學良與安徽〉（《黨史縱覽》1996年6期）、魏新民〈關押過張學良、楊虎城的益陽〝渣滓洞〞〉（《湖南黨史通訊》1985年8期）、姜宏碩、胡蘭寧〈鳳凰山與張學良〉（《新湘評論》1982年4期）、〈張學良在鳳凰山〉（《龍門陣》1984年6期）及〈別有天地非人間：張學良將軍在鳳凰山〉（《黨史博采》1996年12月）、徐萬君〈張學良與鳳凰山〉（《中國建設》1989年12期）、楊紹泉〈張學良在鳳凰山被幽禁的歲月〉（《縱橫》1995年4期）、劉詩訓〈囹圄中的張學良—訪沅陵縣鳳凰山〉（《瞭望》1983年12期）、姜宏頂〈囹圄中的絕唱—讀張學良將軍在湘西沅陵鳳凰山寫的一首詩〉（《抗日戰爭研究》1993年3期）、臧維生〈張學良在貴州修文陽明洞〉（《東北地方史研究》1988年2期）、陳新國〈張學良將軍囚居陽明洞〉（《貴州文史天地》1996年6期）、伍家文〈張學良轉移開陽二三事〉（同上）、臧維生、曹喜升〈張學良將軍囚禁地尋訪記〉（《東北地方史研究》1988年3、4期）、高曉軍〈身在縶中心繫抗日：抗戰時期的張學良將軍〉（《黨史天地》1996年12期）、孫玉清〈張學良在臺灣〉（《新觀察》1985年2期）、劉盛甲〈張學良囚禁臺灣的歲月〉（《貴州文史天地》1996年6期）。竇應泰〈張學良與于鳳至〉（《天鵝》1985年3期）、竇生春〈願將悲歌寫新詩—于鳳至和張學良的結合與離異〉（《名人傳記》1987年5期）、張德榮〈紅粉知己—張學良與趙綺霞的愛情〉（同上，1986年3期）、崔文瑾〈〝天下為公〞的願望：張學良與孫中山〉（《黨史縱橫》1994年1期）、梁吉生〈張學良與張伯苓〉（《社會科學戰線》1992年3期）、宋紋演〈張學良與明史研究〉（《人文雜志》1988年3期）、畢石聞〈張學良與明史〉（《蘭峪學刊》1992年3期）、董慧雲〈張學良倡導影印《四庫全書》〉（《中國檔案》1995年10期）、畢萬聞〈張學良與第二次國共合作〉（《社會科學戰線》1992年3期）、常城、何建沙〈張學良與第二次國共合作〉（《近代史研究》1984年4期）、漁汲勝〈周恩來與張學良〉（《文史精華》1996年12期）、張魁堂〈周恩來與張學良的交往和友誼〉（《黨的文獻》1991年3期）、王弘〈周恩來三哭張學良〉（《黨史天地》1995年10期）、宋恩夫〈周恩來和張學良的一次歷史性會談〉(《歷史知識》1985年1期)、竇嘉緒〈歷史性的會見—記周恩來赴膚施與張學良會談〉(《名人傳書》1991年2期)、畢萬聞〈張學良與周恩來第二次延安密談前後〉(《民國春秋》1996年6期)、張應超〈周恩來與張、楊二將軍〉(《唐都學刊》1988年2期)、金長振〈張學良、楊宇霆與少帥傳奇〉(《時報月刊》221期,1984)、溫永錄〈〝大戰是一定要爆發的!〞:張學良對第二次世界大戰的科學預見〉(《黨史縱橫》1995年8期)、才賦〈王亞樵密謀暗殺張學良內幕〉(《南京史志》1993年6期)、李永翹〈張大千與張學良〉(《人物》1989年4期)、似熹〈張學良與張大千的友誼〉(《大成》174期,民77年5月)、王雅文〈郭松齡與張氏父子〉(《遼寧大學學報》1995年5期)及〈張學良與郭松齡之關係述論〉(《北京檔案史料》1994年3期)、杜尚俠〈略論張學良與郭松齡的關係〉(《遼寧廣播電視大學學報》1988年2期)、任振河〈張學良五訪閻錫山〉(《近代史研究》1994年2期,亦載《黨史文匯》1996年1期)、畢萬聞〈西安事變前張學良與閻錫山秘密會議的臺前幕後〉(《民國春秋》1996年1期)、姜舜源〈張學良與故宮博物院〉(《紫禁城》1985年2期)、唐德剛〈張學良三位一體〉(《中外雜誌》43卷2期,民77年2月)、華永正〈記者訪問張學良談日本公使死亡之謎〉(《東北文獻》23卷4期,民82年6月)、黃仁宇〈張學良、孫立人和大歷史〉(《歷史月刊》第8期,民77年9月)、于衡〈張學良訪問記〉(《傳記文學》40卷1期,民71年1月)、張汝舟口述、郭鋒整理〈張學良的二三事〉(《遼寧大學學報》1982年1期)、丁江〈車室書老人談張作霖和張學良〉(《常德師專教學與研究》1981年1、2期)、范碩〈內戰吟成抗日詩—葉劍英和張學良〉（《黨史天地》1995年8、9期合刊）、張治中〈三訪被幽禁的張學良〉（《文史通訊》1981年5期）、余湛邦〈張治中三訪張學良〉（《新觀察》1983年10期）、卜少夫〈追訪張學良三十年〉（《傳記文學》63卷3期，民82年9月）、張學良〈感遇詩三首〉（《文史通訊》1981年5期）、西村成雄著、張麗波譯〈張學良經歷半世紀的證詞及其有關他的四本書〉（《東北地方史研究》1991年4期）、宋淑雲、單志誠〈張學良改寫中國現代史的三件大事〉（《龍江黨史》1992年6期）、夏里整理〈張學良沉默五十五年後暢談民國歷史〉（《民國春秋》1992年2期）、魚汲勝〈血畢竟濃於水—讀張學良近年來寫給大陸的20封書信〉（《東北地方史研究》1992年2、3期）、畢萬聞〈東北大學在美校友會為張學良爭自由〉（《民國春秋》1996年4期）。

關於楊虎城（1893-1949），專書方面有陝西省政協文史資料研究委員會編《回憶楊虎城將軍》（西安，陝西人民出版社，1986）、西安事變研究會編《楊虎城將軍言論選集》（同上，1991）、全國政協文史資料研究委員會《楊虎城將軍畫冊》（北京，中國文史出版社，1983）、米暫沉《楊虎城傳》（西安，陝西人民出版社，1979）及《楊虎城將軍傳》（北京，中國文史出版社，1986）、周驥良《楊虎城》（2冊，北京，中國友誼出版社，1993）、吳長翼編著《千古功臣—楊虎城》（北京，中國文史出版社，1993）、李炳武、雷雲峰主編《愛國名將楊虎城》（西安，三秦出版社，1996）、西安事變研究會編（余鼎章主編）《楊虎城研究》（西安，陝西人民出版社，1991）、張波《楊虎城將軍軼事》（同上，1986）、張協和、董華主編《楊虎城和西安事變補遺》

(北京,檔案出版社,1992)、亢心裁等《楊虎城將軍在歐美》(北京,中國文史出版社,1983)、郝郁文《楊虎城將軍歐美之行》(西安,陝西人民出版社,1985)、劉永瑞編注《楊虎城將軍詩作名家墨迹》(西安,陝西人民美術出版社,1993)、李伶《楊虎城的密使》(北京,解放軍出版社,1989)。

論文方面有陳家新〈近年有關楊虎城研究的著作和文章〉(《黨史研究資料》1993年9期)、劉佛吾〈橫貫三秦浩然氣:楊虎城將軍鬥爭生活片斷〉(《革命英烈》1986年1期)、彭宜〈一曲催人淚下的英雄正氣歌:楊虎城將軍後傳〉(《中學歷史教學參考》1986年1期)、建國、生華〈楊虎城和楊家將〉(《延安大學學報》1981年4期)、毛錡〈楊虎城將軍的幾首詩〉(《戰地》1980年4期)、劉賢雄〈楊虎城將軍事迹述略〉(《西南師大學報》1987年3期)、鄭學英等〈民族英雄千古功臣—楊虎城烈士傳略〉(《革命英烈》1983年3期)、童陸生〈楊虎城將軍事迹散記〉(同上)、孔從洲〈回憶楊虎城將軍〉(同上)、劉威誠〈漫憶楊虎城將軍的軼事〉(《革命英烈》1983年3期)、韶〈陝變主動人物之一:楊虎城〉(《正風(半月刊)》4卷7期,民26)、黨振國〈千古功臣楊虎城〉(《軍事史林》1986年5期)、盧驊、劉洪亮〈關於《楊虎城年表》的質疑〉(《社會科學戰線》1980年3期)、惠濟時〈西安圍城中的楊虎城將軍〉(《寶雞師院學報》1987年1期)、李定五等〈楊虎城將軍在反〝西安圍城〞時期的活動史實〉(《革命英烈》1983年3期)、張梅玲〈楊虎城將軍在山東〉(《山東社會科學》1991年2期)、中共太和縣委黨史辦〈楊虎城將軍在安徽太和紀事〉(《安徽黨史研究》1991年5期)、李雲峰〈楊虎城與陝西經濟文化建設〉(《西北大學學報》1994年3期)、鶴鳴〈楊虎城將軍重視陝西教育事業〉(《人文雜誌》1984年1期)、何永安〈楊虎城將軍與西安綏靖公署特務營片斷回憶〉(《陝西地方志通訊》1986年5期)、劉佛吾〈橫貫三秦浩然氣—楊虎城將軍鬥爭生活片斷〉(《革命英烈》1986年1期)、李家珍〈論楊虎城與〝三位一體〞的〝西北大聯合〞〉(《湖北大學學報》1994年4期)、陳舜卿、陳琰〈楊虎城經濟思想初探〉(同上,1995年2期)、劉杰誠〈試論楊虎城的愛國思想〉(《延安大學學報》1986年1期)、曹軍〈楊虎城的愛國主義思想與西安事變〉(《理論導刊》1993年12期)、《革命英烈》評論員〈發揚楊虎城將軍的愛國主義精神〉(《革命英烈》1983年3期)、曹勇進〈楊虎城的愛國精神反其升華〉(《探索》1994年5期)、王玉福〈論楊虎城的抗日思想〉(《河南師大學報》1989年4期)、韓真〈談楊虎城將軍關於抗日戰爭的思想〉(《黨史研究與教學》1991年3期)、黃永金〈楊虎城將軍推動全國抗日的歷史功績〉(《雲南師大學報》1986年6期)、丁迪安、謝一帆〈試論楊虎城將軍對抗日戰爭的貢獻〉(《唐都學刊》1990年1期)、丁家駿〈楊虎城有功不居〉(《中外雜誌》52卷1期,民81年7月)、米鶴都〈黨對楊虎城及其十七路軍的統一戰線工作〉(《歷史教學》1983年11期)、江鋒等〈楊虎城的十七路軍與中國共產黨的關係〉(《黨的文獻》1992年2期)、丁雍年〈西安事變前楊虎城和中國共產黨的關係〉(《人文雜志》1990年1期)、馮開文〈抗日愛國將領楊虎城與中國共產黨〉(《重慶社會科學》1985年增刊)、米暫沉〈楊虎城將軍與中國共產黨〉(《革命英烈》1983年3期)、馮建輝〈中共中央曾批允楊虎城加入共產黨〉

（《黨史研究資料》1987年10期）、徐維檢〈西安事變前毛澤東致楊虎城的幾封書簡〉（《黨史文匯》1993年2期）、雷雲峰〈西安事變前夕毛澤東致書楊虎城〉（《人文雜誌》1991年1期）、尹靜〈毛澤東在〝西安事變〞前夕致書楊虎城將軍〉（《理論導刊》1991年12期）、張應超〈周恩來與張、楊二將軍〉（《唐都學刊》1988年2期）、馮凱〈南漢宸與楊虎城〉（《黨史文匯》1986年5期）、秦明〈楊虎城與南漢宸的友誼〉（《人物》1981年1期）、吳志明〈宋綺雲受命做楊虎城的工作〉（《民國春秋》1996年5期）及〈楊虎城將軍的密友宋綺雲〉（《文史精華》1996年11期）、徐思賢〈馮欽哉鬥楊虎臣－四十年前往事漫憶〉（《中外雜誌》18卷6期，民64年12月）、魚汲勝〈楊虎城從未叫過楊虎臣〉（《黨史通訊》1987年3期）、陸永山〈張學良、楊虎城為什麼能聯合發動西安事變〉（《東北師大學報》1990年1期）、武育文〈論張學良和楊虎城合作的思想政治基礎〉（《東北地方史研究》1991年2期）、房成祥〈論西安事變與張、楊的愛國主義〉（《人文雜志》1996年1期）、劉杰誠等〈楊虎城將軍與西安事變〉（《革命英烈》1986年6期）、曹軍〈西安事變與楊虎城〉（載《楊虎城研究》，陝西人民出版社，1991）、原蔭盛〈楊虎城的24字方針與西安事變〉（《陝西師大學報》1989年2期）、楊咏〈楊虎城將軍在西安事變中的地位和作用〉（《師資建設》1990年1期）、朱美琴〈談楊虎城將軍在雙十二事變中的作用〉（《南通師專學報》1986年4期）、張榮華、鍾興明〈論楊虎城在西安事變中的貢獻〉（《河南師大學報》1988年1期）、孔從洲〈西安事變中的楊虎城將軍〉（《軍史資料》1985年8期）、梁仲明〈西安事變〝善後處理〞中的楊虎城〉（《人文雜志》1990年3期）、周盼〈爸爸楊虎城在西安事變前後〉（《中國建設》1986年12期）、楊中州〈楊虎城將軍的歐美之行〉（《西北大學學報》1981年2期）、袁武振、梁月蘭〈楊虎城在歐美宣傳抗日〉（《炎黃春秋》1995年5期）、張德鵬〈愛國將軍的西班牙之行：楊虎城被迫出洋考察側記〉（《黨史縱橫》1996年6期）；〈楊虎城將軍出國日記摘抄〉（《文史通訊》1983年3期）、楊中洲〈楊虎城將軍出國前後〉（《名人傳記》1987年1期）、于桂枝、劉小平〈楊虎城將軍的抗戰活動及抗戰思想簡論〉（《張家口師專學報》1995年3期）、清流〈楊虎城夫婦在被囚禁的日子裏〉（《百花》1986年4期）、何仲〈楊虎城將軍之死〉（《貴州文史天地》1996年6期）、昕予〈楊虎城將軍之死〉（《縱橫》1984年3期）、鄭北金〈楊虎城將軍之死〉（《中州今古》1995年2期）、蕭允中等〈楊虎城將軍的遺骨鑑定紀實〉（《中國老年》1987年1期）、金點容〈楊虎城誤國自誤〉（《陝西文獻》36期，民68年1月）、楊拯民〈難以忘懷的往事一對先父楊虎城的懷念〉（《人物》1987年3期）、楊拯美〈紀念我的母親謝葆真〉（《革命英烈》1983年3期）、子國〈楊虎城將軍的夫人謝葆真一訪楊虎城將軍的女兒楊拯美〉（《現代婦女》1986年1期）、楊拯英〈楊虎城夫人謝葆真之死〉（《女子世界》1985年5期）及〈謝葆真之死〉（《陝西地方志通訊》1985年2期）、蕭毅〈從西安到延安一訪楊虎城將軍的女兒周盼〉（《婦女》1982年4期）、胡冰〈楊虎城將軍陵園〉（《文博》1986年1期）。

關於西安事變（以張學良、楊虎城與西安事變間之關係為題的論著或資料，前已列述，可參閱之，此處不再贅舉）專書有朱文原編《西安事變史料一重要函電》（2冊，臺北，國史館，民82）

及《西安事變史料一大事記要》(3冊,同上,民83-85)、佚名編《西安事變史料》(臺北,文海出版社影印,民62)、國民黨黨史會編印《革命文獻·第94-95輯:西安事變史料(一)(二)》(臺北,民72)、時事問題研究社編印《西安事變史料》(民26年出版)、西北大學歷史系中國現代史教研室、西安地質學院中共黨史組、八路軍西安辦事處紀念館合編《西安事變資料選輯》(內部發行,1979)、中國第二歷史檔案館、雲南省檔案館、陝西省檔案館編《西安事變檔案史料選編》(北京,檔案出版社,1986)、黃得昭、王秦《西安事變資料·第1、2輯》(西安,陝西人民出版社,1980、1982)、西安事變研究會資料室編《西安事變電文選》(西安,陝西師大出版社,1987)、西安事變研究會編(叢一平主編)《西安事變研究》(西安,陝西人民出版社,1988),係1986年西安事變學術討論會的論文選集;房成祥編《西安事變史話》(同上,1980)、李雲峰《西安事變史實》(同上,1981)、長野廣生《西安事變一中國現代史の轉回點》(東京,三一書房,1975)、李捷《西安事變》(中國革命史小叢書,北京,新華出版社,1990)、楊中州編《西安事變》(上海,上海人民出版社,1979;鄭州,河南人民北京,1986)、雨辰《西安事變》(北京,中國青年出版社,1993)、鄭重、程世榮等《西安事變》(西安,陝西人民出版社,1979)、趙稜熹《西安事變》(臺北,漢湘文化事業公司,民84);《西安事變:從劇本到影片》(北京,中國電影出版社,1984)、西安事變史領導小組《西安事變簡史》(北京,中國文史出版社,1986)、申伯純《西安事變紀實》(北京,人民出版社,1979)、王禹廷《細說西安事變》(臺北,傳記文學出版社,民78)、Wu

Tien-Wei（吳天威），The Sian Incident: A Pivotal Point in Modern Chinese History.（Ann Arbor: Center for Chinese Studies, University of Michigan, 1976）、James M. Bertram, First Act in China: The Story of the Sian Mutiny.（New York: Viking Press, 1938；其中譯本爲牛玉林譯《中國的第一幕：西安事變秘聞》，西安，陝西人民出版社，1989）及Crisis in China: The Story of the Sian Mutiny.（London: Macmillan, 1937）、Fang Chin-yen（房金炎），The Sian Incident: A Prelude to the Coming of the Sino-Japanese War（1937-1945）in China.（Ph D. Dissertation, American University, 1977）、東洋協會調查部《西安事變の全貌》（1937年出版）、東亞會《西安事變と支那將來に就て》（東京，1936）、島津敏男編《西安事變秘錄》（天津，支那問題研究所，1937）、木子立《西安事變真相》（南京，救亡出版社，民26）、張魁堂《挽救危亡的史詩一西安事變》（桂林，廣西師大出版社，1994）、姚立夫等著、春秋雜誌社編輯委員會編《西安事變珍史·第1輯》（香港，春秋雜誌社，1965；臺北，躍升文化事業公司，民77）、右軍《西安事變的前因後果（西安事變珍史·第2輯）》（香港，春秋雜誌社，1966；臺北，漢京文化出版公司，民77）、李雲漢《西安事變始末之研究》（臺北，近代中國出版社，民71）、蔣中正《西安半月記》（南京，正中書局，民26；與《蔣夫人西安事變回憶錄》合爲一册；臺北，黎明文化公司，民65）、徐覺生編《蔣委員長祝壽蒙難詳記》（青島，平民月刊社，民25）、蔣萬里編《蔣委員長西安蒙難真相》（上海，民族出版社，民26）、劉百川《蔣委員長西安蒙難記》（增補訂正版，上海，汗血書店，民26）、吧城（Java）國民書局《蔣委員長西安蒙難詳細記》（1937年出版）、盧烈編《蔣委員長蒙難記》（上海，經緯書局，民35年再版）、薛家柱、王月曦《蔣介石在西安事變中》（北京，中共中央黨校出版社，1994）、何鏡華編著《雙十二與民族革命》（香港，時代批評社，1942）、宋美齡《西安事變回憶錄》（南京，正中書局，民26，與蔣中正《西安半月記》合冊）、何應欽等《西安事變三憶》（澳門，大地出版社，1962）、邵洵美《蔣委員長西安半月記·蔣夫人西安事變回憶錄讀後感》（上海，時代圖書公司，民26）、孔祥熙《西安事變回憶錄》（臺北，正中書局，民50）、李金洲《西安事變親歷記》（臺北，傳記文學出版社，民61）、吳福章編《西安事變親歷記》（北京，中國文史出版社，1986）、薛家柱編《西安事變情恨—蔣介石貼身侍衛官目擊記》（臺北，臺灣先智出版公司，民84）、孫銘九《〝西安事變〞的真相：張學良將軍衛隊營長孫銘九自述》（南京，江蘇文藝出版社，1993）、郭維誠顧問、高存信、白競凡《西安事變與二二事件》（香港，同澤出版社，1995）、顧朗麟《中共統戰策略與西安事變關係之研究》（中國文化學院大陸問題研究所碩士論文，民65年7月）、程為品《西安事變與中蘇關係》（政治大學外交研究所碩士論文，民50年12月）、陳元方、史確農編著《西安事變與第二次國共合作》（西安，陝西旅遊出版社，1987）、羅瑞卿、呂正操、王炳南《西安事變與周恩來同志》（北京，人民出版社，1978）、何應欽上將九五壽誕叢書編輯委員會編《西安事變的處理與善後》（臺北，編者印行，民73）；《關於西安事變之報告與輿論》（中國國民黨安徽省黨部宣傳叢書，民25）；《西安事變後之輿論》（出版時地不詳）、甲斐和之《「西安事變」前後の政治狀勢と大眾·學生運動について－抗日民族統一戰線の轉換》（關西大學史學·地理學科畢業論文，1978年度）；《舉世申討張逆檄電集》（出版時地不詳）、中國國民黨安徽省黨部編印《營救領袖聲討叛逆》（民25年出版）。

論文方面有李新〈西安事變初探〉（《歷史研究》1979年11期）、張仲良〈西安事變新論〉（《江漢論壇》1989年7期）、馮永之、勞雲展〈"西安事變"述評〉（《上饒師專學報》1987年1期）、賀秉元、馮永之、勞雲展〈"西安事變"評議〉（《遼寧教育學院學報》1987年2期）、John Crossland, "The Xián Incident" (History Today, Vol. 37, July 1987)、Robert Dunn, "Chronology of the Xi'an Incident." (Chinese Studies in History, Vol.22, No.3, 1989)、伊達宗義〈中國の歷史的轉機となった西安事件〉（《海外事情研究所報告》22號，1988）、傅尚文〈中國現代史上的一個重大歷史轉折點－西安事變述略〉（《河北大學學報》1987年2期）、李勇、常建宏〈西安事變紀事〉（《中國檔案》1995年12期）、魚汲勝〈西安事變紀事（1936年12月12日－12月25日）〉（《黨史資料徵集通訊》1986年11期）、羅立斌〈西安事變風雲散記〉（《學術論壇》1985年4期）、黎東方〈西安事變〉（《陝西文獻》29期，民66年4月）、黃愛軍〈抗日戰爭的起點－西安事變〉（《安徽黨史研究》1993年4期）、田雨時〈西安事變：雄壯淒婉的"史詩"〉（《黨史縱橫》1992年6期）、李佩良〈對西安事變研究中幾個問題的探討〉（《南京政治學院學報》1991年3期）、趙剛〈有關西安事變研究中的一些問題〉（《黨史研究》1985年1期）、房成祥、蘭虹〈對西安事變研究中幾個問題的探討〉（《黨史研究與教學》1996年6期)、張學繼〈對西安事變幾個問題的再探討〉(《抗日戰爭研究》1992年4期)、宇野重昭〈西安事變研究とその意義－日中戰爭との關連において〉(《成蹊法學》28號,1988年6月)、魚汲勝〈西安事變研究綜述〉(《黨史通訊》1986年11期)、馬貴凡編譯〈蘇聯學者西安事變的研究〉(同上)、魚汲勝〈關於中國國民黨西安事變研究概述－寫於西安事變五十周年之際〉(《黨史資料與研究》1986年6期)、曾祥健、朱喜來〈近十年來西安事變重大問題研究述略〉(《歷史教學》1996年7期)及〈近十年來西安事變若干重大問題研究述略〉(《學術研究》1996年12期)、任元〈近年來西安事變若干問題研究概述〉(《史學月刊》1996年6期)、曲峽〈西安事變人物研究的回顧與展望〉(《石油大學學報》1992年2期)、楊奎松〈有關西安事變發生經過的幾個問題〉(《民國檔案》1996年4期)、張學繼〈西安事變幾則史實辨正〉(《黨史研究資料》1991年8期)、李雲漢〈有關西安事變幾項疑義的探討〉(《中華民國歷史與文化討論集》第2册,民73)、野原四郎〈有關西安事變的爭論〉(載《國外中國近代史研究》第9輯,1988)、闞家東〈關于西安事變的一點質疑〉(《中學歷史》1986年5期)、張少傑〈揭開當年西安事變的謎底〉(《湖南文獻》18卷4期,民79年10月)、Wu Tien-Wei(吳天威), "New Materials on the Xian Incident, A Biblogrphic Review." (Modern China, Vol.10, No.1, 1984) 及 "The Sian Incident: A Pivotal Point in Modern Chinese History." (Pacific Affairs, Vol.50, No.1, Spr. 1977)、劉蘇選編〈西安事變史料一組〉(《北京檔案史料》1986年4期)、楊奎松〈有關西安事變幾則電報內容與時間的考證〉

、《黨的文獻》1996年6期）、朱大紅〈關於張楊西安事變通電全國的時間判定〉（《江西社會科學》1994年1期）；〈關於西安事變的34份文電（1936年12月—1937年2月）〉（《文獻和研究》1986年匯編本）、廣東省檔案館〈西安事變電報選載〉（《歷史檔案》1988年3期）、中國第二歷史檔案館〈西安事變檔案資料選輯〉（同上，1981年1期）、蔣永敬〈有關西安事變新資料〉（《傳記文學》63卷1期，民82年7月）、吳天威著、唐秀蘭譯〈關於西安事變的新材料〉（《黨史通訊》1986年11期）、張亞斌〈關於西安事變的歷史下限問題〉（《延邊大學學報》1996年2期）、陳木杉〈中共對西安事變的曲解〉（《近代中國》78期，民79年8月）、顧祝同〈「西安事變」憶往〉（《傳記文學》40卷2期，民71年2月）、陳誠口述、柳克述筆記〈西安事變回憶錄〉（同上，53卷6期，民77年12月）、邵力子〈西安事變追憶〉（《瞭望》1992年2期）、趙希鼎〈西安事變的片斷回憶〉（《新史學通訊》1956年12期）、王偉勛〈我所知道的西安事變〉（《揚州師院學報》1978年1、2期）、閔湘帆〈西安事變舊夢痕〉（《中外雜誌》28卷6期、29卷1、2期，民69年12月、70年1、2月）、王覺源〈西安事變見聞〉（同上，24卷6期、25卷1、2期，民67年12月、68年1-3月）、董國祥〈西安事變見聞記〉（《陝西地方志通訊》1985年6期）、趙壽山〈西安事變前後回憶〉（《革命英烈》1983年3期）、冷拙〈西安事變見聞片斷〉（《黃埔》1992年1期）、田雨時〈回顧·省思·痛析—西安事變五十五年後撫今追昔重有所感〉（《明報》26卷12期，1991年12月）、楊拯民〈論西安事變的歷史必然性〉（《黨史研究》1986年6期，亦載《紅旗》1986年23期）、何家驊〈西安事變的前因後果〉（載《中華民國建國八十年學術討論集》第1冊，臺北，民81）、李雲漢〈西安事變的前因與經過〉（《傳記文學》39卷6期、40卷1-4期，民70年12月、71年1-4月）、蕭良章〈西安事變原因之研究〉（《國史館館刊》復刊第2期，民76年6月）、孟慶春〈西安事變發生原因還應有社會心理方面〉（《福建師大學報》1996年6期）、劉寶辰〈論西安事變發生的複雜原因〉（《河北大學學報》1989年2期）、毛敏修〈西安事變發生的原因與意義〉（《錦州師院學報》1991年4期）、馬成碧〈從張、蔣政見分歧談西安事變發生的必然性〉（《學術論壇》1993年3期）、王晉林、曲濤〈山城堡戰役與西安事變的爆發〉（《甘肅社會科學》1992年4期）、陳毓述〈試述〝活路〞事件及其對西安事變的影響〉（《綏化師專學報》1993年4期）、波多野善大〈西安事變をめぐる人間關係〉（《愛知大學文學部紀要》第10號卷末，1981年3月）、孫銘九〈西安事變爆發—《談西安事變》之五〉（《歷史教學問題》1985年2期）、張志榮〈〝西安事變〞宜稱〝西安兵諫〞〉（《上饒師專學報》1996年4期）、辛玉璞〈西安事變何以稱〝兵諫〞？〉（《中學歷史教學參考》1991年1-2期）、張魁堂〈臨潼兵諫（西安事變）〉（《軍事史林》1986年5期）、羅玉明〈西安事變和扣蔣計劃的提出〉（《懷化師專學報》1991年3期）及〈西安事變扣蔣成功的原因〉（同上，1994年4期）、張化東〈華清池扣蔣回憶〉（《黨的文獻》1995年5期）、吳天威〈紀念西安事變六十周年—淺析西安事變之背景捉蔣放蔣及張之禁錮〉（《傳記文學》69卷6期，民85年12月）、張魁堂〈臨潼捉蔣史實全貌已基本查清〉（《文史通訊》1982年6期）、王玉環〈捉蔣回憶〉（《文史通訊》1981年5期）、喻杰〈風雨西安城〉（《星火燎原》1983年2期）、朱成甲〈〞西安事變〃與蔣孝先之死〉（《北京黨史研究》1995年4期）、米鶴都〈關於蔣介石在西安事變中的諾言問題〉（《黨史研究》1986年6期）及〈關於蔣介石在西安事變中的六項諾言楊虎城的致各縣長函〉（《黨史資料通訊》1982年11期）、王禹廷〈西安事變釀成巨禍〉（《傳記文學》50卷1期-51卷3期，民76年1-9月）、梁惠錦〈西安事變釀浩劫〉（《華僑雜誌》22年4期，民77年4月）、邵岳海〈張學良將軍如何？－由美國軍事密檔看「西安事變」〉（同上）、邵宗海〈精忠貫日月，生死安足論（西安事變）〉（《國魂》533期，民79年4月）、趙亞宣口述、杜鵬霄整理〈西安事變中的一個未遂的陰謀〉（《當代青年》1985年5期）及〈西安事變中一起槍殺〞特使〃案件的始末〉（同上，1985年9期）、松本重治〈西安事件の第一報〉（《中央公論》79卷8號，1964年8月）、趙新安〈淺析西安事變的歷史作用〉（《延安大學學報》1995年3期）、吳天威〈〞西安事變〃與代近中國歷史的大轉折〉（《傳記文學》50卷2期，民76年2月）、唐德剛〈〞西安事變〃、〞六一事變〃五十週年〉（同上）、蔣緯國〈由七七事變五十周年回憶影響國運的西安事變〉（《憲政論壇》35卷1期，民76）、劉德熹〈獨立自主解決中國革命問題的光輝範例：紀念西安事變和平解決六十周年〉（《安徽教育學院學報》1996年4期）、鄧文儀〈西安事變與中國之命運〉（《傳記文學》32卷2、3期，民67年2、3月）、唐德剛〈西安事變改寫了世界歷史－兼論今後百年的華語族群〉（同上，69卷5期，民85年11月）、李雲峰〈西安事變與中國革命〉（《百科知識》1986年12期）、吳景平譯〈西安事變－英國外交檔案選譯〉（《黨史研究資料》1988年2期）及〈美國外交檔案中關於西安事變電文選譯〉（同上，1991年4期）、房成祥〈西安事變期間張、楊八字宗旨之再探討〉（《四川師大學報》1988年6期）、張鳴、農麗麗〈論南京國民政府解決西安事變的策略和作用〉（《南京理工大學學報》1996年2、3期）、簡笙簧〈國民政府處理西安事變史料選錄〉（《國史館館刊》復刊第9期，民79年12月）、侶潔志〈南京政府在西安事變問題上未形成根本對立的兩派〉（《山東醫科大學學報》1990年3期）、陳興唐、韓文昌〈從有關馮玉祥檔案中看國民黨政府對西安事變的對策〉（《歷史檔案》1985年2期）、張魁堂〈〝兵諫〞槍聲撼金陵－西安事變中南京政府和戰之爭內幕〉（《文史雜志》1987年1期）、李良志〈國民黨在和平解決西安事變問題上的態度〉（《史學月刊》1987年6期）、姬天舒〈試談國民黨內部矛盾鬥爭和發展與西安事變的關係〉（《理論學刊》1987年5期）、戚厚杰〈西安事變部分人物簡介〉（《民國檔案》1986年4期）、李淑〈試評西安事變中幾個人物的歷史作用〉（《南京師大學報》1987年1期）、王松〈試評孔祥熙處理西安事變的方針〉（《黨史研究資料》1989年9期）、陳鳴鐘〈孔祥熙在西安事變期間的活動〉（《民國春秋》1988年2期）、李茂盛〈孔祥熙與西安事變〉（載中國社會科學雜誌社主辦的《未定稿》1987年9期）、王松〈試評西安事變中的孔祥熙〉（《歷史教學》1991年3期）、蔣順興〈孔祥熙與西安事變的和平解決〉（《民國春秋》1996年5期）、羅玉明〈孔祥熙與西安事變的和平解決〉（《懷化師專學報》1994年2期）、佩璇、蔣文祥〈蔣介石與西安事變〉（《人文雜志》1996年5期）、王青山〈論西安事變中蔣介石轉變的主觀因素〉（《社會科學家》1988年6期）、關志鋼〈蔣介石與西安事變的和平解決〉

（《深圳大學學報》1992年2期）、汪榮祖〈蔣介石「西安半月記」透視〉（《傳記文學》64卷3期，民83年3月）、孫剛〈從張蔣政見分歧看西安事變〉（《北京大學研究生學刊》1996年4期）、李昕〈宋氏兄妹與西安事變〉（同上，1996年6期）、王文鸞〈宋美齡在和平解決西安事變中的地位和作用〉（《史學月刊》1996年6期）、嚴如平〈西安事變發生後的宋美齡〉（《民國春秋》1993年6期）、李永〈宋美齡在西安事變中〉（《徐州教育學院學報》1987年1期）、趙錦華〈宋美齡和〝西安事變〞〉（《江蘇文史資料選輯》21輯，1987年9月）、畢萬聞〈斯大林、宋慶齡與西安事變〉（《社會科學戰線》1994年5期）、尹雪曼譯〈端納與西安事變—上海密勒氏評論報主持人鮑惠爾回憶錄之廿五〉（《傳記文學》19卷2期，民60年7月）、黎超良〈端納在西安事變中的特殊作用〉（《歷史教學》1987年12期）、于志亭〈端納在西安事變爆發以後〉（《黨史文匯》1996年11期）、Carl Albert Selle筆錄整理、滿海譯〈蔣介石被劫持—「西安事變」與外國顧問端納〉（《明報》26卷12期，1991年12月）、朱文原〈何應欽與西安事變〉（載《中華民國史專題論文集：第三屆討論會》，臺北，民85）、熊宗仁〈西安事變中的何應欽〉（《貴州社會科學》1988年6期）、李仲明〈何應欽與西安事變〉（《歷史教學》1994年2期）、熊宗仁〈西安事變發生後的何應欽〉（《民國春秋》1995年2期）及〈西安事變中何應欽主戰動機之辨析—對〝取蔣而代之〞的質疑〉（《軍事歷史》1993年4期）、陶愛萍〈析西安事變中何應欽的主戰意圖〉（《安徽史學》1996年1期）、孫宅巍〈陳誠對西安事變的態度〉（《民國春秋》1996年5期）、蕭良章〈論蔣百里的際遇及其在西安事變中的協和作用〉（《國史館館刊》復刊第9期，民77年12月）、季雲飛〈西安事變中蔣百里勸説蔣介石〉（《民國春秋》1993年4期）、喬家才〈西安事變中的馮欽哉〉（《中外雜誌》17卷3期，民64年3月）、何仁學〈西安事變前後的王以哲將軍〉（《軍事歷史》1992年1期）、吳天遙〈劉鼎和西安事變〉（《人物》1989年2期）。谷麗娟〈中國共產黨與西安事變〉（《學術交流》1987年5期）、鄭德榮〈中國共產黨與西安事變〉（《吉林社會科學》1987年1期）、安藤正士〈西安事件と中國共產黨一政策決定過程ロにおけるいくつかの問題〉（《近代中國研究彙報》15號，1993年3月）、石川忠雄〈西安事件の一考察：そスユーと中國共產黨その關係について〉（《慶應義塾創立百年記念論文集（法學部）·第2—政治學關係》，1958年11月）、永橋弘價〈西安事件一剿共作戰と國共合作〉（《國士館大學政經論叢》68號，1989年6月）、蘇麗〈論析西安事變中國共兩黨提出的和平主張〉（《學術研究》1995年3期）、李振亞、劉景泉〈黨的上層統戰工作與西安事變：紀念西安事變五十周年〉（《南開學報》1986年6期）、周俊晨〈〝西安事變〞前後我黨對楊虎城部隊的統戰工作〉（《社會科學家》1993年1期）、宋毅軍〈中共在西安事變前後的軍事戰略防禦〉（《軍事歷史研究》1992年4期）、蔣文祥〈中共事前得知〝西安事變〞消息説質疑〉（《學術研究》1992年6期）、吳慶君〈中共獲悉西安事變消息時間考述〉（《遼寧師大學報》1987年5期）、李良志〈關於西安事變後我黨處置蔣介石的方針問題〉（《黨史資料通訊》1987年1期）、侯雄飛〈關於西安事變中共代表團到達西安和紅軍進入延安的日期考辨〉（《研究·資料與譯文》1986年1期）、韓泰華〈〝西安事變〞中有組成〝中共代表團〞

嗎？〉（《黨史資料與研究》1987年5期）、黨軍〈〝西安事變〞中有關中共代表幾個問題的考證〉（《陝西地方志通訊》1986年5期）、栗守廉、高蘭波〈試論我黨和平解決西安事變方針的提出〉（《牡丹江師院學報》1988年1期）、潘雅琴〈中共中央關於和平解決西安事變的方針〉（《錦州師專學報》1986年4期）、劉建武〈淺論中共中央關於和平解決西安事變的方針〉（《湘潭師院學報》1986年4期）、楊奎松〈我黨和平解決西安事變方針的提出及其依據〉（《黨史研究》1984年2期）、張魁堂〈中共中央和平解決西安事變方針的制定〉（《近代史研究》1991年2期）、劉青〈中國共產黨關於和平解決西安事變方針的制定〉（《貴州社會科學》1995年6期）、黃德淵〈西安事變的和平解決是我黨獨立自主的決策〉（《安徽師大學報》1986年4期）、葉心瑜〈和平解決西安事變的方針是中國共產黨獨立自主確定的〉（《廣西黨校學報》1987年3期）、丁雍年〈關於我黨和平解決西安事變方針問題〉（《黨史研究資料》1982年11期）、靜德〈我黨為爭取和平解決十二月事變的努力〉（《黨史文匯》1985年2期）、秦興洪〈試論中國共產黨在和平解決西安事變中的作用—與臺灣學者商榷〉（《廣州師院學報》1987年1期）、房成祥、蘭虹〈論中國共產黨在和平解決西安事變中的作用〉（《黨的文獻》1996年6期）、余三樂〈論中共在西安事變和平解決過程中的主導作用—兼與侯雄飛先生商榷〉（《北京檔案史料》1992年1期）、陳一華〈西安事變的和平解決與中共的抗日民族統一戰線政策〉（《東北師大學報》1986年6期）、石川忠雄〈抗日民族統一戰線の形成と西安事件〉（載《世界の歷史》，東京，筑摩書房，1962）、楊穎奇〈論抗日民族統一戰線與西安事變的發生〉（《學海》1994年3期）、野原四郎〈抗日民族統一戰線と西安事變〉（《社會科學年報（專修大學）》11號，1977年6月）、黃朝章等〈黨的抗日民族統一戰線政策與〝西安事變〞〉（《理論研究》1981年6期）、葉志麟〈西安事變與統一戰線〉（《浙江統戰理論學刊》1987年1期）、郭林〈西安事變與新疆抗日民族統一戰線〉（《西域研究》1994年2期）、宋毅軍〈中共在西安事變前後的軍事戰略防禦〉（《軍事歷史研究》1992年4期）、彈笙〈毛澤東對西安事變中軍事鬥爭的指導〉（《黨的文獻》1992年6期）、宋毅軍〈毛澤東與西安事變〉（《瞭望》39期，1992）、雷雲峰〈毛澤東與西安事變〉（《人文雜誌》1986年6期）、蔣文祥〈毛澤東與西安事變〉（同上，1994年4期）、葉永烈〈毛澤東在〝西安事變〞中主張殺蔣與釋蔣的過程〉（《傳記文學》65卷6期，民83年12月）、韓榮璋、雷雲峰〈毛澤東在西安事變中的傑出作用〉（《黨史資料與研究》1987年6期）、宮力〈在西安事變的複雜局勢面前一歷史轉折關頭的毛澤東〉（《黨史文匯》1993年10期）、雷雲峯〈西安事變和周恩來同志〉（《史學月刊》1986年6期）、秦九風、華宗寶〈周恩來在西安事變前後〉（《黨史文苑》1996年2期）、張建芳〈西安事變後周恩來到達西安時間小考〉（《安慶師院學報》1996年4期）、李文海〈周恩來對和平解決西安事變的貢獻〉（《紅旗》1987年1期）及〈周恩來在西安事變中的作用：紀念西安事變50周年〉（《文獻和研究》1986年6期）、童小鵬〈周恩來在西安事變的日子裏〉（《福州黨史月刊》1995年3-6期）、周梵伯〈回憶周恩來同志在西安事變中的二三事〉（《陝西地方志通訊》1986年5期）、張培森等〈張聞天與西安事變〉（《黨的文獻》1988

年3期）、曹軍〈西安事變與張聞天〉（《理論導刊》1991年12期）、孫彥釗〈著力倡導和平解決西安事變的張聞天〉（《炎黃春秋》1996年5期）、程慎元〈功不可沒–日本學者高度評價張聞天對和平解決西安事變的重要貢獻〉（《黨史縱橫》1996年12期）、孫堂厚、何淑梅〈審時度勢的革命家：西安事變時的張聞天〉（同上，1994年9期）、張為波〈陳獨秀在西安事變時的喜怒哀樂〉（《安徽黨史研究》1993年2期）、解光一〈西安事變中的功臣宋綺雲〉（《上海教育學院學報》1996年4期）、宋毅軍〈略論西安事變前後的任弼時和彭德懷〉（《軍事史林》1991年6期）、閻武〈西安事變中的徐海東將軍〉（同上，1987年3期）、楊盛云〈彭雪楓在〝西安事變〞中〉（《中州今古》1994年1期）、王真〈西安事變與中國共產黨的歷史發展〉（《教學與研究》1994年2期）、李奎泰〈中共之發展和西安事變〉（《東亞季刊》22卷1期，民79年7月）、王榮〈西安事變和第二次國共合作的形成〉（《學習與探索》1985年2期）、李晏〈試析西安事變的歷史經驗及其國共第二次合作的實現〉（《青海師大學報》1986年3期）。張文亮〈共產國際和平解決西安事變方針初探〉（《山東師大學報》1988年3期）、高光厚、曹軍〈共產國際與西安事變〉（《黨史通訊》1986年11期）、米鎮波譯〈有關共產國際處理〝西安事變〞的一點內情〉（《黨史研究資料》1991年3期）、張慶瑰、趙彩秋〈共產國際與西安事變的和平解決〉（《瀋陽師院學報》1996年3期）、何步蘭〈共產國際及蘇聯與西安事變〉（《人文雜志》1986年2期）、馬寶華等〈蘇聯及共產國際對西安事變的反應〉（《文獻和研究》1986年6期）、魚汲勝〈共產國際、蘇聯及各國對西安事變的反應大事記〉（《理論學刊》1986年11期）、李良志〈要正確評價共產國際和蘇聯在西安事變中的作用〉（《教學與研究》1987年2期）、沈元加〈西安事變和平解決中共產國際、蘇聯作用的二重性〉（《內江師專學報》1990年3期）、李義彬〈蘇聯與西安事變〉（《歷史研究》1993年5期）、John W. Garver, "The Soviet Union and the Xián Incident."（The Australian Journal of Chinese Affairs, Issue 26, July 1991）、壬之〈有關西安事變問題的中蘇交涉〉（《民國春秋》1990年2期）、蘇桂珍〈西安事變的國際反響〉（《北方論叢》1988年5期）、唐強〈從國際的角度看1936年的西安事變〉（《國外社會科學快報》1992年4期）、尹雪曼譯〈西安事變的國際情勢－上海密勒氏評論報主持人鮑惠爾回憶錄之廿四〉（《傳記文學》19卷1期，民60年7月）、Rewi Alley, "Some Notes on the International Significance of Sian Incident."（Eastern Horizon, Vol.17, No.4, 1978）、朱超南〈淺析〝西安事變〞和平解決的國際背景〉（《學術界》1993年6期）、李雲峰、葉揚兵〈西安事變時期日本態度之探析〉（《黨史博采》1996年12期）、吳景平〈評美國對西安事變的態度〉（《民國檔案》1988年4期）、吳景平譯〈美國外交檔案中關于西安事變電文選譯〉（《歷史檔案》1991年4期）、郭紹棠著、路遠摘譯〈季米特諾夫與西安事變〉（《國外中共黨史研究動態》1991年1期）、張文琳〈西安事變中的史沫特來〉（《陝西大學學報》1987年1期）、張文琳〈貝特蘭與西安事變〉（《新聞研究資料》1987年2期）、李雲峰〈同中國人民休戚相共，並肩戰鬥－幾位西方友人在西安事變前後的活動及影響〉（《唐都學刊》1987年3期）。王英〈試析〝西安事變〞後出現的〝擁蔣〞浪潮〉（《山東醫科大學學報》1996年4期）、張魁堂〈西安事變中擁蔣潮流的真象與假象〉（《黨的文獻》1989年1期）、周毅〈東北軍與西安事變〉（《遼寧大學學報》1987年2期）、華飆等〈地方實力派與西安事變〉（《東北師大學報》1986年6期）、馮淑英〈論地方實力派在西安事變中的作用〉（《黨史研究資料》1992年3期）、趙小燕〈西安事變後的寧、青、新地方實力派〉（《青海師大學報》1996年4期）、王靜〈閻錫山與西安事變〉（《晉陽學刊》1994年2期）、李代玲〈閻錫山與西安事變－紀念西安事變五十周年〉（《山西大學學報》1986年4期）、王靜〈試論閆錫山在西安事變中的作用〉（《北京黨史研究》1994年1期）、張魁堂〈閻錫山－西安事變中的不倒翁〉（《人物》1994年1期）、陳曉慧編〈閻錫山與西安事變史料選輯〉（《國史館館刊》復刊10期，民80年6月）、王靜〈閻錫山與西安事變〉（《晉陽學刊》1994年2期）、陳漢孝〈西安事變中的馮玉祥〉（《近代史研究》1988年2期）、李信〈西安事變時的馮玉祥〉（《北京檔案史料》1996年3期）、苗建寅、奚義生〈馮玉祥與西安事變的和平解決〉（《陝西師大學報》1989年2期）、中國第二歷史檔案館〈馮玉祥日記選：有關西安事變部份〉（《民國檔案》1986年4期）、郝旭〈西安事變發生後的李宗仁和白崇禧〉（《民國春秋》1995年1期）、朱德新〈關於李宗仁等在西安事變中一則通電的人數和日期的考訂〉（《檔案史料與研究》1992年2期）、彭建新〈李濟深對和平解決西安事變的貢獻〉（《人文雜誌》1993年4期）、盧家翔、李鳴〈議西安事變中新桂系的態度及其影響〉（《廣西黨校學報》1987年3期）、申曉雲〈新桂系與西安事變〉（載《抗日戰爭史事探索》，上海，上海社會科學院出版社，

1988）、張壯強〈新桂系的抗日態度與西安事變〉（《廣西民族學院學報》1987年3期）、朱德新〈西安事變中川桂通電的日期與領銜署名考〉（《黨史研究資料》1991年12期）、李文田〈西安事變與劉湘〉（《中外雜誌》42卷4期，民76年10月）、董漢河〈西路軍與西安事變〉（《人文雜誌》1993年2期）、林祥庚〈論民主黨派對〝西安事變〞的積極作用〉（《理論學習月刊（福州）》1995年7期）、羅玉明〈論西安事變中國民黨的主戰派與主和派〉（《懷化師專學報》1993年2期）、宋波〈西安事變中南京國民政府內的主戰派和主和派〉（《北京檔案史料》1996年6期）、李松林等〈試論西安事變中的〝討伐派〞〉（《黨史研究資料》1987年5期）、陳希亮〈也論西安事變中的〝討伐派〞〉（《史學月刊》1993年4期）、經盛鴻〈西安事變中黃埔系的內部分歧〉（同上，1995年6期）、楊奎松〈西安事變期間〝三位一體〞的軍事協商與部署〉（《近代史研究》1996年6期）、華峻〈試論三位一體與西安事變〉（《社會科學》1990年1期）、鄧文儀〈西安事變關係中國命運—力行社營救蔣委員長〉（《東方雜誌》復刊21卷1期，民76）、重慶檔案館〈復興社在〝西安事變〞時的活動史料〉（《歷史檔案》1986年4期）、賴景瑚〈西安事變中的洛陽〉（《傳記文學》39卷6期，民70年12月）、王軍〈西安事變中的洛陽〉（《史學月刊》1992年4期）、祝樞壽〈西安事變洛陽見聞錄〉（《傳記文學》20卷6期，民61年6月）、中國社會科學院近代史研究所圖書資料室〈西安事變時國民黨駐洛陽辦事處密電〉（《歷史檔案》1986年2期）、黃劍慶〈記范長江冒險採訪〝西安事變〞〉（《大江南北》1991年5期）、王美芝〈《紅色中華》關於〝西安事變〞的宣傳〉（《新聞研究資料》39輯，

1987）、胡愈之〈從新生事件到西安事變：深切懷念杜重遠、高崇民同志〉（《社會科學戰線》1980年2期）、雒春普〈綏遠抗戰與西安事變〉（《北京檔案史料》1986年4期）、長野廣生〈綏遠事件から西安事件へ〉（載《昭和日本史》第3卷，曉教育圖書，1977）、殷小未〈西安事變時的北平〉（《北京黨史研究》1995年6期）、樂恕人〈危城北平與西安事變〉（《中外雜誌》9卷1、2期，民60年1、2月）及〈西安事變時的北平〉（《傳記文學》39卷6期，民70年12月）、康雅麗〈西安事變與圖存學會〉（《吉林大學社會科學學報》1987年3期）、華音〈西安事變和旅歐愛國華僑〉（《歷史教學問題》1987年3期）、李連壁〈〝西安事變〞前後的青年運動〉（《人文雜志》1981年慶祝建黨專刊）、盛雪芬、車樹實〈〝西安事變〞前後的〝東北民眾救亡會〞〉（《瀋陽師院學報》1985年3期）、容麗娟〈駁張國燾對西安事變歷史的纂改〉（《學術交流》1991年1期）、李淑〈試評西安事變中幾個人物的歷史作用〉（《南京師大學報》1987年1期）、蕭涵〈西安事變中的四位女性〉（《名人傳記》1986年2期）。白竟凡〈也談〝西安事變〞釋放國民黨中央要員問題的真相〉（《革命春秋》1989年1期）、鄧家培、黃建權〈試論西安事變中改審蔣為放蔣的原因〉（《中學歷史教學》1987年3期）、王公度〈論西安事變的和平解決〉（《臺州師專學報》1986年2期）、A·季托夫著、鄭厚安譯〈西安事變的和平解決〉（《國外社會科學動態》1983年6期）、侯雄飛〈西安事變和平解決新探〉（《黨史研究資料》1987年2期）、蔣文祥〈〝西安事變〞和平解決首倡者新探〉（《唯實》1987年5期）、侯雄飛〈西安事變和平解決原因新探〉（《歷史研究》1987年2期）、米鶴都〈促成西安事變和平解決的多方面因素〉（《南開學報》1987年2期）、施文魁〈西安事變的和平解決成了時局轉換的樞紐〉（《瀋陽師院學報》1986年4期）、季雲飛〈和平解決西安事變諸因素作用評估〉（《求索》1996年4期）、彭建新〈西安事變和平解決的方針研究述評〉（《社會科學述評》1990年4期）、劉德軍、花亞純〈對西安事變和平解決的再認識〉（《山東醫科大學學報》1988年4期）、左志遠〈對和平解決西安事變的再認識〉（《歷史教學》1991年10期）、賴城堅〈淺論〝西安事變〞的發生及和平解決的歷史意義〉（《成都大學學報》1985年3期）、張國文〈西安事變和平解決的現實意義〉（《思維與實踐》1996年6期）、陳貴富〈奇跡是怎樣出現的—和平解決西安事變的歷史必然性〉（《黨史文匯》1987年3期）、澤章〈西安事變的和平解決與抗日民族統一戰線的正式形成〉（《青年學研究》1996年4期）。劉細清〈淺談西安事變的歷史啟示〉（《山東師大學報》1995年增刊）、鹿地亘〈西安事變とその後〉（《中國研究》13、15、18、20、21號，1971年4-12月）、波多野善大〈西安事變をめぐる人間關係〉（《愛知學院大學文學部紀要》10號，1980）、崔茂盛〈西安事變在抗日戰爭中的歷史地位〉（《理論學刊》1986年11期）、蔣曉濤〈西安事變後蔣介石對陝方針〉（《江海學刊》1984年4期）、曾振〈西安事變善後問題處理的經過紀事〉（《戰史彙刊》第6期，民63）、中國第二歷史檔案館〈有關西安事變後〝陝甘善後問題〞政治解決經過的函電〉（《民國檔案》1986年4期）、陳民〈西安事變善後失誤的再認識〉（《近代史研究》1990年4期）、羅玉明、楊明楚〈西安事變後東北軍的內部矛盾二·二事件的前因後果〉（《人文雜誌》1991年6期）、丁孝智、王明星〈〝二二事件〞的起因究竟是什麼—李雲漢、武育文等先生商榷〉（《甘肅社會科學》1995年6期）、韋成樞〈西安事變後的原十七路軍〉（《近代史研究》1989年6期）、吳覺先〈對於西安事件應有之認識〉（《新論壇》1卷1期，民26年1月）、張亞斌〈論西安事變的歷史下限問題〉（《黨史研究與教學》1996年4期）、何鏡華〈〝雙十二〞的發生、發展與民族革命〉（《時代批評》3卷60期，民29年12月）、松田昌治〈西安事變と「中國統一化」論爭〉（《學習院史學》34號，1996年3月）、姚振昌〈西安事變軼事拾零〉（《浙江月刊》20卷10期，民77年10月）、谷麗娟〈西安事變是一個令人遺憾的結尾〉（《黨史資料與研究》1987年1期）；〈西安事變から支那事變へ〉（《中央經濟》21卷5號，1972年5月）、顧耕野〈西安事變與七七抗戰〉（《東北文獻》12卷3期，民71年3月）。

㈢中共的奮力圖存

抗戰前十年的國共之間，幾乎全是處於敵對戰爭狀態中的，國民黨稱此十年為剿共戰爭時期，中共則稱此十年為蘇維埃運動時期，或稱為第二次國內革命戰爭時期，或土地革命戰爭時期，泛論此十年內中共活動情形的有陳伯達《關於十年內戰》（北京，人民出版社，1953）、鄭德榮主編《國共政權十年對峙史（1927-1937）》（北京，高等教育出版社，1990）；此書之命題值得商榷，因為此十年間，中共並無長期、固定能與國民政府對峙的政府，中國大陸學者如劉培平撰有〈《國共政權十年對峙史》的命題欠妥—與鄭德榮先生商榷〉（《煙臺大學學報》1994年1期），可參閱之；本庄比佐子著、張惠才摘譯〈日本的中華蘇維埃運動研究〉（《國外中共黨史研究動態》1995年2期）、遠藤節昭、姬田光義〈中國ソビェト運動〉（野澤豐、田中正俊編《講座中國近現代史》第5卷，東京大學出版會，1978）、蔡國裕〈中共的蘇維埃運動〉（《共黨問題研究》14卷5、6期，民77年5、6月）、中西功《中國共產黨史—「ソヴェート革命」時代》（東京，北斗書院，1946；東京，白都社，1949年再刊）、史學雙周刊社編《第二次國內革命戰爭時期史事論叢》（北京，三聯書店，1956）、天野元之助〈第二次國內革命戰爭〉（《松山商大論集》6卷4號，1955年12月）、藤井高美〈第二次國內革命戰爭—毛澤東の權力への登場〉（《法學論叢》66卷4、5號，1960年1、2月）、榮孟源〈第二次國內革命戰爭〉（《歷史教學》1953年3期）、劉亞樓等〈第二次國內革命戰爭特輯〉（《解放軍文藝》1954年6-8月號）、顏廣林、錢曉初〈對第二次國內革命戰爭時期幾個問題的思考〉（《復旦學報》1989年5期）、中國青年出版社編《到處是紅旗—第二次國內革命戰爭時期的幾個故事》（北京，編者印行，1953）、Shanti Swarup, A Study of the Chinese Communist Movement, 1927-34.（London: Oxford University Press, 1966）、Trygve Lotveit, Chinese Communism 1931-1934: Experience in Civil Government,（Lund, Sweden: Studentlitteratur, 1973）、Ilpyong J. Kim, "The Origins of Communist and Soviet Movement in China."（In China at the Crossroads: Nationalism and Communist, 1927-1949, edited by Chan F. Gilbert, Boulder, Colorado: Westview Press, 1980）、蔣鳳波、徐占權《土地革命戰爭紀事》（北京，解放軍出版社，1989）、田園樂、廖國良

《土地革命戰爭大事月表：1927年8月至1937年7月》（北京，人民出版社，1987）、昭亮〈土地革命戰爭歷史地位探析〉（《學術界》1989年6期）、顏廣林編《土地革命戰爭初期若干問題》（上海，復旦大學出版社，1990）、江英〈近年來土地革命戰爭史研究新進展〉（《黨史研究與教學》1992年6期）、翁敏矗《第三國際影響下中共發展之研究：從中國蘇維埃運動的產生到終止（1927.8-1937.9）》（淡江大學俄羅斯研究所碩士論文，民85年5月）、蓋·培·愛編堡著、陶平譯〈一九二八年到一九三六年的中國蘇維埃運動和民族解放鬥爭〉（《新中華》14卷15期，1951年8、9月）、夏道漢〈第二次國內革命戰爭時期黨史研究新進展綜述〉（《江西黨史研究》1988年6期）。其他相關者有Hsiao Tso-liang, The Land Revolution in China, 1930-1934: A Study of Documents.（Seattle: University of Washington Press, 1969）、Philip C. C. Huang（黃宗智）、Lynda Schaeffer Bell, and Kathy LeMons Walker, Chinese Communists and Rural Society, 1927-34.（Berkeley: Center for Chinese Studies, University of California, 1978）、Hsueh Chun-tu（薛君度），Comp., The Chinese Communist Movement, Vol.1, 1921-1937（Stanford: Hoover Institution, 1960）。以下則將此十年間中共的活動以及國共間的關係分為幾個重點，來列舉有關的論著和資料集等。

1.中共中央策略的演變

民國十六年（1927）八月七日中共中央在漢口召開的緊急會議─史稱「八七會議」，是中共從前此「陳獨秀右傾投降主義」

轉向瞿秋白之「左傾盲動主義」的里程碑（此後，中共與國民黨全然決裂，在各地從事武裝「起義」－國民黨稱之為「暴動」，建立根據地－蘇維埃區），有關這方面的專書及論文有中共中央黨史資料徵集委員會、中央檔案館編《八七會議》（北京，中共黨史資料出版社，1986）、柳建輝、鄭雅茹〈對〝八·七〞會議有關史實的考辨〉（《黨史研究與教學》1988年5期）及〈黨的〝八七〞會議的本來面目－駁司馬璐關於〝八七〞會議若干史實的謬論〉（《黨史文苑》1990年1期）、李秋綿、崔茂盛〈〝八七〞會議的歷史地位和作用〉（《理論導刊》1991年8期）、揚帆〈八七會議使黨大進了一步〉（《武漢大學學報》1977年4期）、曹雁行〈〝八七會議〞情況介紹〉（《黨史研究》1980年3期）、李維漢談、劉經宇、顏廣林、葉心瑜整理〈關於八七會議的一些回憶〉（同上，1980年4期）、周忠瑜〈淺談〝八七〞會議前臨時中央五人常委的歷史作用〉（《攀登》1991年6期）、郭雄〈危急關頭的一次緊急會議（八七會議）〉（《黨的生活叢刊》1980年4期）、王志新〈扭轉危局的〝八七會議〞〉（《中國青年》1981年11、12期）、于平〈八七會議〉（《新中華》14卷15期，1951年8月）、楊西岩〈關於〝八七〞會議的幾個問題〉（《歷史教學》1985年12期）、祝文煜〈關於八七會議的幾個問題〉（《黨史研究資料》1980年23期）、皮明庥〈關於八七會議的幾個問題〉（《近代史研究》1980年4期）、芝翌〈八七會議初探〉（《通遼師院學報》1980年1期）、羅一群等〈談談八七會議的歷史意義〉（《宜春師專學報》1982年1期）、趙金鵬〈關於〝八七會議〞方針的表述問題〉（《黨史研究資料》1989年4期）、張天華〈要正確開展反錯誤傾向鬥爭：紀念〝八七〞會議六十周年〉(《探索》1987年4期)、子尚〈八七會議沒有選舉瞿秋白為總書記〉(《黨史研究》1982年2期)、陳文桂〈八七會議土地政策考察〉(同上,1982年5期)、楊西岩〈關於八七會議記錄真偽的考證〉(《黨史資料徵集通訊》1985年6期)、易逝〈《中國共產黨的政治任務與策略的決議案》不是八七會議通過的〉(《黨史研究資料》1982年3期)、史略等〈《中共八七會議告全黨委員》校讀記〉(《文獻和研究》1987年6期)、徐國太〈八七會議已經具有以農村為中心的思想萌芽〉(《吉林師院學報》1990年3、4期)、韓仲民〈〝八七〞會議和建立農村根據地問題〉(《百科知識》1980年1期)、趙樸〈八七會議與黨的改組〉(《黨史研究》1985年4期)、夏順奎〈對《八七會議與黨的改組》一文的一點補正〉(同上,1986年3期)、柳建輝〈〝八七〞會議產生中央領導機構實際情況的考察〉(《歷史教學》1989年4期)、劉晶芳〈評〝八七〞會議關於職工運動的策略〉(同上,1986年3期)、李曙新〈八七會議在毛澤東思想形成過程中的地位〉(《青島師專學報》1993年3期)、楊親華〈相識於八七會議上—鄧小平與毛澤東〉(《黨史縱橫》1994年2期)、L. P. Deliusin, "From the August Conference to the Kwangchow Upprising" (August-December 1927)." (Chinese Studies in History, Summer 1974)、史略〈八七會議精神在各省傳達情況〉(《文獻和研究》1986年2期)、段紀明〈八七會議精神在湖北傳達情況〉(同上,1987年6期)、薛宗耀〈八七會議精神在福建傳達情況〉(同上)、蔣伯英〈八七會議傳達與福建農民武裝鬥爭的興起〉(《福建黨史通訊》1985年2期)、單國新〈八七會議精神指導下的河南暴動〉(《鄭州大學學報》1987年3期）、劉昌福〈中共四川省委貫徹八七會議精神情況初探〉（《四川黨史研究資料》1986年1、2期）、陳福林等〈瞿秋白與八七會議〉（《學術研究叢刊》1980年2期）、黃克雷〈瞿秋白與八七會議〉（《施秉黨史》總27期，1988）、周斌〈八七會議人物考〉（《武漢春秋》1982年3期），陳清泉〈陸定一談八七會議〉（《黨的文獻》1995年4期）、韓泰華〈共產國際與〝八七〞會議〉（《黨史通訊》1986年1期）、金再及〈試論八七會議到〝六大〞的工作轉變〉（《歷史研究》1983年1期）、陳全福〈八七會議至六大期間黨的政治路線與組織建設〉（《黨史研究與教學》1992年1期）、胡華〈從〝八七〞會議到遵義會議的若干歷史情況〉（《江淮論壇》1979年1-2期）；蔡國裕〈中共的盲動主義與武裝暴動〉（《共黨問題研究》14卷3、4期，民77年3、4期）、〈瞿秋白盲動主義理論和策略〉（《東亞季刊》6卷1期，民63年7月）、〈瞿秋白盲動主義之研究〉（《共黨問題研究》2卷2期，民65年2月）及〈北伐時期中共的活動一從盲動主義到蘇維埃運動〉（《近代中國》65期，民77年6月）、包樹森〈〝左〞傾盲動主義不應打上瞿秋白的標記〉（《瞿秋白研究》1989年1期）、Li Wei-han, “A Retrospective Study of Qu Qiubai's “ Left Adventurism.”（Social Sciences in China, No.3, September 1983）、施玉春〈1930年〝左〞傾盲動主義在東北的貫徹及其影響〉（《東北地方史研究》1989年1期）、王同起〈應該肯定瞿秋白對〝工農武裝割據〞思想的貢獻一評〝農民割據〞思想兼與有關同志商榷〉（《理論與現代化》1992年4期）、王觀泉〈瞿秋白與中共的兩次「左傾」路線〉（《當代》42期，民78年10月）。

關於「立三路線」（即李立三〝左〞傾冒險主義，又稱〝第二次左傾盲動主義；1928年中共〝六大〞以後，李立三任中共中央政治局委員、常務委員、中共中央秘書長、宣傳部長等職，大權在握，一改瞿秋白在山區從事游擊戰建立農村革命根據地之〝左傾盲動主義〞方針，而集中兵力配合都市工人運動進攻大城市，此一軍事冒險策略，人稱〝立三路線〞，因未能奏效，且損失重大，1930年9月，中共召開六屆三中全會，停止了此一左傾冒險行動）有黃公弼《立三路線之研究（1928-1931）》（政治大學東亞研究所碩士論文，民61年5月）、蜂屋亮子《紅軍創建期の毛澤東と周恩來一立三路線考論》（東京，アジア政經學會，1978）、楊祖培〈立三路線的醞釀與形成一論立三路線〉（《內蒙古林業學院學報》1994年1期）、聞立樹〈立三路線述評〉（《北京師院學報》1981年1期）、藤井高美〈李立三路線の一考察〉（《福岡學藝大學久留米分校研究紀要》14號，1964年 3月）、Benjamin Yang, "Complexity and Reasonability: Reassessment of Li Lisan Adventure."（The Australian Journal of Chinese Affairs, No.21, January 1989）、楊奎松〈〝立三〞路線的形成及中共中央與共產國際和遠東局的爭論〉（《近代史研究》1991年1期）、James P. Harrison, "The Li Li-San Line and the C C P in 1930."（The China Quarterly, No.14, April-June 1963; No.15, July-September 1963）、劉傳政〈共產國際與〝立三路線〞〉（《萍鄉教育學院學報》1984年2期）、徐蘭〈李立三左傾冒險主義與共產國際〉（《鹽城師專學報》1993年4期）、王應一、唐秀蘭編譯〈共產主義與李立三〝左〞傾冒險主義一西方觀點簡介〉（《黨史研究》1987年2期）、劉宋斌〈共產國際與李立三〝左〞傾冒險主義錯誤〉（《黨史通訊》1987年增刊1期）、杜文煥〈略論共產國際與糾正立三〝左〞傾錯誤的曲折〉（《黨史研究與教學》1988年6期）、趙泉鈞等〈試析〝一省數省首先勝利〞口號的實質－兼及共產國際與中國黨內〝左〞傾錯誤的關係〉（《寧波師院學報》1987年3期）、黃公弼〈立三路線與共產國際之關係〉（《共黨問題研究》4卷1期，民61年7月）、鄭德榮、何榮棣〈略論共產國際與李立三的〝左〞傾機會主義〉（《黨史研究》1981年5期）、陳鶴錦、王楠〈中共江蘇〝二大〞與李立三〝左〞傾錯誤的形成和發展〉（《近代史研究》1985年6期）、姜志良〈立三路線對江蘇影響片斷〉（《群衆論叢》1981年3期）、許慶昌〈東北地區推行李立三〝左〞傾冒險主義述評〉（《遼寧大學學報》1987年3期）、沈以行、沈憶琴〈抨擊〝左〞傾機會主義路線的重要文獻：重讀《肅清立三路線的殘餘—關門主義冒險主義》〉（《社會科學》1980年2期）、陳紹禹（王明）《兩條路線的鬥爭：擁護國際路線，反對立三路線》（中共中央出版社，民20）、張喜德〈王明與〝立三路線〞〉（《東北師大學報》1990年5期）、邢永福〈何孟雄對立三路線的批判〉（《黨的文獻》1992年4期）、曹仲彬〈何孟雄是最早反對李立三〝左〞傾冒險主義的堅強戰士〉（《求索》1988年4期）、于吉楠〈何孟雄反對立三路線的情況〉（《黨史研究資料》1981年1期）、田園〈立三路線時期的一個問題—試論毛澤東同志對立三路線的認識和抵制〉（《歷史研究》1979年10期）及〈再論毛澤東對立三路線的認識和抵制〉（《黨史研究》1981年1期）、淩宇〈毛澤東同志和立三路線的關係討論綜述〉（同上，1982年3期）、林蘊暉〈略論毛澤東同志對立三路線的認識和抵制〉（同上，1980年4期）、趙泉鈞、江嘯野〈毛澤東同志對立三路線的認識和抵制〉（《江西大學學報》1981年3期）及〈周恩來同志在反對立三左傾錯誤中的貢獻〉（《麗水師專學報》1982年2期）、韋木〈周恩來在抵制和糾正立三路線中的重大作用〉（《歷史教學》1980年6期）、鄭德榮等〈周恩來在反對和糾正立三路線中的歷史功績〉（《東北師大學報》1981年3期）、王永祥等〈批判和糾正立三路線的銳利武器：學習周恩來同志的《關于武漢工作問題》〉（《遼寧大學學報》1981年2期）、章學新〈任弼時對李立三〝左〞傾冒險主義的鬥爭〉（《黨的文獻》1990年6期）、石川忠雄〈李立三コースとロシア留學生派〉（《法學研究》29卷5號，1956）及〈李立三コース問題の一考察〉（同上，26卷7、9號，1953年7、9月）、王年一〈李立三路線之類的提法並不科學〉（《理論內參》1985年7期）、蔣伯英〈李立三〝左〞傾冒險主義在福建的貫徹及其被糾正〉（《黨史資料研究》1985年3期）、楊祖培〈反〝立三路線〞反〝調和路線〞之剖析〉（《近代史研究》1982年2期）、陸軍第十四師特別黨部編印《所謂反立三路線與正確路線》（民21年印行，反動文件彙編·第1卷第2輯）、國家聯合出版部遠東分部編印《反對李立三主義》（伯力，1931）、施光耀〈李立三最早提出群眾路線的概念〉（《毛澤東思想研究》1991年4期）、高繼民〈試析李立三中央與共產國際遠東局的爭論〉（《內蒙古師大學報》1992年2期）、張修全〈六屆三中全會是立三路線的繼續〉（《南都學壇》1993年2期）、翟作君〈試析李立三的〝反國際路線〞〉（《黨史資料與研究》1987年1期）。

關於王明（1904-1974）及其左傾冒險主義（又稱〝第三次左傾盲動主義〞，始於1931年1月之中共六屆四中全會，結束於1935年1月之遵義會議）等有田中仁著、虞京海譯〈王明著作考〉（《黨史研究資料》1994年7期）、王明著、余子道、黃美真編《王明言論選輯》（北京，人民出版社，1982）、夏宏根〈王明沒有在三月政治局會議上作過總結〉（《黨史研究》1983年3期）、張秀華〈〝調和主義〞的實質：以王明取代瞿秋白〉（《內蒙古民族師院學報》1991年2期）、金怡順〈第二次國內革命戰爭時期王明評價問題管見〉（《黨史研究與教學》1994年2期）、王強〈王明在蘇聯及共產國際的主要活動〉（《蘇聯問題研究資料》1990年4期）、Thomas Kampen, "From the December Conference to the Sixth Plenum: Wang Ming Versus Mao Zedong."（Republican China, Vol.15, No.1, November 1989）、宮力〈王明〝左〞傾冒險主義〝兩個拳頭打人〞方針的由來〉（《黨史研究資料》1988年3期）、李露〈關於王明〝左〞傾冒險主義的幾個問題的探討〉（《廣西教育學院學報》1995年1期）、葉健君〈王明〝左〞傾冒險主義時期錯誤的經濟政策〉（《歷史教學》1988年9期）、吳映萍〈試論王明〝左〞傾冒險主義的土地政策及其危害〉（《惠州大學學報》1994年1期）、趙平〈試述王明〝左傾〞冒險主義軍事戰略的發展過程〉（《軍史資料》1988年1期）、中共上海市委黨史研究室余立人等《王明〝左〞傾冒險主義在上海》（上海，遠東出版社，1994）、林立〈王明〝左〞傾路線對上海地下鬥爭的危害〉（《黨史資料叢刊》第2輯，1980）、蔣伯英〈王明〝左〞傾冒險主義對廈門城市工作的危害〉（《黨史研究與教學》1988年4期）、蔣志彥〈王明〝左〞傾路線對學生救亡運動的影響〉(《上海青運史研究》1988年1期)、戴茂林〈試論王明〝左〞傾冒險主義對〝九一八〞學生運動的影響〉(《青少運史研究》1988年4期)、秦璐〈對共產國際與王明〝左〞傾冒險主義關係的再認識〉(《攀登》1990年1期)、黃少群〈略論毛澤東與王明〝左〞傾冒險主義的鬥爭〉(《革命人物》1986年4期)及〈論毛澤東從第五次圍剿到遵義會議時與王明〝左〞傾冒險主義的鬥爭及其歷史經驗〉(《軍事史林》1987年1期)、羅明〈王明〝左〞傾冒險主義反對所謂〝羅明路線〞的鬥爭及其他〉(《閩西文叢》1983年1期)、卜萬平〈黨對王明〝左〞傾錯誤的糾正和清算〉(《南開學報》1986年6期)、羅添時、陳道源〈〝福建事變〞和王明的〝左〞傾錯誤〉(《江西師院學報》1982年3期)、葉心瑜〈福建事變中的王明〝左〞傾關門主義〉(《黨史研究》1982年6期)、韋祖松〈王明〝左〞傾路線為什麼能夠長期統治全黨〉(《阜陽師院學報》1988年3期)、黃德淵〈從王明〝左〞傾路線的教訓看端正思想路線的重要性〉(《安徽師大學報》1979年4期)、陳光真〈王明〝左〞傾路線對東北的危害〉(《東北地方史研究》1988年2期)、華明等〈實事求是的態度—劉少奇同志同王明〝左〞傾路線的鬥爭〉(《社會科學》1980年4期)、張世貴〈劉少奇在糾正王明左傾錯誤中的積極作用〉(《山東師大學報》1995年4期)、周國全〈王明的〝左〞傾錯誤是怎樣推行到全黨的〉(《黨史研究與教學》1991年2期)、曉青〈王明〝左〞傾錯誤對福建蘇區共青團的危害〉(同上，1991年4期)、孫劍純〈共產國際與王明〝左〞傾錯誤〉(同上，1988年1期)及〈共產國際支持下的王明〝左〞傾錯誤控制中央蘇區過程述略〉（《江西黨史研究》1988年4期）、郭德宏〈王明的〝左〞傾土地政策與主張剖析〉（同上，1988年5期）、劉道華〈王明〝左〞傾錯誤統治時期在北方黨開展的反〝鐵夫路線〞鬥爭〉（《天津師大學報》1985年2期）、唐正芒〈王明左傾經濟政策的危害及其難以糾正的原因探析〉（《湘潭大學學報》1990年1期）、沈銘鐘《王明路線之研究（1931-1935）》（政治大學東亞研究所碩士論文，民62年6月）、曹英〈王明錯誤路線糾正始末〉（《炎黃春秋》1996年6期）、Kristina A. Schultz, Wang Ming's Vision: 1930-1935.（Master's Thesis, Harvard University, 1989）、石源華〈王明路線在1933年對瞿秋白的〝批判〞〉（《復旦學報》1983年4期）、蓋軍、于吉楠〈瞿秋白同志受王明〝左〞傾路線打擊的情況〉（《黨史研究》1984年2期）、陸永明〈張聞天是如何從王明〝左〞傾路線中擺脱出來的？〉（《黨史文匯》1987年2期）、高學棟〈論王明的〝進攻路線〞〉（《山東師大學報》1990年3期）、鄭勉己〈中央蘇區的〝反羅明路線〞與王明〝左〞傾錯誤路線〉（《福建師大學報》1987年1期）、林戩〈論王明路線與反羅明路線〉（《福建黨史通訊》1985年5期）、范閣〈王明〝左〞傾錯誤的經驗教訓〉（《社會科學（甘肅）》1985年4期）、高青山〈王明〝左〞傾土地政策的由來〉（《黨史研究資料》1986年4期）、史略〈李鐵夫對王明〝左〞傾冒險主義的抵制和所謂反鐵夫路線的情況〉（《黨史研究》1983年6期）、范龍堂〈淺論王明〝左傾〞冒險主義路線的結束〉（《南都學壇（南陽師專學報）》1996年1期）、王新生〈試論王明〝左〞傾機會主義者對中間勢力的態度及原因〉（《長沙水電師院學報》1992年3期）、姜毅〈試論王明〝左〞傾機會主義組織路線的特點〉（《天水學刊》1992年4期）、汪木蘭〈論蘇區王明〝左〞傾文化路線的負效應〉（《吉安師專學報》1995年2期）、葉健君〈王明從〝左〞傾關門主義轉向右傾投降主義的原因〉（《求索》1989年4期）、余茂笈〈試析王明先〝左〞後右產生的原因〉（《淮北煤師院學報》1986年3期）、劉俊明〈試論王明右傾投降主義的形成〉（《齊齊哈爾師院學報》1982年1期）、張日新〈王明右傾投降主義是何時形成的？〉（《江西大學學報》1983年5期）、劉以順〈論王明右傾投降主義和共產國際的關係〉（《史林》1988年3期）、尹成〈王明右傾投降主義與共產國際〉（《昆明師專學報》1989年1期）、周啟先〈王明右傾投降主義和共產國際〉（《荊州師專學報》1991年4期）、周文琪〈王明的右傾錯誤和共產國際〉（《近代史研究》1987年2期）、吳洪激〈高敬亭將軍之死與王明投降主義〉（《黃岡師專學報》1990年2期）、史鋒《反對王明投降主義路線的鬥爭》（上海，上海人民出版社，1976）、張喜德〈王明路線與米夫〉（《東北師大學報》1992年2期）、余光東〈米夫和王明關係淺議〉（《邵陽師專學報》1993年1期）、王生杰〈王明上臺與共產國際代表米夫的關係〉（《遼寧師大學報》1987年6期）、郭德宏〈中國國情與王明的教條主義〉（《北京黨史研究》1991年2期）、朱超南〈共產國際〝第三時期〞理論與王明對國際形勢的錯誤分析〉（《中共黨史研究》1993年2期）、郭德宏〈中國國情與王明的教條主義〉（《北京黨史研究》1991年2期）、高學棟〈論王明的〝進攻路線〞〉（《山東師大學報》1990年3期）、唐曼珍〈王明為〝一切經過統一戰線〞的錯誤翻案是徒勞的：駁王明在《中共五十年》中的一個謬論〉（《黨史研究》1983年3期）、

Frederick C. Teiwes, The Formation of Maoist Leadership: From the Return of Wang Ming to the Seventh Party Congress.（London: Contemporary China Institute, School of Oriental and African Studies, 1994, Research Notes and Studies No.10）。

關於農村包圍城市道路理論有黃少群〈論毛澤東〝農村包圍城市〞道路理論的提出和形成〉（《理論月刊》1984年5期）、王生杰、趙守仁〈毛澤東開創〝農村包圍城市〞革命道路芻議〉（《錦州師院學報》1994年1期）、Hsiao Tso-liang（蕭作梁），Chinese Communism in 1927: City Vs Countryside.（Hong Kong: Chinese University of Hong Kong, 1970）、吳榮宣〈〝農村包圍城市道路〞的理論〉（《文科月刊》1986年10期）、魏關松〈對毛澤東同志關於農村包圍城市的理論何時形成問題的幾點理解〉（《新鄉師院學報》1983年1期）、彭洪志〈試論毛澤東同志關於農村包圍城市武裝奪取政權理論的形成〉（《貴陽師院學報》1984年1期）、張玉鵬〈毛澤東同志農村包圍城市理論的形成〉（《河南師大學報》1981年1期）、羅躍進〈從〝工農武裝割據〞到〝農村包圍城市〞道路理論的形成〉（《貴州師大學報》1994年2期）、羅一群〈試述農村包圍城市道路理論的形成〉（《宜春師專學報》1981年2期）、李繼準〈試論農村包圍城市道路理論的形成〉（載《河北省紀念毛澤東同志誕辰九十周年理論討論會論文集》，1983）、鄭德榮〈略論農村包圍城市道路理論的形成〉（《東北師大學報》1982年6期）、秦興洪〈試論農村包圍城市道路理論的形成〉（《華南師大學報》1985年1期）、朱培民〈試論農村包圍城市道路理論的形成〉（《中學歷史》1985年1期）、吳榮宣〈農村包圍城市理論的形成〉

（《電大文科園地》1983年3期）、佟玉民〈關於農村包圍城市道路的理論形成過程〉（《歷史研究》1981年4期）、賈蔚昌〈農村包圍城市道路理論的形成問題〉（《黨史研究》1981年3期）、〈關於農村包圍城市道路理論的形成〉（《山東師大學報》1982年3期）及〈再論毛澤東關於農村包圍城市道路理論的形成：兼評十年來的討論〉（同上，1995年4期）、王燦楣〈試論農村包圍城市的革命道路及其理論形成過程〉（《黔東南民族師專學報》1984年1期）、魯振祥〈略論〝農村包圍城市〞道路理論的形成與確立〉（《中共黨史研究》1990年6期）、張洪岳〈對〝農村包圍城市〞革命道路理論形成問題的探討〉（《牡丹江師院學報》1994年4期）、劉錄開〈試談農村包圍城市道路理論的形成〉（《北京商學院學報》1984年1期）、王捷〈農村包圍城市革命道路理論形成的再探討〉（《遼寧大學學報》1987年3期）、王福選、阮應守〈也談〝農村包圍城市〞道路理論的形成—與魯振祥商榷〉（《中共黨史研究》1992年4期）、魯振祥〈再談〝農村包圍城市〞道路理論形成問題—答王福選、阮應守〉（同上，1993年1期）、馮顯誠〈對農村包圍城市道路的形成和發展的初步探討〉（《上海師院學報》1980年2期）、張樹軍〈農村包圍城市道路理論形成問題再認識〉（《毛澤東思想研究》1988年2期）、林瑜〈關於農村包圍城市道路的理論形成時間的討論〉（《黨史研究》1982年3期）、彭易芬〈農村包圍城市、武裝奪取政權理論的基本形成時期之我見〉（《社會科學研究》1993年1期；亦載《四川師院學報》1993年2期）、郭玉堂〈農村包圍城市道路形成的時間和標志〉（《開封師專學報》1989年2期）、王福選〈農村包圍城市道路理論形成的時間和標志主要觀點評析〉（《史學月刊》1993年1期）、黃允升〈農村包圍城市的革命道路形成的標志〉（《毛澤東思想研究》1987年2期）、徐鋒〈毛澤東〝農村包圍城市道路〞理論形成于土地革命戰爭後期〉（《上海教育學院學報》1993年4期）、李漢君〈農村包圍城市道路理論的成因略論〉（《遼寧商專學報》1986年1期）、徐文俊、吳興農〈對中國共產黨開闢農村包圍城市道路的史的考察〉（《浙江學刊》1995年1期）、馮建輝〈我黨開創農村包圍城市道路的歷史考察〉（《中國社會科學》1980年2期）、張濤〈對《我黨開創農村包圍城市道路的歷史考察》的意見〉（同上，1980年5期）、劉錄開〈對《我黨開創農村包圍城市道路的歷史考察》一文中兩個事實的更正意見〉（同上，1981年5期）、朱順佐〈試論我黨開創的農村包圍城市的革命道路〉（《紹興師專學報》1981年2期）、杜魏華〈論《農村包圍城市的革命道路一關於毛澤東思想的形成問題》〉（《馬克思主義研究》1987年1期）、李鴻文〈中國農村包圍城市的革命道路〉（《東北師大學報》1982年6期）、童雪〈試論農村包圍城市的革命道路〉（《安徽大學學報》1981年4期）、王迪先〈毛澤東同志的農村包圍城市武裝奪取政權的理論是對馬列主義的發展〉（《西南師院學報》1984年1期）、蓋軍、王榮先〈農村包圍城市的理論是在反對教條主義的鬥爭中形成和發展的〉（《黨史研究》1983年6期）、楊福新〈農村包圍城市奪取全國政權是〝唯一正確的道路〞嗎？〉（《揚州師院學報》1980年4期）、錢宗義〈對《農村包圍城市奪取全國政權是〝唯一正確的道路〞嗎》一文的意見及其他〉（同上，1982年3、4期）、孫家溶〈農村包圍城市奪取全國政權是中國革命唯一正確的道路：與楊福新商榷〉

（同上，1981年3期）、梁尚賢、郭德宏〈六大以前黨中央在農村包圍城市道路形成過程中的貢獻〉（《近代史研究》1985年4期）、王福選〈〝農村包圍城市〞道路理論是怎樣確立為黨的指導路線的〉（《黨史研究與教學》1992年3期）、蓋軍〈農村包圍城市的理論是集體經驗的科學總結〉（《黨史研究》1980年3期）、聞立樹、全立文〈學習農村包圍城市革命道路理論的體會〉（《首都師大學報》1993年6期）、方小年〈從〝三次農村包圍城市〞看農民問題的重要性〉（《湖南師大學報》1986年增刊）、虞崇勝、王賢勝〈中國蘇維埃運動與農村包圍城市道路的關係〉（《武漢大學學報》1995年1期）、王炳林、吳序光〈從鄉村到城市的偉大戰略轉變〉（《中央黨史研究》1990年4期）、劉保金〈論〝農村包圍城市〞道路的起點〉（《信陽師院學報》1984年4期）、周同寶〈論農村包圍城市的高潮及其結局〉（《上海師大學報》1990年4期）、黃建權〈試論〝農村包圍城市〞與〝北伐方式〞的聯繫〉（《廣西民族學院學報》1988年3期）、劉焱〈大革命失敗後的探索：周恩來對農村包圍城市道路理論的探索〉（《黨史縱橫》1996年7期）及〈周恩來也是開創農村包圍城市革命道路的先驅〉（《南開學報》1994年1期）、奚金芳〈略論何孟雄〝農村包圍城市〞思想的形成〉（《南京大學學報》1990年2期）、王豹〈馬克斯主義與農村包圍城市革命道路〉（《煙臺師院學院學報》1994年3期）、孫其明〈共產國際和農村包圍城市的中國革命道路〉（《學術界》1987年3期）。

其他相關者有陳雪梅〈我黨歷史上的五次〝左傾〞錯誤及其經驗教訓〉（《天水學刊》1992年4期）、郭桂英〈第二次國內革命戰爭時期三次〝左〞傾錯誤的原因和教訓〉(《山東大學文科論文集刊》1981年1期)、王青蘇〈中國的國情和黨內三次〝左〞傾機會主義〉(《呼蘭師專學報》1985年1、2期)、李緒基〈也談〝二戰〞時期黨內連續發生〝左〞傾錯誤的原因〉(《史學月刊》1985年2期)、李鋒杰〈關於土地革命戰爭時期黨內連續發生〝左〞傾錯誤的原因的探討〉(《松遼學刊》1987年3期)、李叔〈對共產國際和二戰時期三次〝左〞傾錯誤的再認識〉(《南京師大學報》1986年2期)、王觀泉〈也談共產國際與中共的三次〝左〞傾路線〉(《黑龍江教育學院學報》1988年2期)、安喜鳳〈三次〝左〞傾形態特點與共產國際〉(《齊齊哈爾師院學報》1988年1期)、王廷科〈共產國際的反右傾鬥爭和中國黨的〝左〞傾錯誤〉(《近代史研究》1988年1期)、郭麗君〈民主革命時期中國共產黨連續三次出現〝左傾〞錯誤的國際根源探析〉(《北方論叢》1996年5期)、申振東〈民主革命時期黨內三次〝左〞傾錯誤的反思〉(《貴州師大學報》1992年4期)、譚崇恩〈何孟雄對黨內三次〝左〞傾錯誤路線的鬥爭〉(《衡陽師專學報》1994年2期)、齊鵬飛〈土地革命戰爭時期黨在知識分子問題上的〝左〞傾錯誤評述〉(《南開學報》1988年6期)、王玉卿〈對黨在民主革命時期〝左〞傾根源的再認識〉(《理論學刊》1987年2期)、謝鴻明〈談〝左〞右傾錯誤的認識根源〉(《湖北教育學院學報》1988年3期)、梁文斌〈試析黨在新民主主義革命時期有〝左〞反〝左〞有右反右的幾次主要鬥爭〉(《大慶師專學報》1987年3期)、土井章〈中國第2次革命期の三冒險主義と毛澤東〉(《東洋研究》109號,1994年1月)、高文謙〈周恩來與中國共產黨的三次〝左〞傾錯誤〉(《近代史研究》

1988年5期）、趙泉鈞、曾憲凱、于恩書〈論〝六大〞後瞿秋白抵制和反對〝左傾〞錯誤的理論貢獻〉（《龍江黨史》1990年3期）、杜秀〈淺析第三次左傾機會主義在福建事變問題上的錯誤〉（《山東師大學報》1991年3期）、趙興彬〈論大革命時期黨的〝左〞傾錯誤〉（《泰安師專學報》1993年2期）、李東明〈土地革命戰爭時期中共對待民族資產階級的〝左〞傾錯誤及其啟示〉（《徐州師院學報》1995年2期）、胡國民〈試論黨史上〝左〞傾錯誤的幾個共同點〉（《黨史研究資料》1994年4期）、文聿《中國左禍－中共反右運動史》（2冊，臺北，萬象圖書公司翻印，民82）、張粤華〈對張聞天〝犯‘左’傾教條主義錯誤〞的再認識〉（《佛山大學佛山師專學報》1991年1期）、宋歌、劉濟生〈張聞天反〝左〞述評〉（《黑龍江教育學院學報》1993年1期）、李乃義〈斯大林〝三階段〞論與中國革命〝左〞傾錯誤〉（《文史哲》1993年4期）、張喜德〈〝左〞傾關門主義之國際由來－試析斯大林〝三階段〞論對中共的影響〉（《黨史縱橫》1992年3期）、楊勤為〈黨的六大對土地問題的貢獻〉（《石油大學學報》1988年4期）、李發源、廉有前〈毛澤東為什麼沒有出席〝六大〞〉（《人事》1991年6期）、趙樸〈第六次全國代表大會〉（《黨史研究》1986年1-4期）、朱世榮〈中國共產黨第六次全國代表大會大事日誌〉（《中共黨史資料》1982年3期）、朱玲等〈對中共六大的再認識〉（《黨史通訊》1986年1期）、楊欽良〈對共產國際指導下召開的中共六大的再認識〉（同上，1986年1期增刊）、牛桂雲〈關于六大時全黨人數問題〉（《黨史研究資料》1986年12期）、隋德明〈正確評價黨的〝六大〞在歷史轉變中的作用〉（《廣東教育學院學報》1985年1期）、顏廣林

〈關于黨的六大精神的傳達貫徹情況〉（《黨史通訊》1985年5期）、馮顯誠〈論〝六大〞對中國革命基本問題的分析〉（《湖南師院學報》1983年1期）、馮春明〈正確認識黨的〝六大〞在根據地問題上的貢獻〉（《南京師院學報》1983年4期）、陳秋成〈試述中共〝六大〞後中央的一次策略錯誤及其糾正〉（《黨史研究》1985年6期）及〈土地革命戰爭初期黨中央和毛澤東的軍事戰略〉（《軍事史林》1987年5期）、賀春禧〈土地革命前黨對中國革命道路的探索〉（《黨史研究》1985年3期）、張為波〈廣州起義前後我黨對中國革命道路的探索〉（《毛澤東思想研究》1987年4期）、侶潔志〈土地革命戰爭時期中共對革命道路問題的認識〉（《山東醫科大學學報》1990年1期）、李吉〈比較方法：毛澤東開拓中國式革命道路的一個重要方法〉（《衡陽師專學報》1985年3期）、歐陽光榮〈毛澤東對黨的〝六大〞路線的特殊貢獻〉（《湖南師大學報》1993年6期）、侯雄飛〈從大革命失敗到六大期間黨中央和毛澤東對革命道路探索的思想比較〉（《四川黨史月刊》1989年3、4期）、劉瑛等〈土地革命戰爭前期中共中央堅持城市中心論的認識原因〉（《上饒師專學報》1989年6期）、曹屯裕〈〝攻打中心城市〞的主張與〝堅持城市中心〞的思想〉（《寧波師院學報》1984年1期）、梁尚賢〈第二次國內革命戰爭時期土地革命路線的形成過程〉（《教學與研究》1980年1、3期）、夏春華〈第二次國內革命戰爭時土地革命路線的幾個問題〉（《江西師院學報》1980年1期）、盧玉〈第二次國內革命戰爭時期黨的土地革命路線的曲折發展〉（《黨史文匯》1992年11期）、張永泉〈對〝1930年代土地革命路線〞的質疑〉（《杭州大學學報》1994年1期）、郭德宏〈第二次國內革命戰爭時期黨的土地政策的演變〉（《中國社會科學》1980年6期）、溫銳〈土地革命戰爭時期中共地權政策轉變的再探討〉（《南開學報》1992年4期）、杜文煥〈毛澤東與糾正共產國際〝左〞傾土地政策〉（《江海學刊》1992年6期）。蘇仲波〈黨的策略轉變與第二次國共合作〉（《南京師大學報》1991年3期）、金再及〈對九一八事變至1935年前中共中央路線策略的兩點看法〉（《抗日戰爭研究》1996年1期）、闞海庭〈1933年至1934年間中共中央對民族資產階級的政策〉（《中共黨史研究》1988年1期）、陳少暉〈試析二戰時期中國共產黨對地方實力派的策略（1931-1934）〉（《黨史研究與教學》1993年4期）、董志銘〈地方實力派與中國共產黨的政策轉變述略〉（《長白學刊》1993年3期）、盧印璽〈第二次國內革命戰爭時期中國共產黨的民族政策及其實踐〉（《天津師大學報》1989年4期）、王守法、趙金鵬〈黨在第二次國內革命戰爭時期對中農的政策〉（《山東師大學報》1991年增刊）、蒿峰〈試論第二次國內戰爭時期黨關於富農政策的確立〉（《山東社聯通訊》1990年1期）、李海文〈土地革命時期中國共產黨對富農政策的轉變〉（《黨史研究》1987年5期）、張慶瑰等〈共產國際與我黨在土地革命時期的富農政策〉（《遼寧教育學院學報》1991年3期）、李銘、張崇懷〈關於黨在大革命時期的路線問題〉（《河北師院學報》1992年3期）、安井三吉〈中國共產黨の「路線確立」〉（《歷史評論》243號，1970年10月）、梁琴〈二戰時期的統一戰線範圍與〝蘇維埃〞口號〉（《江漢論壇》1988年11期）、袁競雄〈略論黨的統一戰線理論的發展〉（《廣西師大學報》1986年4期）、白懿軍《中共發展策略之研究，民國16年至20年》（政治作戰學校政治研究所碩士論文，民75）、索顧著、林海譯〈1928年中國革命新戰略的出現〉（《國外中國近代史研究》第4輯，1983）、A. Grigoriev, "On the 60th Anniversary of the 6th CPC Congress."（Far Eastern Affairs, No.5, 1988）、托馬斯·卡姆平〈從十二月會議到六中全會—王明與毛澤東的對抗〉（《黨史研究與教學》1991年6期）、曾成貴〈〝六大〞後兩年間毛澤東與周恩來建黨思想比較論〉（《理論月刊》1993年8期）、高華〈毛澤東與1937年的劉、洛之爭〉（《南京大學學報》1993年4期）、鄭慶聲〈毛澤東在制定白區工作方針中的貢獻〉（《史林》1993年4期）、柯平〈王明的兩次奪權及其失敗〉（《淮北煤師院學報》1988年2期）、張秀華〈〝調和主義〞的實質：以王明取代瞿秋白〉（《內蒙古民族學院學報》1991年2期）、Richard C. Thornton, The Comintern and the Chinese Communists, 1928-1931.（Seattle: University of Washington Press, 1969）、Charles B. McLane, Soviet Policy and the Chinese Communist, 1931-1946.（New York: Columbia University Press, 1958）、Adalbert Tomasz Grunfeld, Friends of the Revolution: American Supporters of China's Communists, 1926-1939.（Ph. D. Dissertation, New York University, 1985）、Frederick B. Hoyt, "The Summer of 1930: American Policy and Chinese Communism."（Pacific Historical Review, Vol.46, No.2, May 1977）、David Bernard Bobrow, The Political and Economic Role of the Military in Chinese Communist Movement, 1927-1959.（Ph. D. Dissertation, Massachusetts Institute of Technology, 1962）、Hsian Tso-liang, Power Relations Within the Chinese

Communist Movement, 1930-1934.（Seattle: University of Washington Press, 1961）、Trygve Lótviet, Chinese Communism, 1931-1934: Experience in Civil Government.（Lund, Sweden: Studentlitteratur, 1973; Copenhagen: Scandinavian Institute of Asian Studies Monograph Series, No.16, 1973）、王福群《中共早期特務工作之研究（1928-1934）》（政治大學東亞研究所碩士論文，民67年5月）、市古健次《中國共產黨の組織問題—1927～1930》（慶應大學法學研究所碩士論文，1975）、侯雄飛〈土地革命時期中央關於黨政關係的思想〉（《四川師院學報》1989年5期）、胡義成〈中共在民權問題上與國民黨反動派的鬥爭〉（《毛澤東思想研究》1991年1期）、劉玉林〈土地革命戰爭時期我黨對共產國際錯誤指導的抵制和鬥爭〉（《安徽省委黨校學報》1991年4期）、趙泉鈞、倪德平〈試析〝一省數省首先勝利〞口號的實質：兼及共產國際與中國黨內〝左〞傾錯誤的關係〉（《寧波師院學報》1987年3期）、王家水〈學習〝二戰〞時期探索中國革命道路實踐和理論的啟示〉（《安徽黨史研究》1992年1期）。至於抗日民族統一戰線則容後專事舉述。

2.武裝「起義」和革命根據地的建立

泛論此時期內中共武裝「起義」的有袁偉主編《土地革命戰爭時期各地武裝起義簡介》（北京，解放軍出版社，1988）、馮建輝《星星之火遍神州：土地革命戰爭初期的武裝起義》（祖國叢書，上海，上海人民出版社，1986）、Marcia R. Ristaino, China's Art of Revolution: The Mobilization of Discontent, 1927 and 1928.（Durham, North Carolina: Duke University Press, 1987）全書共計

10章，其中第2、4、6章，專述「南昌起義」、「秋收起義」及「廣州起義」，第3、10章述「八七會議」及中共「六大」，取材豐富，論析允當，為西文同類論著中的代表之作。河邊〈各地主要武裝起義簡表（1927-1929）〉（《星火燎原》1982年3期）、中國人民革命軍事博物館編《各地工農武裝起義和革命根據地的創建與發展形勢圖（1927-1934）》（北京，地圖出版社，1980）。

關於民國十六年（1927）八月一日發生的南昌「起義」（國民黨方面稱之為「暴動」）有劉雲編著《八一南昌起義》（南昌，江西人民出版社，1957）、周靈均《八一南昌起義》（濟南，山東人民出版社，1957）、胡華《南昌起義史話》（北京，人民出版社，1977）、張俠《南昌起義研究》（上海，上海人民出版社，1982）、徐兆林《壯烈的開端：南昌起義研究》（北京，黄河出版社，1992）、魏宏運編著《〝八一〞起義》（武漢，湖北人民出版社，1957）及《南昌起義》（上海，上海人民出版社，1977）、中國人民解放軍三十年徵文編委會編《〝八一〞的槍聲》（北京，作家出版社，1959）、八一槍聲編寫組編《八一槍聲》（北京，少年兒童出版社，1978）、田寄愚編《八一南昌起義》（上海，上海人民出版社，1958）、余委編寫《〝八一〞起義的故事》（南昌，江西人民出版社，1957）、林今、中國青年社合編《「八一」的故事》（北京，青年出版社，1952）、程之《八一的故事》（中國革命故事，上海，上海人民出版社，1958）、向陽《〝八一〞的故事》（同上，1960）、童俗編《八一的故事》（北京，北京出版社，1969）、八一南昌起義畫冊編輯組編《八一南昌起義》（南昌，江西人民出版社，1977）、八一南昌起義編寫組編寫《八一南昌起義》（同上）、上海教育出版社編、戴澤繪《南昌起義》（上海，編者印行，1959）、八一南昌起義寫作組編寫《八一南昌起義》（上海，上海人民出版社，1977）、蕭克主編《南昌起義》（北京，人民出版社，1979）、中國社會科學院現代革命研究室編《南昌起義資料》（同上，1980）、南昌八一起義紀念館編《南昌起義》（北京，中共黨史資料出版社，1987）、史鳳蘭編寫《八一南昌起義》（中國革命史小叢書，北京，新華出版社，1990）、張月琴主編《南昌起義史論》（革命歷史資料叢書，南昌，江西人民出版社，1986）、尚世昌《中共南昌暴動之研究》（中國文化大學史學研究所碩士論文，民72年6月）、武乾編《〝八一〞的故事》（南京，江蘇人民出版社，1956）、吳玉章《八一革命》（北京，社會科學文獻出版社，1991）、陳漫遠主編《從南昌起義到渡江戰役》（南寧，廣西人民出版社，1985）、地圖出版社歷史圖編繪室編、人民教育出版社歷史編輯室校訂《南昌起義和井岡山會師圖·1927-1931年農村革命根據地形勢圖》（北京，地圖出版社，1959）。

尚世昌〈中共南昌暴動背景之分析〉（《中國歷史學會史學集刊》22期，民79年7月）、胡璞玉〈共匪南昌暴動始末記詳〉（《江西文獻》37期，民58年4月）、金英豪〈南昌起義醞釀過程述論〉（《山東醫科大學學報》1991年2期）、王淼生〈南昌起義的決策經過〉（《軍事歷史》1990年4期）、姬田光義〈八一·南昌暴動に關する一考察—中國共產黨史研究，ノート(1)として〉（《史潮》101號，1967年11月）、石川忠雄〈「八一·南昌暴動」に關する四文書〉（《法學研究》36卷10號，1963年10月）、王年一〈關於〝八一〞南昌起義若干史實的考證〉（《歷史研究》1979年7期）、李元勛等〈關於南昌起義若干事實的補充校正〉(《江西大學學報》1979年3期)、張英南〈南昌起義歷史研究若干問題綜述〉(《爭鳴》1987年4期)及〈淺述我黨決定南昌起義的經過〉(同上，1984年4期)、張俠〈關於南昌起義決定問題的考證〉(《近代史研究》1979年2期)、王年一〈南昌起義的提出和決定問題一敬答張俠同志〉(同上，1981年2期)、陳毅〈關於〝八一〞南昌起義〉(同上)、聶榮臻〈南昌起義〉(《縱橫》1983年1期)、沈自敏〈〝八一〞南昌起義〉(載史學雙周刊編《第三次國內革命戰爭時期史事論叢》，北京，三聯書店，1956)、劉弄潮〈〝八一〞起義的瑣見瑣聞〉(同上)、陽翰笙〈參加南昌起義〉(《新文學史料》1985年2期)、劉伯承〈南昌暴動始末記〉(《黨史資料徵集通訊》1986年4期)、徐巍〈關于南昌起義的若干歷史情況〉(同上，1986年8期)、鞏健芳〈南昌起義研究述評〉(《黨史通訊》1987年8期)、金聲〈《南昌起義研究》中的幾個新觀點〉(《黨史資料叢刊》1981年4輯)、Guillermaz J., “The Nanchang Uprising.” (The China Quarterly, No.11, 1962)、Martin Wilbur, “The Nanchang Uprising.” (The China Quarterly, No.18, 1964)、李何林〈回憶南昌起義的前後〉(《星火燎原叢刊》1982年2期)、張俠〈南昌起義是土地革命和土地革命戰爭的開始〉(《河北大學學報》1981年3期)、曹欽溫〈黨史資料二則：舉行南昌起義是何時何地何會議上決定的？〉(《教學與研究》1984年6期)、姜平〈南昌起義前的兩次九江會議和中央決定〉(《黨史研究資料》1983年6期)、羅時敍〈南昌起義的準備會議一〝廬山會議〞史探（兼與張俠同志商榷）〉(《江西師院學報》1982年3期)及〈南昌起義準備階段若干史實之再探〉（《江西師大學報》1984年2期）、張俠〈勝利的起義，土地革命戰爭的開始—從幾個問題看南昌起義的歷史意義〉（《百科知識》1982年8期）、林雄輝〈〝土地革命〞口號始起南昌起義説不能成立〉（《爭鳴》1989年6期）、紀南〈南昌起義永放光輝〉（《吉林師大學報》1977年4期）、馬列主義教研室、中共黨史教研組〈八一南昌起義〉（《南京大學學報》1977年3期）、杜黎均〈〝八一〞起義前後〉（《新中華》14卷15期，1951年8月）、馬尚斌〈八一南昌起義簡述〉（《遼寧大學學報》1977年4期），盧永武〈〝八一〞南昌起義—紀念〝八一〞南昌起義五十周年〉（《天津師院學報》1977年4期）、鞏健芳〈南昌起義再探〉（《史學月刊》1989年6期）、陳列菊〈也論南昌起義〉（載《黨史研究文集》，南昌，江西人民出版社，1987）、裘之倬等〈八一槍聲震寰宇〉（《江西文藝》1977年4期）、歷史系74級學員〈偉大的第一槍—紀念〝八·一〞南昌起義五十周年〉（《武漢大學學報》1977年4期）、張英南〈〝打響第一槍〞這一概念是怎樣提出來的〉（《江西社會科學》1989年6期）、中共江西省軍區委員會〈偉大的歷史壯舉—紀念〝八一〞南昌起義五十周年〉（《紅旗》1977年8期）、蕭克〈南昌起義親歷記〉（《炎黃春秋》1993年8期）、張敬讓、葉昌友〈略談南昌起義的兩個問題〉（《安慶師院學報》1987年3期）、劉喜發〈對南昌起義兩個問題的一點看法〉（《黨史研究資料》1987年10期）、劉錄開〈對南昌起義幾個問題的再認識〉（《北京商學院學報》1987年2期）、馬濤、蔡小朋〈南昌起義三個問題的商討〉（《爭鳴》1987年5期）、黃少群、梁尚賢〈關於南昌起義評價中的兩個問題的商榷〉（《近代史研究》1981年2期）、馮建輝〈南昌起義評價一辯〉（同上，1983年4期）、張鐘等〈有關南昌起義三件史實的辨析〉（《黨史資料研究》1987年10期）、陳立明〈南昌起義決非偶然發生的〉（《上饒師專學報》1988年3、4期）、王貴安〈試論南昌起義對中國革命道路的貢獻〉（《山西師大學報》1988年3期）、朱慈華〈南昌起義是探索中國革命道路的起點〉（《史學月刊》1988年3期）、劉錄開、方小年〈也談南昌起義在探索中國革命道路中的地位與作用〉（《湖南師院學報》1984年4期）、戴向青、李元勛〈不朽的歷史界碑：為南昌起義60周年而作〉（《江西社會科學》1987年4期）、馮建輝、孫向祝〈從此風雷遍九陔一紀念南昌起義五十周年〉（《歷史研究》1977年4期）、鄒吉川〈從黃埔軍校到南昌起義一論中國共產黨的建軍歷程〉（《南充師院學報》1987年3期）、陳榮華、劉衛國〈略論南昌起義對人民軍隊建設的貢獻〉（《江西社會科學》1987年4期）、何沁〈大革命時期黨在武裝鬥爭問題上的得失與南昌起義的爆發〉（《教學與研究》1987年5期）、劉朝東〈試論南昌起義時的政權與政綱〉（《江西社會科學》1987年4期）、張秀英〈試論南昌起義對創建人民軍隊的探索與貢獻〉（《河南大學學報》1987年6期）、劉松茂〈南昌起義與統一戰線〉（《江漢論壇》1988年6期）、龔家珪〈論南昌起義與〝左派國民黨的旗幟〞〉（《江西財經學院學報》1987年7期）、何建華、吳小松〈共產國際與南昌起義〉（《撫州師專學報》1988年2期）、鄒小孟〈共產國際與南昌起義〉（《宜春師專學報》1989年1期）、席香根〈共產國際與南昌起義關係的幾個問題〉（《江西師大學報》1988年2期）、徐聯芳〈〝八一〞南昌起義和共產國際〉（《學習月刊》1987年11期）、甘火生〈淺談南昌起義的路線〉

(《宜春師專學報》1981年1期)、劉利群〈試論〝八一〞起義在南昌舉行的主客觀條件〉(《求實》1988年7、8期)、淩家傳、張英南〈淺談江西地方黨與南昌起義的關係〉(《江西黨史研究》1988年4期)、殷育文〈也談江西省委與南昌起義的關係—評《淺談江西地方黨與南昌起義的關係》〉(同上,1989年2期)、陳先奎〈南昌起義與國民黨新軍閥的內部矛盾〉(《軍事史林》1987年4期)、胡松〈略論八一南昌起義勝利後成立的中國國民黨革命委員會〉(《宜春師專學報》1989年1期)、羅撿有〈評南昌起義中的〝中國國民黨革命委員會〞〉(《爭鳴》1987年4期)、李曉秋〈淺談國民黨特別委員會在南昌起義中的地位—兼議南昌起義總指揮部及其它〉(《江西黨史研究》1989年3期)、鄭碧衡〈南昌起義的革命火種是怎樣保存下來的:兼述朱德對〝工農武裝割據〞理論的貢獻〉(《黨史文匯》1986年5期)、劉興漢等〈南昌起義參加人數為什麼說法不一?〉(同上,1987年5期)、張英南輯〈南昌起義前後各級領導人員名單〉(《爭鳴》1986年1、3期)、夏宏根〈南昌起義領導人及其排序新探〉(同上,1989年4期)、淩雲〈南昌起義中國共產黨前敵委員會成員(1927年7月27日)〉(同上,1981年2期)、王健英〈南昌起義中的中共前敵軍委〉(《黨史文苑》1994年4期)、張俠〈關於南昌起義總指揮與總指揮部的考證〉(《河北大學學報》1982年4期)、金再及、劉志強〈再論南昌起義和實行土地革命〉(《近代史研究》1983年1期)、元建邦〈南昌起義軍與仁化蘇維埃政府〉(《中學歷史教學》1983年3期);〈南昌起義部隊序列(1927年8月)〉(《星火燎原叢刊》1980年2期);〈南昌起義部隊序列表(國民革命軍第二方面軍）〉（《爭鳴》1981年2期）、胡毓秀〈南昌起義的第一批女兵〉（同上，1980年1期）、張英南〈寧漢粵各軍閥沒有聯合圍攻南昌起義軍的原因〉（《江西大學學報》1984年4期）及〈試析南昌起義軍的南下〉（《歷史教學》1987年8期）、李亞民〈南昌起義之後的南下戰鬥〉（《星火燎原》1984年4期）、趙樸〈南昌起義與南下潮汕〉（《黨史研究》1985年3期）、陳三鵬〈關於南昌起義南下潮汕的決策問題〉（《汕頭大學學報》1986年1期）、鄭傳雲〈南昌起義軍南下行動評述〉（《江西社會科學》1987年2期）、Stuart R. Schram, "Chinese Military Affairs: The Retreat From Nanchang."（The China Quarterly, No.18, 1964）、鞏健芳〈南昌起義軍轉兵廣東析〉（《黨史研究資料》1988年1期）、郭文亮〈對南昌起義部隊南下廣東戰略決策的兩點看法〉（《教學與研究》1987年5期）、劉喜發〈南昌起義軍南征廣東失利原因淺析〉（《黨史研究與教學》1991年1期）、官著琪〈八一南昌起義軍南征的歷史見證一涵碧樓〉（《文物天地》1981年4期）、邱松慶、孔永松〈〝八一〞起義軍南征的歷史功績〉（《黨史資料與研究》1987年5期）、連尹等〈南昌起義部隊南征的意義及其影響〉（《福建黨史通訊》1987年8期）、林泉〈南昌起義軍改道入閩的原因〉（同上）、劉寶聯〈南昌起義部隊途經閩西的情況〉（《黨史資料徵集通訊》1988年4期）、吳國安、鍾建英〈南昌起義軍進軍閩西論略〉（《福建論壇》1985年2期）、康模生〈南昌起義軍入長汀與長汀地方黨的創建〉（《黨史資料通訊》1987年8期）、王其森〈〝革命者來〞一南昌起義軍在汀洲〉（《福建黨史通訊》1987年8期）、鄭學秋〈簡述南昌起義對龍岩革命的影響〉（同上）、羅明〈迎接南昌起義軍〉(同上)、江增欣等〈飛渡汀江，南出永定(南昌起義)〉(同上)、羅玉初等〈回師北上播火種(南昌起義)〉(同上)、吳國安等〈南昌起義軍與福建的革命鬥爭〉(《黨史資料與研究》1985年2期)、傅祥華等〈南昌起義部隊在轉戰中的一次統一戰線工作〉(《河南師大學報》1983年6期)、政治工作教研室〈中國人民解放軍政治工作史連載(之二)—南昌起義軍的政治工作〉(《思想戰線》1984年2期)、陳伙成〈關於南昌起義軍餘部的〝改名易旗〞和紅五軍的番號問題〉(《黨史研究資料》1992年2期)、劉松林〈南昌起義軍餘部改編為工農革命軍第二師的經過〉(《廣東黨史通訊》1985年3期)、劉樹發〈對南昌起義餘部幾個問題的探討〉(《黨史文苑》1995年2期)、梁戈〈南昌起義中的〝鐵軍〞〉(《革命文物》1977年4期)、胡松〈試論八一南昌起義和湘贛邊界秋收起義的聯繫和區別〉(《江西大學學報》1987年4期)、羅金聲〈南昌起義、秋收起義和廣州起義得失異同之比較〉(《湖北大學學報》1988年4期)、胡松〈南昌起義、秋收起義、廣州起義為何打出不同的旗幟？〉(《江西大學學報》1988年3期)、凌家傳〈南昌起義與秋收起義的關係〉(同上，1985年2期)、夏道漢〈對〝八一〞南昌起義和井岡山根據地幾個爭議問題的看法〉(《求實》1987年1期)、軍政大學大批判組〈南昌起義的歷史不容篡改—圍繞《〝林氏春秋〞的破產》一文的鬥爭〉(《紅旗》1977年8期)、軍事科學院辦公室學術調查研究處〈1927年8月1日《中央委員宣言》不是南昌起義的政治綱領〉(《理論動態》1979年5期)、任明一〈南昌起義的兩件文物〉(《黨的生活》1980年4期)；田利軍〈試論南昌起義中的譚平山〉(《四川師大學報》1987年4期）、巫忠〈譚平山與〝八一〞南昌起義的始末〉（《佛山大學學報》1993年1期）、侯忠武〈譚平山是南昌起義的領導人之一〉（《蒲峪學刊》1990年3期）、于兵〈南昌起義前後的賀龍同志〉（《革命文物》1977年4期）、王淼生〈對《賀龍在南昌起義中的卓越貢獻》一文的幾點質疑—與馬善年、周德鹿同志切磋〉（《黨史縱橫》1989年4期）、鄭理〈南昌起義和周恩來同志〉（同上）、廣州部隊《葉挺將軍》編寫組〈南昌起義中的葉挺同志〉（《星火燎原季刊》1982年3期）、葉挺〈南昌暴動至潮汕的失敗（摘要）〉（《黨史研究》1980年4期）、王惠蘭〈略論聶榮臻在南昌起義中的地位和作用〉（《黨史文苑》1994年2期）、宮力〈聶榮臻與南昌起義〉（《黨史縱橫》1989年4期）、韋克昌〈試述聶榮臻對〝八一〞起義的貢獻〉（《吉安師專學報（聯合版）》1988年3期）、劉伯承〈南昌暴動始末記（摘要）〉（《黨史研究》1980年4期）、宋科〈南昌起義的參謀長劉伯承〉（《星火燎原》1983年4期）、紀軍〈南昌起義前後的朱德同志〉（《革命文物》1977年4期）、胡松〈南昌起義前後的朱德〉（《黨史文薈》1995年5期）、楊青田〈回憶南昌起義時的朱德同志〉（《思想戰線》1977年4期）、時光〈朱德與南昌起義〉（《黨史通訊》1987年8期）、丁守和〈朱德從南昌起義到井岡山會師的戰鬥歷程〉（收入氏著《中國現代史論集》，北京，中國社會科學出版社，1980）、劉學民〈論朱德與南昌起義〉（《中共黨史研究》1988年4期）、〈南昌起義失敗後的朱德〉（《黨史文匯》1992年2期）、〈朱德在南昌起義前後作出的貢獻〉（《瞭望》1986年48期）及〈朱德領導的〝贛南三整〞〉（《江西社會科學》1986年1期）、吳方寧〈淺論〝贛南三整〞的功績〉（《求實》1987年3期）、李同慶〈朱德與〝贛南三整〞〉（《毛澤東思想研究》1987年3期）；〈朱德同志率領南昌起義餘部在贛南地區的三次整頓〉（《文獻與研究》1983年2期）、蒲定海〈我軍初創時期統一戰線的典範：憶南昌起義失敗後朱德同范石生的合作〉（《成都大學學報》1990年2期）、鞠景奇〈陳毅在南昌起義軍餘部西進和湘南起義中的功績〉（《毛澤東思想研究》1989年4期）、夏宏根〈李立三是南昌起義的重要領導者〉（《社會科學論壇》1992年4期）、施鳳堂等〈李立三與南昌起義〉（《爭鳴》1987年4期）、劉受初〈南昌起義中的惲代英〉（《吉安師專學報》1987年3期）、劉忠良〈葉劍英在南昌起義中的特殊貢獻〉（《黨史文匯》1991年10期）、龔濟民、方念仁〈郭沫若與南昌起義史實補正〉（《徐州師院學報》1983年2期）、王德夫〈駁張國燾阻止南昌起義是〝奉命行事〞的謬論〉（《黨史研究》1981年4期）、閻中恒〈偉大的功勛，光輝的業績—周恩來等老一輩無產階級革命家在八一南昌起義中〉（《中山大學學報》1977年5期）、楊天石〈張發奎與南昌起義〉（《檔案與歷史》1995年2期）。金振林〈贛江怒潮—南昌起義採訪札記〉（《江蘇文藝》1977年3、8期）、王輔一、胡忠紅、潘娟〈中國工農紅軍首次紀念〝八一〞始末〉（《南京史志》1996年4期）；〈〝八一〞建軍節簡史〉（《新觀察》1950年3期）；〈〝八一〞介紹〉（《中國青年》1949年13期）、傅鐘〈必須記取的經驗—為紀念中國人民解放軍〝八一〞誕生而作〉（同上）、M. Yuriev, “The Creation of the Chinese Red Army（50 Years of the Nanchang Uprising）.”（Far Eastern Affairs, No.4, 1977）、徐修宜〈八一南昌起義並非遭到失敗〉（《高校社科情報》1993年2期）。

關於秋收「起義」有林今編《秋收起義》（北京，青年出版社，1953）、蕭克、何長工主編《收秋起義》（北京，人民出版社，1979）、中央檔案館編《秋收起義（資料選輯）》（北京，中共中央黨校出版社，1982）、張俠、李海量《湘贛邊秋收起義研究》（南昌，江西人民出版社，1987）、中共湖南省委黨史資料徵集研究委員會《湘贛邊界秋收起義》協作組編《湘贛邊界秋收起義》（長沙，湖南人民出版社，1987）、江西人民出版社、湖南人民出版社合編《秋收起義（故事集）》（同上，1977）、秋收起義寫作組《秋收起義》（上海，上海人民出版社，1977）、陸上草編寫《秋收起義》（同上，1958）、板章編《秋收起義》（中國革命史小叢書，北京，新華出版社，1990）、江西省文化廳文物處等編《秋收起義在江西》（北京，文物出版社，1993）、中國人民解放軍三十年徵文編委會編《秋收起義在醴陵》（北京，作家出版社，1959）、湖南省哲學社會科學研究所現代史組編寫《秋收起義和向井岡山進軍》（長沙，湖南人民出版社，1977）及〈秋收起義和向井岡山進軍〉（《歷史研究》1977年4期）、劉曉農〈秋收起義部隊向井岡山進軍淺談〉（《湘潭大學學報》1985年3期）、陳志凌〈偉大的里程碑—關於秋收起義，向井岡山進軍的經過和意義〉（《鄭州大學學報》1977年4期）、羅一群、孫光明〈略論湘贛邊秋收起義向井岡山進軍的意義〉（《宜春師專學報》1987年6期）、鄧啟沛〈試論〃秋收起義〃走上井岡山在中國革命第一次轉變中的重大意義〉（《萍鄉教育學院學報》1984年1期）、陳國祿〈關于秋收起義和井岡山鬥爭的幾則考證〉（《文獻和研究》1987年4期）、李其煌〈秋收起義〉（《星火燎原》1981年2期）、江西大學中文系《秋收暴動》編寫組〈秋收暴動〉（《江西大學學報》1977年2期）、柯藍、文秋〈秋收起義〉（《湖南大學學報》1962年2-4期）、吳偉良〈論秋收起義〉（《暨南學報》1989年1期）、陳列菊〈論秋收起義〉（載《黨史研究文集》，南昌，江西人民出版社，1987）、Roy M. Hofheinz, Jr., " The Autumn Harvest Insurrection"（The China Quarterly, No.32, October-December 1967）、賀春禧〈秋收起義的醞釀與計畫〉（《黨史研究》1987年5期）、段紀明〈試論湖北秋收暴動在中國革命中的歷史作用〉（《地方革命史研究》1987年4期；亦載《黨史資料通訊》1987年9期）、諶宗仁〈鄂南秋收暴動〉（《武漢師院學報》1981年專輯）、周法浩〈鄂南秋收暴動〉（《黨史研究》1987年5期）、李丕華〈秋收起義的歷史意義〉（《山東大學學報》1962年2期）、孫曉鐘〈秋收起義歷史意義的再認識一紀念秋收起義60周年〉（《齊齊哈爾社聯通訊》1987年2期）、徐康平〈論秋收起義的歷史經驗及現實意義〉（《九江師專學報》1994年1期）、高民〈秋收起義意義新探〉（《石油大學學報》1996年3期）、湖南省哲學社會科學研究所現代史組〈秋收起義永放光芒〉（《新湘評論》1977年8期）、龍正才〈湘贛邊界秋收起義研究綜述〉（《黨史研究》1987年5期）、黃義祥輯〈湘贛邊秋收起義〉（《歷史大觀園》1987年9期）、胡松〈對湘贛邊秋收暴動的幾點看法〉（《爭鳴》1988年2期）、劉益濤〈對湘贛邊秋收起義若干問題的看法〉（《教學與研究》1982年4期）、鄧新如〈湘贛邊秋收起義幾個問題的探討〉（《爭鳴》1984年3期）、賀春禧〈湘贛邊界秋收起義發動的時間〉（《江漢論壇》1988年6期）、宋俊生〈秋收起義的發動時間應該是九月十一日〉（《爭鳴》1983年3期）；〈湘贛邊界秋收起義部隊序列〉（《星火燎原》1981年6期）、志軍〈秋收起義部隊序列表〉（《爭鳴》1983年3期）、李海量〈湘贛邊秋收起義部隊番號考〉（《湖南黨史通訊》1983年7期）、賀春禧〈秋收起義後的轉兵問題〉（《江漢論壇》1984年8期）、蔣伯英〈關於秋收起義綱領的一場爭論〉（《黨史研究與教學》1994年6期）、鄧新如〈湘贛邊秋收起義幾個問題的探討〉（《爭鳴》1984年3期）、鄧啟沛、劉善文〈湘贛邊秋收起義黨的領導問題〉（《萍鄉教育學院學報》1987年4期）、楊放萍〈試述秋收暴動中行動委員會的作用〉（同上，1988年1期）、趙帆存〈略談湖南省委在秋收起義中的主要作用〉（《吉首大學學報》1987年4期）及〈試評湖南省委在秋收暴動中對〝左傾〞盲動錯誤的認識〉（《吉首大學學報》1988年3期）、官雲仟〈湘贛邊界秋收起義與湖南省委〉（《求索》1985年3期）、尹慶軍、郭欣〈秋收暴動中共產國際、中共中央及湖南省委的作用探析〉（《求索》1990年5期）、陳立明、宋俊生〈試論江西省委與湘贛邊界秋收起義的關係〉（《上饒師專學報》1985年4期）、王松〈中共臨時中央與湘贛邊秋收起義〉（《江漢論壇》1983年7期）、曹檢生〈論秋收起義對湘鄂贛邊革命根據地形成的歷史作用〉（《黨史研究資料》1993年2期）、劉益濤〈毛澤東同志與湘贛邊秋收起義〉（《黨史研究》1981年5期）、歷史系74級黨史調查組〈毛主席的旗幟是勝利的旗幟—學習毛主席領導秋收起義的偉大革命實踐〉（《武漢大學學報》1977年5期）、江西省革命歷史展覽館、江西大學編寫組〈毛主席領導秋收起義〉（《革命文物》1977年5期）、楊勤為〈毛澤東在秋收起義中的傑出貢獻〉（《華東石油學院學報》1987年4期）、賀春禧〈毛澤東在領導秋收起義中對黨的思想理論貢獻〉（《黨史研究》1983年6期）、陳金榜〈毛澤東同志領導秋收起義的實踐和黨的第一次歷史性轉變〉（《江西大學學報》1984年2期）、張檢明〈毛澤東在領導秋收起義時是中央特派員嗎？〉（《湖湘論壇》1993年5期）、范斌賓〈毛澤東在秋收起義前後為何鍾情湘南〉（同上，1994年4期）、戴向青〈略論毛澤東同志在湘贛邊秋收暴動和井岡山鬥爭中的關鍵作用〉（載《毛澤東建黨思想與黨史研究》，北京，中共中央黨校出版社，1983）、馬列主義教研室中共黨史組〈偉大的起義，光輝的典範—紀念毛主席領導秋收起義和創建井岡山革命根據地五十周年〉（《中山大學學報》1977年5期）、張檢明〈略論任弼時在秋收起義中的貢獻〉（《湖湘論壇》1995年1期）、何長工〈在秋收起義的日子裏—謹將此文獻給60年前犧牲的戰友們〉（《中華英杰》1987年4期）、吳榮宣〈有關秋收起義、井崗山根據地和古田會議一些歷史問題的研討〉（《黨史研究與教學》1994年2期）、倪英、哲文〈秋收起義會師舊址和有關幾件革命文物〉（《文物》1974年1期）、宋俊生〈有關秋收起義的兩件珍貴文物〉（《革命文物》1980年3期）、何孝積、宋斐夫〈對秋收起義兩件文物的質疑〉（《文物天地》1981年2期）、宋俊生〈《對秋收起義兩件文物的質疑》的答覆〉（同上，1981年5期）、李維漢〈八一起義和秋收起義〉（《新聞戰線》1980年8期）、楊放萍〈湘贛邊秋收起義部隊第二團黨代表應是蘇以忱〉（《江西黨史研究》1988年6期）、張啟龍〈秋收起義中的第三團〉（《星火燎原》1981年3期）、龍正才〈邱國軒團的隸屬關係及其秋收起義部隊收編過程〉（《近代史研究》1985年3期）、總參工程兵部黨史資料徵集辦公室〈關于〝盧德銘警衛團〞和秋收起義若干史實的探討〉（《軍史資料》1986年3期）、劉受初等〈盧德銘警衛團幾個問題的考證〉（《黨史資料通訊》1987年9期）、陳士榘〈隨〝警衛團〞參加秋收起義〉（《軍史資料》1984年2期）、慕容、楚強〈在秋收起義的日子裏〉（《星火燎原》1981年3期）、張檢明〈略論任弼時在秋收起義中的貢獻〉（《湖南論壇》1995年1期）、江暉、魯歌〈魯迅與秋收起義〉（《中山大學學報》1976年5期）、黃愛國〈安源是湘贛邊界秋收起義的重要地區之一〉（《黨史研究資料》1995年4期）、劉光勝〈秋收起義中的安源工人武裝〉（《中國工人》1958年15期）、陳鐵訓〈秋收起義在江北的一面紅旗：黃麻起義成因和經驗淺述〉（《黃岡師專學報》1984年2期）、Odoric Y. K. Wou（吳應銧）& Wang Quanying, "Rural Mobilizatin in Time of Political Adversity: The Autumn Harvest Uprising in Southern Henan."（Republican China, Vol.20, Issue 1, 1994）、王全營等〈劉店秋收起義與豫南游擊戰爭〉（《鄭州大學學報》1984年1期）。

關於海陸豐「起義」（含海陸豐蘇維埃）有中共海豐縣委員會黨史辦公室、陸豐縣委員會黨史辦公室編《海陸豐革命史料（第1、2輯）》（2冊，廣州，廣東人民出版社，1986）、陳少白編《海陸豐赤禍記》（海陸豐同鄉會，民21）、國民革命軍第十六師政治訓練處《海陸豐平共記》（民17年序）、上海人民出版社編《海陸豐起義的故事》（中國革命故事，上海，編者印行，1958）、Fernando Galbiati, P'eng P'ai and the Hai-lu-feng Soviet.

（Stanford: Stanford University Press,1985）、鍾貽謀《海陸豐農民運動》（廣州，廣東人民出版社，1957）、葉左能等《海陸豐農民運動》（北京，中共中央黨校出版社，1993）、Pang Yong-Pil, Peng Pai and the Origins of Rural Revolution Under Warlordism in the 1920's: Haifeng Country, Guangdong Province.（Ph. D. Dissertation. University of California-Los Angeles, 1981）、張聲衛〈海陸豐武裝起義經驗教訓初探〉（《史學月刊》1988年1期）、綺園〈反動派與海陸豐蘇維埃〉（《中國工運史料》1986年28、29期）、王文〈海陸豐蘇維埃史話〉（《中國方域》1996年1期）、楊丙昆〈中國第一個紅色政權—海陸豐蘇維埃〉（《歷史研究》1958年8期）、衛藤瀋吉〈中國最初の共產政權：海陸豐蘇維埃史〉（《近代中國研究》第2輯，1958年12月）、Eto Shinkichi（衛藤瀋吉），"Hai-lu-feng: The First Chinese Soviet Government."（The China Quarterly, 8, 1961; No.9, 1962）、衛藤瀋吉講〈海陸豐蘇維埃〉（《東洋文化研究所紀要》15號，1958年3月）、徐石〈海陸豐蘇維埃初探〉（載《北京大學紀念中國共產黨六十周年論文集》，北京大學出版社，1982）；《海陸豐的蘇維埃》（民17年3月出版）、Robert Brian Marks, Peasant Society and Peasant Uprisings in South China: Social Change in Haifeng Country, 1630-1930.（Ph. D. Dissertation, University of Wisconsin-Madison, 1978）。

關於廣州「起義」有中共廣東省委宣傳部編《廣州起義》（廣州，廣東人民出版社，1957；增訂本，1978年2版）、上海人民出版社編《廣州起義（中國革命故事）》（上海，編者印行，1958）、朱道南《回憶廣州起義》（上海，上海文藝出版社，1959）、劉政

《廣州起義》（上海，上海人民出版社，1978）、廣東革命歷史博物館編《廣州起義資料》（2冊，北京，人民出版社，1985）、中共中央黨史資料徵集委員會、廣東省委員會黨史資料徵集委員會、廣東革命歷史博物館編《廣州起義》（北京，中共黨史資料出版社，1988）、花城出版社編《1927年廣州起義實錄》（廣州，編者印行，1986）、簡延華《血雨（廣州起義實錄）》（同上，1995）、中央檔案館編《廣州起義（資料選輯）》（北京，中共中央黨校出版社，1982）、廣東省委黨史研究會編《廣州起義研究—紀念廣州起義六十周年》（廣州，廣東人民出版社，1987）、中共廣東省委宣傳部編《廣州起義》（同上，1978）、廣州平社編《廣州事變與上海會議》（廣州，民17）；《廣州起義紀念詩文集》（廣州，廣東人民出版社，1978）。王競康《中共「廣州暴動」之研究》（政治作戰學校政治研究所碩士論文，民67年7月）及〈廣州暴動〉（《東亞季刊》13卷3、4期，民71年1、4期）、李藍天〈廣州起義記實〉（載《第二次國內革命戰爭時期史事論叢》，北京，三聯書店，1956）、詔玉、〈廣州暴動紀實（1928年11月17日）〉（《中國工運史料》1982年2期）、吳賜錄〈有關廣州起義的幾個問題〉（《廣州師院學報》1987年4期）、梁伯群〈廣州起義幾個問題考辨〉（《廣州文博》1987年3期）、黎顯衡等〈廣州起義的若干問題考證〉（《黨史資料通訊》1987年11期）、黎顯衡〈廣州起義綜述〉（同上）、潘榮〈對廣州起義的初步研究〉（《學習與思考》1981年4期）及〈1927年廣州起義若干史實考證〉（《南開史學》1985年1期）、金再及〈廣州起義原定日期的訂正〉（《黨史資料叢刊》1983年1輯）、李淼祥〈廣州起義是城鄉配合工農兵協同作戰的武裝暴動〉（《嶺南學刊》1987年11期）、趙金鵬、蔣忠英〈廣州起義不是盲動主義的產物〉（《山東師大學報》1989年6期）、黎顯衡〈廣州起義是中國無產階級偉大的嘗試〉（《廣州研究》1983年3期）、陳慧道〈繼承和發揚廣州起義英勇頑強的革命精神〉（《廣州師院學報》1983年4期）、歷史系74級《廣州起義》調查學習小組〈紀念廣州起義五十周年〉（《中山大學學報》1977年6期）、朱海〈紅旗飄上越王臺—紀念廣州起義五十周年〉（《紅旗》1977年12期）、黎顯衡〈偉大的壯舉·長存的浩氣—紀念廣州起義六十周年〉（《廣州文博》1987年3期）、楊世蘭、洪光泉〈《廣州起義》解說詞〉（《華南師院學報》1981年3期）、B·洛米納茲著、邦力譯〈廣州起義的歷史意義〉（《蘇聯問題研究資料》1989年1期）、王寅城〈武裝奪取政權的偉大嘗試—試論廣州起義的歷史意義〉（《黨史資料通訊》1987年11期）、夏以溶〈也談廣州起義的歷史地位—兼及〝工農武裝割據〞道路的由來〉（《西南民族學院學報》1980年2期）、江于夫〈廣州起義對我黨探索革命道路的貢獻和影響〉（《中共浙江省委黨校學報》1989年1期）、張為波〈廣州起義前後我黨對中國革命道路的探索〉（《毛澤東思想研究》1987年4期）、趙金鵬〈試析廣州起義的特點〉（《黨史研究資料》1987年12期）、劉少卿〈在廣州起義的日子裏〉（《星火燎原》1982年3期）、李雁鷹〈論廣州起義與共產國際的關係〉（《湘潭大學學報》1991年3期）、廣州市文物管理處、黃流沙〈廣州起義略述和有關文物介紹〉（《革命文物》1977年6期）、張國星〈廣州起義時敵我雙方力量對比考〉（《黨史研究資料》1990年12期；亦載《歷史教學》1992年8期）、沈雲龍〈從武漢分共到廣州暴動〉（《傳記文學》33卷6期，民67年12月）；〈徐向前同志談廣州起義和紅四師在東江的鬥爭〉（《星火燎原叢刊》1980年1期）、陳立平等〈論葉挺在廣州起義中的作用〉（《黨史資料通訊》1987年11期）、李杞華、羅茂繁〈廣州起義中的葉劍英〉（《軍事歷史》1992年6期）、林洪暖〈廣州起義中的張太雷〉（《廣州文博》1987年3期）、王家云〈黃平是廣州起義的主要領導人之一〉（《淮陰師專學報》1988年1期）、謝燕章〈廣州起義中的共產主義青年團〉（《廣州文博》1985年3期）、黃立早〈廣州起義的主力部隊一教導團〉（《革命文物》1977年6期）、江鐵軍〈試論教導團正規部隊在廣州起義中的作用〉（《廣州文博》1987年3期）、林錦文、陳登貴〈廣東農民武裝對廣州起義的貢獻〉（同上）、楊紹練〈工人赤衛隊在廣州起義中的作用〉（《廣州研究》1983年3期）、廣州市婦聯〈廣州起義中的戰鬥婦女〉（《婦運史研究資料》1986年3期）、牛桂雲〈廣州起義時革命政權的名稱〉（《黨史研究資料》1986年3期）、Hsiao Tso-liang（蕭作梁），"Chinese Communism and Canton Soviet of 1927."（The China Quarterly, No.30, April-June 1967）、厄爾·斯威舍著、張維持譯〈廣州蘇維埃見聞〉（《隨筆》1981年13期）、劉弄潮〈廣州蘇維埃政權的光輝〉（《理論動態》1979年5期）及〈廣州蘇維埃政權一瞥〉（《新清華》1956年12期）、張世峰〈廣州起義失敗原因論略〉（《華中師大研究生學報》1986年4期）、伙成一等〈廣州暴動和長沙占領〉（《文物天地》1982年5期）、戈寶權〈一個日本人目擊的廣州起義和長沙占領一記伙成一《山上正義》寫的回想手稿的發現〉（同上）、張水良〈廣州公社一1927年廣州工人武裝起義〉（《廈門大學學報》1959年2期）、羅佐夫斯基（A. Lozovsky）等著《廣州公社》（無產階級書店，1930）、A. Malukhin, "60th Anniversary of the Canton Commune."（Far Eastern Affairs, No.2, 1988）、歐陽山《紅花岡畔》（廣州，廣東人民出版社，1977）、林鴻暖〈廣州起義舊址及起義烈士陵園巡禮〉（《黨史資料通訊》1987年11期）。

關於黃麻「起義」（1927年11月由中共所領導湖北省黃安、麻城兩縣農民的武裝「起義」）有郭家齊主編《黃麻起義》（武漢，武漢大學出版社，1987）、《黃麻起義》編寫組《黃麻起義》（武漢，湖北人民出版社，1979）、郭煜中〈廣麻起義〉（《黨史通訊》1984年11期）、彭希林〈黃麻起義〉（《黨史研究》1982年2期）、紅安革命博物館等〈黃麻起義（片斷）〉（《華中師院學報》1977年3期）、歷史系74級赴紅安學習調查組〈黃麻革命涌洪波〉（《武漢大學學報》1977年6期）、張天偉〈黃麻革命涌洪波—回顧1927年〝黃麻起義〞〉（《西南民族學院學報》1982年2期）、胡中秋〈試論黃麻暴動〉（《江漢論壇》1988年2期）、汪秀石〈中國革命史上的又一座偉大豐碑：試論黃麻起義對探索中國革命之路的貢獻〉（《黃岡師專學報》1996年1期）及〈黃麻起義組織領導者再探討〉（《歷史教學》1989年1期）、陳鐵訓〈秋收起義在江北的一面紅旗—黃麻起義成因和經驗淺述〉（《黃岡師專學報》1984年2期）、彭希林〈黃麻起義成敗之辨析〉（《地方革命史研究》1986年6期）。

平江「起義」（1928年7月22日，國軍獨立第五師第一團團長彭德懷、營長黃公略等率部在湖南省平江「起義」）有《平江起義：資料選輯》選編組編《平江起義：資料選輯》（北京，中共中央黨校出版社，1984）、中共湖南省平江縣委員會黨史徵集辦公室編《紅旗漫展出轅門：平江起義資料彙編》（北京，中國文史出版社，1986）、凌輝《平江起義》（長沙，湖南人民出版社，1982）、湖南哲學社會科學研究所現代史組、文學組〈平江起義〉（《歷史研究》1979年2期）、李沛誠、劉夢華〈平江起義〉（載朱成甲編《中共黨史研究論文選》中册，湖南人民出版社，1983）、宋斐夫〈平江起義〉（《黨史通訊》1985年2期）、三好章〈「平江暴動」—湘鄂贛ソビエト區成立前史〉（載《中嶋敏先生古稀記念論集》上卷，東京，汲古書院，1980）、吳家丕等〈關於平江起義的幾個問題〉（《湘潭大學學報》1981年1期）、李壽軒〈平江起義前後〉（《解放軍文藝》1957年9期）、鍾期光〈平江起義前後紀略〉（同上，1952年12月號）、田長江〈平江起義前後的片斷〉（《文學》94期，1957年9月）、王志新〈彭德懷和平江起義〉（《百科知識》1979年3期）及〈彭德懷同志領導平江起義的一些情況〉（《黨史研究》1980年1期）、張鐘〈《彭德懷同志領導平江起義的一些情況》的核對〉（同上，1980年5期）、黃慰慈〈彭德懷同志和平江起義〉（《中學歷史教學》1981年1期）、韋廷杰〈平江起義和湘鄂贛根據地的開闢〉（《歷史教學》1979年8期）、余柏青〈平江起義與湘鄂贛蘇區黨組織的恢復和發展〉（《益陽師專學報》1994年4期）、李衷凱〈中共湖南省委與平江起義關係初探〉（《黨史月刊》1988年7期）、李壽軒〈平江起義前後部隊編制和二上井岡山的情況〉（《軍史資料》1986年1期）、蕭向陽編著、羅遠明插畫《平江人民鬥爭故事》（北京，通俗讀物出版社，1957）、黃海等〈平江起義舊址—天岳書院〉（《新聞評論》1979年7期）。

湘南「起義」有中共郴州黨史資料徵集辦公室編（李歷青執筆）《湘南起義史稿》（長沙，湖南人民出版社，1986）、中共郴州地委宣傳部編《湘南暴動》（長沙，湖南人民出版社，1979）、蕭克等《回憶湘南暴動》（紅色風暴叢書，南昌，江西人民出版社，1981）、吳偉良〈論湘南暴動〉（《暨南學報》1984年1期）、鍾永傳、李長欽〈湘南暴動史略〉（《湖南師院學報》1979年1期）、黃克誠〈回憶湘南暴動〉（《近代史研究》1980年4期）、蕭克〈騎田嶺上瞻中原—憶湘南暴動的一個片斷〉（《革命史資料》1981年2期）、鄭碧衡〈論湘南暴動的歷史地位及意義〉（《湖南黨史通訊》1985年2期）、中共郴州地區委員會等〈朱德、陳毅同志領導的湘南暴動永垂青史〉（《新湘評論》1977年8期）、陶瑞芝〈關於《湘南暴動，奔向井岡》史實商榷〉（《思茅師專學報（綜合版）》1991年12期）、吳榮宣〈《湘南暴動大綱》考證〉（《黨史研究與教學》1992年3期）、李春祥〈湘南暴動在井岡山根據地建設中的歷史作用〉（《歷史教學》1988年12期）、中共郴州地委黨史辦公室〈論湘南起義對井岡山鬥爭的作用〉（《湖南黨史月刊》1988年1期）、黃成文〈湘南起義研究綜述〉（同上）、陳列菊〈論湘南起義〉（載《湘南起義論文集》，長沙，湖南人民出版社，1988）、周祚軾〈湘南地方黨組織的建設與湘南起義〉（《黨史月刊》1988年9期）、李宙南〈〃反白事件〃性質初探〉（《湖南社會科學》1993年1期）。

百色「起義」（1929年12月，鄧小平、張雲逸等中共份子率眾在廣西省百色、恩隆「起義」，成立工農紅軍第七軍和右江蘇維埃政府）有陸仰淵《百色起義》（上海，上海人民出版社，

1979）、莫文驊《百色風暴》（瀋陽，遼寧人民出版社，1985）、蔣文華、袁競雄〈略論百色起義—紀念百色起義55周年〉（《廣西師大學報》1985年1期）、石舜瑾〈百色起義—紀念百色起義五十周年〉（《廣西師院學報》1979年3期）、廣西軍區政治部〈發揚光榮傳統，積極參加和保衛四化建設—紀念百色起義和紅七軍建立五十周年〉（《思想解放》1979年12期）、黃松堅〈為了勝利這天—回憶百色起義〉（《民族團結》1984年12期）、李振榮〈略述百色起義勝利的原因〉（《中央民族學院學報》1985年4期）、沈君積等〈論百色起義的社會基礎及其勝利原因〉（《廣西民族學院學報》1980年1期）、韋寶昌、謝信芝〈試論百色起義成功的原因〉（《廣西大學學報》1989年3期）、石舜瑾〈關於百色起義史研究中的幾個問題：兼評黨中央關於百色起義的指導思想〉（《杭州師院學報》1989年5期）、羅勇岐〈百色起義時期鄧小平同志的實事求是精神與實踐探索勇氣〉（《廣西黨校學報》1989年6期）、全素娟〈百色起義的歷史經驗〉（《史學月刊》1992年2期）、吳忠才〈百色起義的特點和意義〉（《近代史研究》1983年3期）及〈試論百色起義的歷史意義〉（《廣西黨史資料通訊》1983年1期）、區黨史辦〈百色起義與龍州起義〉（《廣西黨史研究》1984年5期）、譚慶〈試論百色起義和龍州起義的特點〉（《中南民族學院學報》1990年2期）、于偉國〈百色、龍州起義的意義〉（《黨的文獻》1989年3期）、王錦俠〈百色、龍州起義與中國革命道路的探索〉（《社會科學探索》1989年6期）、朱永來〈試論龍州起義失敗的原因〉（《歷史教學》1987年10期）、謝一泓〈龍州起義前後—紀念龍州起義五十五周年〉（《廣西黨史研究通訊》1985年1期）、李錦旺〈龍州起義和左江革命根據地的開闢〉（《南寧師專學報》1983年創刊號）、黎國軸〈百色起義、龍州起義和廣西左右江革命根據地的建立〉（《河池師專學報》1982年1期）、侯成韜〈龍州起義是百色起義的組成部分嗎？〉（《近代史研究》1986年3期）、李長壽〈百色縣蘇維埃政府組織概況〉（《成都黨史》1994年3期）、袁任遠〈從百色到湘贛〉（《廣西黨史研究通訊》1982年6期）。

左右江「起義」（是1929年12月百色「起義」和1930年2月龍州「起義」的統稱，開闢了左右江革命根據地）有左右江革命史調查組編《左右江革命史料匯編》（3冊，1978）、吳忠才〈革命的精神和科學的態度是左右江起義勝利的保證〉（《廣西黨史》1995年1期）、王保山等〈對左右江革命史研究中幾個問題的商榷〉（《學術論壇》1979年2期）、庾新順〈試述鄧小平在左右江起義前後的的貢獻〉（《中央民族學院學報》1989年1期）、龐光耀、黃美祿〈永不滅的火種—左右江人民堅持革命鬥爭的歷程〉（《廣西大學學報》1986年2期）、覃作寧、徐方治〈試論左江起義的發動和歷史經驗〉（載《廣西歷史學會第三次代表會暨1982年年會會刊》，1982）、譚慶〈試論左江起義的原因及其特點〉（《廣西民族學院學報》1986年1期）、覃作寧〈試論左江起義的武裝鬥爭〉（同上，1983年4期）、沈君積〈右江農民運動的特點〉（同上，1985年1期）、王其明〈紅旗漫捲右江〉（《廣西師院學報》1979年3期）、廣西博物館陳列組〈右江上下紅旗揚—百色起義和右江革命根據地的歷史與文物略述〉（《革命文物》1978年5期）、黃福林〈右江夜渡〉（《廣西師院學報》1979年3期）、王林濤〈略論右江工農武裝割據的經驗〉（《南寧師院學報》1985年1期）、唐松球、陸炬烈〈右江革命風暴中的少數民族〉（載《廣西歷史學會第三次代表會暨1982年年會會刊》，1982）、陳天擇〈右江蘇維埃政府成立時間考〉（《黨史研究資料》1983年3期）及〈右江革命史幾個問題小考〉（《廣西大學學報》1982年2期）、農武〈論右江革命根據地黨的建設〉（《學術論壇》1992年2期）、韋寶昌〈大革命時期右江地區黨的建設經驗初探〉（《學術論壇》1981年6期）、陳天擇〈右江革命的搖籃—東蘭農民運動講習所〉（《廣西大學學報》1981年1期）、唐松球、陸炬烈〈東蘭農民運動的起因及其特點〉（《民族研究集刊》1985年1期）、楊敏〈試論東蘭農民運動發生的社會原因及其意義〉（《南寧師院學報》1980年3期）。

渭華「起義」（1928年4月，在中共陝西省委指示下，渭南、華縣農民聯合西北軍許漢中旅，由劉志丹、唐澍等人領導所發動的「起義」，成立了西北工農革命軍）有渭華起義舊址文管所編《渭華起義》（西安，陝西人民出版社，1988）、中共陝西省渭南地區委員會宣傳部編《渭華起義六十周年紀念冊（1927-1988）》（西安，陝西人民美術出版社，1989）、索士杰、徐文學〈渭華起義史略〉（《西北大學學報》1981年3期）、孫啟蒙〈陝西革命鬥爭史上光輝的一頁—渭華起義〉（《人文雜志》1980年3期）、呂夷〈關于渭華起義的幾個問題〉（《西北政法學院學報》1984年1期）、高克林〈有關渭華起義史實的幾點說明〉（《黨史通訊》1987年9期）、陝西省檔案館〈陝西渭華起義史料選刊〉（《歷史檔案》1988年2期）、雷雲峰〈渭華起義的特點和歷史作用〉（《人文雜志》1988年6期）、段復漢〈渭華起義的歷史意義和經驗教訓〉（《理論學刊》1987年6期）、張克等〈劉志丹和渭華暴動〉

（《延河》1979年7期）。

順瀘「起義」有陳石平《瀘州、順慶起義》（北京，人民出版社，1982）、中共四川省委黨史工作委員會主編《瀘順起義》（成都，四川省社會科學院出版社，1986）、匡珊吉等編著《順瀘起義》（成都，四川大學出版社，1988）、林瑞生〈我所知道的順瀘起義〉（《四川黨史研究資料》1986年4期）、羅沛霖〈順瀘起義的片斷回憶〉（同上）、王崇英〈淺析瀘州順慶起義的原因、經過及意義〉（《重慶社會科學》1986年5期）、闞孔璧、喬毅民〈試論瀘順合起義中黨的領導作用及其指揮者劉伯承同志〉（《成都師專學報》1986年2期）、馮仁杰〈龍透關與瀘州起義〉（《四川文物》1992年1期）、匡珊吉〈順瀘起義〉（《四川大學學報》1979年4期）、余淵〈有關土地革命戰爭時期四川武裝起義時間、人物、地名等問題的訂正〉（《四川黨史》1996年3期）。陳弘君等〈一九二七年四—七月廣東各地工農武裝起義大事記〉（《黨史研究資料》1989年4期）、羅茂繁〈淺談廣東武裝起義對創建人民軍隊的貢獻〉（《軍史資料》1989年4期）。

其他的「起義」有中共桑植縣委黨史辦公室編《桑植起義》（武漢，中國地質大學出版社，1990）、劉雁聲〈桑植起義是黨中央的戰略部署〉（《中共黨史研究》1989年2期）、羅時平、王德承〈弋橫暴動研究綜述〉（《上饒師專學報》1990年4、5期）、楊子耀〈弋橫暴動考辨〉（《江西黨史研究》1988年2期）、匡萃堅〈弋橫暴動幾個問題之我見〉（同上）、史鑒〈對弋橫暴動兩個重要史實的再認識〉（同上）、蔡水泉〈評弋橫暴動兩說〉（同上）、楊子耀〈弋橫暴動考辨〉（同上）、方志純〈弋橫暴動追記〉

(《爭鳴》1990年5期)、李元勛、田仰群〈從弋橫暴動看〃方志敏式〃工農武裝割據道路的形成〉(《黨史研究》1980年3期)、張葆文主編《玉田農民暴動》(北京,中共黨史出版社,1993)、中共天津市委黨史資料徵集委員會〈玉田農民暴動的歷史地位及其作用〉(《黨史資料與研究》1992年3、4期)、李澄〈1927年玉田農民武裝起義紀略〉(《唐山師專·唐山教育學院學報》1988年2期)、蔣順興〈江蘇省最早的農民暴動—1927年宜興秋收起義〉(《中學歷史》1982年3期)、胡鑒稠〈宜興農民秋收起義〉(《文博通訊》1984年2、3期)、嚴學熙〈1927年宜興秋收起義〉(《近代史研究》1958年3期)、陳旭初〈江南烽火—1927年的宜興暴動〉(《軍事歷史研究》1988年1期)、戴向青〈論萬安暴動(1927年9月)〉(《江西社會科學》1982年4期)、鍾漢華〈萬安暴動前後〉(《軍史資料》1984年創刊號)、陳立明〈萬安暴動及其歷史意義:紀念萬安暴動六十周年〉(《江西黨史研究》1988年2期)、徐修宜〈商城起義時間問題〉(《歷史教學》1983年8期)、單國新〈豫東南大荒坡起義(1928.3、8)〉(《鄭州大學學報》1980年4期)、閻瀚生〈〃四一九〃阜陽暴動簡況〉(《安徽史學通訊》1957年2期)、中國共產黨阜陽縣委黨史辦公室編《皖北阜陽四九起義》(合肥,安徽人民出版社,1986)、方羅來〈阜陽暴動與皖北第一個蘇維埃政府〉(《合肥工業大學學報》1986年2期)、中共崇安縣委黨史辦〈以上梅為中心的崇安浦城農民武裝暴動〉(《福建黨史通訊》1985年6期)、康模生〈震警閩贛的古城暴動〉(同上,1987年10期)、賴建安〈略論平和暴動的幾個問題〉(《福建黨史月刊》1988年8期)、王大同、陳培坤〈平和暴動及其歷史意義〉(《福建師大學報》1985年2期）、蘇俊才〈簡論永定暴動的特點〉（《福建黨史月刊》1988年8期）、王良周〈惠安暴動的歷史評價〉（同上）、中共晉江地委黨史辦〈壯懷激烈戰旗紅—惠安暴動紀實〉（《泉州師專學報》1983年2期）、鄭學秋〈福建首次農民武裝暴動時間考〉（《福建論壇》1985年2期）、陳忠貞〈六霍起義〉（《黨史通訊》1984年11期）、鮑明榮〈六霍起義〉（《黨史研究資料》1983年1期）、蔡繼煌〈六霍起義所指範圍的商榷〉（《安徽史學》1985年4期）、王志懷〈六霍起義及霍山全境赤化〉（《安徽黨史研究》1989年6期）、郭煜中〈1930年2月皖西清水寨起義〉（《安徽史學》1985年3期）、李德安〈連南暴動與蘇維埃政權的創建〉（《軍史資料》1985年1期）、徐彬如〈回憶無錫秋收暴動〉（《群衆》1984年7期）、陳希棟等〈土地革命時期濰坊地區的農民暴動〉（《昌濰師專學報》1986年1期）、劉國相〈工農義勇軍的英勇鬥爭永垂史冊—紀念湖南工農義勇軍湘潭起義六十周年〉（《湖南黨史通訊》1987年5期）、唐正芒等〈豐陵農民暴動初探〉（同上，1987年6期）、楊波、張國正〈許昌司堂農民暴動述評〉（《許昌師專學報》1987年2期）、梁琴〈荊江兩岸的年關起義〉（《黨史通訊》1985年4期）、劉舜輝等〈寧都起義及其意義初探〉（《江西大學學報》1979年2期）、內田知行〈中國における兵士と革命—「寧都暴動」考〉（《季刊現代史》第4號，1974年8月）、鄒林春〈六十年前的兵運奇跡—寧都起義〉（《黨史文匯》1992年2期）、李毅〈寧都起義的經過〉（《黨史研究》1980年1期）、魯瑞麟〈寧都起義片斷〉（《解放軍文藝》1952年8月號）、袁血卒〈對《寧都起義的經過》一文的意見〉（同上，1981年1期）、于榮勛〈寧都起義紀略〉

（《文物天地》1981年6期）、北辰〈寧都起義紀事〉（《新時期》1981年12期）、蘇進〈從黑暗走向光明—記二十六路軍寧都起義〉（《革命史資料》1981年4期）、劉勉玉等〈二十六路軍地下黨組織在〝寧都起義〞中的作用初探〉（《江西社會科學》1983年3期）、高志忠〈二十六路軍起義前夕—在董振堂同志身邊見聞（1931年）〉（《革命史資料》1982年6期）、田庸〈寧都起義的經過情形是怎樣的〉（《歷史教學》1962年5期）、曾慶生〈寧都起義成功決定因素在於黨的領導〉（《求實》1992年3期）、胡松〈朱德與寧都起義〉（《撫州師專學報》1989年3期）、戴蕙珍〈王稼祥與寧都起義〉（《安徽史學》1991年4期）、姚仁雋〈不能忘記他：寧都起義的主要領導人季振同〉（《黨史文苑》1992年6期）、鮑明榮〈商南起義〉（《武漢大學學報》1980年4期）、郭煜中〈商南立夏節起義〉（《黨史通訊》1984年11期）、雷前友〈商南起義〉（《信陽師院學報》1986年2期）、臺運行〈商南立夏節起義及其歷史地位和經驗〉（《安徽黨史研究》1989年3期）、金佚名〈立夏節起義前後〉（《江淮論壇》1980年2期）、程子華〈回憶大冶兵暴〉（《軍史歷史》1985年2期）、侯安江等〈大冶兵暴〉（《湖北黨史通訊》1985年1期）、袁偉〈1927年鄂中鄂西起義〉（《軍史資料》1985年7期）、中共宜章縣委黨史辦〈宜章年關暴動時間考〉（《湖南黨史通訊》1983年5期）、馮資榮〈兩則反映宜章暴動日期的資料（1928年1月）〉（《近代史研究》1984年6期）、陵水縣委黨史辦〈陵水起義和瓊崖第一個蘇維埃政權〉（《廣東黨史通訊》1985年6期）、何敦錦等〈對全瓊武裝總暴動發起時間的考證〉（《軍史資料》1985年3期）、彭耀文〈1927年的東江三次大暴動〉（《惠陽師專學報》1984

年1期）、中共射洪縣委黨史工委辦公室〈1928年的射洪農民暴動〉（《四川黨史研究資料》1985年11期）、中共隆昌縣委黨史辦公室〈淺談〝二戰〞時期中共隆昌特支領導的包店暴動〉（同上，1986年3期）、魏鵠立〈秦、杜部隊與當陽秋收暴動〉（同上，1987年9期）、郭潤宇〈共產黨人在西北反抗國民黨打響的第一槍—清澗起義〉（《軍事歷史研究》1990年2期）、高中哲〈西北土地革命戰爭的序幕：清澗起義及其歷史意義〉（《西北大學學報》1991年4期）、胡勉編撰、賴鴻林校訂《「民國十六年至廿三年間」長汀匪亂史》（臺中，撰者印行，民62）。

中共在各地從事武裝「起義」，並建立革命根據地（含蘇維埃區在內），泛論其根據地或蘇區的有汪伯岩編著《第二次國內革命戰爭時期的農村革命根據地》（上海，新知識出版社，1955）、盛仁學、張軍孝編《中國工農紅軍各革命根據地簡介》（北京，解放軍出版社，1987）、全國中共黨史研究會編《土地革命戰爭時期根據地研究》（濟南，山東人民出版社，1987）、馬洪武主編《中國革命根據地史研究》（南京，南京大學出版社，1992）、周偉伶《中共在農村建立根據地策略之研究（1927-1934）》（政治大學東亞研究所碩士論文，民62年1月）、陳勞華、何友良編著《中共蘇區史略》（上海，上海社會科學院出版社，1992）、Victor A. Yakhontoff, The Chinese Soviets.（New York: Coward-McCann, 1934）、何友良《中國蘇維埃區域社會變動史》（北京，當代中國出版社，1996）、周桂香、王曉光、王麗〈讓蘇區調查研究傳統發揚光大〉（《聊城師院學報》1996年4期）、余伯流《蘇區英風錄》（南昌，百花洲文藝出版社，1992）、亦慧編《蘇區紅旗》（南京，江蘇人民出版社，1958）、樓友球〈革命根據地與蘇區〉（《爭鳴》1984年3期）、American Council（I. P. R.），“Literature on the Chinese Soviet Movement.”（Pacific Affairs, Vol.9, 1936）、馬齊彬〈關於編寫革命根據地史的幾個問題〉（《河南黨史研究》1987年1期）、馬洪武、王明生〈革命根據地史研究十年〉（《南京大學學報》1993年1期）、田中仁〈路線轉換期における中國共產黨の根據地構想〉（載橫山英、曾田三郎編《中國の近代化と政治的統合》，東京，溪水社，1992）、宮坂宏〈革命根據地の形成—中國人民民主政權建設過程の考察のための一作業として〉（《社會科學年報》第7號—特集：比較經濟體制論，1973年2月）、藤井高美〈農村革命根據地の樹立關する一考察〉（《アジア研究》9卷1號，1962年4月）及〈革命根據地の樹立問題〉（《福岡學藝大學久留米分校研究紀要》第9號，1959年3月）、任全才〈農村根據地首先在南方建立的原因〉（《新時代論壇》1989年3期）、嚴程〈第二次國內革命戰爭時期建立農村革命根據地的歷史條件〉（《歷史教學問題》1958年2期）、侯德澤〈農村革命根據地對中國革命的作用—學習第二次國內革命戰爭時期關於建立農村革命根據地的體會〉（《內蒙古師院學報》1959年2期）、夏道漢〈我黨開創農村革命根據地的基本經驗和歷史作用〉（《求實》1986年3期）、中國革命博物館供稿〈第二次國內革命戰爭時期革命根據地示意圖（1928-1934）〉（《歷史教學》1982年2期）、安藤正士〈中國革命における農村革命根據地—抗日民族統一戰線の形成をめぐって〉（《日本國際問題研究所紀要·第1號—國際問題研究》，1968年12月）、重森宣雄〈革命根據地建設についての一試論—その形成·發展の要因をめぐって〉（《同志社法學》128號，1974年1月）、佐伯有一〈根據地建設の理論〉（收入西順藏等編《講座近代アジア思想史〔中國篇1〕》，東京，弘文堂，1960）、遠藤節昭〈農村革命根據地の建設にいたる過程—南昌暴動前後の江西省東北部を中心として〉（《研究と評論》15、17號，1973、1976）、李凌宇〈革命根據地政權體制的演變〉（《黨史研究與教學》1989年6期）、明心松〈發揚蘇區依靠民主監督的傳統〉（《求實》1992年2期）、張欣〈略論蘇區的民主政治建設〉（《石油大學學報》1994年2期）、趙小平〈黨領導下的革命根據地的選舉制度〉（《四川黨史月刊》1990年2期）、宮坂宏〈第一次全蘇大會準備階段の選舉法令について—革命根據地法制形式をめぐる考察のための一作業として〉（《現代中國法の基本構造》，東京，アジア經濟研究所，1973）、蕭周錄〈革命根據地人權問題研究綜述〉（《理論導刊》1994年10期）、趙效民主編《中國革命根據地經濟史（1927-1937）》（廣州，廣東人民出版社，1983）。趙增延等編《中國革命根據地經濟大事記（1927-1937）》（北京，中國社會科學出版社，1988）、財政科學研究所編《革命根據地的財政經濟》（北京，中國財政經濟出版社，1985）、王禮琦、李炳俊《土地革命時期革命根據地的財政》（3冊，北京，財政出版社，1980-1981）、唐滔默編著《中國革命根據地財政史（1927-1937）》（北京，中國財政經濟出版社，1987）、中國人民銀行金融研究、財政部財政科學研究所編《中國革命根據地貨幣》（2冊，北京，文物出版社，1982）、王錫孝、銀海〈第二次國內革命戰爭時期的根據地經濟建設〉（《山東師院學報》1981年4期）、銀海〈第二次國內革命戰爭時期根據地的經濟建設和

〝左〞傾路線的干擾問題〉（《廣西民族學院學報》1981年2期）、史文娟〈第二次國內革命戰爭時期根據地的經濟政策〉（《河北財經學院學報》1987年2期）、張志光〈論中國革命根據地新民主主義經濟的演變〉（《遼寧大學學報》1989年6期）、王錫孝〈第二次國內革命戰爭時期的根據地經濟建設〉（《山東師院學報》1981年4期）、李忍子〈毛澤東在第二次國內革命戰爭時期關於根據地經濟建設的理論和政策〉（《華南師大學報》1984年1期）、崔淑英、張洪林〈毛澤東革命根據地經濟建設思想初探〉（《錦州醫學院學報》1993年6期）、諸葛達〈毛澤東關於革命根據地經濟建設的思想和實踐〉（《浙江師大學報》1993年6期）、萬建強〈毛澤東領導根據地經濟建設的思想與實踐給我們的啟示〉（《求實》1993年2期）、張永源〈試論蘇區時期毛澤東經濟思想及其實踐〉（同上，1993年6期）、李占才〈試析共產黨人早期根據地經濟建設思想〉（《河南大學學報》1989年1期）、唐滔默〈土地革命戰爭時期革命根據地財政概述〉（《中央財政金融學院學報》1986年4期）、王禮琦、李炳俊〈土地革命時期革命根據地的財政〉（《財政》1980年11期，1981年2期）、吳鈞善〈土地革命戰爭時期根據地財政工作的幾點經驗〉（《安徽教育學院學報》1987年1期）、左治生〈新民主主義革命時期革命根據地的財政〉（《四川財經學院學報》1980年2、3期）、于滔〈試論根據地時期的民間債務政策〉（《金融研究》1987年5期）、楊德穎〈我國革命根據地的商業〉（《杭州商學院學報》1982年1期）、海振忠〈土地革命戰爭時期革命根據地的商業〉（《商業研究》1986年6期）、趙效民〈土地革命時期的根據地合作社商業〉（《財貿經濟》1983年2期）、郝建貴〈革命根據地的信用合作事業〉（《信用合作》1987年3期）、盧漢川〈革命根據地的信用合作〉（同上，1988年5期）、謝華瞻〈土地革命時期的金融戰線〉（《江西師院南昌分院學報》1982年3期）、姚會元〈革命根據地的蘇維埃國家銀行〉（《江西社會科學》1984年1期）、彭純華等〈略論蘇區銀行的歷史經驗〉（同上，1990年2期）、姜宏業〈我國革命根據地早期銀行事業概述〉（《近代史研究》1982年4期）及〈革命根據地發展時期銀行事業概述〉（同上，1985年1期）、彭純華等〈繼承發揚蘇區銀行的革命傳統〉（《中國金融》1990年5、6期）、姜宏業〈中國革命根據地銀行史話（1926-1937）〉（《陝西金融研究》1982年6期）、中國人民銀行金融研究所、中國人民銀行山東省分行金融研究所編《中國革命根據地北海銀行史料（1-4冊）》（濟南，山東人民出版社，1986-1988）、馮都〈略述我國蘇維埃政權最早製造發行的貨幣〉（《中共黨史研究》1992年1期）、袁常奇〈人民革命政權最早的銀行及其貨幣〉（《中國錢幣》1988年4期）、王靜然〈中國革命根據地的貨幣〉（《中國建設》1983年5期）、于滔〈土地革命時期根據地的貨幣流通〉（《中國錢幣》1983年創刊號）、周士敏〈論我國革命根據地貨幣〉（《金融研究》1984年1期）及〈關於中國革命根據地的貨幣〉（《中國錢幣》1984年2期）、侯志遠〈土地革命戰爭時期蘇區的貨幣〉（《淮北煤師院學報》1987年1期）、吳籌中等〈我黨土地革命時期的貨幣〉（《財經研究》1981年2期）、朱平、姜宏業〈土地革命戰爭時期的蘇維埃貨幣㈢〉（《中國金融》1982年1期）、姜宏業〈我國革命根據地對敵貨幣鬥爭簡史〉（《陝西金融》1985年3期）、〈土地革命時期貨幣鬥爭的特點〉（《金融研究》1984年9

期）及〈土地革命戰爭時期根據地的現金問題〉（《爭鳴》1986年3期）、王斌〈革命根據地工商稅收性質初探〉（《安徽財會》1985年2期）、張偉光、馬大群〈試論土地革命戰爭時期根據地的商業稅收工作〉（《東北師大學報》1990年1期）、張偉光〈土地革命時期蘇區商業稅收工作〉（《吉林財專學報》1986年1期）、孔永松〈簡論中國革命根據地的農業稅〉（《中國社會經濟史研究》1987年1期）、吳鈞善〈論土地革命戰爭時期根據地的統一累進稅〉（《安徽教育學院學報》1988年1期）、宋維〈蘇區統一累進稅的形成和發展〉（《江西財經學院學報》1983年1期）、蔣建農〈關於黨對蘇區私營企業政策之初步探討〉（《黨史縱横》1988年3期）、張樹軍〈革命根據地企業領導制度的歷史考察〉（《江西黨史研究》1988年3期）、吳籌中等〈我黨土地革命時期的財經票證〉（《財經研究》1982年4期）、陶振忠〈蘇區的對外貿易〉（《商業經濟》1988年8期）、席杰〈土地革命戰爭時期的赤色郵政〉（《軍事歷史》1995年3期）、黎顯毅〈簡述蘇區的郵電事業〉（《黨史研究資料》1990年1期）。樓友球〈革命根據地與蘇區〉（《爭鳴》1984年3期）、黃乃隆〈中共早期建立〝蘇區〞及其戰略析論〉（《興大歷史學報》第1期，民80年2月）、周秀芳〈黨的軍事戰略的轉變與敵後根據地的開闢〉（《西南師院學報》1985年3期）、夏道漢〈我黨開創農村革命根據地的基本經驗和歷史作用〉（《求實》1986年3期）、張希坡〈革命根據地的基層政權和群眾性自治組織〉（《法學研究》1983年6期）、張樹軍等〈革命根據地黨政領導體制的歷史考察〉（《江西黨史研究》1989年3期）、李大華〈土地革命時期根據地的工農民主政府〉（《黨史研究資料》1986年6期）、劉雲龍〈新民主主義革命時期革命根據地的黨政關係問題〉(《龍江黨史》1995年5、6期)、艾立華、劉雲龍〈第二次國內革命戰爭時期黨是如何處理蘇區黨政關係的〉(《長白學刊》1988年4期)、鄭傳芳〈革命根據地嚴肅黨紀的歷史經驗〉(《黨校論壇》1991年3期)、福本勝清〈コンミコーンの悲劇—中國革命根據地肅清運動史,1930-1937〉(《中國研究月報》45卷4、6-8號、46卷5、7、9、12號、47卷1、2號,1991-1993)、潘國琪、路江通〈非無產階級思想與蘇區肅反擴大化〉(《杭州師院學報》1991年4期)、張欣〈論黨的蘇區的反腐敗鬥爭及其歷史經驗〉(《石油大學學報》1995年1期)、張永源〈蘇區建黨工作的歷史經驗〉(《求實》1991年6期)、彭亞明〈蘇區革命傳統淺論〉(《贛南社會科學》1991年2期)、曹春榮〈老一輩革命家的優秀品質與蘇區革命傳統〉(同上,1991年3期)、黃明鑫〈論蘇區革命傳統〉(同上,1991年6期)、孔永松〈1927-1928年的革命根據地土地政策執行情況之比較〉(《江西社會科學》1989年3期)、天兒慧〈土地革命と毛澤東—1929〜30年赤色根據地における土地鬥爭を中心として〉(《一橋研究》31號,1976年6月)、為今〈第二次國內革命戰爭時期革命根據地的土地分配〉(《歷史教學》1960年4期)、董世明〈十年內戰時期農村根據地土地革命概述〉(《東北師大學報》1992年6期)、山本秀夫〈土地革命戰爭期の土地綱領の分析〉(載山本秀夫、野間清編《中國農村革命の展開》,東京,アジア經濟革命所,1972)、雷晟生〈第二次國內革命戰爭時期革命根據地土地立法初探〉(《法律史論叢》第3輯,1983)、韓延龍、常兆儒編《中國新民主主義革命時期根據地法制文獻選編》(4冊,北京,中國社會科學出版社,1981-1984)、宮坂宏〈革命根據地法制史料〉（載滋賀秀三編《中國法制史—基本資料の研究》，東京大學出版會，1993）、吳廣〈論蘇區法制建設的基本原則〉（《廈門大學學報》1986年4期）、韓延龍〈紅色區域司法體系簡論〉（《法學研究》1983年2期）、張希坡〈革命根據地的審計立法及其基本經驗〉（《法學雜志》1982年6期）、石維海〈土地革命時期根據地行政組織法特點初探〉（《吉首大學學報》1992年1期）、趙崑坡、俞建平《中國革命根據地案例選》（太原，山西人民出版社，1984）。皇甫東玉、宋薦戈、龔守靜編《中國革命根據地教育紀事（1927.8-1949.9）》（北京，教育科學出版社，1989）、董純才《中國革命根據地教育史》（同上，1992）、潘懋元〈第二次國內革命戰爭時期革命根據地的教育〉（《廈門大學學報》1957年2期）、謝濟堂〈淺談第二次國內革命戰爭時期的蘇區教育〉（《歷史教學》1982年10期）、李國強〈關於蘇區教育研究的若干問題〉（《江西教育學院學報》1986年1期）、賴志奎〈淺析蘇維埃的教育方針和政策〉（《江西社會科學》1982年3期）、中島勝住〈中國ソビェト區（1931-1934）における中國共產黨の教育政策〉（《京都大學教育學部紀要》28號，1982）、李國強〈蘇區高等教育初探〉（《江西師大學報》1986年3期）、苗春德〈蘇區時代的幹部教育〉（《史學月刊》1983年6期）、周少玲〈蘇區婦女教育特點芻議〉（《江西黨史研究》1989年6期）、曹國華〈淺談蘇維埃時期文化教育工作的特點〉（《黨史文苑》1992年6期）、葛偉星〈中國革命根據地的歷史教育初探〉（《遼寧教育學院學報》1992年4期）、曾飆〈蘇區《小學體育教學法》〉（《安徽體育史料》1986年2期）及〈蘇區體育遊戲〉（同上，1984年4期）、魏峽〈略談蘇區的兩所學校〉（《歷史知識》1983年3期）、汪木蘭〈蘇區文藝是戰鬥的號角〉（《江西社會科學》1982年3期）及〈論蘇區文藝的歷史地位〉（《文藝理論家》1986年3期）、汪木蘭、鄧家琪編《蘇區文藝運動資料》（中國現代文學運動論爭、社團資料叢書，上海，上海文藝出版社，1985）、呂舜玲〈1929-1934年的蘇區戲劇〉（《福建戲劇》1985年6期）、李安葆〈瞿秋白與革命根據地的文化建設〉（《教學與研究》1980年3期）、郭志明〈論蘇區中央局創立的決策形成及其條件〉（《黨史文苑》1990年4期）、唐見林〈關於蘇區圖書館的立法工作〉（《圖書情報知識》1983年1期）、馮君〈毛澤東蘇區婦女解放的貢獻〉（《嘉應大學學報》1994年1期）、蜂屋亮子〈中國共產黨蘇區中央局の成立と毛澤東〉（《アジア研究》17卷1號，1970年4月）、唐滔默〈革命根據地如何懲治貪污〉（《財政研究資料》52期，1990）、邱遠猷〈革命根據地政權反腐倡廉的法制建設〉（《文史雜志》1996年3期）、鄭傳芳〈根據地政權廉政建設的歷史經驗〉（《福建論壇》1991年3期）、張恒芳、駱天生等〈蘇區勤政廉政建設的啟示〉（《福建黨史月刊》1993年12期）。周少玲〈淺談蘇區的紅色歌謠運動〉（《黨史文苑》1995年1期）、倪根金〈第二次國內革命戰爭時期的蘇區植樹造林〉（《江西社會科學》1995年1期）、張永良〈第二次國內革命戰爭時期革命根據地的農業互助合作〉（《中國經濟問題》1962年11期）、石少龍〈革命根據地的糧食生產和節約〉（《湖南商業經濟》1987年5期）、張希坡〈革命根據地的森林法規概述〉（《法學》1984年3期）、王大鈞、楊之興〈蘇區幹部好作風與黨的群眾路線〉（《理論導報》1991年6期）、劉祖三〈論弘揚蘇區幹部好作風〉（《贛南師院學報》1991年

1期）、彭業明〈蘇區幹群關係溯源〉（《福建黨史月刊》1989年6期）、曹延平〈革命根據地工會工作方針的演變〉（《工會理論與實踐》1995年5期）、張源生〈蘇區黨和人民群眾的血肉聯繫給後人的啟迪〉（《理論導報》1991年9期）、汪秋霞執筆、秦祖儀審稿〈〝二戰〞時期根據地的群眾保衛工作〉（《公安研究》1994年2期）、《〝圍剿〞邊區革命根據地親歷記》編審組編《〝圍剿〞邊區革命根據地親歷記－原國民黨將領回憶》（北京，中國文史出版社，1996）。

關於中共紅軍建立的第一個革命根據地－井岡山，有井岡山革命根據地黨史資料徵集編研協作小組、井岡山革命博物館編《井岡山革命根據地》（2冊，北京，中共黨史資料出版社，1987）、余伯流、夏道漢編著《井岡山革命根據地研究》（革命歷史資料叢書，南昌，江西人民出版社，1987）、江西人民出版社編輯《井岡山的武裝割據》（同上，1980）、江西省檔案館《井岡山革命根據地史料選編》（同上，1986）、《井岡山革命根據地》寫作組《井岡山革命根據地》（上海，上海人民出版社，1977）、顏吾芟編寫《井岡山革命根據地》（中國革命史小叢書，北京，新華出版社，1990）、江西省井岡山管理局紀念井岡山革命根據地創建五十周年活動辦公室編《革命的搖籃：紀念毛主席創建井岡山革命根據地五十周年展覽圖片》（南昌，江西人民出版社，1977）、《井岡山革命根據地的經濟鬥爭》編寫組《井岡山革命根據地的經濟鬥爭》（北京，農村讀物出版社，1978）、李偉《井岡山》（上海，新知識出版社，1956）、井岡山博物館編《井岡山》（北京，文物出版社，1978）、中共井岡山地委宣傳部主編《革命搖籃－井岡山》（南昌，江西人民出版社，1977）、江西師範學院地理編寫組《井岡山地理》（同上，1976）、井岡山地區文教局編、劉臺奇插圖《井岡山鬥爭故事》（同上，1974）、王永宏編寫、王玉泉插畫《井岡山鬥爭故事》（北京，通俗讀物出版社，1957）、井岡山地區文教局《井岡烽火—井岡山鬥爭故事》（南昌，江西人民出版社，1977）、江西省《井岡山的鬥爭》畫冊編輯組《井岡山的鬥爭》（1969年出版）、桑合編《井岡山的鬥爭》（南京，江蘇人民出版社，1956）、《井岡山鬥爭史稿》編寫組《井岡山鬥爭史稿》（南昌，江西人民出版社，1978）、桂玉麟《井岡山革命鬥爭史》（北京，解放軍出版社，1986）、井岡山革命博物館編《井岡山革命鬥爭大事介紹》（同上，1985）、福州部隊步兵學校訓練部《井岡山上炮聲隆—井岡山鬥爭時期的十個戰例》（南昌，江西人民出版社，1978）、江西省吉安軍分區《井岡山地區軍事志》（北京，軍事科學出版社，1992）、解放軍通俗讀物編輯部編《回憶井岡山區的鬥爭：第二次國內革命戰爭的故事》（北京，工人出版社，1955）、羅榮桓、譚震林等著、中共井岡山地區委員會宣傳部《回憶井岡山鬥爭時期》（南昌，江西人民出版社，1979）、中共井岡山地區委員會宣傳部編《井岡山革命文物》（同上，1977）、李立《革命搖籃井岡山》（北京，人民出版社，1983）、劉曉農《井岡演義》（北京，農村讀物出版社，1989）、鄒馥光主編《井岡山軼事》（南昌，江西美術出版社，1991）、凌峰《井岡山故事》（北京，作家出版社，1959）、中共井岡山委員會宣傳部編印《井岡山人》（1960年印行）、井岡山地區文教局編《井岡禮讚》（太原，山西人民出版社，1977）、井岡山地區革委會政治部宣傳組編《井岡山頌（新詩集）》（南昌，江西人民出版社，1972）、江西省《井岡山頌歌》編選小組《井岡山頌歌：歌曲集》（北京，人民音樂出版社，1977）、江聲等《回到井岡山》（漢口，中南新華再版，1950）、顏廣林等編寫《井岡山烽火》（上海，上海人民出版社，1980）、史補之《井岡山的烽火》（香港，吳興記書報發行所，1964）、鄒馥光（副主編）等《井岡山詩詞選》（南昌，江西人民出版社，1990）、《井岡紅旗》（同上，1991）及《井岡新顏》（同上，1992）、中國人民解放軍三十年徵文編輯委員會《井岡山上的故事》（北京，作家出版社，1959）、葉蠖生《井岡山上的紅旗》（2冊，北京，工人出版社，1954-1955）、何長工講、柏峰記《把紅旗插上井岡山》（北京，中國青年出版社，1957）、余清謦《井岡山上紅旗飄》（上海，上海人民出版社，1958）、中國人民解放軍三十年徵文編委會編《從九都山到井岡山》（北京，作家出版社，1959）；《毛委員在井岡山》（南昌，江西人民出版社，1977）、天津美術出版社《毛主席在井岡山》（天津，撰者印行，1968）、鄒馥光主編《毛澤東同志在井岡山》（南昌，江西美術出版社，1993）；《毛主席在井岡山調查》（北京，人民出版社，1971）、余伯流《喋血井岡山—毛澤東的崛起》（北京，中國人事出版社，1993）、村上邦明《井岡山根據地期における毛澤東の動向—革命根據地での活動を中心として》（關西大學史學·地理學科畢業論文，1982年度）、盧強《井岡山上的「英雄」：毛澤東外史》（香港，自由出版社，1951）、賀軍《彭德懷同志在井岡山》（西寧，青海人民出版社，1981）、鄒文楷等口述《井岡山赤衛隊員》（南昌，江西人民出版社，1975）、新疆生產建設兵團編《從井岡山到天山》（上海，上海文藝出版社，

1962）。

穆欣〈井岡山—中國人民革命的聖地〉（《新觀察》2卷4期，1951年2月）、桂玉麟〈近年來井岡山革命根據地史研究綜述〉（《歷史教學》1988年2期）、〈井岡山革命根據地史研究綜述〉（《黨史通訊》1987年9期）及〈井岡山革命根據地史研究概述〉（《江西黨史通訊》1987年10期）、萬晶欣〈井岡山革命根據地歷史研究若干問題綜述〉（《爭鳴》1987年5期）、鍾兵〈井岡山紅旗飄萬代—學習《水調歌頭·重上井岡山》〉（《中山大學學報》1976年1期）、丁守和、陳鐵健〈井岡山道路永放光芒—學習《井岡山的鬥爭》等光輝著作〉（《歷史研究》1976年5期）、歷史系74級井岡山業實踐小組〈紅太陽照耀井岡山〉（《武漢大學學報》1977年9期）、江聲等〈回到井岡山〉（《新華周報》2卷4期，1949）、朱良才等〈回憶井岡山〉（《解放軍文藝》1958年8期）、曹里懷〈懷念井岡山〉（《星火燎原》1982年2期）、賴毅〈創業倍艱辛，歷程多坎坷—秋收起義部隊初上井岡山的片斷回憶〉（同上）、馬列主義教研室中共黨史組〈偉大的起義，光輝的典範—紀念毛主席領導秋收起義和創建井岡山革命根據地五十周年〉（《中山大學學報》1977年5期）、張良俊等〈光輝的道路，勝利的旗幟—紀念毛主席創建井岡山革命根據地五十周年〉（《江西大學學報》1977年2期）、夏道漢〈適合國情，走自己道路的光輝典範：紀念井岡山革命根據地創建六十周年〉（《求實》1987年5期）、曉農等〈略論井岡山革命根據地創建的歷史意義〉（《江西黨史通訊》1987年10期）、勁松〈關於井岡山的區域概念〉（《地名知識》1983年3期）、鄒馥光〈試析〝井岡山〞地名的由來及其演變〉（《江西地名通訊》21期，1985）、王旖旎〈井岡山革命根據地〉（《電大語文》1983年4期）、劉進喜〈井岡山—中國革命的搖籃〉（《軍事歷史》1995年2期）、穆欣〈井岡山—中國人民革命的聖地〉（《新觀察》2卷4期，1951）、李偉〈光榮的革命故鄉—井岡山〉（《旅行雜志》1953年11期）、胡可〈井岡山—解放軍的故鄉〉（《旅行家》1955年7期）、楊興順〈在井岡山〉（《人民文學》1957年9期）、既生〈井岡山上眾志成城〉（《文物》總第4期，1975年5月）、傅正宇〈井岡山油燈紅又亮〉（《學習與批判》1975年8期）、王少普〈送槍上井岡山〉（同上）、青勃〈鹽—井岡山的故事〉（《解放軍文藝》1980年6期）、許郁〈打通上井岡的路〉（《星火燎原》1982年3期）、胡晟盛等〈譚震林談井岡山道路〉（《歷史教學》1981年12期）、崔樹海〈〝井岡山道路〞與建設有中國特色的社會主義道路〉（《毛澤東思想研究》1996年1期）、楊德志〈崎嶇的井岡〉（《解放軍文藝》1982年8期）、劉曉農〈井岡山幾個概念的淺析〉（《求實》1988年1期）、堅毅〈對井岡山根據地中心之爭的幾點意見〉（《吉安師專學報》1986年4期）、許春華、陳鋼〈井岡山革命根據地的中心究竟在哪裏〉（《江西大學學報》1984年4期）、戴向青〈論茨坪〝中心〞説的危害：井岡山革命根據地〝中心〞何在？〉（《求實》1985年2期）、劉曉農〈井岡山革命根據地大本營—寧岡〉（《爭鳴》1987年5期）、〈何時何地決定在井岡山建立根據地〉（《江西大學學報》1983年4期）及〈關於選擇井岡山、贛南、閩西根據地的再研究〉（《中共黨史研究》1995年2期）、吳榮宣〈何時選定井岡山為根據地的？〉（《黨史研究》1980年3期）、俊生、凌雲〈究竟何時確定井岡山為革命根據地？〉（《江西師院井岡山分院院刊》1981年2期）、桂玉麟、朱清蘭〈毛澤東在酃縣水口確定在井岡山安家〉（《江西大學學報》1984年1期）、龍正才〈關於確定在井岡山建立革命根據地時間地點的探討〉（《黨史通訊》1984年8期）、許春華等〈對何時何地確定在井岡山〝安家〞的再探討：與桂玉麟、朱清蘭同志商榷〉（《吉安師專學報》1985年3期）、陳國祿〈建立井岡山革命根據地是古城會議決定的嗎？〉（《黨的文獻》1993年5期）、鄧啟沛〈文家市會師後前委決定向哪裏退卻〉（《爭鳴》1983年3期）、宋俊生〈文家市會師後部隊編制變化的考辨〉（《黨史研究資料》1986年7期）、鄒耕生〈創建井岡山根據地若干問題再探討〉（《江西社會科學》1996年12期）、王澤宣〈井岡山根據地是怎樣建立的？朱總司令和毛主席會師的經過如何？〉（《新史學通訊》1卷7期，1951）、王祖元〈建立井岡山革命根據地是朱毛會師後才正式決定的〉（《毛澤東思想論壇》1996年4期）、廖永武〈井岡山革命根據地的創建和發展〉（《天津師院學報》1977年5期）、鞠景奇〈對井岡山根據地的建立是〝把革命的退卻和革命的進攻結合起來的典範〞的再認識〉（《鎮江師專學報》1988年2期）、黃少群〈毛澤東〝上山〞思想的提出和井岡山革命根據地的建立〉（《江西黨史研究》1988年1期）、丁增華〈進軍井岡山：毛澤東把馬克思主義與中國革命實際相結合的成功範例〉（《黨史研究與教學》1994年2期）、何國林〈毛澤東與〝井岡山道路〞〉（《社會科學研究》1994年2期）、閻長貴、葛洪澤〈毛澤東和井岡山道路〉（《中國人民大學學報》1993年6期）、黃國華〈試論毛澤東關於井岡山道路的選擇〉（《探索》1993年2期）、劉曉農〈毛澤東是怎樣上井岡山的〉

（《常德師專學報》1989年1期）、黃允升〈上下井岡山期間毛澤東幾則活動史實辨析〉（《黨的文獻》1994年4期）、熊長耕〈淺談井岡山鬥爭在毛澤東思想形成過程中的重要地位〉（《江西黨史通訊》1987年10期）、李瑞華、蔣柳根〈井岡山鬥爭時期毛澤東的哲學思想〉（《江西社會科學》1994年1期）、李吉〈中國革命經驗的基本哲學概括—井岡山鬥爭時期毛澤東同志哲學思想探路〉（《益陽師專學報》1983年4期）、村田忠禧〈井岡山期の毛澤東と中共中央〉（《現代中國》59號，1985年7月；其中譯文爲陶柏康譯〈井岡山時期毛澤東和中共中央〉，文載《上海黨史研究》1996年1期）、孫劍純〈井岡山時期毛澤東的政權建設思想〉（《求實》1987年5期）、桂玉麟〈毛澤東在井岡山鬥爭時期的建黨思想〉（《學術界》1987年2期）、黃仲芳等〈毛澤東在井岡山時期的建黨活動〉（《毛澤東思想研究》1987年3期）、陳勝華〈試述毛澤東井岡山整黨運動〉（《宜春師專學報》1994年4期）、劉曉農〈井岡山時期毛澤東對共黨建設的重要貢獻〉（《河南黨史研究》1991年3期）、黎健坤等〈要有一個〝很好的黨〞—學習毛主席在井岡山鬥爭時期關於黨的建設的理論和實踐〉（《江西大學學報》1977年2期）、孫夢雲〈井岡山時期毛澤東對紅軍群體的心理調適〉（《毛澤東思想研究》1992年2期）、吳志昆〈毛澤東在井岡山的教育實踐〉（《吉安師專學報》1993年1期）、培均、金菊〈中共江西省委在毛澤東引兵井岡山中的作用〉（《江西大學學報》1988年3期）、韓偉〈井岡山紅色政權的大發展：回憶毛澤東、朱德率領紅四軍轉戰贛南、閩西〉（《毛澤東思想研究》1984年3期）、尹炎生〈論袁文才、王佐對創建井岡山革命根據地的歷史功績〉（《江西黨史通訊》1987年10期）、劉曉農〈袁文才與井岡山革命根據地的創建〉（《中共黨史研究》1989年1期）及〈論井岡山革命根據地開創的歷史意義〉（《江西黨史通訊》1987年10期）、顧學周〈關於井岡山革命道路的意義、經驗和傳統〉（《九江師專學報》1991年3期）、陳志清〈論井岡山革命根據地的歷史地位和作用〉（《江西黨史通訊》1987年10期）、蕭達珊〈井岡山革命傳統與社會主義精神文明〉（《吉安師專學報》1987年3期）、裘之倬〈試論井岡山革命根據地的土客籍矛盾問題〉（《南昌師專學報》1984年3期）、陳鋼〈井岡山上一件特別的事：湘贛邊界土客籍矛盾問題〉（《萍鄉教育學院學報》1987年1期）、胡滌非〈井岡山根據地的第一個工農兵政權〉（《湖南黨史通訊》1983年6期）、劉曉農〈〝井岡山精神〞的內涵〉（《萍鄉教育學院學報》1990年2期）及〈堅定的革命信念是井岡山精神的精髓〉（《黨史文苑》1990年3期）、鄒耕生〈試論井岡山精神的顯著特徵〉（《黨史文苑》1996年6期）、蔣紹椿、李佩芝〈大力弘揚井岡山精神：紀念中國共產黨成立七十周年〉（《臨沂師專學報》1991年2期）、危仁政〈關於加強井岡山精神研究與宣傳的幾點思考〉（《黨史文苑》1993年1期）、任燕平〈井岡山精神永存〉（《理論導報》1993年10期）、毛秉華〈堅定的信念無比的忠誠：淺談井岡山革命精神〉（《求實》1987年5期）、吳自權〈井岡山精神永遠激勵革命金融事業前進〉（《金融與經濟》1987年9期）、郭貴儒、李玉貞〈中共〝六大〞精神何時傳達到井岡山根據地？〉（《河北師院學報》1992年2期）、王全營〈井岡山道路與鄂豫皖蘇區的創建〉（《中州學刊》1983年6期）、梁琴〈井岡山鬥爭經驗與湘鄂西蘇區的建立〉（《華中師院學報》1980

年3期）、李宗輝〈井岡山通往湘贛的秘密交通線〉（《吉安師專學報》1996年4期）、黃仲芳等〈黨的領導與井岡山的鬥爭〉（《歷史教學》1987年11期）、吉安地委黨史辦〈黨在創建井岡山革命根據地時期召開的重要會議〉（《江西黨史通訊》1987年10期）、劉受初、謝寶生〈關於井岡山鬥爭時期兩個時間問題的考證〉（《吉安師專學報》1985年3期）、孟曉敏〈對井岡山革命根據地鬥爭起始和截止時間的認識〉（《黨史資料通訊》1987年9期）、陳鋼、許春華〈關於井岡山革命根據地鬥爭史的分期問題〉（《吉安師專學報》1984年1期）、白棟材〈井岡山的鬥爭給我們的啟示〉（《求是》1991年13期）、危仁晟、萬建強〈井岡山鬥爭時期黨的建設的幾點歷史經驗〉（《黨建研究》1991年6期）、李春祥〈湘南暴動在井岡山根據地建設中的歷史作用〉（《歷史教學》1988年2期）、趙敏〈淺議東固根據地對恢復井岡山鬥爭的作用〉（《萍鄉教育學院學報》1987年4期；亦載《黨史資料通訊》1987年12期）、桂玉麟〈論井岡山鬥爭對湘贛蘇區的影響〉（《黨史文苑》1991年5期）、余求校〈有關井岡山鬥爭兩次曲折的責任問題〉（《求索》1986年2期）、王金寶〈井岡山鬥爭時期紅軍游擊戰術的辯證思想〉（《毛澤東思想研究》1985年2期）、井岡山革命根據地黨史資料徵集編研小組〈談井岡山的前期鬥爭與建立井岡山革命根據地的關係〉（《江西黨史通訊》1986年1期）、夏道漢〈中共江西省委與井岡山鬥爭關係初探〉（《江西黨史研究》1988年1期）、賀浩明〈井岡山鬥爭時期黨與袁文才王佐武裝的聯合和破裂：對毛澤東統一戰線理論三條基本原理的歷史回顧〉（《吉安師專學報》1988年1期）、鄒馥光〈試論毛澤東對袁文才王佐的爭取與改造〉（《軍事史林》1987年5

期）、董立仁〈關於袁文才和王佐對毛澤東的啟迪問題〉（《湖北大學學報》1992年1期）、單潤藝等〈〝綠林〞將軍袁文才、王佐紀事〉（《軍事歷史》1994年6期）、今井駿〈土匪と革命－王佐小傳〉（《靜岡大學人文論集》45號の1，1994）、黃干周〈井岡山鬥爭與中國革命道路理論的初步形成〉（《江西社會科學》1987年2期）、馬于強〈試論井岡山鬥爭時期統戰工作的開展及其作用〉（《吉安師專學報》1996年4期）、蘇士甲〈紅五軍與井岡山鬥爭〉（《黨史研究資料》1981年5期）、江西省革命歷史展覽館、井岡山革命博物館〈井岡山革命鬥爭概略：1927年9月-1929年1月〉（《革命文物》1977年6期）、宮森常子〈湖南農民運動－井岡山の鬥爭〉（《毛澤東著作言語研究》第2號，1967年7月）、郭貴儒〈《中國的紅色政權為什麼能夠存在？》：《井岡山的鬥爭》與中共〝六大〞〉（《毛澤東思想研究》1991年4期）、周聲柱〈略述〝六大〞期間中共中央（留守）對井岡山鬥爭的指導〉（《江西大學學報》1988年3期）、王阿壽〈當年的蘇聯《真理報》對井岡山鬥爭的有關報導〉（《江西黨史通訊》1987年10期）、小野信爾〈井岡山時期の鬥爭をめぐって－中國革命史に學ぶ〉（《月刊毛澤東思想》5卷2號，1972年1月）、尹緯斌〈井岡山鬥爭時期紅四軍黨的建設〉（《江西黨史通訊》1987年10期）、李蕊珍〈井岡山鬥爭時期的統一戰線工作〉（同上）、郁繼生〈井岡山鬥爭時期黨群關係芻議〉（同上）、顏廣林〈井岡山時期湘贛邊界的黨群關係〉（《復旦學報》1984年4期）、桂玉麟〈1928年前後黨中央對井岡山根據地鬥爭經驗重視和推廣〉（《黨史研究》1984年1期）及〈土地革命的成功範例：略談井岡山根據地的土地鬥爭〉（《吉安師專學報》1986年3期）、中川清〈井岡山の鬥爭からなにを學ぶか〉（《毛澤東思想研究》7卷4號，1972年6月）、曉農〈我黨最早的整黨運動：井岡山的洗黨〉（《黨史文匯》1991年11期）、學鋒〈井岡山時期的共產主義宣傳提綱〉（《文物天地》1982年6期）、周運柏〈論井岡山時期黨的思想政治教育的光榮傳統〉（《江西大學學報》1990年2期）、王勤〈井岡山時期的〝黨政分工〞問題〉（《毛澤東思想研究》1990年2期）、顏廣林、錢曉初〈井岡山時期是怎樣加強黨對軍隊絕對領導的〉（《軍事歷史研究》1990年2期）、孫夢雲等〈井岡山鬥爭時期經軍群眾心理的失衡與調適〉（《湖南教育學院學報》1993年4期）、李春祥〈井岡山根據地的通訊聯絡工作〉（《湖南黨史通訊》1986年4期）、戴向青〈論井岡山革命根據地宣傳中的是與非〉（《江西社會科學》1988年1期）、陳建軍〈井岡山革命根據地的共青團組織〉（《青少運史研究》1988年1期）、沈春雨〈談談井岡山根據地的經濟鬥爭〉（《江西黨史研究》1988年3期）、吳自權〈井岡山革命根據地的鑄幣〉（《中國錢幣》1986年4期）、梁開平等〈我黨第一個土地法：《井岡山土地法》〉（《歷史知識》1983年4期）、蘇明輝〈《井岡山土地法》不是我黨歷史上第一個土地法〉（《文獻和研究》1986年8期）、金普森〈試論《井岡山土地法》的制定〉（《杭州大學學報》1981年4期）及〈《興國土地法》對《井岡山土地法》的一個原則改正〉（《歷史研究》1982年2期）、周聲柱〈井岡山根據地第三次〝會剿〞時〝圍魏救趙〞戰略決策的形成及其得失〉（《江西大學學報》1992年3期）、鄧啟沛、唐永寧〈萍安革命鬥爭與井岡山根據地之關係〉（《萍鄉教育學院學報》1991年1期）、王松州〈關於紅五軍決定上井岡山的時間和地點的考證〉(《宜春師專學報》1986年4期)、黃仲芳〈紅五軍上井岡山〉(《歷史教學》1985年12期)、李鴻文〈紅五軍上井岡山與井岡山保衛戰〉(《東北師大學報》1981年6期)、沈自敏〈從南昌起義到井岡山會師〉(《人民中國通訊》1957年6期)、白刃〈井岡山會師〉(《中國工人》1956年6期)、陳鋼〈井岡山會師時間質疑〉(《宜春師專學報》1988年6期)、張國琦〈井岡山會師時間考〉(《黨史研究》1981年4期)、陳伙成〈井岡山會師可能是四月中旬－與張國琦同志商榷〉(同上，1981年6期)、傅尚文〈偉大的井岡山會師〉(《歷史教學》1979年4期)及〈偉大的井岡山會師－紀念毛主席和朱德同志井岡山會師五十周年〉(《河北大學學報》1978年3期)、李春祥〈朱毛兩軍會師前的聯繫〉(《黨史資料與研究》1987年6期)、中共寧岡縣委黨史辦公室〈朱毛部隊會師經過〉(《黨史資料通訊》1987年9期)、張曲、一鳴、少雲〈朱毛會師應在湖南酃縣〉(《湖南黨史月刊》1988年1期)、馮軍供稿〈〝朱毛會師〞應在何時？〉(《學習與交流》1992年1期)、陳士榘〈關於朱毛會師的幾點回憶〉(《黨的文獻》1990年2期)、易逝〈井岡山會師後部隊編制變化的考辨〉(《黨史研究資料》1986年7期)、韓泰華〈井岡山會師後部隊名稱問題〉(同上，1981年11期)、徐修宜〈對井岡山會師稱謂的新思考〉(《高校社科情報》1993年3期)、李春祥〈井岡山革命根據地的三月失敗及其原因〉(《黨史研究與教學》1988年3期)、杜修經〈憶〝八月失敗〞〉(《湖南師院學報》1979年4期)及〈〝八月失敗〞〉(載《湖南省歷史學會論文集》，長沙，湖南人民出版社，1980)、劉受初〈關於〝八月失敗〞原因的探討〉(《吉安師專學報》1988年3期）、李龍芬、王祖元〈試析〝八月失敗〞〉（《黨史研究》1987年5期）、張映波〈也談〝八月失敗〞的原因：與《試析〝八月失敗〞》一文商榷〉（《揚州師院學報》1989年4期）、杜文煥〈〝八月失敗〞的嚴重教訓是違背實事求是原則〉（《中學歷史》1980年3期）、譚支繩〈中共鄂東特委提出〝出井岡山的辦法〞口號的由來〉（《黨史研究資料》1980年7期）、龍順林〈談談朱德對井岡山革命根據地建設的貢獻：紀念朱德誕生100周年〉（《求實》1986年5期）、劉受初、黃仲芳〈朱德同志在井岡山鬥爭時期的軍事貢獻〉（《吉安師專學報》1986年4期）、朱清蘭〈彭德懷同志參加井岡山鬥爭始末〉（《吉安師專學報》1987年4期）及〈彭德懷參加井岡山鬥爭始末〉（《黨史研究與教學》1988年1期）、陳培均〈關於彭德懷在井岡山鬥爭時期作用的評價問題〉（《江西大學學報》1989年1期）、張連泰、萬自強〈顧全大局的模範—彭德懷在井岡山的一段歷史〉（《江西教育學院學刊》1987年1期）、翟作君〈彭總戰鬥在井岡山〉（《華東師大學報》1981年4期）、桂玉麟〈為井岡山武裝割據作出卓越貢獻的彭德懷〉（《軍史資料》1988年1期）、朱清蘭〈井岡山時期陳毅事跡片斷〉（《黨史資料研究》1986年1期）、鄒耕生〈陳毅在井岡山時期的革命活動〉（《社科情報與資料》1985年10期）、李蕊珍〈井岡山的著名紅軍女戰士〉（《上海黨史研究》1995年2期）、裘之倬等〈王佐、袁文才被殺事件〉（《革命史資料》1981年4期）、朱峰〈袁文才和王佐被害真相〉（《歷史知識》1989年1期）、陳培鈞等〈略談袁文才、王佐之死〉（《江西大學學報》1980年1期）、李壽軒〈王佐、袁文才同志之死〉（《黨史資料通訊》1980年20期）、趙友慈

〈井岡山的訴説一袁文才、王佐被殺析因〉（《人物》1995年4期）、吳直雄〈袁文才、王佐之死的原因和教訓〉（《文史通訊》1982年1期）及〈袁文才王佐的悲劇和井岡山根據地的失守〉（《近代史研究》1981年1期）、于化民〈《井岡山的鬥爭》中有關敵軍番號考辨〉（《檔案史料與研究》1995年1期）。羅惠蘭〈柏露會議決定紅四軍下山目的淺探〉（《求實》1987年3期）、李松林〈白露會議是決定了創建贛南閩西根據地嗎？〉（《黨史研究資料》1981年4期）、俊生等〈關於柏路會議的幾個問題〉（《江西大學學報》1981年4期）、朱峰〈柏路會議的反思〉（《四川師大學報》1988年5期）、孫強〈關於1929年紅四軍下山的目的和任務的探討〉（《淮北煤師院學報》1983年2期）、李蕊珍〈從新發現的一份報告看紅四軍下山時邊界割據形勢及鬥爭策略〉（《江西黨史研究》1988年3期）、韓李敏〈1929年敵軍阻撓紅軍下井岡山檔案史料一組〉（《浙江檔案》1987年8期）、宋俊生〈淺析紅四軍從井岡山向贛南進軍〉（《江西檔案》1987年4期）、羅檢有〈井岡山根據地第三次反〝圍剿〞失敗的主觀原因問題〉〝《江西黨史通訊》1987年10期）。

關於中央革命根據地（即中央蘇區、贛南閩西根據地，含江西蘇區、中華蘇維埃共和國）有馬齊彬、黃少群、劉文軍《中央革命根據地史》（北京，人民出版社，1986）、戴向青等《中央革命根據地史稿》（上海，上海人民出版社，1986）、陳麟輝編《中央革命根據地》（中國革命史小叢書，北京，新華出版社，1991）、江西省稅務局等編《中央革命根據地工商稅收史料選編（1929.1-1934.2）》（福州，福建人民出版社，1985）、江西省檔案館、中共江西省委員會黨校黨史教研室編《中央革命根據地史料選編》(3冊，南昌，江西人民出版社，1982)；《關山陣陣蒼一中央革命根據地的鬥爭》(3冊，同上，1978)、孔永松、林天乙、戴金生編著《中央革命根據地史要》(南昌，江西人民出版社，1985)、陳毅、蕭華《回憶中央蘇區》(同上，1981)、陳榮華、何友良《中央蘇區史略》(上海，上海社會科學院出版社，1992)、蕭錫洵、劉禮菁主編《毛澤東在中央蘇區》(廈門，廈門大學出版社，1993)、凌步機等《步步重陽一毛澤東在中央蘇區》(海口，海南出版社，1993)、金普森總纂《中央革命根據地財政經濟史稿》(北京，人民出版社，1982)、中央蘇區工運史徵編協作小組編著《中央革命根據地工人運動史》(北京，改革出版社，1989)、李國強《中央蘇區教育史》(南昌，江西教育出版社，1987)、凌步機《中央蘇區黨的建設》(北京，中共黨史出版社，1991)。夏道漢〈中央蘇區研究的現狀〉(《黨史文苑》1990年2期)、黃少群〈中央革命根據地創建過程述略〉(《歷史教學》1986年6期)及〈試論中央革命根據地的創建〉(《江西大學學報》1982年4期)、裘之倬〈中國革命史的偉大篇章一紀念中央革命根據地創建五十周年〉(《江西大學學報》1979年1期)、廖國良〈關於中央革命根據地的形成及其範圍問題的探討〉(《黨史研究》1982年4期)、宋俊生〈關於中央革命根據地的範圍問題〉(《江西大學學報》1983年4期)、章克昌、李祖榮〈中央革命根據地的範圍究竟有多大〉(《黨史研究》1983年6期)、武平縣委黨史辦〈武平是中央革命根據地的組成縣份之一〉(《福建黨史通訊》1986年2期)、李祖榮等〈中央蘇區行政區域的設置及其演變〉(《江西社會科學》1983年1期)、余伯流

〈中央根據地的創建與毛澤東思想的形成〉（《爭鳴》1993年6期）、伊達宗義〈中國共產黨の創設と瑞金根據地—毛澤東の權力確立と中ソ對立の道程を探る〉（《海外事情》27卷11號，1979年11月）、王健英〈中央革命根據地領導機構的演變〉（《江西大學學報》1982年4期）、劉受初〈蘇維埃中央區及其領導機構的演變〉（《吉安師專學報》1994年1期）、鍾行萱〈淺談中央革命根據地幹部作風問題—紀念中華蘇維埃共和國臨時中央政府成立五十周年〉（《贛南師專學報》1981年3期）、王彬、劉日華〈中共中央根據地的反貪污反浪費鬥爭〉（《江西社會科學》1982年3期）、袁徵〈試論中央蘇區的反腐敗鬥爭〉（《贛南師院學報》1990年1期）、張疊峰〈試析中央蘇區反貪污浪費的鬥爭〉（《江西黨史資料》1989年1期）、馮都〈略述中央蘇區的反腐敗鬥爭〉（《黨史研究資料》1994年2期）、嚴帆〈土地革命時期中央蘇區的反貪污浪費鬥爭〉（《江西社會科學》1990年3期）、林天乙〈中央蘇區的反貪污浪費鬥爭評述〉（《福建黨史月刊》1990年2期）、蔣自饒〈中央蘇區的反貪污浪費鬥爭〉（《江西黨史研究》1989年4期）、馮都〈中央蘇區是如何開展反腐敗鬥爭的〉（《福建黨史月刊》1990年4期）、唐正芒〈中共廉政建設史上的一頁：中央蘇區1934年開展的反腐敗鬥爭述評〉（《湘潭大學學報》1991年3期）、王禮琦等〈第二次國內革命戰爭時期中央革命根據地的勞動競賽〉（《經濟研究》1979年4期）、張子美〈中央蘇區工人運動的特點初探〉（《江西黨史研究》1989年2期）、陶永立〈中央革命根據地財政的建立與統一〉（《財政》1980年9期）及〈中央革命根據地財政收入的演變〉（《江西財經學院學報》1984年3期）、雷扶超等〈中央革命根據地財政政策初探〉（《爭鳴》1980年3期）、鄭錦華〈關於中央根據地的經濟建設及其歷史經驗—紀念中央根據地創建五十周年〉（《福建師大學報》1981年4期）、余伯流〈論中央革命根據地經濟建設的歷史經驗〉（《爭鳴》1992年1期）、蘇俊才〈中央蘇區財經建設的若干問題〉（《中國社會經濟史研究》1987年1期）、蒙在恒〈中央蘇區在贛州的經濟統戰工作〉（《黨史文苑》1992年5期）、藍振露〈試論中央蘇區的對外貿易〉（《黨史研究與教學》1992年6期）、劉紹春、漆凡〈簡論中央蘇區的財經立法〉（《黨史文苑》1990年2期）、陳少暉、羅正悦〈中央蘇區農業稅制的沿革及其特點〉（《江西社會科學》1994年10期；亦載《鎮江師專學報》1996年1期）、馮都〈中央蘇區後期為何出現通貨膨脹〉（《中共黨史研究》1990年3期）、〈中央蘇區後期的通貨膨脹〉（《黨史研究資料》1996年9期）及〈中央蘇區後期通貨膨脹是怎樣出現的〉（《江西社會科學》1995年8期）、曹春榮〈中央蘇區統計工作述略〉（《贛南師院學報》1995年1期）、尹能躍〈中央蘇區農業思想的探討〉（《黨史文苑》1990年3期）、邱松慶、林慧冬〈中央革命根據地的農業生產〉（《江西社會科學》1982年3期）、張日新〈中央革命根據地發展農業生產的重要經驗〉（《江西農業大學學報》1982年增刊）、邢俊芳〈中央革命根據地的審計監督制度〉（《中共黨史研究》1989年5期）、高若亭〈中央蘇區婚姻改革初探〉（《福建黨史通訊》1987年9期）、陳詩益〈淺談中央蘇區制定勞動法規的得失〉（《閩西方志通訊》1988年1期）、王永平〈論中央蘇區的社會保障〉（《毛澤東鄧小平理論研究》1994年4期）及〈中央蘇區的社會保障事業〉（《中南民族學院學報》1995年1期）、阮剛〈中央蘇區黨群關係簡論〉（《贛南師院學報》1991年1期）、蜂屋亮子〈中央蘇區中國共產黨第一次代表大會考〉（載《論集近代中國研究（市古宙三退官記念）》，東京，山川出版社，1981年7月）、陳君聰〈中央蘇區民主選舉原則小議〉（《史學月刊》1982年3期）、金德群〈中央革命根據地在1929-1931年間土地革命的情況〉（《歷史教學》1982年2期）、左志遠〈讀《中央蘇區土地革命研究》〉（同上，1993年3期）、雷扶超等〈中央革命根據地的土地鬥爭問題〉（《江西財經學院學報》1982年6期）、曹春榮〈中央蘇區政權建設特色初探〉（《贛南師院學報》1992年1期）、彭業明〈構築大廈的基石：中央蘇區基層政權特點及其經驗淺析〉（《黨史文苑》1991年5期）、劉福音〈從擴紅運動看中央蘇區的思想政治工作的方法與特點〉（同上）、〈論中央蘇區黨的思想政治工作的方法與特點〉（《理論界》1991年10期）及〈試論中央蘇區黨的思想政治工作的方法與特點〉（《江西行政管理幹部學院學報》1991年4期）、袁征〈論中央蘇區的思想政治工作〉（《南昌大學學報》1993年2期）、戴向青、羅惠蘭〈中央革命根據地的肅反（1930.2-1934.3）〉（《黨史研究資料》1990年6期）、汪木蘭〈中央蘇區文化方針政策的形成與發展〉（《江西師大學報》1990年2期）及〈中央蘇區文化模式論〉（同上，1993年2期）、吳祖鯤〈中央蘇區文化建設論〉（《長白學刊》1993年4期）、劉鳳珍〈中央蘇區的舞蹈〉（《舞蹈藝術》1982年4期）、劉國清〈中央蘇區工農戲劇大眾化簡論〉（《江西大學學報》1993年1期）、趙品三〈中央蘇區戲劇工作的回憶〉（《戲劇論叢》1982年3期）、汪木蘭〈活躍在中央蘇區的蘇維埃劇團和高爾基戲劇學校〉（《江西師院學報》1982年1期）、賴仁光〈中央蘇區的文教建設〉（《爭鳴》1983年4期）、甘大模〈中央革命根據地的高等教育概述〉（《贛南師院學報》1987年2期）、張志強等〈關於中央蘇區的黨校名稱〉（《黨史研究》1982年1期）、李寬和〈在瑞金黨校學習的日子裏〉（《福建黨史通訊》1986年5期）、曾維才〈關於第二次國內革命戰爭時期中央蘇區小學的名稱〉（《教育研究》1986年10期）、李雷〈試論中央蘇區的文化教育〉（《安徽黨史研究》1992年5期）、歷史系黨史調查工作組兵工廠史稿編寫小組〈中央蘇區兵工廠史稿〉（《科學與教學》1959年4期）、劉仁榮〈中央革命根據地時期的一場嚴重鬥爭〉（《湖南師院學報》1979年3期）、黃少群〈中央蘇區的幾件事〉（《新時期》1981年2期）、湯家慶〈中央蘇區的社會變革與思想文化〉（《黨史研究與教學》1996年4期）、曹春榮〈中央蘇區移風易俗鬥爭淺論〉（《贛南師院學報》1993年4期）、楊青〈中央蘇區節儉運動〉（《湖南黨史月刊》1990年1期）、唐正芒〈中央蘇區的的節省運動〉（《歷史大觀園》1987年10期）、汪新〈淺析中央蘇區肅反擴大化的原因及其歷史教訓〉（《爭鳴》1987年6期）、馮都〈中央蘇區軍事鬥爭大事記〉（《福建黨史月刊》1988年10期）、石塵〈中共中央蘇區親歷記〉（《國史館館刊》復刊第4期，民77年6月）、李祖榮、章克昌〈試述中央蘇區的郵政建設〉（《爭鳴》1982年4期）、馬修毅〈中央蘇區的赤色郵政建設〉（《福建黨史月刊》1990年1期）、姜業宏〈中央革命根據地的貨幣〉（《黨史研究資料》1984年11期）、馮都〈中央蘇區是怎樣提高紙幣信譽的〉（《黨史文苑》1995年1期）、康學軍〈中央革命根據地的公債發行工作〉（《財政》1984年2期）、孫濟森〈中央革命根據地的工商稅收〉（《財政研究資料》27期，1984）、彭寧〈中央革命根據地工商稅收梗概〉（《稅務研究》1988年2期）、彭積冬〈以史為鑒廉潔奉公—中央蘇區的廉政建設述介〉（《北京黨史研究》1994年1期）、熊長耕〈中央蘇區的廉政建設〉（《中共黨史研究》1989年6期）、李晨〈淺談中央蘇區的廉政建設〉（《江西大學學報》1989年3期）、章克昌〈中央蘇區的廉政勤政建設〉（《理論導報》1990年6期）、明心松〈中央蘇區廉政建設的歷史經驗〉（《中國人民警官大學學報》1992年1期）、陳春娥〈毛澤東關於中央蘇區廉政建設的思想〉（《江西社會科學》1993年12期）、龔家珪〈毛澤東的蘇區經濟建設思想輝映當代〉（《當代財經》1993年相關科學增刊第2輯）、謝建社〈論中央蘇區時期毛澤東經濟思想形成與發展〉（《江西師大學報》1993年4期）、燕補林〈試論毛澤東在中央蘇區時的經濟思想〉（《山西師大學報》1993年1期）、曹春榮〈毛澤東在中央蘇區進行經濟建設的偉大實踐〉（《贛南社會科學》1993年6期）、太田秀夫〈江西ソヴェート期における毛澤東の土地政策〉（《鹿兒島短大研究紀要》21號，1978年3月）、中共瑞金縣委宣傳部〈試論毛澤東在中央蘇區的治國安民藝術〉（《贛南社會科學》1993年5期；亦載《黨史文苑》1993年6期）、廖志斌、黃世標〈毛澤東在中央蘇區的調查研究〉（《贛南社會科學》1993年6期）、淩步機〈毛澤東思想在中央蘇區時期初步形成的客觀環境〉（同上）、張田生〈毛澤東在中央蘇區〝誘敵深入〞的理論與實踐〉（《贛南師院學報》1993年3期）、曾球民〈毛澤東在中央蘇區指揮的最後一次戰役〉（《黨史文苑》1992年3期）、李忠〈毛澤東掃盲教育思想與中央蘇區掃盲運動實踐〉（《吉安師專學報》1993年5期）、王淑朵〈中央蘇區時期毛澤東關於實事求是的理論和實踐〉（《贛南師院學報》1994年1期）、李銀花〈淺析中央蘇區時期毛澤東的土地革命思想〉（同上）、舒龍、淩步機〈毛澤東在中央蘇區紀事（1929.1-1934.10）〉（《贛南師院學報》1993年3期）、黃少群〈中央蘇區時期的周恩來與毛澤東〉（《黨校論壇》1989年1期）、韓榮璋〈周恩來到中央蘇區史實考訂〉（《天津社會科學》1983年6期）、余敏〈周恩來由粵東進中央蘇區的經過〉（《廣東黨史》1994年2期）、黃少群〈周恩來在中央蘇區〉（《江西黨史研究》1988年3、4期）及〈略述周恩來對糾正中央蘇區肅反擴大化錯誤的歷史功績〉（《福建黨史月刊》1989年6期）、中川昌郎《江西ソヴイェト區における周恩來の役割》（慶應大學法學研究所碩士論文，1971）、程中原〈張聞天在中央蘇區〉（《近代史研究》1990年4期）、孔慶源〈張聞天在中央蘇區的歷史作用〉（《成都大學學報》，1989年4期）、曾成貴〈中央蘇區期間張聞天關於領導方式的思想〉（《黨史研究與教學》1990年6期）、楊青〈張聞天與中央蘇區的建設〉（《黨史文苑》1992年4期）、王連升〈王明〝左〞傾錯誤對中央革命根據地經濟建設的影響〉（《南都學壇》1994年2期）、莊車曉〈瞿秋白同志在中央蘇區〉（《新文學史料》1980年3期）、李國強〈瞿秋白在中央蘇區的教育活動〉（《江西教育》1987年7-8期）、謝濟堂〈瞿秋白與中央蘇區的戲劇運動〉（《福建戲劇》1985年4期）、張從恒〈瞿秋白與中央蘇區的文化工作〉（《黨史文苑》1992年2期）及〈論瞿秋白對中央蘇區文化教育工作的貢獻〉（《南昌大學學報》1993年2期）、余伯流〈鄧小平在中央革命根據地的歷史貢獻〉（《爭鳴》1990年1期）、羅梅騰〈鄧小平在中央蘇區的重要貢獻〉（《廣東黨史》1994年3期）、陳其明、劉良〈風範永駐：鄧小平在中央蘇區二三事〉（《福建黨史月刊》1994年8期）、鄒書春〈鄧小平在蘇區瑞金〉（《江西黨史研究》1989年1期）、金春田〈關於鄧小平在中央蘇區時期兩則史實的辨析〉（《中央黨史研究》1990年3期）、謝建社〈中央蘇區時期陳雲同志的經濟觀點與工作方法〉（《江西師大學報》1995年3期）、余伯流〈陳雲同志在中央蘇區從事經濟工作的科學態度〉（《爭鳴》1982年2期）及〈陳雲在中央蘇區的歷史貢獻〉（《江西社會科學》1995年4期）、蓋軍〈陳雲在中央蘇區反對〃左〃傾錯誤的貢獻〉（《中央黨史研究》1995年6期）、胡松〈陳雲在中央蘇區對〃左〃傾錯誤的抵制〉（《南昌大學學報》1995年4期）、黃細嘉〈陳雲在中央蘇區時期對工人運動的貢獻〉（同上）、戴文憲〈試論陳雲與蘇區工人經濟鬥爭〉（《史林》1995年3期）、凌步機〈論任弼時對中央蘇區黨的建設的貢獻〉（《江西社會科學》1992年5期）及〈論項英在中央蘇區的功過是非〉（《江西黨史研究》1989年3期）、李良明〈淺談項英在中央蘇區的功過是非〉（《黨史研究與教學》1988年2期）、韓廣富〈項英在中央蘇區的主要活動及其任職〉（《黨史文苑》1993年5期）、李祖榮、光翟〈項英在中央蘇區二三事〉（《江西農業大學學報》1982年增刊）、黃少群〈〃四破鐵圍〃建戰功：從南昌起義到中央蘇區時期的林彪（系列之六）〉（《黨史文滙》1994年12期）、余敏〈葉劍英進中央蘇區記事〉（《廣東黨史》1994年3期）、謝秉忠〈黃公略對中央革命根據地的貢獻〉（《中共黨史研究》1990年5期）、李安葆、郭淼〈成仿吾在中央蘇區〉（《湖南黨史》1995年2期）、林天乙〈李德在中央蘇區的錯誤〉(《革命人物》1986年5期)、張良友〈六屆四中全會代表團在中央蘇區〉(《黨史文匯》1995年2期)、劉維菱〈中央蘇區馬克思主義研究會述評〉(《江西黨史研究》1988年3期)、曹春榮〈略論中央蘇區反官僚主義的鬥爭〉(《江西社會科學》1989年5期)、鄭錦華〈中央蘇區的反經濟封鎖鬥爭〉(《福建黨史通訊》1987年11期)、劉宋斌〈土地革命戰爭時期中央蘇區的監察制度〉(《江西社會科學》1989年2期)、岳文釗〈略述中央革命根據地的監察機構及反腐鬥爭〉(《中央黨史研究》1992年2期)、廖正本〈中央蘇區宣傳工作初論〉(《贛南師院學報》1990年1期)、〈中央蘇區演講宣傳活動初探〉(《江西黨史研究》1989年3期)、〈中央蘇區宣傳工作的原則及其風格〉(《江西社會科學》1995年1期)及〈中央蘇區宣傳隊伍的建設〉(同上,1996年11期)、劉維菱〈《共產黨宣言》在中央蘇區〉(《江西社會科學》1986年6期)、曾雲〈談談中央蘇區的一種少年刊物—《少年先鋒》〉(《贛圖通訊》1983年1期)、吳群〈中央蘇區報刊的圖畫宣傳報導〉(《歷史大觀園》1992年4期)、劉維菱〈中央蘇區馬克思主義研究述評〉(《江西黨史研究》1988年3期)、溫銳〈試論黨在中央蘇區土地革命中劃分階級的標準〉(《江西師大學報》1987年1期)、蔣自饒、劉仲英〈中央蘇區的勞動競賽〉(《江西社會科學》1991年6期)、凱塞L·M·瓦爾克著、曾成貴譯〈中國共產黨與中央蘇區婦女運動〉(《黨史研究與教學》1992年2期)、吳永良〈中央蘇區的群眾工作〉(《黨史文苑》1992年1期)、廖信春〈國民黨在江西勢力和消長與中央蘇區的起落〉(《江西師大學報》1992年4期)、胡為雄〈從中央蘇區的喪失看當時黨政體制的致命弱點〉(《廣西黨校學報》1988年1期）、金春田〈轟動中央蘇區的一起冤案：反動〝紅軍中的羅明路線〞之始末〉（《福建黨史月刊》1988年1期）及〈中央蘇區反對紅軍中以蕭勁光為代表的羅明路線之始末〉（《江西黨史研究》1988年1期）、鄭勉己〈中央蘇區的〝反羅明路線〞與王明〝左〞傾錯誤〉（《福建師大學報》1987年1期）、劉受初〈主力紅軍長征後的中央蘇區〉（《吉安師專學報》1995年2期）、陳春娥〈從〝保衛中央蘇區〞到全面開展游擊戰爭的轉變〉（《江西師大學報》1986年2期）、周寧〈中央蘇區最後失利的客觀原因〉（《教學與研究》1987年2期）。曹伯一《江西蘇維埃之建立及其崩潰（1931-1934）》（臺北，政治大學東亞研究所，民58）、蔡孝乾《江西蘇區·紅軍西竄回憶》（臺北，中共研究雜誌社，民59）、夏道漢〈江西蘇維埃政權的建立及其歷史作用〉（《江西大學學報》1986年2期）、三好章〈基層ソビェト政權と大衆ー江西ソピェト期に關するー考察〉（《一橋研究》3卷2號，1978年9月）、施哲雄《江西蘇維埃時期中共黨軍關係之研究》（政治大學東亞研究所博士論文，民76年7月）、文曾人編寫〈江西蘇區大事紀略〉（革命歷史資料叢書，南昌，江西人民出版社，1986）；《江西蘇維埃關係資料》（21卷，陳誠文庫藏資料）、夏道漢、陳立明《江西蘇區史》（南昌，江西人民出版社，1987）、Stephen C. Averill, "Party, Society, and Local Elite in the Jiangxi Communist Movement."（The Journal of Asian Studies, Vol. 46, No.2, May 1987）及Revolution in the Highlands: The Rise of the Communist Movement in Jiangxi Province.（Ph. D. Dissertation, Cornaell University, 1982）、Edward W. Laves, Rural Society and Modern

Revolution: The Rise of Jiangxi Soviet.（Ph. D. Dissertation, University of Chicago, 1980）、Ilpyong J. Kim, The Politics of Chinese Communism: Kiangsi Under the Soviet.（Berkeley: University of California Press, 1973）、Wu T'ien-wei（吳天威），"The Kiangsi Soviet Period-A Bibliographical Review."（The Journal of Asian Studies, Vol.29, No.2, February 1970）、William Wei, "Insurgency by the Numbers I: A Reconsideration of the Ecology of Communist Success in Jiangxi Province, China."（Small Wars and Insurgencies, Vol.5, No.2, 1994）、《江西蘇區交通運輸史》編寫組《江西蘇區交通運輸史》（北京，人民交通出版社，1991）、宋士達、劉宜年〈對江西蘇區兩個問題的再認識〉（《黨史文苑》1995年4期）；〈江西ソヴェト關係資料目錄〉（《近代中國研究センター彙報》第3號，1963年9月）、衛藤瀋吉講〈江西ソヴェト政權—瞿秋白、李立三と毛澤東との關係〉（《アジア研究》4卷3號，1958年1月）、吉澤誠一郎〈國民革命期・江西ソヴェト期における毛澤東の農家經濟認識の一側面—「米收支」への著目を中心に〉（載《小冷賢一君記念論集》，1993）、小林靖夫〈江西ソヴェト時期の米價問題〉（《一橋論叢》72卷1號，1974年7月）、邵天柱〈土地革命時期江西蘇區新設縣考略〉（《爭鳴》1982年3期）、秋吉久紀夫編《江西蘇區文學運動資料集》（東京，東京大學東洋文化研究所附屬東洋學文獻センター刊行委員會，1976）及《江西蘇區での詩歌運動關係資料—近代中國文學を理解するための試論（その4）》（東京，中國文學評論社，1968）、Ellen R. Judd, "Revolutionary Drama and Song in the Jiangxi Soviet."（Modern China,

Vol.9, No.1, January 1983）、中野淳子編《江西蘇區紅色戲劇資料集》（東京，東京大學東洋文化研究所附屬東洋學文獻センター刊行委員會，1985）、江西師大中文系蘇區文學研究室《江西蘇區文學史》（南昌，江西人民出版社，1984）、石川忠雄、德田教之等〈江西ソヴェト期における抗日反帝統一戰線の諸問題〉（《法學研究》31卷7號，1958年7月）、中嶌太一〈瑞金ソヴェト政權の反富農路線について〉（《彥根論叢》126・127號，1967年11月）、姜宏業〈江西蘇區貨幣（1928年-1934年）〉（《爭鳴》1984年2期）、James M. Polachek, "The Moral Economy of Kiangsi Soviet（1928-1934）."（The Journal of Asian Studies, Vol. 42, No.4, August 1983）、樋口進〈活報—江西ソヴェト地區でぅまれた演劇〉（《中國文藝座談會ノート》16號，1967年2月）、姬田光義〈中國ソヴェトの諸問題—江西瑞金ソヴェト史研究の序論として〉（載《中國革命の展開と動態》，東京，アジア經濟研究所，1972）、村上剛〈中共の瑞金時代〉（《勞働評論》4卷2號，1949年2月）、成敏〈江西瑞金紅色區域的財政工作〉（《財政研究資料》88期，1983）、周忠瑜、陳志強〈瑞金時期黨的經濟理論和經濟政策〉（《青海社會科學》1995年1期）、天兒慧〈瑞金時代に關する一考察—農村革命の展開と土地革命政策をめぐる黨內鬥爭〉（《社會經濟史學》42卷3號，1976年11月）、蕭良章〈陳誠（石叟資料室）庋藏中共江西時期文件簡介〉（《國史館館刊》復刊18期，民84年6月）、黃宗智〈評關于江西時期的幾本西方著作〉（《中共黨史譯叢》第1輯，北京，求實出版社，1984）、曹伯一〈江西時期共黨政權之組織型態〉（《東亞季刊》1卷1期，民58年7月）及〈中共江西時期

農村土地鬥爭的政治意義〉（《抗戰前十年國家建設史研討會論文集》下册，民73）、賴森華〈中國共產黨江西時期的內部鬥爭〉（《史繹》25期，民83年5月）、Tyoko Ishida, The Political Leadership of Mao Tse-tung in the Kiangsi Soviet.（Tokyo: University of Tokyo, 1965）、鄭雍明《江西時期中共農業經濟政策（1930-1934）》（中國文化大學史學研究所碩士論文，民79年6月）、黃宗智〈評關於江西時期的幾本西方著作〉（《黨史資料通訊》1982年18期）、北田定男〈江西ソヴェトにおける 反羅明路線鬥爭〉（《アジア研究》20卷3號，1973年10月）、鄭載一〈中共江西時期的肅反工作與土地革命之分析〉（《東亞季刊》16卷2期，民73年10月）、趙卜成〈中共在江西蘇區的少先隊運動〉（同上，6卷3期，民64年1月）及《中共在江西蘇區的赤少隊運動（1931-1934）》（政治大學東亞研究所碩士論文，民64年1月）、江西省婦女聯合會、江西省檔案館編《江西蘇區婦女運動史料選編》（南昌，江西人民出版社，1982）、鄧家琪〈論江西蘇區文化的特徵〉（《江西師大學報》1991年4期）、徐斌、沙小雲〈立足現實面向大眾—論江西蘇區教育的特色〉（《江西教育學院學報》1993年3期）、萬振凡〈近代江西社會的嬗變與蘇維埃運動的興起〉（《江西社會科學》1996年2期）、萬振凡〈論中國蘇維埃運動中心區域在江西形成的客觀必然性〉（《江西大學學報》1992年3期）、Mark Elvin, "Early Communist Land Reforms and the Kiangsi Rural Economy."（Modern Asian Studies, Vol.4, No.2, 1970）、賴愍〈中共蘇維埃運動對贛南社會的衝擊影響〉（《中國歷史學會史學集刊》16期，民73年7月）、Philip C. C. Huang（黃宗智），"Intellectuals Lumpenproletarians Workers, and Peasants in the Communist: The Case Xingguo County, 1927-1934."（In Philip C. C. Huang、Lynda Schaeffer Bell and Kathy LeMons Walker, Chinese Communists and Rural Society, 1927-1934, Berkeley: University of California, 1978）、劉開連、蕭傳文〈試論蘇區興國模範縣的形成原因〉（《贛南社會科學》1991年4期）、姚仁雋〈贛南紅軍和蘇區的創建人－李文林〉（《軍事歷史》1990年3期）、劉禮芳、熊佐〈關於紅四軍在贛南創建第一個縣級紅色政權問題的探討〉（《贛南師院學報》1986年1期）、堅毅〈江西省蘇區地方紅軍發展概況〉（《江西老區建設》1987年8期）、三好章〈基層ソビェト政權と大眾－江西ソビェト期に關する－考察〉（《一橋研究》3卷2號，1978年9月）、Samuel Kupper, Revolution in China: Kiangsi Province.（Ph. D. Dissertation, University of Michigan-Ann Arbor, 1971）、劉丹萍〈土地革命時期江西較早的一次兵運鬥爭〉（《黨史文苑》1992年5期）；夏春驊〈裝點此關山，今朝更好看－紀念贛南閩西革命根據地開創五十周年〉（《江西師院學報》1979年1期）、溫金保〈贛南閩西革命根據地大事記〉（同上）；〈關於何時決定創建贛南閩西革命根據地的問題〉（《黨史資叢刊》1982年2期）、李松林〈白露會議是決定了創建贛南閩西根據地嗎？〉（《黨史研究資料》1981年4期）、鞠景奇〈試論創建贛南閩西根據地的重大意義〉（《萍鄉教育學院學報》1982年2期）、凌步機、胡日旺〈論毛澤東為什麼決定在贛南、閩西建立革命根據地〉（《贛南社會科學》1991年1期）、黃書孟〈毛澤東率領紅四軍創建贛南閩西根據地的理論意義〉（《杭州師院學報》1987年2期）、黃干周〈創建贛南閩西革命根據地的實踐與農村包圍城市道路理論的形成〉（《江西社會科學》1984年1期）、歷史系中國現代化史教研組整理、溫金保執筆〈贛南、閩西革命根據地大事記（部分）〉（《江西師院學報》1979年1期）、鄭鎮峰〈黨創建閩西革命根據地的歷史背景〉（《歷史教學》1984年11期）、廈門大學歷史系中共黨史教研組編寫《閩西革命根據地》（上海，上海人民出版社，1978）、蔣伯英《閩西革命根據地史》（福州，福建人民出版社，1988）、中共龍岩地區委員會黨史資料徵集研究委員會《閩西革命根據地史》（北京，華夏出版社，1987）、張鼎丞《中國共產黨創建閩西革命根據地》（福州，福建人民出版社，1983）、孔永松、邱松慶〈略論閩西革命根據地的創建〉（《黨史研究》1982年4期）、藍榮田〈閩西革命根據地的建立和武裝鬥爭發展情況〉（《福建黨史通訊》1987年6期）、馬照南〈崇安蒲城暴動與閩西革命根據地的創立〉（《黨史研究》1981年6期）、邱榮洲〈閩西革命根據地行政區劃淺議〉（《龍岩師專學報》1988年1期）、張惟〈閩西革命根據地的形成及其歷史地位〉（《閩西方志通訊》1985年1期）、蔣伯英〈紅軍三次入閩，閩西創立蘇區〉（《學習月刊》1986年2期）及〈關於研究與編寫閩西革命根據地史的若干問題〉（《福建黨史月刊》1990年11期）、孔永松、林天乙《閩贛路千里：紅軍轉戰閩贛與創建閩西根據地的鬥爭》（上海，上海人民出版社，1979）、孔永松《閩西蘇區十年》（福州，福建教育出版社，1989）、李偉〈簡談二戰時期閩西蘇區的變遷〉（《黨史資料徵集通訊》1986年4期）、謹言、中流〈土地革命戰爭時期閩西根據地消費合作社〉（《福州大學學報》1996年2期）、孔永松等《閩西革命根據地的經濟建設》（福州，福建人民出版社，1984）及〈土地革命時期閩西革命根據地的經濟鬥爭〉（《中國經濟問題》1981年3期）、賴祖烈〈回憶土地革命時期閩西的對敵經濟鬥爭〉（《福建論壇》1982年3期）、鄭錦華〈第二次國內革命戰爭時期閩西根據地的反經濟封鎖鬥爭—紀念閩西革命根據地創建五十周年〉（《福建師大學報》1979年4期）、葉正中〈試述閩西革命根據地的稅收制度〉（《福建黨史通訊》1986年8期）、孔永松、葉正中〈閩西革命根據地的法制建設〉（《閩西文叢》1983年4期）、邱松慶、孔永松〈閩西蘇區〝肅清社會民主黨事件〞淺析〉（《廈門大學學報》1983年4期）、蔣伯英〈閩西蘇區的〝肅清社會民主黨〞事件評述〉（《中共黨史資料通訊》1982年5期）及〈閩西蘇區的〝肅清社會民主黨〞冤案〉（《中共黨史研究》1989年4期）、福建省委黨史資料徵集委員會〈第二次國內革命戰爭時期閩西蘇區肅清社會民主黨事件情況簡述〉（《黨史通訊》1986年5期）、王福瑞〈閩西黨史上的一個大冤案—有關〝社黨事件〞〉（《閩西文叢》1983年3期）、鄭學秋〈毛澤東在閩西的革命活動〉（《毛澤東思想研究》1986年1期）、林鏡賢〈毛澤東經濟思想及其在閩西革命根據地的實踐〉（《龍岩師專學報》1993年2期）、中共龍岩地委紀念〝兩個五十周年〞領導小組辦公室編《毛委員、朱軍長在閩西的故事》（福州，福建人民出版社，1979）及《閩西的春天（革命回憶錄）》（同上）、胡大新〈張鼎丞對創建閩西革命根據地的重大貢獻〉（載《中國革命根據地史研究》，南京大學出版社，1992）、北田定男〈羅明と閩西革命根據地〉（載《中村治兵衛先生古稀記念東洋史論叢》，東京，刀水書房，1986）、龍岩地區文化局古田會議紀念館編《閩西革命根據地舊址》（革命文物叢書，北京，文物出版社，1979）、中共龍岩地委黨史辦公室《紅四軍入閩》（福州，福建人民出版社，1958）、鍾春林〈紅四軍入閩第一站〉（《福建黨史》1992年1期）、邱松慶〈閩西暴動與紅四軍入閩〉（《廈門大學學報》1979年4期）、潘晉明〈紅四軍入閩對於閩西形成工農武裝割據的作用〉（《福建論壇》1981年5期）、鄭錦華〈紅四軍入閩西與閩西工農武裝割據〉（《福建師大學報》1979年1期）、王直〈從閩西到浙西〉（北京，作家出版社，1959）、王樹人《閩西人民堅持鬥爭二十年》（上海，華東人民出版社，1951）、陳盛樟〈閩西初期土地革命取得的成就〉（《黨史研究》1980年6期）、蔣伯英〈閩西蘇區土地革命之考察〉（《福建黨史通訊》1985年11期）、繆存彬〈閩西蘇區革命鬥爭的光輝歷程〉（《黨史資料研究》1985年2期）、黃肇嵩〈閩西蘇維埃政權的廉政建設〉（《福建黨史月刊》1990年1期）、邱林忠〈土地革命戰爭時期閩西土改經驗的創造和推廣〉（《黨史研究》1983年1期）、范華〈論閩西土地革命時期富農政策的演變〉（《黨史研究與教學》1990年2期）、蔣伯英〈論閩西蘇區的土地政策〉（同上，1993年1期）、邱松慶、吳廣〈略論閩西蘇區的土地政策〉（《歷史知識》1986年6期）、蘇明輝〈論《溪南里土地法》〉（《中國社會經濟史研究》1986年1期）、陳君聰〈試論閩西蘇維埃政府的民主選舉制度〉（《史學月刊》1984年4期）、吳長蘭〈土地革命時期閩西婦運初探〉（《漳州師專學報》1984年1期）、張雪英〈閩西婦女在蘇維埃時期的作用與地位〉（《龍岩師專學報》1994年1期）、陳君聰〈閩西蘇區青年運動片斷（1929-1934）〉（《青運史研究》1981年7期）、劉毅等〈閩西蘇區的青少年組織〉（同上，1981年8期）、曉青〈二戰時期閩西的共青團與蘇區青年工作〉（《黨史研究與教學》1991年5期）、吳國安、鍾健英〈閩西革命根據地青年報刊活動的特點及經驗〉（《黨史研究與教學》1992年3期）、湯家慶〈閩西工農銀行的歷史概況及其經驗〉（《福建黨史月刊》1990年11期）、徐小明〈閩西工農銀行〉（《金融研究》1981年增刊2期）、蔣九如等〈閩西工農銀行銀元票〉（《福州大學學報》1988年1期）、張兆聲〈閩西紅色郵政史〉（《黨史研究與教學》1989年4期）。

中華蘇維埃共和國及其臨時中央政府有黃少群〈評中華蘇維埃共和國臨時中央政府的誕生及其歷史意義〉（《江西大學學報》1982年4期）、陳榮華等〈試論中華蘇維埃共和國臨時中央政府的誕生及其歷史意義〉（《江西社會科學》1982年1期）、堅毅〈中華蘇維埃臨時中央政府成立概況〉（《江西老區建設》1987年11期）、《江西社會科學》編輯部編《中華蘇維埃共和國中央文件選編》（南昌，編者印行，1981）、尹世洪〈中華蘇維埃共和國的創立及其偉大歷史意義〉（《江西人大工作》1990年10期）、章克昌〈論中華蘇維埃共和國的歷史作用〉（《江西行政管理幹部學院學報》1991年4期）、黃國華等〈中華蘇維埃政府淺議〉（《成都黨史通訊》1990年3期）、鄒書春〈紅日從這裏升起：紀念中華蘇維埃共和國臨時中央政府成立六十周年〉（《黨史博采》1991年11期）、Stuart R. Schram, "The Chinese Soviet Republic : Some Introductory Refections."（In W. E. Butler ed ., The Legal System of Chinese Soviet Republic, 1931-1934, New York: Transitional Publishers, 1983）、艾格尼斯·史沫特萊著、曾成貴譯〈中華蘇維埃共和國的誕生〉（《黨史資料與研究》1987年1期）、章克昌〈中華蘇維埃共和國何時正式成立〉（《近代史研究》1984年1期）、溫淑華〈試論中華蘇維埃共和國的建國條件〉（《天津教育學院學報》1985年試刊2期）、雷正良〈中華蘇維埃共和國的行政區劃（1933年7月-1934年春）〉（《地名知識》1983年3期）、姜愛東〈中華蘇維埃共和國政治體制的特點〉（《黨史通訊》1987年5期）及〈中華蘇維埃共和國政治體制初探〉（《北京師大學報》1987年4期）、易豪精〈試論中華蘇維埃共和國的政權建設〉（《近代史研究》1990年3期）、鍾利民〈關於中華蘇維埃共和國的行政管理體制〉（《江西社會科學》1992年5期）、章克昌〈中華蘇維埃共和國史研究問題簡述〉（《黨史文苑》1993年1期）、曹春榮〈中華蘇維埃共和國建都瑞金的歷史原因〉（《贛南社會科學》1990年3期）、黃國華〈試析〝中華蘇維埃共和國〞與〝中華民主國〞—兼論第二次國共合作〉（《檔案史料與研究》1995年1期）、謝寶河、曹春榮執筆〈共和國的搖籃—瑞金〉（《黨史文苑》1996年5期）、Drrek John Waller, The Kiangsi Soviet Republic: Mao and the National Congress of 1931 and 1934.（Berkeley: University of California Press, 1973）、姫田光義〈中國工農紅軍の基礎研究（上）—中華ソビェト共和國の成立まて〉（《アジア研究》15巻2、3號，18巻1號，1968，1971）、宮坂宏〈革命根據地論·序論—中華「ソヴイェト」第一次全國代表大會準備過程〉（《中國研究月報》291號，1972年5月）、王健英〈中華蘇維埃首屆中央執委會的組成與特點〉（《黨史文苑》1995年1期）、章克昌、李祖榮〈中華蘇維埃共和國第一屆中央執行委員、候補執行委員會名單〉（《爭鳴》1984年4期）；〈中華蘇維埃共和國第二屆中央執行委員、候補執行委員名單〉（同上）、宮坂宏〈中

華ソビェト共和國の選擧制度ー二全ソ大會選擧運動の實際について〉（《愛知大學國際問題研究所紀要》39號，1966年6月）、北田定男〈中蘇二全大會後の毛澤東ー黨內鬥爭の一側面について〉（載《鈴木俊先生古稀記念東洋史論叢》東京，山川出版社，1975）、劉宋武〈全國蘇維埃區域代表大會述評〉（《黨史通迅》1987年3期）、何友良〈蘇區中央局擴大會議貹論〉（《江西黨史研究》1988年6期）、蜂屋亮子〈中華蘇維埃共和國憲法と中華蘇維埃共和國憲法大綱〉（《アジア 研究》28卷1號，1981年4月）、宮坂宏〈中華ソビェト共和國憲法大綱をめぐっての若干の資料的檢討〉（《專修大學社會科學研究所月報》105號，1972年6月）、宮坂宏等編譯《中華ソビェト共和國中國解放區憲法·施政綱領資料》（東京，社會主義法研究會·中國農村慣行研究會，1974）、萬建生〈中華蘇維埃共和國臨時中央政府外交述略〉（《江西社會科學》1994年2期）、田利軍〈中華蘇維埃共和國廉政建設的探討〉（《四川師大學報》1991年3期）及〈中華蘇維埃共和國選擧制度述論〉（同上，1996年4期）、鍾健英〈試論蘇維埃政府的人權保障〉（《福建黨史月刊》1992年11期）、嚴帆〈中華蘇維埃共和國的法制宣傳教育工作〉（《江西法學》1995年4期）、向山寛夫〈中國共產黨勞働立法史料その1ー中華ソヴェト 共和國勞働法（1931-34）〉（《法經論叢》10號，1954年9月）及〈中華ソヴェト共和國土地法ーその解說と校訂日本語譯文〉（《アジア研究》3卷1號，1956年10月）、Hsu King -Yi, Agrarian Policies of the Chinese Soviet Republic, 1931-1934.（Ph D. Dissertation, Indiana University- Bloomington, 1971）、太田秀夫〈「中華ソヴェト共和國

土地法」の形成過程—山本秀夫説の批判的檢討〉（《歷史評論》319號，1976年11月）、宮坂宏〈中華ソビェト共和國土地法—資料紹介〉（《專修大學社會科學研究所月報》138號，1975年3月）、福島正夫、宮坂宏〈中華ソビェトおよび邊區時期の婚姻法の特質〉（《現代アジアの革命と法》，東京，勁草書房，1966）、宮坂宏等編譯《中華ソビェト共和國中國解放區婚姻法資料》（東京，社會主義法研究會。中國農村慣行研究會，1965）及《中華ソビェト共和國中國解放區選舉法令資料》（同上，1967）、W. E. Butler, ed., The Legal System of the Chinese Soviet Republic, 1931-1934.（New York: Translational Publishers, 1983）、嚴鴻〈淺談中華蘇維埃法律作用問題〉（《江西大學學報》1982年1期）、楊枏〈中華蘇維埃法制的形成及其特點〉（同上，1982年3期）、江西省法學會蘇區革命法制調查組〈中華蘇維埃革命法制簡介〉（《江西司法》1982年1期；亦載《法學雜志》1982年3期）、廈門大學法律系、福建省檔案館編《中華蘇維埃共和國法律文件選編》（南昌，江西人民出版社，1984）、體育系蘇區體育史研究室、瑞金縣體委〈中華蘇維埃共和國赤色體育委員會的成立及其主要活動〉（《贛南師院學報》1993年4期）、宮下忠雄〈中華ソビェト共和國の財政・金融政策〉（《現代金融論》，東京，千倉書房，1974）、鍾山水〈論中華蘇維埃共和國的財務行政管理〉（《南昌職技師院學報》1996年1期）、曹春榮〈中華蘇維埃共和國幣制述略〉（《江西社會科學》1991年6期）、曹菊如〈回憶中華蘇維埃共和國國家銀行〉（《爭鳴》1982年1期）、馮都〈蘇維埃國家銀行是怎樣創建的〉（《江西黨史研究》1989年6期）、李強〈關於中華蘇維埃共和國國家銀行若干史實的訂正〉（《黨史通訊》1984年10期）、〈中華蘇維埃共和國國家銀行是何時成立的〉（《金融研究》1984年1期）及〈中華蘇維埃共和國國家銀行的紙幣發行〉（《中國錢幣》1984年4期）、姜宏業〈中華蘇維埃共和國國家銀行的貨幣〉（《安徽金融研究》1988年增刊3期）、張建新〈黃亞光談中華蘇維埃國家銀行貨幣的設計〉（《中國錢幣》1986年1期）、張新民〈訪問土地革命時期中華蘇維埃國家銀行貨幣圖案設計者黃亞光〉（同上，1983年2期）、梁匯川等〈袁頭加蓋蘇維埃銀幣並非臆造〉（《陝西金融》1984年增刊）、崔海明〈陝西省造中華蘇維埃共和國五年製銀元〉（《陝西金融》1984年8期）、陳廣彪〈中華蘇維埃銅幣〉（《中國錢幣》1985年4期）、王禮琦〈中華蘇維埃郵政的創建與發展〉（《集郵》1982年2期）、陳慶升〈關於《中華蘇維埃共和國臨時中央政府徵求專門技術人才的啟事》〉（《歷史知識》1982年6期）、廖旭東〈中華蘇維埃政府優良的工作作風〉（《黨史文苑》1990年3期）、小島朋之〈中國共產黨の大眾路線の原型－中華ソビェト共和國時代〉（載《中ソ社會主義の政治動態》，東京，アジア經濟研究所，1974）、向山寬夫〈中華ソヴェト共和國の反革命犯罪〉（《國學院法學》12卷2號，1974年12月）、仁井田陞、幼方直吉〈中華ソヴェト共和國婚姻條例〉（《法律時報》27卷9號，1955年9月）、章克昌等〈中華蘇維埃共和國中央革命軍事委員會的組織機構及演變、探討〉（《江西農業大學學報》1982年增刊）、後勤學院黨史資料徵集委員會〈土地革命戰爭時期中央軍委和中革軍委的組織演變情況〉（《軍史資料》1980年1期）、王健英〈中革軍委的由來與演變〉（《黨史文苑》1995年4期）、蘇長聚〈也談中央軍委與中革軍委之間的關係〉（《中共黨史研究》1992年1期）、謝一彪〈論中華蘇維埃共和國中央政府辦事處的歷史地位和作用〉（《贛南師院學報》1996年2期）、章克昌〈中華蘇維埃共和國與中國國情〉（《江西農業大學學報》1992年5期）、曹伯一〈析論瑞金共黨政權的崩潰（1931-1934）〉（《東方雜誌》復刊3卷8期，民59年2月）。

關於中央蘇區的查田運動（1933年6月中共在中央革命根據地對分配土地後所進行的清查土地、清查階級的運動）有鈴木透〈中華ソヴェト共和國の土地改革について—查田運動を中心に〉（《白山史學》21卷，1985年4月）、閻中恒〈中央革命根據地的查田運動初探〉（《江西社會科學》1981年5、6期）、姜義華等〈論查田運動〉（《復旦學報》1980年6期）、張傳賢〈評中央蘇區的查田運動〉（《江西師大學報》1987年3期）、陳學明〈試評中央蘇區的查田運動〉（《江西大學學報》1984年3期）、傅茂貞〈中央蘇區的查田運動〉（載《北京大學紀念中國共產黨六十周年論文集》，北京大學出版社，1982）、朱開銓口述、范疇整理〈回憶查田運動〉（《黨史研究》1981年1期）、毛澤東《論查田運動》（晉察冀新華書店，民36）及《經濟建設與查田運動》（民23年印行）、中華蘇維埃共和國臨時中央政府編印《查田運動指南》（民22年印行）、羅添時〈紅都瑞金的查田運動及其歷史意義〉（《江西師大學報》1984年2期）、袁徵〈關於查田運動評價的幾個問題〉（《江西社會科學》1985年3期）、張日新〈也談中央蘇區的查田運動—與余伯流、閻中恒同志商榷〉（《爭鳴》1984年2期）、余伯流〈重評中央蘇區的查田運動〉（同上，1981年2期）、高德福〈對中央蘇區

查田運動的再認識〉（《南開學報》1987年2期）、劉一皋〈對查田運動研究的幾點再認識〉（《江西社會科學》1994年2期）、毛里和子〈江西ソヴェト期の土地革命一查田運動を生み出したもの查田運動が〝殘したまで〞〉（《アジア 研究》19卷4號，1973年1月）、溫鋭〈關於中央蘇區查田運動研究的幾個問題〉（《江西師大學報》1992年2期）、北田定男〈中蘇二全大會後の第二次查田運動〉（載《論集近代中國研究（市古宙三退官紀念）》，東京，山川出版社，1981年7月）、黃偉〈毛澤東與查田運動述論〉（《阜陽師院學報》1993年4期）、宮坂宏〈查田運動と毛澤東一土地革命とソビェト建設について毛澤東路線をめぐる一考察〉（《社會科學年報》11號，1977年6月）、周曉耘〈毛澤東與查田運動〉（《吉林師院學報》1996年4期）、吳錦榮〈毛澤東與中央蘇區的查田運動〉（《福建黨史月刊》1991年2期）、袁征〈毛澤東與中央蘇區的查田運動〉（《贛南師院學報》1994年2期）、闔海濤〈毛澤東對查田的態度探析〉（《東北師大學報》1996年6期）、賀世友〈毛澤東與查田運動〉（《上海師大學報》1987年1期）。

關於中央蘇區肅反中的AB團（為1927年年初，由江西國民黨人段錫朋、程天放等所成立的秘密反共組織，A代表省級組織，B代表縣級。其後，因緣傅會，變為反布爾雪維克團－Anti Bolshevik League的縮寫，江西蘇區識得英文字母的人不多，故有時諧音作鴨陂團，又作鴨比團）問題和富田事變（由於紅一方面軍總前委派李詔九前去紅軍中抓AB團，引起部分指戰員不滿，1930年12月12日，紅二十軍的一個營在謝漢昌、劉敵率領下持槍集體行動，釋放被抓的江西省行委的領導人士，扣押紅二十軍軍長劉鐵超等，接著又發生了紅二十軍渡贛江到河西永新一帶，脫離總前委的領導的事件，史稱富田事變，是為中共江西時期因肅清AB團份子，引致紅軍幹部起而反毛澤東的暴亂行動）有戴向青、羅惠蘭〈蔣介石建立AB團目的的探析〉（《求實》1989年8期）、文耀奎〈關於AB團幾個問題的探討〉（《江西社會科學》1983年2期）、王阿壽〈對AB團問題的幾個看法〉（《吉安師專學報》1984年2期）及〈從歷史檔案看AB團組織存在的時間〉（《近代史研究》1984年5期）、管文虎〈試論中國AB團的幾個問題〉（《四川師大學報》1989年1期）、羅惠蘭〈論AB團始末〉（《江西社會科學》1986年4期）、陳永發〈中共早期肅反的檢討：AB團案〉（《中央研究院近代史研究所集刊》17期上冊，民77年6月）、程曉鵬〈三十年代江西蘇區肅〝AB〞團始末〉（《高等函授學報》1996年3期）；《黑漆一團的所謂反AB團問題》（民20年印行，反動文件彙編·第1卷第3輯）、劉曉農〈紅四軍前委和紅一方面軍總前委在贛西南黨內肅〝AB團〞的緣由〉（《爭鳴》1992年3期）、武國有〈論〝二全〞會議與贛西南黨的〝AB團〞問題〉（《松遼學刊》1994年3期）、楊宏〈論肅〝AB團〞的根本錯誤〉（《江西大學學報》1986年3期）、劉曉農〈論肅AB團的原因和責任問題〉（《江西社會科學》1989年6期）及〈論肅AB團導致的嚴重後果〉（《江西黨史研究》1989年1期）、戴向青〈必須以嚴肅態度對待肅AB團問題：評劉曉農的四篇文章〉（《中共黨史研究》1990年5期）、單人麟〈試析肅AB團的複雜原因〉（《爭鳴》1990年6期）、武國有〈中共黨內肅〝AB團〞鬥爭的導火線及其導因論析〉（《長白論叢》1996年6期）及〈論肅〝AB團〞誤區的形成〉

（《中共黨史研究》1994年5期）、戴向青、羅惠蘭〈論AB團的覆滅〉（《求實》1990年1期）、劉曉農〈毛澤東等在贛西南區肅AB團中的錯誤〉（《毛澤東思想研究》1989年4期）、戴向青〈毛澤東在肅AB團問題上發生錯誤的原因〉（《江西社會科學》1990年2期）、羅惠蘭〈周恩來在糾正肅AB團錯誤中的歷史貢獻〉（《爭鳴》1989年5期）、劉曉農〈李韶九與肅AB團〉（《江西黨史研究》1989年6期）及〈答戴向青關於AB團問題的批評文章〉（《中共黨史研究》1991年6期）、戴向青〈AB團滅亡後共黨為何還反AB團〉（《黨史研究與教學》1991年5期）及〈論AB團和富田事變〉（《中共黨史研究》1989年2期）、戴向青、羅惠蘭《AB團與富田事件始末》（鄭州，河南人民出版社，1994）、Ch'en Yung-fa（陳永發），"The Futian Incident and the Anti-Bolshevik League: The "Terror" in the CCP Revolution."（Republican China, Vol. 19, Issue 2, April 1994）、Ronald Suleski, "The Fu-t'ian Incident, December 1930."（In Ronald Suleski and Daniel Bays, Early Communist China: Two Studies, Ann Arbor: University of Michigan Center for Chinese Studies, 1969）及"Futian Incident Reconsidered."（The China Quarterly, No.89, March 1982）、鄭學稼《中共富田事變真相》（臺北，國際共黨問題研究社，民65）、小島朋之〈富田事變について〉（《アジア研究》23卷1號，1965年4月）、戴向青〈富田事變考〉（《江西大學學報》1979年4期）、閻中恒〈富田事變是反革命暴動〉（同上）、劉躍光等〈關於富田事變〉（《文史通訊》1981年1期）、戴向青〈略論〝富田事變〞的性質及其歷史教訓〉（《江西大學學報》1979年3期）、周琦等〈江西蘇區初期的肅反與富田事變〉（《黨史研究資料》1982年5期）、方孔木〈對富田事變性質不同看法的介紹〉（同上）、王阿壽〈談談事變發生的各種因素（富田事變）〉（《江西大學學報》1980年2期）、梁尚賢〈對《總前答辨的一封信》的一點質疑（富田事變）〉（同上）、太田秀夫〈毛澤東の土地政策と富田事件〉（載芝池靖夫編著《中國社會主義史研究》，東京，ミネルヴア書房，1978）、羅惠蘭〈論項英在處理富田事變中對肅AB團錯誤的抵制〉（《求實》1989年1期）、李良明〈項英與〝富田事變〞〉（《傳記文學》1995年7期）、張世貴、阿城、韓金香〈項英在富田事變中的積極作用〉（《石油大學學報》1995年2期）。

關於古田會議（即1929年12月下旬，在福建上杭縣之古田召開的中共紅四軍第九次代表大會，重任該軍前敵委員會書記的毛澤東，在會中嚴厲批評黨內的各種不正確的傾向，重申黨指揮槍，一切權力歸前委機關的原則，隨後該會議通過了與此相關的各項決議案，為中共軍隊建軍史上的重要里程碑）有黃國蕩〈古田會議決議形成的歷史條件〉（《黨史研究與教學》1994年3期）、孔永松、邱松慶、林天乙〈關於古田會議歷史背景的幾個問題〉（《廈門大學學報》1981年3期）、黃少群〈關於古田會議兩個問題的研究〉（《教學與研究》1981年2期）、左志遠〈重評古田會議〉（《南開史學》1980年1期）、毛澤東《中國共產黨紅軍第四軍第九次代表大會決議案：一九二七年十二月閩西古田會議》（香港，新民主出版社，1949；陽明山莊，民38）、中共福建省委員會黨校黨史研究室編《紅四軍入閩和古田會議文獻資料》（福州，福建人民出版社，1979）、邱松慶〈古田會議決議起草與修訂時間考〉

（《福建黨史通訊》1986年12期）、韓志斌〈閃耀著集體智慧光輝的歷史文獻《古田會議決議》新探〉（《牡丹江師院學報》1981年4期）、吳榮宜〈古田會議決議新探〉（《黨史通訊》1987年8期）、李善雨〈試論《古田會議決議》的歷史意義〉（《中國軍事科學》1991年2期）、趙曉石〈中國革命道路理論形成過程中的重要一環一《古田會議決議》的歷史地位新探〉（《南京政治學院學報》1990年4期）、黃超凡〈論《古田會議決議》關於黨的建設的光輝思想〉（《福建黨史月刊》1989年12期）、鍾鼎〈《古田會議決議》應是延安整風的指導文件〉（《黨史研究與教學》1989年6期）、曹效生〈我國組織工作的奠基之作：紀念古田會議決議誕生60周年〉（《西安政治學院學報》1989年6期）、黃少群〈古田會議決議是黨和軍隊建設的綱領性文獻〉（《吉林大學學報》1984年6期）、瞿定國〈古田會議決議中關於建黨思想的幾個問題〉（《黨史資料與研究》1985年6期）、地民〈古田會議對建黨理論的創造性貢獻〉（《共產黨員》1991年10期）、黃山〈古田會議決議中的黨的組織建設問題〉（《黨史研究》1982年6期）、黃允升〈有關《古田會議決議》的兩個問題〉（《黨史研究資料》1989年2期）；〈發揚古田會議決議精神大力加強黨的建設和思想政治工作〉（《黨建》1989年12期）、陳朝嚮〈繼承和發揚古田會議精神在改革開放中加強黨的建設〉（《福建宣傳半月刊》1989年24期）、陳丕顯〈發揚古田會議精神，把我黨我軍建設提高到一個新的水平〉（《福建黨史月刊》1990年1期）、云理〈古田會議精神的現實啟示〉（《福建黨史月刊》1991年10期）、黃少群〈關於古田會議的兩則史實考證〉（同上）、賴傳珠〈古田會議前後〉（《歷史教學》1966年3

期）、陳朝嚮〈古田會議前後若干問題研究綜述〉（《中共黨史研究》1990年2期）、張國琦〈求索者的光輝篇章：由古田會議的一場爭論談起〉（《黨史研究資料》1984年12期）、馬齊彬等〈論九月來信的歷史作用和古田會議的偉大意義〉（《爭鳴》1982年1期）、趙曉石〈中國革命道路理論形成過程中的重要一環—《古田會議》歷史地位新探〉（《南京政治學院學報》1990年4期）、蔣伯英〈古田覓真跡—記古田會議決議和毛澤東同志批評林彪的信起草經過〉（《革命文物》1979年6期）、劉寶玉〈為古田會議決議奠定思想理論基礎的重要文獻—讀毛澤東《給林彪的信》〉（《中共黨史研究》1994年2期）、王盛澤、雲理〈古田會議與中國革命道路〉（《福建黨史月刊》1989年12期）、夏志明〈古田會議會址不在古田村〉（《黨史研究資料》1980年2期）、王先娥〈毛澤東同志與古田會議〉（《新時期》1981年9期）、劉景祿等〈毛澤東與古田會議〉（《吉林大學社會科學學報》1986年6期）、李敦送〈古田會議的召開與毛澤東的歷史作用〉（《軍事歷史》1993年2期）、吳榮宣〈紅軍創建時期毛澤東的建黨思想和古田會議的歷史功績〉（《黨史研究與教學》1993年5期）、黃允升〈毛澤東在古田會議前後革命實踐的幾則史實辨析〉（《黨的文獻》1995年3期）、鍾健英〈抗戰時期毛澤東強調學習古田會議決議的啟發〉（《福建黨史月刊》1989年12期）、杜漸、茂生等〈周恩來與古田會議〉（同上）、黃祖洪〈古田會議前後紅四軍中的民主建設〉（同上）、黃少群〈紅四軍在古田會議後的偉大歷史成就〉（《黨史資料與研究》1985年6期）、余升雲〈古田會議前後的紅四軍〉（《星火燎原》1983年1期）、韓榮璋等〈紅四軍七大至古田會議述評〉（《近代史研究》1989年2期）、劉寶聯〈古田會議與紅四軍的民主制度〉（《黨史研究與教學》1989年6期）、中國共產黨福建省委員會黨校黨史研究室編《紅四軍入閩和古田會議文獻資料》（福州，福建人民出版社，1979）、瞿定國〈陳毅對古田會議的貢獻〉（《黨史通訊》1983年4期）、蕭克〈偉大的建軍綱領－回憶古田會議〉（《紅旗》1979年8期）、邱文生〈攜手在古田〉（《福建黨史月刊》1993年10期）。

關於寧都會議（大約在1932年10月舉行，會中決定撤銷毛澤東所兼之紅軍第一方面軍總政治委員職，回蘇維埃中央政府主持一切工作，其所遺總政委一職，由周恩來代理）有W. F. Dorrill, "Rewriting History to Further Maoism: The Nintu Conference of 1932." （In J. C. Hsiung ed., The Logic of Maoism, New York: Praeger, 1974）、黃允升〈關於寧都會議時間是1932年10月的考證〉（《黨史研究》1982年4期）、王漁〈關於寧都會議時間的考證〉（同上，1981年10期）、黃少群〈寧都會議是在什麼情況下召開的？－兼談寧都會議的召開時間〉（同上，1982年1期）及〈寧都會議探源〉（《天津社會科學》1982年4期）、羅惠蘭〈關於寧都會議的幾個問題〉（《江西社會科學》1988年1期）及〈寧都會議錯誤撤銷毛澤東軍內職務原因探析〉（《求是》1988年4期）、淩步機、胡日旺〈〝寧都會議〞為什麼對漳州戰役橫加指責〉（《黨史文苑》1992年4期）、寧都縣委黨史辦等〈關於寧都會議的幾個史實初考〉（《江西黨史研究》1989年3期）、黃允升〈寧都會議始末〉（《黨的文獻》1990年2期；亦載《贛南社會科學》1991年6期）；〈寧都會議的文獻十二篇（1932年7月-11月）〉（同上）、李湘敏〈王稼

祥與寧都會議〉(《江西黨史研究》1989年6期)、蜂屋亮子〈寧都會議と遵義會議—軍事指導における毛周交代と周毛交代〉(《お茶の水史學》22號,1979年4月)。

其他如陳榮華〈1930年的〝二七〞會議〉(《歷史教學》1981年4期)、戴向青〈論〝二七〞會議〉(《江西大學學報》1982年3期)、陳道源〈二七會議反對贛西南黨內錯誤傾向的鬥爭〉(《江西師大學報》1984年2期)、吉安縣委黨史辦〈1930年的二七陂頭會議〉(《江西黨史研究》1988年7期);〈陂頭會議簡介〉(《黨史研究》1980年3期)。戴向青〈論羅坊會議〉(《江西社會科學》1982年6期)、趙泉鈞〈簡評羅坊會議〉(《安徽大學學報》1983年4期)、新余市委黨史辦〈羅坊會議幾個問題的研究〉(《新余社會科學》1990年3期)、馬成碧〈重新評價羅坊會議〉(《汕頭大學學報》1989年1期)、文耀奎等〈略論中央與羅坊會議的關係〉(《江西社會科學》1984年4期)。淩步機〈關於贛南會議的幾個問題〉(《黨史研究資料》1987年12期)、〈贛南會議新探〉(《江西黨史研究》1988年1期)及〈〝贛南會議再探—兼論任弼時與〝中央代表團〞的功過〉(《黨史文苑》1995年3期)、黃允升〈贛南會議辨析〉(《中共黨史研究》1996年6期)。劉成榮〈試談著名的峽江會議〉(《吉安師專學報》1985年3期)、張能政〈峽江會議考察〉(《上饒師專學報》1983年3期)、楊忠清〈江口會議及其歷史意義〉(《江西黨史研究》1989年5期)、劉成棻〈關於紅三軍團仁和渡江會議的探討〉(《吉安師專學報》1988年3期)。

關於鄂豫皖革命根據地(蘇區)有Robert C. McColl, "The Oyüwan Soviet Area, 1927-1932" (The Journal of Asian Studies,

Vol. 27, No. 1, Novernber 1967）；〈鄂豫皖革命根據地簡介〉（《武漢師院學報》1981年專輯）、《鄂豫皖蘇區歷史簡編》編寫組編《鄂豫皖蘇區歷史簡編》（武漢，湖北人民出版社，1983）、蔡康志主編《鄂豫皖革命根據地》（4冊，鄭州，河南人民出版社，1990）、譚克繩、歐陽植梁主編《鄂豫皖革命根據地鬥爭史簡編》（北京，解放軍出版社，1987）、湖北人民出版社編《回憶鄂豫皖邊區的革命鬥爭》（武漢，編者印行，1956）；《鄂豫皖革命歷史文件匯集》（5冊，武漢，湖北人民出版社，1987）、王先娥〈鄂豫皖革命根據地創建始末〉（《革命文物》1980年3期）、吳壽祺〈鄂豫皖革命根據地創建述略—兼記徐向前同志〉（《安徽大學學報》1978年3、4期、1979年1期）、李常福〈鄂豫皖革命根據地的創建與發展〉（《學習論壇》1991年11期）、江治元〈紅軍〝安家〞的戰略要地：鄂豫皖革命根據地的建立和發展〉（《安慶師院學報》1992年3期）、江峽譯〈1927-1932年的鄂豫皖蘇區〉（《地方革命史研究》1988年6期）、楊凡摘譯〈1927-1932年的鄂豫皖蘇區〉（《社會信息》1989年12期）；〈鄂豫皖革命根據地簡介〉（《武漢師院學報》1981年專輯）、傅家選〈對《鄂豫皖革命根據地簡介》補充意見〉（《黨史研究資料》1982年3期）、郭步雲〈認真研究鄂豫皖蘇區革命史〉（《江漢論壇》1980年3期）、歐陽植梁、譚克繩〈關於鄂豫皖革命根據地歷史研究中的幾個問題〉（《武漢大學學報》1986年6期）、林浣芬、王天文〈試論鄂豫皖蘇區大發展的原因〉（《史學月刊》1983年1期）、馬建離、石國文〈試述鄂豫皖蘇區1931年4月-1932年6月大發展的原因〉（《河南黨史研究》1983年3期）、農永清〈鄂豫皖革命根據地的歷史地位和作用〉（載《土地革命戰爭時期根據地研究》，濟南，山東人民出版社，1987）、郭煜中〈鄂豫皖革命根據地研究綜述〉（《黨史通訊》1984年11期）、陳明義、郭煜中〈對《鄂豫皖革命根據地史研究綜述》一文中有關問題的商討〉（《安徽史學》1986年4期）、王傳厚〈鄂豫皖革命根據地的政權建設〉（《安徽省委黨校學報》1989年2期）、高貴海〈淺析鄂豫皖邊區蘇維埃政權的特點〉（《安徽黨史研究》1992年6期）、蔡繼煌〈黨的政治建設不可忽視：從鄂豫皖蘇區的兩則史實談起〉（《黨建研究》1991年6期）、徐修宜〈關於鄂豫皖蘇區幾個史實的考定〉（《安徽大學學報》1984年1期）、倪忠文〈鄂豫皖、湘鄂西、湘鄂贛三塊革命根據地比較〉（《地方革命史研究》1988年3、4期）、譚克繩〈略論鄂豫皖革命根據地黨的建設〉（《華中師大學報》1991年4期）、李常福〈試析中共中央鄂豫皖分局的功過〉（《河南黨史研究》1991年5、6期）、李修建〈鄂豫皖蘇區的民政工作〉（同上）、羅高松等〈鄂豫皖蘇區廉政建設淺議〉（《地方革命史研究》1990年3期）、羅高松〈鄂豫皖蘇區的廉政建設〉（《安徽黨史研究》1989年5期）、何新思〈探析鄂豫皖蘇區廉政建設的歷史經驗〉（《許昌師專學報》1993年4期）、王蔚曉〈鄂豫皖蘇區稅收述評〉（《中州學刊》1985年5期）、單國新〈略論鄂豫皖蘇區稅收制度〉（《河南黨史研究》1988年1期）、孫瑞標〈鄂豫皖革命根據地的工商稅收〉（《稅收研究》1988年8期）、徐愛華〈鄂豫皖蘇區稅制的形成與發展〉（《阜陽師院學報》1984年3期）、王禮琦〈關於鄂豫皖蘇區的財政〉（《安徽財政（增刊）》1983年2期）；《鄂豫皖革命根據地財經史資料選編》（武漢，湖北人民出版社，1989）、周質澄、吳少海《鄂豫皖革命根據地財政志》（同上，

1987）、徐愛華〈鄂豫皖蘇區的銀行和貨幣〉（《江淮論壇》1984年3期）、楊履選〈鄂豫皖革命根據地的貨幣〉（《中原文物》1981年4期）、劉森〈鄂豫皖根據地貨幣論略〉（《中國錢幣》1988年4期）、何志成〈我省邊區第一家革命根據地銀行：鄂豫皖特區蘇維埃銀行〉（《金融理論與實踐》1987年3期）、王全營〈鄂豫皖蘇區教育革命述評〉（《史學月刊》1984年3期）、鄒時炎、霍文達〈鄂豫皖蘇區教育概述〉（《中南民族學院學報》1986年4期）、路海江〈鄂豫皖蘇區的文化教育事業〉（《史學月刊》1994年6期）、龐良舉〈鄂豫皖蘇區經濟公社芻議〉（《安徽史學》1988年4期）、申柴志〈鄂豫皖蘇區的經濟措施〉（《中州財會》1983年4期）、歐陽植梁〈試論鄂豫皖蘇區的經濟建設〉（《武漢大學學報》1981年4期）及〈鄂豫皖蘇區的土地革命〉（《江漢論壇》1982年10期）、屈國英〈鄂豫皖革命根據地的土地革命〉（載《北京大學紀念中國共產黨六十周年論文集》，1982）、郭德宏〈鄂豫皖蘇區土地革命政策評述〉（《黨史研究》1982年2期）、王全營〈鄂豫皖蘇區土地政策的演變〉（《中州學刊》1982年3期）、齊德坤、楊克〈論鄂豫皖蘇區土地革命中的富農政策〉（《信陽師院學報》1989年3期）、路海江〈鄂豫皖蘇區糧食鬥爭述評〉（《許昌師專學報》1989年4期）、中共河南省委黨史資料徵集編纂委員會編《鄂豫皖根據地首府新縣革命史》（鄭州，河南人民出版社，1985）、曾凡德〈鄂豫皖邊區首府一新集〉（《河南文博通訊》1979年4期）、蔣國海〈鄂豫皖蘇區首府新集市的歷史地位和作用〉（《許昌師專學報》1987年4期）、王國光、花卉〈鄂豫皖邊區革命根據地的首府一新集〉（《中州今古》1983年1期）、劉錄開〈有關鄂豫皖根據地的幾個史實〉(《黨史研究資料》1982年1期)、焦漢平、高強〈鄂豫皖蘇區革命根據地的第一個電臺〉(《中州今古》1995年2期)、羅高松〈鄂豫皖蘇區思想宣傳工作述評〉(《河南黨史研究》1990年5期)、夏潮〈黨在鄂豫皖革命根據地〉(《湖北青年》1981年7期)、譚克繩〈鄂豫皖革命根據地共產黨組織發展簡況〉(《革命史資料》1982年8輯)及〈1927年11月—1930年3月鄂豫皖革命根據地的幾次會議〉(《歷史教學》1983年7期)、農永清〈鄂豫皖根據地幾位英勇犧牲的共產黨員〉(《中南民族學院學報》1983年1期)、譚克繩、江抗美〈論革命知識分子在創建鄂豫皖蘇區中的歷史作用〉(《華中師院學報》1983年6期)、倪忠文〈回憶鄭位三同志談鄂豫皖蘇區歷史中的幾個重大問題〉(《武漢大學學報》1983年3期)、鄒一清〈鄂豫皖蘇區重要人事調查〉(《共黨問題研究》1卷6期,民64年12月)、〈鄂豫皖蘇區面臨困擾的幾個根本問題〉(同上,1卷3期,民64年9月)及〈鄂豫皖蘇區歷次戰役的檢討〉(同上,1卷4期,民64年10月)、王傳厚〈鄂豫皖革命根據地的一次空前大勝利—記蘇家埠戰役〉(《革命文物》1980年4期)、李德生〈鄂豫皖革命鬥爭史上光輝的一頁—憶蘇家埠戰役〉(《星火燎原》1982年2期)、周進〈試述蘇家埠戰役大捷的原因〉(《安徽史學》1984年3期)、江抗美〈第三次〝左〞傾路線在鄂豫皖根據地〉(《華中師院學報》1980年3期)、王雅紅〈淺談鄂豫皖蘇區便衣隊的產生及其作用〉(《華中師大學報》1987年4期)及〈鄂豫皖蘇區便衣隊性質述論〉(《江漢論壇》1987年7期)、李作強〈關於中共鄂豫皖省委的幾個問題〉(《河南黨史研究》1989年3期)、馮祖瓊等〈戰勝地主武裝紅槍會的鬥爭—鄂豫皖邊區革命史片斷〉

（《鄭州大學學報》1980年1期）、姜義華〈論1931年鄂豫皖蘇區的〝肅反〞〉（《復旦學報》1980年3期）、陳永發〈政治控制和群眾動員：鄂豫皖肅反〉（《大陸雜誌》86卷1-3期，民82年1-3月）、姜新立〈鄂豫皖蘇區的肅反運動〉（《東亞季刊》18卷1期，民75年7月）、郭煜中〈論鄂豫皖蘇區肅反中的幾個問題〉（《黨史資料通訊》1982年4期）、陳明義〈對1931年鄂豫皖蘇區內部肅反問題的回憶和看法〉（《湖北黨史通訊》1985年1期）、羅高松等〈試論鄂豫皖根據地肅反的歷史教訓〉（《河南黨史研究》1990年1、2期）、徐文伯〈鄂豫皖蘇區肅反擴大化的一些情況〉（《黨史研究資料》1981年2期）、路海江〈肅反發生擴大化的另一個原因—兼論鄂豫皖蘇區政治保衛局〉（《黨史研究與教學》1995年1期）、郭煜中〈張國燾在鄂豫皖根據地的所謂肅反經驗及其惡果〉（《安徽史學》1987年3期）、馬建離〈張國燾在鄂豫皖蘇區的肅反問題〉（《黨史資料通訊》1982年4期）、譚克繩〈駁張國燾對鄂豫皖革命根據地歷史的誣蔑〉（《華中師院學報》1984年4期）、韓熙型〈揭穿張國燾在鄂豫皖蘇區肅反問題上的謊言〉（《黨史研究》1981年2期）、敏志〈張國燾在鄂豫皖革命根據地的錯誤〝肅反〞〉（《江淮文史》1995年4期）、成仿吾〈張國燾在鄂豫皖根據地的罪行〉（《中共黨史資料》1982年4期）、馬建離〈張國燾在鄂豫皖蘇區第四次反〝圍剿〞鬥爭期間的錯誤：張國燾問題研究之三〉（《武漢大學學報》1995年2期）、鍾保松〈試評沈澤民在鄂豫皖蘇區的功過〉（《河南黨史研究》1991年5、6期）、李候、馬雷〈周恩來與鄂豫皖革命根據地〉（《河南黨史研究》1989年3期）、田紹武、喻學才〈徐海東在鄂豫皖革命根據地的活動片斷〉（《武漢師院學報》1981年專輯）、譚克繩〈鄂豫皖革命根據地武裝鬥爭大事記〉（《軍史資料》1987年1期）、孫俊杰〈鄂豫皖革命根據地〝偏師〞説探析〉（《黨史博覽》1992年增刊）、程慎盧譯〈一份關於鄂豫皖蘇區的日文資料〉（《河南黨史研究》1990年1、2期）、周大望〈鄂豫皖地區革命鬥爭史上光輝的一頁〉（《湖北黨史通訊》1986年4期）、蔡康志、趙清渠〈鄂豫皖蘇區工農武裝割據問題初探〉（《中州學刊》1981年2期）、上海魯迅紀念館〈魯迅珍藏一張鄂豫皖革命根據地形勢圖〉（《文物》1972年1期）、王丹〈鄂豫皖蘇區的〝石印科〞〉（《中國錢幣》1986年4期）、傅振乾、張天雲〈鄂豫皖蘇區造紙廠始末〉（《中州今古》1992年4期）、路海江〈鄂豫皖蘇區政治保衛局述評〉（載《中國革命根據地史研究》，南京，南京大學出版社，1992）、徐黎鈴〈試述中共鄂豫皖省委的歷史地位與作用〉（《信陽師院學報》1993年3期）、羅平〈試論鄂豫皖根據地三年游擊戰的特點〉（《華南師大學報》1993年2期）、王禹〈鄂豫皖根據地紅軍發展概況〉（《地方革命史研究》1987年3期）、臺運行《鄂豫皖紅軍史話》（合肥，安徽人民出版社，1989）、佟靜〈關于鄂豫皖根據地一次軍事行動方針問題的爭論〉（《黨史研究資料》1983年1期）、朱繼明、胡文章〈論黃埔生在鄂豫皖紅軍創建和發展過程中的作用〉（《學術百家》1989年6期）、劉明鋼〈紅四方面軍撤離鄂豫皖的決定不是張國燾張皇失措之舉〉（《黨史研究資料》1993年7期）、譚克繩〈紅四方面軍為什麼要撤離鄂豫皖革命根據地〉（《革命史資料》1982年6期）、王德新等〈紅四方面軍撤出鄂豫皖根據地原因新探〉（《江漢論壇》1989年3期）、王德新〈紅四方面軍退出鄂豫皖根據地不是逃跑主義〉（《昌濰師專學報》1988年1期）、敏志〈鄂豫皖革命根據地第四次反〝圍剿〞失敗原因之我見〉（《黨史縱覽》1994年2期）、簡鐵〈從麻埠事件看鄂豫皖紅軍之肅反鬥爭〉（《匪情月報》19卷3期，民65年9月）、鄒一清〈鄂豫皖蘇區的崩潰與殘匪西竄〉（《共黨問題研究》1卷5期，民64年11月）。

湘鄂西革命根據地（蘇區）有《湘鄂西革命根據地史》編寫組《湘鄂西革命根據地史》（長沙，湖南人民出版社，1988）、《湘鄂西蘇區歷史簡編》編寫組《湘鄂西蘇區歷史簡編》（武漢，湖北人民出版社，1982）、王祖蔭〈荊江兩岸的年關暴動與湘鄂西蘇區的形成〉（《地方革命史研究》1988年2期）、王淼生〈湘鄂西革命根據地的創建與喪失原因初探〉（《黨史研究》1983年4期）、周維〈湘鄂西蘇區形成和發展〉（《共黨問題研究》2卷4期，民65年4月）、匡鏡秋〈湘鄂西革命根據地創建始末〉（《常德師專教學與研究》1981年4期）、梁琴〈井岡山鬥爭經驗與湘鄂西蘇區的建立〉（《華中師院學報》1980年3期）、古堡〈湘鄂西根據地史研究綜述〉（《黨史通訊》1985年4期）、梁琴〈關於湘鄂西蘇區的三個問題〉（《江漢論壇》1981年4期）及〈關於湘鄂西蘇區黨和紅軍幾個史實的質疑〉（《黨史研究資料》1981年4期）；〈湘鄂西革命根據地簡介〉（《武漢師院學報》1981年專輯）、明建中〈湘鄂西蘇區一份歷史文件成文時間考〉（《黨史研究資料》1990年2期）、戴柏漢〈湘鄂西革命根據地的區域沿革〉（《地名知識》1984年5期）、匡鏡秋〈湘鄂西革命根據地肅反的一些情況〉（《常德師專學報》1982年2期）、張建德〈略述湘鄂西蘇區反〝改組派〞的鬥爭〉（《中共黨史研究》1992年3期）、施哲雄〈湘鄂西蘇區的肅反運動〉（《東亞季刊》18卷2期，民75年10月）、張建德〈湘鄂西蘇區黨的〝四大〞前後的爭論與肅反〉（《理論學刊》1994年3期）及〈試論湘鄂西蘇區肅反擴大化的原因與教訓〉（同上，1992年4期）；〈湘鄂西初期的革命鬥爭〉（《檔案資料》1982年18期）、陳陽春〈一槍未發，兩戰兩捷—湘鄂西蘇區戰鬥生活片斷〉（《革命史資料》1982年9期）、王淼生〈湘鄂西革命根據地人民武裝鬥爭大事記略〉（《軍史資料》1986年1-3期）、鄧中夏〈湘鄂西蘇區工作總結（1931年12月8日）〉（《黨的文獻》1992年3期）、高銀音、饒正洲〈湘鄂西革命報刊史略〉（《荊州師專學報》1986年2期）、古堡〈湘鄂西蘇區土地革命政策的幾個特點〉（《歷史研究》1982年2期）、梁瑞蘭〈湘鄂西革命根據地財政工作概況〉（《湖南師院學報》1984年2期）、登耳等〈湘鄂西革命根據地的稅收制度〉（《稅務研究》1988年11期）、龍弘澤〈論湘鄂西革命根據地黨的經濟貿易政策〉（《地方革命史研究》1989年3期）、施青〈湘鄂西革命根據地貨幣的階級屬性〉（《吉首大學學報》1993年2期）、楊楓、謝啟才〈論湘鄂西革命根據地紙幣〉（《中國錢幣》1995年4期）、張修全〈湘鄂西蘇區和中央蘇區土地政策之比較研究〉（《華中師大學報》1989年2期）、蔣伯英〈湘鄂西蘇區的土地政策〉（《黨史研究與教學》1993年1期）、鄭雄〈湘鄂西革命根據地的廉政建設〉（《地方革命史研究》1989年6期）、梅興旡〈湘鄂西黨組織和紅軍爭取〝神兵〞概述〉（《湖北大學學報》1987年3期）、賀彪編《湘鄂西紅軍鬥爭史略》（北京，華夏出版社，1988）、〔本書〕編輯組《湘鄂西英烈業績永存：湘鄂西蘇區革命烈士紀念館落成典禮紀念冊》（北京，中國展望出版社，1985）、胡飛揚〈略論神兵運動對於湘鄂西和湘鄂川黔革命根據地形成之影響〉（《湖北黨史通訊》1987年1期；亦載《吉首大學學報》1990年2期）、梁琴〈洪湖革命根據地的形成及其特點〉（《江漢論壇》1983年7期）、譚克繩〈1931年洪湖蘇區人民戰勝洪水的英勇鬥爭〉（《歷史教學》1964年3期）；〈洪湖縣革命史簡編〉（《華中師院學報》1959年3期）、闞炎成口述、吳德才整理〈迎接賀龍重返洪湖一憶段德昌同志在湘鄂西戰鬥生活的片斷〉（《星火燎原》1982年3期）、吳瀚聞〈賀龍同志在湘鄂西〉（《武漢大學學報》1977年4期）、湖南省哲學社會科學研究所現代史組〈賀龍同志在湘鄂西和湘鄂川黔的革命鬥爭〉（《歷史研究》1978年8期）、全榮階〈賀龍同志在湘鄂西和湘鄂川黔時期的統戰工作〉（《湘西自治州教師進修學院院刊》1986年1期）、張二牧《賀龍在湘鄂西》（武漢，長江文藝出版社，1979）、皮明庥〈賀龍同志湘鄂邊創業記〉（《華中師院學報》1979年2期）、姜平〈論鄧中夏在湘鄂西蘇區的功過是非〉（《檔案史料與研究》1994年4期）、張修全〈鄧中夏與湘鄂西蘇區的立三路線〉（《湖北師院學報》1990年2期）、周雒〈湘鄂西蘇區圍剿經過與殘匪西遁〉（《共黨問題研究》2卷6期，民65年6月）。

左右江革命根據地有中共廣西區委員會黨史資料徵委會《左右江革命根據地》編輯組編《左右江革命根據地》（2冊，北京，中共黨史資料出版社，1989）、徐方治、譚紀主編《廣西左右江革命根據地概況》（桂林，廣西師大出版社，1987）、陳欣德〈左右江革命根據地史研究綜述〉（《黨史通訊》1986年1期）、〈左右江革命根據地的建立和發展〉（《廣西黨史研究通訊》1988年1期）及〈關於左右江革命根據地若干問題的考證〉（《中共黨史研究》1994年1

期）、劉曉〈第二次國內革命戰爭初期左右江革命根據地的創立〉（《歷史教學》1979年7期）、盧行、黃林毅〈左右江革命根據地的建立是鄧小平實事求是思想的勝利〉（《廣西黨史研究通訊》1992年1期）、龐光耀、莫美祿〈撲不滅的火種－左右江人民堅持革命鬥爭的歷程〉（《廣西大學學報》1986年1期）、龐光耀、程宗善、林為才〈創業艱難百戰多－廣西左右江革命根據地鬥爭簡介〉（《廣西大學學報》1980年2期）、農永清〈韋拔群與右江革命根據地〉（《中南民族學院學報》1987年3期）、農武〈論右江革命根據地黨的建設〉（《學術論壇》1992年2期）、黃茂田、歐家樹〈右江革命根據地加強黨的建設的歷史經驗：紀念百色起義六十周年〉（《廣西黨校學報》1989年6期）、吳忠才〈壯族人民和右江革命根據地〉（《中央民族學院學報》1982年1期）、蔣于里〈右江蘇維埃政府成立時間的考析〉（《廣西黨史研究通訊》1986年5期）、陳志華等〈也談右江蘇維埃政府成立時間〉（《黨史研究資料》1987年3期）；〈右江蘇維埃時期的婦女協會（1930年12月）〉（《婦運史研究資料》1982年4期）、唐松球等〈壯、瑤等族人民對右江革命的貢獻〉（《民族研究》1982年5期）、黎國軸〈百色起義龍州起義和廣西左右江革命根據地的創建〉（《河池師專學報》1982年1期）、王林濤〈略論左右江工農武裝割據的經驗〉（《南寧師院學報》1985年1期）、黃美倫等〈鄧小平在左右江根據地搞土地革命〉（《黨史資料徵集通訊》1985年6期）、袁競雄、蔣文華〈右江根據地土地革命初探〉（《廣西師院學報》1982年2期）、王林濤〈右江革命根據地的民族特點〉（《廣西民族學院學報》1984年3期）、庾新順〈第二次國內革命戰爭時期左右江地區的農民武裝鬥爭〉（《歷史教學》1987年8期）、陳天擇〈1930年右江革命根據地的土地革命〉（《廣西大學學報》1979年3期）及〈右江革命根據地的政權建設〉（同上，1983年2期）、廣西壯族自治區博物館陳列組〈右江上游紅旗揚—百色起義和右江革命根據地的歷史文物略述〉（《革命文物》1978年5期）、李錦旺〈龍州起義和左江革命根據地的開闢〉（《南寧師專學報》1983年創刊號）、韋寶昌〈紅七軍領導的左江根據地土地革命〉（《學術論壇》1985年2期）、蒙承光〈試論紅八軍和左江革命根據地失敗的原因〉（《南寧師專學報》1987年1期）、陳天擇〈左江蘇維埃政府成立時間考〉（《黨史資料研究》1983年3期）、賈作寧〈左江革命根據地研究中的幾個問題〉（《廣西民族學院學報》1984年3期）、黃林毅〈左江革命根據地範圍之我見〉（《廣西黨史研究通訊》1993年4期）、黃嘉〈左江地區的反蔣游擊戰〉（同上，1987年4期）、庾新順〈左右江革命根據地黨組織發展略述〉（《中央民族學院學報》1987年4期）、桂金融〈淺談左右江革命根據地的財政金融情況〉（《南寧師院學報》1980年4期）、黎灼仁等〈左右江革命根據地的財政經濟建設〉（《廣西黨史研究通訊》1986年5期）、李彥福、韋衛、黃啟輝〈淺論左右江革命根據地的教育建設〉（《學術論壇》1986年6期）、黃家南〈淺論右江根據地的土地革命〉（《中南民族學院學報》1993年1期）、張秀娥〈略述壯族瑤族婦女在左右江革命根據地鬥爭中的作用〉（《廣西黨史研究通訊》1993年4期）。

川陝革命根據地（蘇區）有《川陝革命根據地歷史長編》編寫組編（林超主編）《川陝革命根據地歷史長編》（成都，四川人民出版社，1982）、林超、溫賢美主編《川陝革命根據地史》

（成都，四川省社會科學院出版社，1988）、溫賢美《川陝革命根據地》（成都，四川人民出版社，1985）及《川陝革命根據地論叢》（成都，四川大學出版社，1987）、四川、陝西社科院編《川陝革命根據地史料選輯》（北京，人民出版社，1986）、成都部隊川陝革命根據地軍事鬥爭史編委會編《巴山烽火：川陝革命根據地回憶錄》（成都，四川人民出版社，1981）、沈果正等編《川陝革命根據地歷史文獻選編》（2冊，同上，1979-80）、溫賢美主編《川陝革命根據地論叢》（成都，四川大學出版社，1988）、唐敦教等主編《川陝革命根據地鬥爭史》（北京，華夏出版社，1989）、成都軍區黨史資料徵集委員會辦公室編《川陝革命根據地軍事鬥爭史》（成都，四川大學出版社，1987）、川陝革命根據地歷史研究會編《川陝革命根據地英烈傳·第1卷》（成都，四川省社會科學院出版社，1984）、四川省檔案館編《川陝蘇區報刊資料選編》（同上，1987），收錄1933年2月至1935年3月川陝蘇區各種報刊上發表和單行本印行的文件42件、評論文章68篇、消息報導300多條；中國人民銀行四川省分行金融研究所編《川陝省蘇維埃政府工農銀行》（同上，1985）、四川省稅務局等編《川陝革命根據地工商稅收史料選編》（重慶，重慶出版社，1987）、四川省糧食局糧食志編輯室編《川陝革命根據地糧政史長編》（成都，四川大學出版社，1988）、匡珊吉、王亞利〈川陝革命根據地迅速建立和發展的原因〉（《社會科學研究》1985年2期）、葉心瑜〈川陝革命根據地建立和發展的原因初探〉（《黨史資料通訊》1982年18期）、周治科〈川陝革命根據地的誕生：徐向前與玄天觀會議〉（《黨史縱橫》1996年8期）、文勇〈試論川陝革命根據地創建的客觀成因〉

（《川陝蘇區歷史研究》1990年2期）、溫賢美〈川陝革命根據地綜述〉（《中共黨史資料》36輯，1990）及〈川陝根據地的建立及其地位和作用〉（《歷史知識》1981年4期）、元江〈關於川陝革命根據地的幾點考訂〉（《近代史研究》1987年3期）、劉瑞龍〈川陝革命根據地的若干歷史情況〉（《社會科學研究》1980年4期）、林超、溫賢美〈川陝革命根據地歷史的幾個問題〉（《西南師院學報》1984年3期）、徐向前〈憶創建川陝革命根據地〉（《星火燎原》1984年1期）、陳國禮等〈余洪遠同志回顧在川陝革命根據地的艱苦歲月〉（《四川黨史研究資料》1985年10期）、陳文〈認真研究和總結川陝革命根據地的歷史經驗—在川陝革命根據地歷史研究會第二次學術討論會上的講話〉（《社會科學研究》1980年4期）、元春〈川陝革命根據地建立過多少縣（市）級蘇維埃政府〉（《歷史知識》1982年12期）、元江〈對川陝革命根據地的面積、人口及創建初期幾個史實的質疑和訂正〉（《四川黨史研究資料》1985年2期）、文戈〈關於川陝革命根據地幾個史實的辨證〉（《黨史資料徵集通訊》1985年7期）、溫賢美〈川陝革命根據地史研究綜述〉（《黨史通訊》1985年6期）、文戈〈在川陝蘇區研究中幾個問題的商榷〉（《四川黨史研究資料》1985年4期）、四川大學馬列主義教研室川陝革命根據地科研組〈川陝革命根據地的研究概況和我們的設想〉（《四川大學學報叢刊》第5輯，1980年5月）、弋戈、行健〈試論黨的群眾路線在川陝蘇區的實踐〉（《成都黨史》1994年3期）、杜中〈關於川陝根據地聯合中農問題的探討〉（《川陝蘇區歷史研究》1985年1期）、溫賢美〈中美蘇維埃共和國的第二個大區域—川陝蘇區〉（《歷史知識》1981年4期）及〈川陝根據地土地革命概況〉（《四川黨史研究資料》1983年10期）、溫賢美、永向前〈川陝蘇區的土地革命〉（《社會科學研究》1979年3期）、白明高〈略述川陝蘇區的土地革命〉（《川陝蘇區歷史研究》1985年1期）、溫賢美、李文義〈川陝革命根據地經濟建設中的〝左〞傾錯誤及其危害〉（《社會科學研究》1985年3期）、趙德榮〈簡述川陝蘇區對各方面人才的培養和使用〉（《黨史研究資料》1985年5期）、元江〈淺談川陝蘇區《幹部必讀》〉（《四川文物》1989年2期）、溫賢美〈從幾件文物看川陝根據地的土地革命〉（《四川文物》1984年3期）、白明高〈淺談川陝蘇區的查田運動〉（《四川黨史研究資料》1986年8期）、張啟明〈從《紅軍公田牌》看川陝蘇區的公軍公田制〉（《四川文物》1992年3期）；〈川陝革命根據地金融大事記〉（《四川金融研究》1983年1期）、袁愈高〈川陝省蘇維埃工農銀行及該行的貨幣簡介〉（《中國錢幣》1984年1期）、劉敏〈試談川陝蘇區貨幣史況〉（《四川文物》1990年6期）及〈川陝蘇區貨幣裝飾特色探微〉（同上，1993年4期）、吳榕〈第二次國內革命戰爭時期川陝革命根據地的銀銅幣〉（《江蘇金融研究》1984年2期）、吳中亞等〈川陝革命根據地鑄幣的版別與辨偽〉（《中國錢幣》1984年2期）、葉萍〈川陝根據地的貨幣〉（《四川文物》1984年3期）、郭俊成〈川陝蘇維埃時期的特殊稅〉（《四川財政研究》1985年6期）、沈有成等〈巴中發現川陝根據地的累進稅執據和印製稅票〉（《四川文物》1987年4期）、江抗美〈略論川陝蘇區的禁煙運動〉（《南充師院學報》1984年2期）、李永森〈川陝根據地時期的青年運動〉（《青運史研究資料》1980年6期）、崔洪禮等〈川陝蘇維埃政權選舉工作初探〉（《川陝蘇區歷史研究》1990年1期）、孫天福等〈川陝革命根據地的民政工作〉（《四川黨史月刊》1989年10期）、崔洪禮〈川陝革命根據地的廉政建設〉（《重慶黨史研究資料》1994年1期）、劉蜀北〈川陝革命根據地廉政建設初探〉（《川陝蘇區歷史研究》1990年2期）；〈川陝蘇區政治宣傳的重要手段〉（《四川黨史月刊》1990年10期）、白明高〈川陝蘇區的法制建設〉（同上）、何守義〈萬源保衛戰：保衛川陝革命根據地的關鍵之戰〉（《四川文物》1985年3期）、元江〈對川陝根據地時期川軍兩次圍攻紅軍實力的訂正〉（《軍史資料》1985年10期）、元江等〈川陝蘇區後期的兩次重要軍事會議〉（《四川文物》1986年3期）、溫賢美〈川陝革命根據地的黨和四川黨的關係〉（《四川黨史研究資料》1984年1期）、王明淵〈淺談川陝蘇區黨的領導問題〉（《四川文物》1994年6期）、楊沅〈紅四方面軍在川陝時期的後勤保障工作〉（《軍史資料》1984年創刊號）；〈川陝蘇區工農群眾擁護紅軍事迹鱗爪〉（《四川檔案史料》1983年2期）、元江〈試析川陝蘇區反六路圍攻勝利的原因〉（《成都大學學報》1988年2期）、崔洪禮〈關於紅四方面軍留守川陝蘇區游擊隊的幾個問題〉（《四川黨史研究資料》1987年9期）、史占揚〈川陝革命根據地紅軍石刻〉（《革命文物》1980年2期）、江抗美〈川陝蘇區的石刻標語〉（《歷史知識》1981年3期）、王明淵〈川陝蘇區的石刻文獻〉（《四川文獻》1994年1期）、曾精明〈紅四方面軍在川陝蘇區擴紅中改編地方武裝問題淺論〉（《四川黨史月刊》1988年1期）、郭東祥〈紅四方軍在川陝蘇區的戰略措施：回顧紅軍在營山的戰鬥歷程〉（《川陝蘇區歷史研究》1990年2期）、王明淵〈川陝蘇區發展史上的里程碑〉（《四川文物》1996年3期）、范永剛〈大小金川革命根據地的建立與作用〉（同上）、徐學書〈略論大小金川革命根據地創建的歷史背景〉（同上）、李全中〈大小金川革命根據地共產黨領導的多黨合作述評〉（《西南民族學院學報》1991年5期）、今井駿〈川陝ソビェト政權の崩壞をめぐる一考察〉（《アジア經濟》23卷3號，1982年3月）、彭方成〈張國燾在川陝蘇區〉（《川陝蘇區歷史研究》1987年1期）、邵成業、張戎〈川陝蘇區的失去和張國燾的錯誤〉（收於南京軍區司令部編研室、《史學月刊》編輯部編《中國軍事史論文集》，河南大學出版社，1989）。

其他的革命根據地（蘇區）有廣東省社會科學學會聯合會等編《海陸豐革命根據地研究》（北京，人民出版社，1988）、葉左能主編《海陸豐革命根據地》（北京，中共黨史出版社，1991）、葉左能〈海陸豐革命根據地史研究綜述〉（《黨史通訊》1986年9期）及〈海陸豐革命根據地的創建和發展〉（載馬洪武主編《中國革命根據地史研究》，南京大學出版社，1992）、葉洪添〈試論海陸豐革命根據地的地位與作用〉（《惠陽師專學報》1987年1期）、佟靜〈海陸豐革命根據地失敗原因之淺見〉（《中國青年政治學院學報》1986年4期）、陳伙成〈試談海陸豐蘇區失敗的原因〉（《黨史研究資料》1986年9期）、蘇克〈海陸豐惠紫革命根據地初探〉（《廣東黨史通訊》1986年2期）、黃慰慈〈工農武裝割據的序曲－海陸惠紫革命根據地述論〉（《近代史研究》1985年3期）、楊丙昆〈中國第一個紅色政權－海陸豐蘇維埃〉（《歷史研究》1958年8期）、Fernando Galbiati, Péng P'ai, the Leader of the First Soviet: Hai-Lu-Feng, Kwangtung, China（1896-1920）.（3 Vols., Ph. D. Dissertation, Oxford University, 1981）、王文〈海陸豐蘇維埃史話〉（《中國方域》1996年1期）、沛翔〈海豐一曾經建立中國第一個工農政權的地方〉（《旅行家》1956年6期）、吳平等〈中國第一個紅色政權建立的海豐勞動銀行〉（《中國錢幣》1988年4期）、廣東省檔案館、廣東省惠陽地區稅務局編《東江革命根據地財政稅收史料選編》（廣州，廣東人民出版社，1987）、王一帆〈如何評價東江革命根據地內部肅反及其歷史教訓〉（《廣東黨史通訊》1986年3期）、蘇克〈略論東江工農武裝討蔣起義和中國第一塊蘇維埃區域的建立〉（同上，1988年3期）、陳登貴等〈試論東江革命根據地的歷史作用〉（同上，1986年8期）、陳萬安〈東江革命根據地述評〉（同上，1987年2期）、羅尚賢〈土地革命戰爭時期的東江革命根據地〉（《近代史研究》1982年4期）、楊紹棟〈試論東江革命根據地的政權建設〉（《廣東社會科學》1987年8期）、曾文〈關于東江特委成立的時間及有關文件的作者〉（《廣東黨史通訊》1986年2期）、中共廣東省委黨史研究委員會等編《大南山蘇區史料彙編：東江革命根據地潮普惠》（廣州，廣東人民出版社，1988）。江西省檔案館選編《湘贛革命根據地史料選編》（2冊，南昌，江西人民出版社，1984）、《湘贛革命根據地》黨史資料徵集協作小組編《湘贛革命根據地》（中國共產黨歷史資料叢書，北京，中共黨史資料出版社，1990）、王首道、蕭克等《回憶湘贛蘇區》（革命歷史資料叢書，南昌，江西人民出版社，1986）、湖南省財政廳編《湘贛革命根據地財政經濟史料摘編》（長沙，湖南人民出版社，1986）、羅幹華、羅賢福主編《湘贛革命根據地貨幣史》（北京，中國金融出版社，1992）、陳浮〈湘贛根據地若干問題的探討〉（《湖南黨史通訊》1985年3期）、左招祥〈湘贛革命根據地的歷史地位〉（《黨史文苑》1991年6期）、李光前、彭發生〈〝九打吉安〞對建立湘贛革命根據地的影響和作用〉（《黨史文苑》1993年4期）、吳直雄〈論九打吉安〉（《贛南師專學報》1983年1、2期）、中共永新縣委黨史辦公室〈湘贛革命根據地的建立所轄區城範圍及主要領導人的變化〉（《江西黨史研究》1988年2期）、龍順林〈湘贛省蘇區肅反問題初探〉（《湖南黨史通訊》1987年1期）、桂玉麟〈湘贛蘇區肅反鬥爭剖析〉（《江西黨史資料》1989年1期）、李祖榮〈論湘贛革命根據地在反〝圍剿〞中的地位和作用〉（《江西農業大學學報》1986年6期）、陳浮〈湘贛根據地在四次反〝圍剿〞戰爭中的歷史作用考察〉（《湖南黨史通訊》1983年3期）、冷慶滿〈湘贛蘇區第五次反〝圍剿〞時期的紅軍後勤〉（《遼寧大學學報》1989年3期）、戴仁和〈湘贛根據地發行的第一期戰爭公債一圓券〉（《中國錢幣》1986年4期）、堅毅〈湘贛革命根據地紅軍發展之概況〉（《吉安師專學報》1983年2期）、黃杜芳等〈回憶湘贛蘇區西北武裝交通大隊〉（《軍史資料》1985年4期）、朱雲謙〈紅軍北上後的湘贛蘇區〉（《江西黨史資料》22期，1992）。湘鄂贛革命根據地文獻資料編選組《湘鄂贛革命根據地回憶錄》（北京，人民出版社，1986）、湖南、湖北、江西三省檔案館等六單位合編《湘鄂贛革命根據地文獻資料（第1-3輯）》（同上，1985-1986）、湖南省社會科學院、武漢師院歷史系、宜春地區史料徵集辦公室《湘鄂贛蘇區史稿》（長沙，湖南人民出版社，1982）、林兆福主編《紅旗飄飄湘鄂贛》（北京，人民出版社，1991）、羅一群〈湘鄂贛革命根據地的建立及其特點〉（《宜春師專學報》1986年4期）；〈湘鄂贛革命根據地簡介〉（《武漢師院學報》1981年專輯）、黃科雲〈湘鄂贛革命根據地區劃及所轄縣的沿革〉（《地名知識》1984年2期）、韋廷杰〈平江起義和湘鄂贛根據地的開闢〉（《歷史教學》1979年8期）、三好章〈「平江暴動」—湘鄂贛ソビェト區成立前史〉（載《中嶋敏先生古稀記念論集》上卷，1980年12月）、周雒〈湘鄂贛蘇區概況及其潰滅〉（《共黨問題研究》2卷7期，民65年7月）及〈湘鄂贛蘇區組織工作概況〉（同上，2卷8期，民65年8月）、晏同發〈溝通湘鄂贛與湘贛蘇區的地下交通線〉（《宜春師專學報》1990年1期）、諶宗仁、黃科雲〈具有獨創性的湘鄂贛蘇區土地革命政策〉（《湖北大學學報》1986年5期）、諶宗仁〈湘鄂贛省鄂東南蘇區土地政策的考察〉（《武漢師院學報》1983年4期）、賀潔〈湘鄂贛蘇區在土地革命理論和政策方面的貢獻—兼論土地革命前期黨的富農政策的失誤〉（《湖南師大學報》1985年5期）、田丁〈值得注意的歷史經驗：湘鄂贛革命根據地財政問題初探〉（《湘南財政會計》1983年3期）、劉仁榮〈湘鄂贛革命根據地的財經鬥爭〉（《湖南師院學報》1983年2期）、周雒〈湘鄂贛蘇區圍剿經過〉（《共黨問題研究》2卷9期，民65年9月）、黃勇〈湘鄂贛蘇區的幾種合作社〉（《黨史文苑》1990年1期）、志紅〈湘鄂贛革命根據地紅軍發展之概況〉（《宜春師專學報》1981年2期）、陳廣湘〈湘鄂贛紅軍游擊隊改編時的幾個史實問題〉（《黨史研究資料》1988年12期）、袁史篤〈紅六軍團原在湘鄂贛蘇區籌建〉（《軍史資料》1987年3期）、歐陽琥〈試析湘鄂贛革命根據地發生〝六七月事件〞的原因〉（《黨史文苑》1993年3期）、申有之〈為前湘鄂贛省蘇維埃主席人名正誤〉（《湖南師院學報》1982年4期）、吳永湘《湘鄂贛人》（南昌，江西人民出版社，1978）。方志敏等《回憶閩浙贛的革命鬥爭》（南昌，江西人民出版社，1981）、藤田正典〈方志敏と閩浙贛ソヴェト區〉（《アジア研究》6卷4號，1960年4月）、閩浙贛革命根據地史稿編寫組編《閩浙贛革命根據地史稿》（南昌，江西人民出版社，1984）、江西省檔案館編《閩浙贛革命根據地史料選編》（2冊，同上，1987）、江西省財經學院經濟研究所等編《閩浙贛革命根據地財政經濟史料選編》（廈門，廈門大學出版社，1988）、李元勛〈閩浙贛革命根據地史研究綜述〉（《黨史通訊》1985年6期）、曹志全〈閩浙贛革命根據地史研究中若干問題的探討〉（《江西工業大學學報》1988年2期）、劉高楊、金頁〈閩浙贛首府－葛源〉（《爭鳴》1986年4期）、方志純〈閩浙贛省蘇維埃《工農讀本》〉（《革命文物》1982年6期）、陳群哲〈從《工農讀本》看閩浙贛蘇區的若干政策〉（《江西社會科學》1988年4期）、王重民〈閩浙贛省的紅色區域－葛源－老根據地訪問之一〉（《歷史教學》1951年12期）、吳明剛〈閩浙贛邊區在中國革命戰爭中的戰略地位〉（《福建論壇》1995年1期）、陳群哲〈閩浙贛蘇區的經濟建設述評〉（《中國社會經濟史研究》1985年2期）、陳學明〈略論閩浙贛根據地的財政建設〉（《江西黨史研究》1989年6期）、吳自權〈閩浙贛省蘇維埃銀行一角券的印製與發行考〉（《中國錢幣》1989年4期）、陳群哲〈閩浙贛蘇區的廉政建設〉（《上饒師專學報》1989年4期）、盧荻〈方志敏領導的閩浙贛蘇區政府反貪污浪費的鬥爭〉（《廣東黨史通訊》1989年4期）、周虎〈淺談閩浙（皖）贛革命根據地的白區工作〉（《黨史文苑》1992年3期）、張敏業《回憶閩浙皖贛蘇區》（南昌，江西人民出版社，1983）、方志敏、邵式平等《回憶閩浙皖贛的革命鬥爭》（同上，1981）、Kamal Sheel, Peasant Society and Marxist Intellectuals in China: Fan Zhimin and the Origin of A Revolutionary Movement in the Xinjiang Region.（Princeton, N. J.: Princeton University Press, 1989）。方志純《贛東北蘇維埃創立的歷史》（北京，人民出版社，1980）、中共橫峰縣委主編《贛東北紅區的鬥爭》（南昌，江西人民出版社，1978）、周維〈贛東北蘇區形成概況〉（《共黨問題研究》2卷11期，民65年11月）、余伯流〈贛東北革命根據地肅反問題初探〉（《社會情報與資料》1985年7-8期）、賴仁光〈贛東北革命根據地黨的建設〉（《江西社會科學》1984年1期）、牛桂雲〈贛東北革命根據地的創建及其歷史地位〉（《齊魯學刊》1983年2期）、陳學明、唐志全〈贛東北革命根據地幾個史實的考證〉（《江西大學學報》1983年2期）、章煥榮〈試論贛東北革命根據地創建的條件〉（《南昌職技師院學報》1986年1期）、羅時平〈贛東北、閩浙贛、閩浙皖贛革命根據地名稱辨析〉（《求實》1989年9期）、方志純〈憶贛東北的武裝鬥爭〉（《黨史文苑》1991年6期）、賴仁光〈贛東北根據地的法制簡介〉（《江西司法》1983年1期）、徐公喜〈贛東北根據地的土地稅〉（同上，1989年1期）、葉勤根〈淺談贛東北根據地建設中的幾個問題〉（《黨史資料叢刊》1981年2輯）、徐公喜〈贛東北蘇維埃政權建設的經驗教訓〉（《上饒師專學報》1996年4期）、唐仁基〈贛東北革命根據地體育史略〉（同上）、汪義生〈贛東北蘇區婦女解放運動初探〉（同上，1987年2期）、劉峰〈試論中共江西省與贛東北革命根據地的關係〉（《黨史文苑》1990年5期）、湯勤福〈關於贛東北兵工廠的幾個問題〉（《上饒師專學報》1984

年4期)、胡華愛〈論贛東北革命根據地黨的作風建設〉(《江西大學學報》1993年1期)、汪義生〈贛東北蘇區教育事業述評〉(《上饒師專學報》1986年2期)、王知一〈回憶贛東北根據地教育一訪方志純同志〉(《江西教育》1982年2期)、吳稚航〈贛東北蘇區的群眾文化工作〉(《上饒師專學報》1985年3期)、汪義生〈贛東北蘇區文學概觀〉(同上,1985年1期)、徐戈生、陳家鵬〈方志敏和贛東北蘇區的群眾文藝〉(《江西社會科學》1988年4期)。章克昌〈贛西南革命根據地的建立及範圍初探〉(《江西大學學報》1985年2期)、劉受初〈贛西南革命根據地的建立和發展〉(《吉安師專學報》1994年3期)、吳方寧〈論贛西南黨對創建中央革命根據地的歷史貢獻〉(《求實》1989年9期)及〈贛西南黨的歷史功勛應當肯定一為贛西南黨辨誣〉(《江西黨史研究》1989年4期)、陳道源〈〃二七〃會議反對贛西南黨內錯誤傾向的鬥爭〉(《江西師大學報》1984年2期)、鄧啟沛〈秋收起義以前方志敏在贛西南革命鬥爭述評〉(《萍鄉教育學院學報》1987年1期)、閩贛根據地專題協作小組〈閩贛革命根據地的建立及其鬥爭〉(《福建黨史通訊》1985年12期)、林天乙〈閩粵贛邊革命根據地的建立及其鬥爭情況〉(《福建黨史月刊》1988年8、9期)、吳健民〈閩粵贛邊區鬥爭歷史經驗初探〉(《廣東黨史》1991年3期)、羅梅騰〈閩粵贛蘇區與中央蘇區的密切關係〉(《黨史文苑》1990年2期)、吳錦榮〈論建立閩粵贛蘇區的設想未能實現的歷史原因:兼與羅梅騰同志商榷〉(《福建黨史月刊》1990年6期)、羅梅騰〈論閩粵贛蘇區的創建及其貢獻〉(《中共黨史研究》1992年5期)、〈閩粵贛蘇區的歷史貢獻〉(《廣東黨史》1991年3期)、

〈閩贛蘇區軍事鬥爭史略〉（《軍事歷史》1990年2期）及〈閩粵贛蘇區應載入史冊〉（《中共黨史通訊》1990年2期）、孔永松《閩粵贛邊區財政經濟簡史》（廈門，廈門大學出版社，1988）、繆慈潮〈試論閩東蘇區的歷史地位〉（《寧德師專學報》1984年1期）、牟廣欽等〈第二次國內革命戰爭時期閩東蘇區的武裝鬥爭〉（同上）、葉飛〈閩東一最後建立的蘇區〉（《縱橫》1986年3、4期）、中共寧德地委黨史資料徵集委員會〈閩東革命根據地的建立及其鬥爭情況〉（《福建黨史通訊》1986年2期）、黃河清等〈閩東蘇區革命形成高潮原因淺析〉（《寧德師專學報》1988年1期）、鍾思斌〈閩東番族人民對閩東蘇區革命鬥爭的重大貢獻〉（《中南民族學院學報》1989年2期）、陳傳興〈閩東土地革命高潮原因初探〉（《福建黨史通訊》1986年7期）、林戩〈閩東紀行〉（同上，1986年2期）、韓世瑞等〈閩東游擊區的衛生工作〉（《黨史資料與研究》1986年2期）、蘇翔華〈論閩東北蘇區的土地革命〉（《福建黨史通訊》1987年4期）、中共建陽地委黨史辦公室〈閩北革命根據地的建立及其鬥爭情況〉（同上，1985年11期）、馬照南〈崇安浦城暴動與閩北革命根據地的創立〉（《黨史研究》1981年6期）、張金錠〈閩北蘇區金融史略〉（《福建黨史月刊》1988年12期）、朱用亞〈第五次反〝圍剿〞期間閩北蘇區歸屬問題再考：兼與陳詩惇、吳其樂、楊子耀同志商榷〉（《福建黨史月刊》1989年11期）、陳詩惇、吳其樂〈第五次反〝圍剿〞期間閩北蘇區歸屬考〉（同上，1988年2期）、林平、鄭運鎮編《閩北、閩南、閩東革命根據地舊址》（北京，文物出版社，1986）、洪椰子〈憶閩南老根據地的衣食住行〉（《福建黨史月刊》1990年2期）、蔡國耀〈閩中游擊區形成的特點〉（《黨史研究與教學》1992年4期）、謹言、蔣江〈福建革命根據地貨幣新證〉（《福州大學學報》1994年1期）、邱松慶〈略論土地革命時期福建蘇區的婦女運動〉（《福建黨史月刊》1988年5期）；《福建老根據地人民鬥爭故事》（福州，福建人民出版社，1956）、曾一石〈試論閩南革命根據地的形成及其特點〉（《福建黨史月刊》1990年10期）。蔡康志主編《鄂豫邊區革命史》（鄭州，河南人民出版社，1993）、譚克繩〈鄂豫邊革命根據地的創立〉（《華中師院學報》1980年4期）、姬少華〈鄂豫邊區政權建設的若干歷史經驗〉（《河南黨史研究》1991年2期）、馮祖瓊〈鄂豫邊區紅色政權的創建〉（《鄭州大學學報》1988年1期）、侯德範〈試論鄂豫邊〝工農武裝割據〞〉（同上，1992年4期）、郭金雲〈鄂豫邊區第一個縣級政權創建及其發展的地理和經濟條件〉（《地方革命史研究》1989年3期）、佟靜〈關於鄂豫根據地一次軍事行動方針問題的爭論〉（《黨史研究資料》1983年1期）、任放〈試論鄂豫邊黨組織〝工農武裝割據〞思想的形成〉（《江漢大學學報》1984年1期）、趙時玉〈鄂豫邊區人民是怎樣走上工農武裝革命道路的〉（《南充師院學報》1984年 3期）、歐陽植梁〈鄂豫邊區革命根據地土地政策淺析〉（《湖北黨史訊通》1985年4期）、羅桂芬〈鄂豫邊區的黨創立和發展人民武裝的經驗初探〉（《地方革命史研究》1986年2期）、鄂豫邊區革命史編輯室編《戰鬥在鄂豫邊區》（2冊，武漢，湖北人民出版社，1980-1981）、王鍋〈鄂豫邊、豫東南革命根據地三次反〝會剿〞淺析〉（《地方革命史研究》1987年1期）、王廷杰〈鄂豫邊區的整風運動〉（《湖北黨史通訊》1985年2期）、鄭峰〈鄂豫邊區根據地整風運動經驗初探〉（《武漢大學學報》1982年5期）、李學健〈中共鄂豫邊黨艱苦年代創業紀實〉（《革命史資料》1982年8輯）、黃陂縣黨史辦〈木蘭山一鄂豫邊工農紅軍的搖籃〉（《軍事歷史》1995年2期）、趙子禹〈鄂豫邊區建設銀行與邊區經濟建設〉（《武漢大學學報》1985年3期）、李楚芬〈試述史沫特萊對鄂豫邊區的熱情訪問〉（《河南黨史研究》1991年5、6期）。吳德志〈論鄂北蘇區的土地革命〉（《地方革命史研究》1992年6期）、忠勇、保明〈鄂北蘇區是中共中央領導下的獨立根據地〉（《社科研究》1994年3期）。中共陝西省委黨史研究室等《鄂豫陝革命根據地史略》（北京，中共黨史出版社，1992）、李文實主編《中原解放軍北路突圍與鄂豫陝革命根據地》（2冊，同上）、江抗美〈鄂豫陝革命根據地的創建及其歷史作用〉（《湖北黨史通訊》1987年1期）、李文實等〈鄂豫陝革命根據地史研究綜述〉（《黨史通訊》1986年6期）、李文實等〈紅25軍長征與鄂豫陝蘇區的創立〉（《地方革命史研究》1986年5期）、趙凌雲〈李先念在鄂豫陝邊區的軍事指揮藝術〉（《黨史文匯》1992年9期）、李文實〈鄂豫陝革命根據地存在的原因和發展的條件〉（《理論導刊》1993年1期）。《湘鄂川黔革命根據地史稿》編寫組編《湘鄂川黔革命根據地史稿》（長沙，湖南人民出版社，1985）、《湘鄂川黔革命根據地》編輯組編《湘鄂川黔革命根據地》（北京，中共黨史資料出版社，1989）、劉仁民等〈湘鄂川黔革命根據地史研究綜述〉（《黨史通訊》1984年12期）、董有剛〈論湘鄂川黔革命根據地的形成和發展〉（《貴州社會科學》1985年1期）、步雲〈湘鄂川黔革命根據地的創建〉（《邵陽師專學報》1987年3期）、向同倫〈談湘鄂川黔革命根據地的開創時間〉（《四川黨史月刊》

1990年11期）、侯先祥〈湘鄂川黔革命根據地黨的工商貿易政策及其作用〉（《求索》1993年1期）、趙強等〈湘鄂川黔革命根據地的區域沿革〉（《地名知識》1984年6期）、戴柏漢〈關於湘鄂川黔根據地的幾個問題〉（《黨史研究》1986年1期）、武漢市檔案館編《湘鄂川黔根據地紅軍戰況史料》（《歷史檔案》1989年1期）、張曉〈湘鄂川黔革命根據地黨的民族工作的重要意義〉（《地方革命史研究》1989年1期）、胡飛揚〈川鄂湘黔邊神兵運動之發展初探〉（《天府新論》1987年4期）、柏貴喜〈現代鄂川黔湘邊區的神兵運動〉（《中南民族學院學報》1995年6期）、羅維慶〈湘鄂川黔革命根據地黨的民族工作〉（《吉首大學學報》1986年1期）、聶祖海〈任弼時對湘鄂川黔革命根據地黨的建設的貢獻〉（同上，1987年4期）、中國人民革命軍事博物館編、地圖出版社編繪《湘鄂川黔革命根據地鬥爭形勢圖（1934.10-1935.11）》（北京，地圖出版社，1980）、中共四川省涪陵地委黨史工委編《賀龍在川東南》（北京，解放軍出版社，1988）、沈德海〈初論黔東革命根據地的建立〉（《貴陽師院學報》1981年4期）、唐承德、楊勝章〈黔東革命根據地史研究綜述〉（《貴州師大學報》1987年1期）、唐承德〈關於黔東革命根據地史的研究〉（《黨史研究與教學》1992年5期）、何修瓊〈共產國際與黔東革命根據地〉（《貴州師大學報》1993年4期）、劉樹發〈賀龍領導創建黔東特區革命根據地的概況〉（《歷史教學》1985年4期）、王慶瀾〈紅三軍和黔東特區〉（《貴州文史叢刊》1982年3期）、田永紅〈黔東神兵起義與黔東特區的建立〉（《貴州民族研究》1992年3期）、葉方明、朱漢〈論黔東蘇區的查田分田運動〉（《成都黨史》1994年3期）、景平〈黔東蘇區考略〉（《地名知識》1984年6期）、陳國安〈黔東特區的建立及其歷史地位和影響：紀念黔東特區建立60周年〉（《貴州民族研究》1994年3期）。海南財政經濟史編寫組編著《瓊崖革命根據地財政經濟史》（北京，中國財政經濟出版社，1988）、陳永階〈瓊崖革命根據地鬥爭史概述〉（《中山大學學報》1982年4期）、毛平〈瓊崖革命根據地史研究綜述〉（《黨史通訊》1985年11期）、邢治孔〈對海南革命根據地二十三年紅旗不倒的初步探討〉（載《（1981-1992）中共黨史研究優秀論文選》，北京，中共黨史出版社，1992）、邢治孔〈瓊崖蘇維埃政府成立問題考證〉（《廣東黨史通訊》1987年6期）、陵水縣委黨史辦〈陵水起義和瓊崖第一個蘇維埃政府〉（同上，1985年6期）、楊清等〈廣東少數民族地區第一個紅色政權─海南島陵水縣蘇維埃政府〉（《廣東民族學院學報》1981年1期）、周卉〈生死與共休戚相關─論瓊崖蘇區黨群關係密切的主因〉（《海南師院學報》1994年1期）及〈土地革命戰爭時期瓊崖蘇區的財政建設及其歷史經驗初探〉（《海南大學學報》1993年4期）、陳永階、李國榮〈試論瓊崖革命根據地早期的土地革命鬥爭〉（同上，1984年2期）、陳紅軍〈百折不撓，紅旗不倒─中共瓊崖特委、瓊崖蘇維埃部分鬥爭史〉（《黨史研究》1980年5期）、陳植繼、符永雄〈淺談大革命後中共瓊崖特委對革命道路的探索〉（《廣東教育學院學報》1987年5期）、韋經照〈三次〝左傾〞錯誤對瓊崖武裝鬥爭的影響〉（《海南師院學報》1991年3期）、邢谷宜等〈知識分子在瓊崖早期革命鬥爭中的歷史作用〉（《海南大學學報》1986年3期）、符鷹海〈二戰時期瓊崖婦女的革命運動〉（《廣東黨史通訊》1986年2期）、邢關英〈黎族人民與五指山區中心革命根據地〉（《中央民族學院學報》1988年6期）、葉文益〈五指山革命根據地的建立及其作用〉（同上，1987年2期）。李燚勝、楊楓〈關於鄂東南蘇區銀行及其貨幣的幾個問題〉（《中國錢幣》1993年2期）、洪殿祥〈鄂東南蘇區的土地革命運動〉（《黄岡師專學報》1987年2期）、張浩平、李金葆《彭德懷在鄂東南》（北京，解放軍出版社，1985）、方步舟〈1931至1936年的鄂東南蘇區〉（《軍史資料》1985年8期）、周法浩〈鄂東南蘇區的形成與發展〉（《地方革命史研究》1988年3、4期）。嚴文田〈洞庭特區在湘鄂兩根據地的地位和作用初探〉（同上，1989年1期）、胡孝生〈湘北特委和湘北革命根據地簡介〉（《湖南黨史通訊》1985年12期）、胡濟民〈淺談湘鄂邊革命根據地的創立〉（《湖北民族學院學報》1994年3期）。楊子耀〈方志敏式的根據地向前發展的一個重要策略〉（《江西社會科學》1981年3期）、李元勛等〈從弋横暴動看方志敏式工農武裝割據道路的形成〉（《黨史研究》1980年3期）、唐志全〈方志敏式革命根據地特點之我見〉（《爭鳴》1982年4期）、匡萃堅〈何謂〝方志敏〞式？—與唐志全同志商榷〉（同上，1983年2期）、王永春、陳芷遐〈《方志敏式》的革命根據地〉（《毛澤東思想研究》1988年1期）、方志純〈論〝方志敏式〞根據地〉（《爭鳴》1988年4期）、吳大行〈淺議〝方志敏式〞根據地的黨的建設〉（《黨史文苑》1994年3期）。許祖範〈皖西北蘇區經濟建設概述〉（《安徽黨史研究》1990年2期）、吳籌中、金誠〈皖西北蘇區銅幣版式的探述〉（《中國錢幣》1986年2期）、王志懷、舒壽仁〈皖西蘇區的列寧小學〉（《安徽史學》1985年1期）、陳忠貞等〈皖西武裝割據形式的探討〉（《江淮論壇》1982年4期）、方志炎〈皖西革命根據地的財經金融與貨幣發行〉（《安徽金融研究》1988年增刊3期）、童天星〈豫皖蘇邊區摩擦事件述略〉（《安慶師院學報》1987年3期）、馮文綱等編《豫皖蘇邊文獻資料選編》（鄭州，河南人民出版社，1986）、郭曉平〈豫皖蘇解放區的建立與發展〉（《軍事資料》1989年2期）、徐修宜〈對豫東南蘇區幾個重要問題的商榷與探討〉（《阜陽師院學報》1996年3期）、楊尚奎《紅色贛粵邊》（北京，作家出版社，1959）、趙增廷〈粵贛邊和閩西游擊區的農民土地鬥爭〉（《江西社會科學》1986年2期）、鄭丹甫〈回憶閩浙邊根據地的鬥爭〉（《浙南革命鬥爭史資料》1983年16期）及〈閩浙邊根據地的創建與發展〉（《福建黨史通訊》1985年2期）、繆慈潮〈中共閩浙邊臨時省委的建立及其主要革命活動〉（《黨史資料與研究》1987年3期）及〈也談閩浙邊臨時省委成立的問題〉（《福建黨史通訊》1987年6期）、任曼君〈憶閩浙邊區〝青訓班〞〉（同上，1986年4期）、程學仲〈關於閩贛邊特委問題的考證〉（同上，1987年2期）、蕭贊潤〈淺議皖贛邊蘇區的歷史地位〉（《求實》1996年2期）、陳揚〈歷史上中共閩粵邊區特委是怎樣抓好黨建工作的〉（《黨史研究與教學》1991年6期）、沈慶鴻、楊龍〈〝東井岡〞東固革命根據地〉（《爭鳴》1988年4期）、邱松慶〈略論閩粵邊區的肅反問題〉（《福建黨史通訊》1986年1期）、劉寶聯〈上杭蘇維埃政權的機關改革〉（同上，1986年8期）、楊顏桐、吳其樂〈論閩北蘇區法制〉（《福建黨史月刊》1991年11期）。陳榮華〈略談東固革命根據地的創建〉（《江西大學學報》1979年3期）、夏道漢〈簡論東固革命根據地的建立及其歷史作用〉（《求實》1988年10期）、趙敏

〈〝李文林式〞東固革命根據地的特點及其歷史作用〉（《江西黨史研究》1988年2期）、夏宏根〈必須確立東固革命根據地的歷史地位〉（《江西社會科學》1988年5期）、洪創斌〈第一個蘇區銀行東固平民銀行〉（《江西黨史研究》1988年6期）、唐濤〈略談東固革命根據地的經濟政策〉（《吉安師專學報》1994年3期）、江西省弋陽縣縣志編纂委員會編《弋陽蘇區志》（上海，三聯書店上海分店，1989）、江西省靖安縣史志辦公室編《靖安縣革命根據地戰鬥歷程》（南海出版公司，1990）、黃振位〈試論廣東革命根據地的建立〉（《廣東社會科學》1987年3期）、黃慰慈〈廣東第一塊農村革命根據地的建立〉（《中學歷史教學》1983年2期）、廖經天〈九龍嶂武裝鬥爭根據地與梅南蘇維埃土地革命〉（《廣東黨史通訊》1986年4期）、魏賞思等〈第二次國內革命戰爭時期的東江八分山根據地〉（《汕頭大學學報》1987年4期）、中共廣寧縣委黨史辦公室〈廣寧縣蘇維埃政府的建立〉（《廣東黨史通訊》1988年4期）、王一帆等〈潮澄饒澳蘇區的鬥爭特點和經驗〉（同上，1987年2期）、朱世學〈土地革命戰爭時期鶴峰蘇區的文化建設述略〉（《中南民族學院學報》1993年4期）、徐先佑等〈淺談巴歸興革命根據地的興衰〉（《湖北黨史通訊》1987年1期）、莫鴻瑞〈新隆蘇維埃政府的再考證〉（《玉林師專學報》1985年3期）及〈對新隆蘇維埃政府的調查和探索〉（《廣西黨史研究通訊》1986年3期）、黃素坤〈平南縣勞五區蘇維埃政府事實考〉（《玉林師專學報》1983年1期）、溫振錦等〈崇安蘇區政權建設的主要經驗〉（《黨史文匯》1990年8期）、陳列菊〈耒陽工農兵蘇維埃政府勞動券〉（《湖南黨史通訊》1985年8期）、李俊伯〈對平江蘇維埃財政的初探〉（《湖南財政會計》1982年11-12期）及〈淺談蘇維埃財政：平江縣蘇維埃財政史料調查〉（《財政研究資料》81期，1982）、林華東〈簡述寧清歸蘇區的形成與發展〉（《黨史資料與研究》1986年3期）、李萬成〈寧清歸蘇區及其歷史地位和作用〉（《福建黨史通訊》1986年9期）、黃平〈中共滇西北地區建立根據地概況〉（《雲南現代史研究資料》1980年2輯）、陳集忍〈中央紅軍爭取創建川滇黔邊區的歷史過程〉（《貴州史學叢刊》1985年2輯）、本書編寫組編《中國工農紅軍川滇黔邊區游擊縱隊鬥爭史》（昆明，雲南人民出版社，1986）。王玉斌等〈華北第一個紅色政權：阜平蘇維埃〉（《黨史資料通訊》1987年2期）、欒英、楊伯予〈紅24軍的誕生和阜平蘇維埃政權的建立〉（《山西大學學報》1984年2期）、韓宗德〈光山縣蘇維埃政權的建立與發展〉（《信陽師院學報》1985年1期）、陳士農、林浣芬〈具有地方特點的工農武裝割據政策—柴山保根據地的開闢初探〉（《河南師大學報》1981年1期）。張宏志〈陝北根據地概述〉（《地名知識》1985年2期）、崔田民〈陝北革命根據地的發展和粉碎國民黨的一、二、三次〝圍剿〞〉（《中共黨史資料》1982年4期）、李忠全、胡民新〈陝甘革命根據地史研究綜述〉（《黨史研究》1986年3期）、趙平等〈陝甘革命根據地的創建與發展〉（《軍史資料》1986年2期）、陝甘省檔案館〈陝北陝甘邊根據地紅軍活動史料選〉（《歷史檔案》1986年4期）、郝玉屏等〈紅軍在甘肅建立蘇維埃政權述論〉（《社會科學（甘肅）》1988年1期）、鄭子文〈南梁革命根據地創建紀實〉（同上，1985年1期）、高文編寫《南梁史話》（蘭州，甘肅人民出版社，1984），敍述劉志丹等創建陝甘紅軍，創建以南梁為中心的陝甘邊革命根據地，從事根據地建設的歷程；潘富盈〈試論西北革命根據地的形成及其歷史地位〉（《《西北師院學報》1985年1期）、葉頊〈西北革命根據地創建的特點〉（《社會科學（甘肅）》1989年6期）、王晉林〈西北革命根據地三次反〝圍剿〞鬥爭及歷史經驗〉（《理論學習》1985年4期）、吳志淵《西北根據地的歷史地位》（長沙，湖南出版社，1991）、瞿雲錦〈西北第一個山區革命根據地—照金〉（《中學歷史教學參考》1982年4期）、馬文瑞〈可貴的精神支柱：紀念陝甘邊照金革命根據地創建六十周年〉（《求實》1993年5期）。Paul Clark, "Changsha in the 1930 Red Army Occupation."（Modern China, Vol.7, No.4, October 1981）。

3.五次圍剿與反圍剿

民國十九年（1930）至二十三年（1934），國民政府以中共中央蘇區為首要目標，一共發動五次的軍事圍剿行動。綜合論述這五次圍剿、反圍剿及其相關問題的有贛粵閩鄂湘北路剿匪軍第三路軍總指揮部參謀處《五次圍剿戰史》（2冊，臺北，中華民國開國五十年文獻編纂委員會重印，民57）、鄧文儀編《剿匪文獻（第1輯第1-3卷）》（3冊，中國文化學會，民23）、陶之益等《剿匪殷鑑》（民23年印行）、江西各界追悼陣亡將士籌備會編印《江西剿匪史料》（民24年印行）、耿若天《中國剿匪戡亂史研究》（龍潭，陸軍總司令部，民61）、國防部史政局編《中華民國戰役大事紀要：剿匪戰役》（臺北，編者印行，民51）及《國民革命六大戰役輯要：剿匪戰役》（同上，民50）、國防部史政編譯局編《剿匪戰役大事紀要》（臺北，編者印行，民73）、空軍總司令部情報署編《空軍戰史紀要初稿：剿匪戰史》（臺北，編者印行，民54）、薛岳《剿匪紀實》（民26年刊行，臺北，文星書店影印，民51）、Táng Leang-li, Suppressing Communist Bandits in China.（Shanghai: China United Press, 1934）、國防部史政局編《剿匪戰史》（臺北，中華大典編印會，民56）、王多年總纂《國民革命戰史第四部：反共戡亂·上篇—剿匪第1-5卷》（5冊，臺北，黎明文化出版公司，民71）、張秉均《中國現代歷次重要戰役之研究：剿匪戰役述評》（2冊，臺北，國防部史政編譯局，民72）、容鑑光〈剿匪戰役之研究〉（《近代中國》65期，民77年6月）、Frederick V. Field, "The Recent Anti-Communist Compaign in China."（Far Eastern Survey, Vol.4, No.16, August 1935）、胡璞玉〈從內外線作戰談江西剿匪〉（載《史政學術講演專輯㈠》，臺北，國防部史政編譯局，民73年4月）、張明凱〈江西剿匪政治作戰的成功〉（《戰史彙刊》第7期，民64）、魏德森著、賴晉智譯〈江西剿匪之檢討〉（同上，創刊號，民58）、曾振〈江西五次剿共匪戰術之研究〉（同上，第2期，民59）、廣東省檔案館〈國民黨〝圍剿〞我中央根據地紅軍史料〉（《歷史檔案》1987年4期）、施哲雄〈五次圍剿與遵義會議〉（《東亞季刊》13卷3、4期，民71年1、4月）；中國人民解放軍歷史資料叢書編審會編《紅軍〝反圍剿〞：回憶史料》（北京，解放軍出版社，1994）、復旦大學歷史系中國現代史教研組編《中央紅軍五次反〝圍剿〞資料選編》（上海，復旦學報（社會科學版）編輯部，1979）、劉仲林《中國工農紅軍的反〝圍剿〞戰爭》（哈爾濱，黑龍江人民出版社，1985）、中共中央委員會編《粉碎五次〝圍剿〞為蘇維埃中國而鬥爭》（中華書店，民22）、李安葆、吳榮宣《紅軍五次反〝圍剿〞史話》（貴陽，貴州人民出版社，1981）、張國新〈是五次反〝圍剿〞還是六次反〝圍剿〞？〉（《爭鳴》1988年3期）、劉受初〈反〝圍剿〞戰爭中的中央蘇區人民〉（《吉安師專學報》1994年5期）及〈中央蘇區反〝圍剿〞戰爭的後勤保障〉（同上，1995年1期）、宋維〈中央蘇區第一至五次反〝圍剿〞繳槍考〉（《江西黨史研究》1988年3期）、William Wei, The KMT in Kiangsi：the Suppression of the Communist Bases, 1930-1934.（Ph. D. Dissertation, The University of Michigan- Ann Arbor, 1978）、涂克明〈湘鄂西蘇區的反〝圍剿〞鬥爭〉（《黨的文獻》1992年3期）、李祖榮〈論湘贛革命根據地在反〝圍剿〞中的地位和作用〉（《江西農業大學學報》1986年6期）、馬修毅〈紅軍在反〝圍剿〞戰鬥中的無線電偵察〉（《歷史大觀園》1992年8期）。

分別論述各次圍剿、反圍剿及其相關問題的有寧都縣革命歷史紀念館等《第一次反圍剿（故事集）》（南昌，江西人民出版社，1978）、中國人民革命軍事博物館編《中央革命根據地第一次反〝圍剿〞要圖（1930.11-1931.1）》（北京，地圖出版社，1980）、索世暉等〈中央根據地反第一次〝圍剿〞概述〉（《江西社會科學》1983年6期）、李志民〈第一次反〝圍剿〞〉（《黨史研究與教學》1992年2期）、馮都〈國民黨軍第一次〝圍剿〞中央蘇區紀略〉（《江西文史資料選輯》14輯，1981年9月）及〈第一次反〝圍剿〞十個問題考辨〉（《爭鳴》1985年1期）、熊長耕〈中央蘇區第一次反〝圍剿〞學術座談會綜述〉（《黨史文苑》1990年6期）、熊長耕、馮都、劉仁生〈中央蘇區第一次反〝圍剿〞〉（《中央蘇區第一次反〝圍剿〞》1991年17期）、陳立明〈試論中央根據地軍民的第一次反〝圍剿〞〉（同上）、熊長耕〈略論中央蘇區第一次反〝圍剿〞戰役在紅軍戰爭史上的地位〉（同上）、何友良〈慎重初戰原則在第一次反〝圍剿〞中的提出和運用〉（《江西社會科學》1981年5-6期）、蕭甡〈中央蘇區第一次反〝圍剿〞時間考〉（《黨史研究資料》1984年2期）、張廷貴〈各革命根據地的第一次反〝圍剿〞的勝利經驗〉（《黨史資料與研究》1986年2期）、林戩〈中央革命根據地第一次反〝圍剿〞戰爭紀實〉（《福建黨史月刊》1988年10期）、吳榮宣〈第一次反〝圍剿〞和紅軍戰略戰術原則的形成〉（《電大文科園地》1983年4期）、高田甲子太郎〈毛澤東戰略思想の源流一江西第一次反包圍討伐戰役の推移〉（《軍事史學》15卷1、2號，1979）、閻景堂〈鄂豫皖紅軍第一、二、三次反〝圍剿〞淺析〉（《近代史研究》）；《第二次反圍剿故事集》編寫組《第二次反圍剿（故事集）》（南昌，江西人民出版社，1979）、中國人民革命軍事博物館編《中央革命根據地第二次反〝圍剿〞要圖（1931.3-1931.5）》（北京，地圖出版社，1980）、中共吉安縣委黨史工作辦公室〈中央蘇區第二次反〝圍剿〞〉（《中央蘇區第二次反〝圍剿〞》1991年18期）、林戩〈中央蘇區第二次反〝圍剿〞戰爭紀實〉（《福建黨史月刊》1990年7期）、楊龍〈第二次反〝圍剿〞若干史實考證〉（《吉安師專學報》1986年4期）、向陽〈工農紅軍第二次反〝圍剿〞的勝利〉（《江西社會科學》1981年2期）、王勤〈〝橫掃千軍如捲席〞：中央蘇區第二次反〝圍剿〞首戰告捷闡秘〉（《黨史文苑》1991年5期）、黃少群〈對中央蘇區第二、三次反〝圍剿〞戰爭的幾點新議〉（《中共黨史研究》1989年4期）、商濤〈怎樣評價中央蘇區第二、三次反〝圍剿〞戰爭的勝利—與黃少群商榷〉（同上，1990年3期）、劉治鎰等《國民革命戰史：江西第三次剿匪戰史研究》（臺北，三軍大學戰爭學院兵學研究所，民74）、耿若天〈戰史講座第13講—（剿匪戰史）江西第三次圍剿〉（《陸軍學術月刊》5卷41期，民58年2月）、中國人民革命軍事博物館編《中央革命根據地第三次反〝圍剿〞要圖（1931.7-1931.9）》（北京，地圖出版社，1980）、中國革命博物館〈中央根據地第三次反〝圍剿〞示意圖〉（《歷史教學》1982年3期）、林戩〈中央蘇區第三次反〝圍剿〞戰爭紀實〉（《福建黨史月刊》1990年12期）、鍾山、方新〈第三次反〝圍剿〞始末〉（《江西農業大學學報》1982年增刊）、史鋒〈紅軍第三次反〝圍剿〞〉（《學習與批判》1975年8期）、李志明〈第三次反〝圍剿〞〉（《黨史研究與教學》1992年4期）、徐松林〈憶第三次反〝圍剿〞〉（《解放軍文藝》1959年9期）、勁松〈一篇記述第三次反〝圍剿〞的長歌〉（《文物天地》1981年1期）、慕伊〈紅軍怎樣粉碎第三次〝圍剿〞〉（《新觀察》1卷3期，1950年8月）、郭化若〈粉碎蔣介石親自指揮的第三次〝圍剿〞—毛主席偉大革命實踐回憶之三〉（《黨史研究》1979年9期）、張廷貴〈紅四方面軍第三次〝圍剿〞戰爭的經驗〉（《黨史研究》1983年4期）、胡玉春等〈中央蘇區第三次反〝圍剿〞大事記〉（《江西黨史資料》1992年19期）、馮都〈關於國民黨軍三次〝圍剿〞中央蘇區若干史實的考證〉（《黨史研究》1986年5期）、蕭牲〈中央蘇區第三次反〝圍剿〞〉（《黨史教學》1984年5期）、中共興國縣委黨史工作辦公室〈中央蘇區第三次反〝圍剿〞〉（《江西黨史資料》1991年19期）、凌步機、彭業明〈中央蘇區第三次反〝圍剿〞後圍繞〝打土圍子〞的是非之爭〉（《黨史研究資料》1990年7期）；〈毛澤東論第三次反〝圍剿〞〉（《江西黨史資料》1991年19期）、李穎〈毛澤東的軍事謀略與紅軍三次反〝圍剿〞的勝利〉（《牡丹江師院學報》1994年1期）、彭希林〈鄂豫皖蘇區第三次反〝圍剿〞鬥爭的指導問題〉（《江漢論壇》1984年4期）、歐致富〈紅七軍在第三、四次反〝圍剿〞中〉（《學術論壇》1982年2期）；耿若天〈戰史講座第14講—剿匪戰史江西第四次圍剿〉（《陸軍學術月刊》5卷42期，民58年3月）、韓榮璋等〈中央蘇區第四次反〝圍剿〞戰爭始末〉（《歷史研究》1981年4期）、鄭學風〈中央蘇區的第四次反〝圍剿〞戰爭〉（《近代史研究》1981年2期）、鄭學風、黃少群〈中央蘇區第四次反〝圍剿〞是怎樣取得勝利的？〉（《黨史研究》1980年4期）、韋木等〈中央蘇區第四次反〝圍剿〞戰爭一些史實問題—兼與鄭學風黃少群同志商榷〉（《黨史研究資料》1980年12期）、鄭學風、黃少群〈關於中央蘇區第四次反〝圍剿〞戰爭幾個問題的討論—答韋木、蕭裕聲、杜魏華同志〉（同上，1981年5期）、陳光榮〈中央紅軍在粉碎敵人第四次〝圍剿〞前進軍贛東的幾次戰爭〉（《華東地質學院學報》1953年專輯）、黃允升〈第四次反〝圍剿〞偉大勝利的總結〉（《群衆》1983年19期）、梅紹裘〈紅一方面軍第四次反〝圍剿〞紀事〉（《爭鳴》1984年1期）、聶榮臻〈反第四次〝圍剿〞〉（《星火燎原》1983年2期）、黃見秋、楊淑娟〈第四次反〝圍剿〞戰爭〉（《中學歷史教學》1981年3期）、徐克茂、劉智勛〈第四次反〝圍剿〞勝利的先聲—黃獅渡滸灣戰役紀實〉（《黨史文苑》1993年1期）；《蘇區中央局關於在粉碎敵人四次〝圍剿〞的決戰面前黨的緊急任務決議》的成文時間〉(《黨史研究》1985年5期)、劉太運〈從第四次反〝圍剿〞看毛澤東、周恩來等同志對左傾錯誤思想的抵制〉(《山東省教育學院學報》1986年1期)、李井〈毛澤東〝誘敵深入〞的戰略方針與中央蘇區第四次反〝圍剿〞鬥爭〉(《毛澤東軍事思想研究》1993年3期)及〈毛澤東〝誘敵深入〞的戰略方針與中央蘇區第四次反〝圍剿〞的勝利〉(《毛澤東思想研究》1995年3期)、黃少群〈重評毛澤東同志對第四次反〝圍剿〞戰爭的重要貢獻〉(《上饒師專學報》1982年1期)、湯靜濤〈周恩來運動戰思想與第四次反〝圍剿〞偉大勝利〉(《黨史文苑》1995年5期)、蕭友〈周恩來關於《第四次粉碎〝圍剿〞的電報》〉(《南京大學學報》1981年2期)、葉志茹〈第四次反〝圍剿〞的英明指揮者—讀《周恩來選集》上卷中的有關電報〉(《河北大學學報》1981年2期)、杜魏華〈周恩來同志在第四次反〝圍剿〞中的兩份電報〉(《革命文物》1980年5期)、孫有才〈周恩來與第四次反〝圍剿〞的勝利〉(《遼寧師院學報》1982年4期)、李井〈周恩來與中央蘇區第四次反〝圍剿〞的勝利〉(《毛澤東軍事思想研究》1996年1期)、周聲柱等〈四破鐵圍奇中奇—緬懷周恩來、朱德同志在反第四次〝圍剿〞中的光輝業績〉(《江西師院學報》1979年2期)、胡松〈試論朱德對中央蘇區第四次反〝圍剿〞勝利的重大貢獻〉(《中共黨史研究》1996年3期)、徐則浩〈王稼祥在第四次反〝圍剿〞中負傷的前後〉(《江淮論壇》1988年3期)、鄭德榮、何榮棣〈寧都會議與中央蘇區第四次反〝圍剿〞的軍事方針〉(《黨史資料通訊》1982年8期)、張榮華、王德新〈紅四方面軍第四次反〝圍剿〞失利的原因〉(《河南黨史研究》1991年5、6期)、王志懷〈紅四方面軍第四次反〝圍剿〞簡析〉(《地方革命史研究》1985年2期)、蔣相炎〈鄂豫皖紅軍第四次反圍剿及其外線轉移〉(《中州古今》1984年5期)、敏志〈鄂豫皖革命根據地第四次反〝圍剿〞失敗原因之我見〉(《黨史縱橫》1994年2期)、李聚奎〈第四次反〝圍剿〞中的紅九師〉(《星火燎原》1984年6期);熊尚厚〈對蔣介石第五次〝圍剿〞中央蘇區的準備之考察〉(《民國檔案》1992年1期)、諸葛達〈蔣介石第五次〝圍剿〞新方略剖析〉(《浙江師大學報》1993年3期)、何友良〈蔣介石第五次〝圍剿〞方略述要〉(《江西師大學報》1989年4期)、齊兆瑞〈江西第五次圍剿之研究〉(《大同學報》16期,民75年11月)、國防部史政局編《第五次圍剿》(臺北,編者印行,民48)、耿若天〈戰史講座第16講—剿匪戰史江西第五次圍剿〉(《陸軍學術月刊》5卷44期,民58年5月)、馮都〈國民黨第五次〝圍剿〞是怎樣進行的〉(《爭鳴》1988年5期)、周寧〈第五次〝圍剿〞時期國民黨的新戰略及其〝功效〞〉(《黨史研究資料》1988年6期)、胡哲峰〈對蔣介石〝三分軍事、七分政治〞方針的剖析〉(《史學月刊》1988年2期)、李立雄《第五次圍剿敵我群眾戰之研究》(政治作戰學校政治研究所碩士論文,民64)、段紹鎰、楊龍〈關於國民黨空軍參加第五次〝圍剿〞中央蘇區的飛機數量〉(《爭鳴》1988年2期)、張煥卿〈第五次圍剿未竟全功因素之探討〉(《東亞季刊》25卷4期,民83年4月;亦載胡春惠主編《中國的過去、現在與未來—國際學術討論會論文集》,香港,珠海書院亞洲研究中心,1994)、Frank Joseph Tarsitano, The Collapse of the Kiangsi Soviet and the Fifth Encirclement Campaign.（New York: St. John's University Press, 1979）、Hu Chi-hsi, "Mao, Lin Biao and the Fifth Encirclement Campaign."（The China Quarterly, No.82, June 1980）及"Hua Fu, the Fifth Encirclement Campaign and the Tsunyi Conference."（The China Quarterly, No.43, July-September 1970）、李安葆、吳榮宣《紅軍第五次反〝圍剿〞史話》（貴陽，貴州人民出版社，1981）、曾景忠〈中央革命根據地第五次反〝圍剿〞戰爭之研究〉（《江西黨史研究》1988年4期）、謝振華〈第五次〝圍剿〞中的高虎腦戰鬥斷憶〉（《軍史資料》1985年7期）、鄧克明〈第五次反〝圍剿〞的最後一仗—記中央蘇區保護山陣地戰〉（《革命史資料》1981年2輯）、何友良〈對第五次反〝圍剿〞兩個戰略性建議的管見〉（《江西社會科學》1981年2期）、湯靜濤〈最高軍事機構變更對第五次反〝圍剿〞戰爭的影響〉（《江西黨史資料》1992年21期下）、萬英慧〈對第五次反〝圍剿〞中兩次戰略性建議提出者的考略〉（《青島師專學報》1990年4期）、李安葆〈第五次反〝圍剿〞中向外線轉移的戰略建議究竟是誰提出的？〉（《教學與研究》1991年4期）、蘇士甲〈第五次反〝圍剿〞中的一次統戰工作〉（《黨史研究》1981年6期）、蔣宗耀〈對《第五次反〝圍剿〞中的一次統戰工作》一文中某些史實的訂正〉（同上，1982年4期）、宋維〈中央蘇區第五次反〝圍剿〞的財政供給〉（《黨史研究資料》1988年10期）、沈德海〈淺談第五次反〝圍剿〞中的紅二、六軍團〉（《貴州史學叢刊》1986年3期）、黃少群〈試述第五次反〝圍剿〞中黨和紅軍領導人反對軍事教條主義的鬥爭及其歷史教訓〉（《軍史資料》1985年2-4期）、謝一彪〈論毛澤東與第五次反〝圍剿〞戰爭〉（《贛南師院學報》1994年2期）、段紹鎰、楊龍〈關於毛澤東在第五次反〝圍剿〞後期所提戰略性建議的史實問題〉（《福建黨史月刊》1988年7期）、鍾華〈彭德懷在第五次反〝圍剿〞中同軍事冒險主義的抗爭〉（《撫州師專學報》1991年3期）、張廷貴〈彭德懷滕代遠對第五次反〝圍剿〞的建議〉（《黨史研究資料》1988年8期）、黃少群〈略論陳毅在第五次反〝圍剿〞中的游擊戰爭思想及其實踐〉（《黨史研究》1985年6期）、李國強〈邵式平在第五次反〝圍剿〞中〉（《爭鳴》1992年6期）、林天乙〈略論李德與第五次反〝圍剿〞的失敗─兼駁李德對歷史的歪曲和篡改〉（《廈門大學學報》1984年3期）、劉志青〈李德在中央蘇區第五次反〝圍剿〞中的作戰指導〉（《中國軍事科學》1994年2期）、烏傳袞〈簡述李德的短促突擊戰術和第五次反圍剿作戰的失敗〉（《蘇聯問題研究資料》1986年6期）、姬田光義〈オツト·ブラウンの「短促突擊」論をめぐって〉（載高木誠一郎、石井明編《中國〇政治〇國際關係》，東京大學出版會，1984）、周啟先〈共產國際和中央紅軍第五次反〝圍剿〞的失敗〉（《武漢大學學報》1986年6期）、李安葆〈第五次反〝圍剿〞戰爭的失敗〉（《中共黨史專題講稿（中國人民大學黨史系）》1983年6期）、威廉·韋（William Wei）著、王應一譯〈論第五次反〝圍剿〞失敗的原因〉（《江西黨史研究》1989年1期）、黃少群〈論第五次反〝圍剿〞失敗的主客觀原因：兼與周寧同志商榷〉（《黨史月刊》1988年4期）、任保秋〈中央蘇區第五次反〝圍剿〞失利的經濟原因〉（《安徽史學》1996年2期）、金再及〈紅軍第五次反〝圍剿〞戰爭的失敗和長征的勝利〉（《自修大學（文史哲經專業）》1984年1期）、林容、陳曉瓊〈紅軍第五次反〝圍剿〞與熊式輝督贛〉（《江西教育學院學報》1995年4期）。其他相關的論著尚有柳際明〈江西剿匪中贛州會戰戰史〉（《戰史彙刊》創刊號，民58）、國防部史政局編《贛州戰鬥》（臺北，編者印行，民48）、《霍邱戰鬥》（同上）、《蛟湖霍源戰鬥》（同上）及《滸灣戰鬥》（同上）、馮都〈龍岡之戰〉（《咸寧師專學報》1984年1期）、國防部史政局編《龍岡戰鬥》（臺北，編者印行，民48）及《廣昌戰鬥》（同上）、笹川裕史〈國民政府の江西省「剿匪區」統治に關する一考察：地主、鄉紳層との關連を中心に〉（《史學研究》180號，1988年7月）、蔡繼夫等〈蔣介石在江西修築〝圍剿〞公路始末〉（《公路交通編史研究》1984年1期）、馮都〈周子昆在中央蘇區三次反〝圍剿〞戰役中〉（《廣西黨史》1996年6期）、William Wei, Counter Revolution in China: The Nationalist in Jiangxi During the Soviet Period.（Ann Arbor: University of Michigan Press, 1985）。

4.「長征」—中央紅軍的出走

民國二十三年（1934）十月，中共中央蘇區之工農紅軍（第一方面軍）及黨中央，因第五次反圍剿徹底失敗而突圍西走，展開所謂的「二萬五千里長征」，其過程始末，廣為中共人士所歌詠稱頌。在舉述「長征」資料、論著之前，擬約略舉述一些有關「中國工農紅軍」的資料和論著（凡已在前「武裝起義與革命根據地的建立」、「五次圍剿與反圍剿」中列舉者，不再贅述，可參閱之），計有王健英《中國工農紅軍發展史簡編，1927-1937》（北京，解放軍出版社，1986）、張廷貴、袁偉編《中國工農紅軍史略》（北京，中共黨史資料出版社，1987）、張雨生《共匪「工農紅軍」簡史》（臺北，國民黨中央委員會第六組，民57）、宍戶寬《中國紅軍史》（東京，河出書房新社，1979）、Edward J. M. Rhoads, The Chinese Red Army, 1927-1963: An Annotated Bibliography.（Cambridge, MA.: Harvard University Press, 1964）共蒐集1927年南昌「起義」至二十世紀60年代初所出版或發表的論著和資料之書目篇名共600條，並加以簡介簡評，是研究紅軍（含八路軍、新四軍及解放軍）不可或缺的工具用書，惟其中有不少條似與紅軍無甚關連者；Edgar O'Ballance, The Red Army of China.（London: Praeger Pub. 1962）、台灣總督府警務局保安課《中國紅軍及ソヴェート發展史梗概》（1936年印行）、滿鐵調查課《所謂「紅軍問題」：ソヴェート中國と赤軍》（大連，1930，漢鐵調查資料第144編）、Eugene Z. Hanrahan, The Birth of the Chinese Red Army.（M. A. Thesis, Columbia University, 1953）；《中國赤軍物語》（北京，外文出版社，1957）、沈順根、飛鴻編著《紅軍演義》（北京，農村讀物出版社，1995）、姜克夫編《民國軍事史略稿·第2卷：國民黨新軍閥和工農紅軍》（北京，中華書局，1991）、廖國良、田園樂編寫《中國工農紅軍事件人物錄》（上海，上海人民出版社，1987）、王健英編著《紅軍人物志》（北京，解放軍出版社，1988）、方強《紅軍戰士話當年》（杭州，浙江人民出版社，1988）、瞭望編輯部編《紅軍女英雄傳》（北京，新華出版社，1986；增補本，1989）、中共六安地委黨史辦公室編《紅軍女戰士》（合肥，安徽人民出版社，1986）、王夢岩《女紅軍》（東風文藝出版社，1960）、共青團福建省委宣傳部《紅色女戰士》（福州，福建人民出版社，1957）、馮增敏口述、劉文韶整理《紅色娘子軍》（上海，上海文藝出版社，1958）、徐宗澤《中國紅軍的七年》（北京，北京人民出版社，1951）、趙廷華《十年來中國的紅軍》（漢口，生活書店，民27）、Agnes Smedley, Chinese Red Army Marches.（New York: International Publishers, 1934）、John Gittings, The Role of the Chinese Red Army.（Royal Institute of International Affairs, London: Oxford University Press, 1967）、舒興等《紅軍的傳統》（紅色風暴叢書，南昌，江西人民出版社，1982）、捷克加了夫《紅軍中的政治工作》（工農紅軍學校政治部，1932）、康模生、張紅斌《紅軍的斗笠》（上海，上海少年兒童出版社，1981）、南風《紅軍歌謠選》（貴陽，貴州人民出版社，1986）、張國琦、李國祥《中國人民解放軍發展沿革（1927-1949）》（北京，解放軍出版社，1984）、星火燎原編輯部編《中國人民解放軍發展序列，1927-1949》（同上，1985）、軍事科學院軍事歷史研究部編《中國人民解放軍六十年大事記（1927-1987）》（北京，軍事科學出版社，1988）、軍事科學院編《中國人民解放軍大事記：1927-1982》（同上，1984）、軍事學院編寫《中國人民解放軍戰史簡編》（北京，軍事學院圖書資料館，1983）、郭清樹主編《中國人民解放軍歷史簡編》（瀋陽，遼寧大學出版社，1985）、杜漸等著《中國人民解放軍簡史》（北京，戰士出版社，1982）、Samuel B. Griffith, The Chinese People's Liberation Army.（New York: McGraw Hill, 1967）、黃濤《中國人民解放軍的三十年》（北京，人民出版社，1958）、張平、張子清編著《光榮的中國人民解放軍》(石家庄,河北人民出版社,1957)、齊培禮編《中國人民解放軍之最》(北京,海潮出版社,1990)、齊中彥、陳士忠等編寫《中國人民解放軍軍史上的今天》(《北京,長征出版社,1986)、姜恩毅主編《中國人民解放軍大事典》(2册,天津,天津人民出版社,1992)、中國人民解放軍歷史辭典編委會編《中國人民解放軍歷史辭典》(北京,軍事科學出版社,1990)、賈若瑜主編《中國人民解放軍戰役戰例詞典》(北京,國防大學出版社,1990)、軍事學院《戰史簡編》編寫組編寫《中國人民解放軍戰史簡編》(北京,解放軍出版社,1983)、四川人民出版社編輯、出版《中國人民解放軍五十年的光輝戰鬥歷程》(成都,1977)、中國人民革命軍事博物館編輯、中國地圖出版社編繪《中國人民解放軍戰史圖集》(北京,中國地圖出版社,1990)、軍事科學院軍事圖書館編著《中國人民解放軍組織沿革和各級領導成員名錄》(北京,軍事科學出版社,1990)、邵維正等編寫《中國人民解放軍事件人物錄》(上海,上海人民出版社,1988);《慶祝中國人民解放軍建軍五十周年文選》(香港,三聯書店香港分店,1977)、解放軍畫報社編《中國人民解放軍歷史圖片選集(第1-5集)》(5册,北京,長城出版社,1987)其第1冊為鐵流兩萬五千里、Peter Williams Donovan, The Chinese Red Army in the Kiangsi Soviet, 1931-1934.(Ph. D. Dissertation, Cornell University, 1974)、Chi Pingfeng, The Chinese Red Army and the kiangsi Soviet.(Ph. D. Dissertation, George Washington University, 1977)。黃少群〈關於中國工農紅軍的建立〉(《歷史教學》1984年6期)、張紹賢〈中國工農紅軍的誕生與初期發展〉(《學習》1953年11期)、宍戸寬〈中國紅軍の成立と發展一毛澤東軍事思想の形成與發展〉(《しんる》151、152、154-159、161、163-168號，1976年10月—1978年2月)、楊聖清〈中國工農紅軍的創建〉(《南開學報》1977年4期)、M. Yuriev, "The Creation of the Chinese Red Army 50 Years of the Nanchang Uprising)." (Far Eastern Affairs, No.4, 1977)、張國琦〈第二次國內革命戰爭時期紅軍編成情況〉(《近代史研究》1981年4期)、繆楚黃〈中國人民解放軍(中國工農紅軍)在第二次國內革命戰爭的發展概況〉(《學習》1952年6期)及〈中國工農紅軍概述〉(《歷史研究》1954年2期)、時光〈談談土地革命戰爭時期我軍名稱的演變〉(《黨史研究》1982年4期)、何永桃〈紅軍創建時期的番號形態文蠡測〉(《湖湘論壇》1991年2期)、成林〈第二次國內革命戰爭時期紅軍組織情況演變〉(《中學歷史》1982年1期)、劉樹發〈《第二次國內革命戰爭時期紅軍組織情況演變》中若干史實辨誤〉(同上，1983年4期)、黃濤〈光榮的三十年一紀念中國人民解放軍建軍三十周年〉(《歷史教學》1957年8期)、吳榮宣〈中國工農紅軍建設的特點〉(《教學與研究》1984年4期)、池田誠〈農村革命期における勞農紅軍の建設一中國共產黨の軍事方針の展開を中心として〉(《立命館法學》132號，1977年10月)、石川忠雄、平松茂雄〈ソヴィェト革命時期における紅軍の基本的性格に關する一考察〉(《法學研究》44卷3號，1971年3月)、徐餤〈我黨創建具有中國特色人民軍隊的歷史經驗〉(《思想戰線》1985年5期)、張樹德〈土地革命戰爭初期紅軍的創建與共產國際的關係〉(《國際共運史研究》1990年3期)、韓泰華〈關於工農紅軍的名稱問題〉(《山東師大學報》1982年1期)、雷亮〈何時正式使用紅軍的名稱〉（《歷史知識》1986年6期）、王健英〈中國工農紅軍序列〉（《軍史資料》1986年3-5期）及〈第一支工農紅軍創建考實〉（《湖南黨史》1996年1期）、鍾廷豪〈對我軍初創時期建軍原則形成過程的探討〉（《北京商學院學報》1987年3期）、蕭克〈我軍初創時期的歷史回顧〉（《紅旗》1987年15期）、胡青柏〈在革命隊伍中：紅軍生活回憶片斷〉（《四川黨史研究資料》1987年4期）、趙炳安〈堅苦的生活，堅定的信念—紅軍時期艱苦生活片斷的回憶〉（《山東青年》1982年7期）、胡慶雲〈研究紅軍歷史的重要資料：讀《陳伯鈞日記》有感〉（《黨史研究資料》1988年12期）、張炳南〈一個紅軍戰士的日記（1930.5—1934.12）〉（同上，1983年3期）、余品芬〈對紅軍一本軍事理論著作的考評〉（《江西社會科學》1993年4期）、鞠景奇〈人民軍隊初創時期自身改造問題〉（《鎮江師專學報》1989年3期）、陳伙龍〈關於紅軍的十個問題的研究〉（《中共黨史研究》1994年3、4期）、江華〈關於紅軍建設問題的一場爭論〉（《黨的文獻》1989年5期）、陳榮華〈地方黨與紅軍的行動相合拍問題初探〉（《江西社會科學》1985年3期）、李毓卿〈1932-1936年工農紅軍戰略轉移簡況表〉（《歷史教學》1985年4期）、馬樹功〈論中原大戰後南方紅軍向北方轉移的歷史必然性〉（《河南大學學報》1990年4期）、軍事科學院黨史資料徵集委員會〈關于1933年全國紅軍發展到三十萬的專題報告〉（《軍史資料》1986年1期）、王淩〈紅軍歷史上最早的海上交通線：閩東船民工會和海上游擊隊初探〉（《寧德師專學報》1986年1期）、楊奎松〈蘇聯大規模援助中國紅軍的一次嘗試〉（《近代史研究》1995年1期）、翟作君、王惠炎〈中國工農紅軍尋求蘇聯直接援助的唯一軍事行動：從《毛澤東年譜》看中國紅軍打通國際路線戰略方針的演變〉（《黨史文匯》1995年8期）；〈紅軍婦女團創建始末一李貞同志1982年10月22日回憶〉（《湖南黨史通訊》1986年12期）、李英敏〈我們怎樣看待「紅色娘子軍」〉（《南方文壇》1994年5期）、袁光〈我軍的第一個炮兵團〉（《革命史資料》1982年8輯）、葉蔭庭〈我軍第一支防空部隊的建立〉（《星火燎原》1982年3期）、鍾生盛〈紅軍炮兵的誕生〉（《解放軍文藝》1957年5期）、韓英民〈紅軍的第一架飛機〉（同上，1957年9期）、錢鈞〈〝列寧號〞：紅軍的第一架飛機〉（《革命史資料》1982年8輯）及〈紅軍的第一架飛機〉（《工人創作》1982年8期）、呂品〈紅軍的第一架飛機—列寧號〉（《文物天地》1981年4期）、郭述申〈紅軍第一架飛機〉（《星火燎原叢刊》1980年1輯）、傅連暲〈紅軍第一所醫務學校〉（同上）、林彬〈憶紅軍第一所摩托學校的創立〉（同上）、王光九等〈黨的第一支航空隊〉（《歷史知識》1983年5期）、宋維〈紅軍的電訊裝備及其來源〉（《江西黨史研究》1988年6期）、歐陽輝〈紅軍的第一臺X光機〉（《貴州文史叢刊》1982年3期）、石磊、朱安群〈紅軍標語樓〉（《思想解放》1980年2期）、黃河、張之華〈中國工農紅軍報刊概貌〉（《新聞研究資料》19輯，1983）、王書範〈〝東井岡〞在紅軍初創時期的歷史作用〉（《軍事歷史》1994年5期）、陳浮〈武裝鬥爭探新路：中國共產黨在創建紅軍和革命根據地時期〉（《黨史月刊》1991年3期）、胡為雄〈到底是誰製了紅軍游擊戰爭的〝十六字訣〞〉（《黨校論壇》1991年11期）、王阿壽〈關於我軍游擊戰術〝十六字訣〞的提出〉（《近代史研究》1986年5期）、蘇士甲〈關於我軍游擊戰術十六字訣的形成問題〉(《黨史研究》1980年3期)、馮建輝〈我軍游擊戰術十六字訣產生的歷史資料與分析〉(同上)、顏廣林〈試論七溪嶺戰鬥對十六字訣的運用〉(同上)、范中倫〈我軍游擊戰爭十六字訣是誰概括總結的:與馮建輝商榷〉(《黨史研究》1982年6期)、郭化若〈紅軍從游擊戰到運動戰的偉大戰略轉變—毛主席偉大革命實踐回憶之一〉(《歷史研究》1977年5期)、馬樹功等〈偉大的戰略轉移:紀念長征勝利五十周年〉(《史學月刊》1986年5期)、張會彬〈毛委員創辦紅軍教導隊(1927年12月)—兼論"十六字訣"的形成〉(《星火燎原》1982年2期)、楊昌才〈發揚紅軍光榮傳統,執行黨的民族政策〉(《黔東南社會科學》1991年3期);〈發揚光榮傳統—中國工農紅軍時代的生活和文物〉(《解放軍戰士》1955年7期)、曉風〈紅軍時代的伙食尾子〉(《文物》1959年2期)、林兆福〈我軍第一面軍旗究竟由誰設計〉(《黨史文苑》1994年6期)、王健英〈紅軍時期的前方與後方政治部〉(《軍事歷史》1994年3期)及〈長征前後紅軍中的兩個總政治部〉(《黨的文獻》1994年3期)、劉慶芳、鍾良仁〈中國工農紅軍第一次全國政治工作會議〉(《江西黨史研究》1989年1期)、單人麟〈紅軍攻打中心城市與〝城市中心論〞不能並論〉(《爭鳴》1992年6期)、Hsüeh Chun-tu(薛君度)and Robert C. North trans.,"The Founding of the Chinese Red Army."(In Contemporary China, Edited by E. S. Kirby, Vol.4 Hong Kong, 1962-1964)、內田知行〈「中華ソビエト共和國」時代(1931-34年)における紅軍擴大運動〉(《アジア·アフリカ語學院紀要》第4號,1981年12月)、池田誠〈農村革命期における紅軍の建設—紅軍擴大運動を中心に〉（載芝池靖夫編著《中國社會史研究》，東京，ミネルヴァ書房，1978）、日森虎雄〈支那赤軍及ソヴェート區域の發展情況〉（《滿鐵調查月報》12卷8、9號，1932年8、9月）、蔣天健〈通道轉兵前紅軍作戰方向選擇上的鬥爭〉（《湖南師院學報》1984年6期）、晏蔚青〈土地革命戰爭時期江西地方紅軍的創建和發展〉（《黨史文苑》1992年4期）、吳直雄〈從江西紅軍時期的楹聯作品看紅軍的光輝戰鬥歷程〉（《中共黨史研究》1991年6期）、鈴江言一〈支那赤軍の現勢と今後の發展〉（《改造》12卷9號，1930年9月）、劉寶聯〈紅軍初建時期的民主化問題〉（《福建黨史月刊》1988年10期）、張玉亮〈紅軍初創時期的供給制與經濟民主〉（《黨史博采》1996年4期）、徐雲鵬〈土地革命戰爭時期的優撫制度〉（《軍事歷史》1995年1期）、劉永明、張年祥〈紅軍苦樂觀及其現實意義〉（《實事求是》1996年5期）、竹卿〈關於紅軍誘敵深入作戰方針形成過程的討論〉（《黨史研究資料》1986年7期）、黃允升〈〝誘敵深入〞方針的提出〉（《文獻和研究》1987年1期）、陳陽平〈對我軍第一次軍事戰略轉變傳統看法的再思考〉（《南京政治學院學報》1988年5期）、楊文輝〈從三灣改編到古田會議毛澤東對建設新型人民軍隊的貢獻〉（《理論月刊》1993年8期）、夏宏根等〈朱德對紅軍戰略戰術的傑出貢獻〉（《軍事歷史》1987年2期）、潘合定等〈朱總司令與紅軍檔案〉（《檔案學通訊》1986年3期）、左志遠〈周恩來在紅軍行動原則上的求是精神〉（《南開學報》1989年2期）、徐元冬〈《九月來信》—周恩來在紅軍建設上的一次重大貢獻〉（《國防大學學報》1988年5期）、戴惠珍〈〝政治工作是我們紅軍的生命線：談王稼祥對紅軍政治工作的重大貢獻〉(《安徽史學》1987年3期)、李湘敏〈王稼祥首創紅軍政治戰士制度〉(《安徽黨史研究》1993年1期)、許世友《我在紅軍十年—1927-1937》(北京,戰士出版社,1983)、任翔〈一個〝姓李的德國人〞—中國工農紅軍軍事顧問李德〉(《人物》1987年2期)、武際良〈斯諾使中國紅軍走向世界〉(《中流》1996年9期)、陳大雅〈紅軍在常德的發展、挫折初探〉(《常德師專學報》1989年1期)、李昌凰〈紅軍移師西北之必要性初探〉(《荊州師專學報》1987年3期)。

早期紅軍最高的編制單位為方面軍,其下有軍團、軍、師、團等,此外尚有縱隊、支隊、先遣隊等名目,關於各方面軍的論著、資料有唐紹鈞〈紅軍三個方面軍的建立和發展〉(《歷史知識》1986年6期)、勁松〈紅一、二、四方面軍的形成和發展〉(《中學歷史教學》1981年8期)、武樹幟〈中國工農紅軍一、二、四方面軍是怎樣組建起來的〉(《歷史知識》1982年3期)、單繼友〈第二次國內革命戰爭時期第一、二、四方面軍是怎樣建立的?為什麼第三方面軍缺編?〉(《歷史教學》1980年9期)、羅寶軒〈第二次國內革命戰爭時期為什麼有第一、二、四方面軍的編制,而沒有第三方面軍?〉(《史學月刊》1980年2期)、王健英〈我軍歷史上為什麼沒有紅三方面軍〉(《星火燎原》1984年6期)、陳漢楚〈中國工農紅軍為什麼沒有第三方面軍?〉(《百科知識》1981年11期)、堅毅〈為什麼沒有紅三方面軍〉(《爭鳴》1981年1期)、張國琦〈也談為何缺編紅三方面軍〉(同上,1981年2期)、張萬明〈紅軍長征有沒有第三方面軍〉(《大連教育學院學刊》1989年1期)。李慕曾《紅一方面軍之研究》(政治作戰學校政治研究所碩士論文，民74）、張直、許初水《紅一方面軍史略》（革命歷史資料叢書，南昌，江西人民出版社，1983）、中國工農紅軍第一方面軍史編審委員會編《中國工農紅軍第一方面軍史》（北京，解放軍出版社，1993）及《中國工農紅軍第一方面軍史：附冊》（同上，1992）、趙平〈中國工農紅軍第一方面軍發展沿革〉（《黨史研究資料》1986年6期）、蜂屋亮子〈中國工農紅軍第一方面軍の成立期について〉（《お茶の水史學》16·17號，1974年3月）、龍正才〈紅一方面軍的成立與對立三路線的抵制〉（《邵陽師專學報》1982年4期）、王健英〈中國工農紅軍第一方面軍〉（《星火燎原》1984年1期）、戴向青〈紅一方面軍總前委的沿革及其重要活動〉（《福建黨史月刊》1990年4期）、曉軍〈紅一方面軍總前委機構及毛澤東在紅軍任職始末〉（《黨史研究資料》1986年1、2期）、馮都〈關於彭德懷、滕代遠是否擔任紅一方面軍副總司令、副總政委的考證〉（《黨史文苑》1990年1期）、Karen Gernant, "Attrition Sustained by the First Front Army of the Chinese Red Army on the Long March, 1934-1935."（Journal of Asian History, Vol. 19, No.2, 1985）。王健英〈紅軍第二方面軍〉（《星火燎原》1984年2期）、賀龍〈回憶紅二方面軍〉（《近代史研究》1981年1期）、王渺生〈中國工農紅軍第二方面軍歷史簡介〉（《黨史研究資料》1985年3期）、劉秉榮編著《紅二方面軍紀實》（北京，知識出版社，1991）、樊哲祥講、荒草記〈紅二方面軍的兩個戰鬥故事〉（《解放軍文藝》1952年8期）、張家德〈紅二方面軍三進雲南考略〉（《雲南社會科學》1982年4期）、李立《遠征萬里—紅二方面軍長征記》（北京，人民出版社，1983）、劉秉榮

《滄海橫流—紅二方面軍長征紀實》（北京，解放軍文藝出版社，1992）、賀彪《紅二方面軍從湘鄂邊到陝北長征紀實》（北京，華夏出版社，1990）、樊哲祥〈紅二方面軍的長征〉（《軍事史林》1987年4期）、魯永魁〈紅二方面軍在長征〉（《思維與實踐》1996年4期）、張嘉選〈紅二方面軍屬部長征過青海初探〉（《西北史地》1984年3期）及〈紅二方面軍長征過青海再探〉（《青海社會科學》1986年6期）、格桑本等〈中國工農紅軍長征經過青海的情況〉（同上，1981年建黨專刊）、李玉泰〈青海南部有紅軍長征的足跡〉（《軍史資料》1986年5期）、張世華、索南〈紅二、四方面軍長征右縱隊全部經過了青海班瑪地方〉（《西北史地》1992年1期）、陳靖〈紅二方面軍的宣傳文化工作〉（《軍史資料》1985年10期）。《艱苦的歷程：中國工農紅軍第四方面軍革命回憶錄選輯》（2冊，北京，人民出版社，1984）；《中國工農紅軍第四方面軍戰史資料編選—鄂豫皖時期》（2冊，北京，解放軍出版社，1993）、中國工農紅軍第四方面軍戰史編輯委員會編《中國工農紅軍第四方面軍戰史》（北京，解放軍出版社，1989）、徐旭〈中國工農紅軍第四方面軍歷史簡介〉（《黨史研究資料》1986年5期）、汪季石〈紅軍第四方面軍歷史簡介〉（《黨史研究資料》1986年5期）及〈紅四方面軍的組織演變及主要軍事活動〉（《歷史教學》1990年12期）、廖國良〈紅四方面軍四次進攻戰役性質的提法值得商榷〉（《近代史研究》1984年1期）、苟延一〈紅四方面軍嚴守紀律同人民生死與共〉（《川陝蘇區歷史研究》1990年1期）、元江〈紅四方面軍的女紅軍有多少〉（《四川黨史月刊》1989年8期；亦載《黨史研究資料》1990年10期）、翟光〈中央北上戰略方針的實現和紅四方面軍的奮鬥〉（《近代史研究》1986年3期）、劉瑞龍〈我在川陝邊區和紅四方面軍的經歷〉（《四川黨史研究資料》1983年2期）、楊沅〈紅四方面軍在川陝時期序列表〉（《軍史資料》1984年創刊號）、張曄〈四方面軍川陝時期迅速發展的原因〉（《學叢》1982年2期）、楊平等〈紅四方面軍川陝時期的三次重要軍事會議〉（《四川黨史研究》1986年5期）、王明淵〈紅四方面軍在川陝根據地的軍事情報工作〉（《四川文物》1996年2期）、楊沅〈紅四方面軍在川陝時期的後勤保障工作〉（《軍史資料》1984年創刊號）、李勇、殷子賢〈析紅四方面軍〝六·三〞命令〉（《黨的文獻》1996年5期）、范厚坤〈紅四方面軍轉戰在廣元昭化〉（《四川黨史研究資料》1987年1期）、董耀君〈紅四方面軍任家垻之戰淺析〉（同上）、元江等〈紅四方面軍入川戰役概況〉（《軍史資料》1985年7期）及〈紅四方面軍入川戰役概況及獲勝的主要原因〉（《四川黨史研究資料》1985年10期）、元江〈關于紅四方面軍入川初期解放南江若干情況的訂正〉（《川陝蘇區歷史研究》1985年1期）及〈再談紅軍占領南江縣城是二月一日〉（《四川黨史研究資料》1987年4期）、重慶市檔案館〈反映紅四方面軍轉戰川北史料選輯(1)〉（《檔案史料與研究》1989年1期）、中共綿陽市委黨史工作委員會、中共廣元市委黨史工作委員會編《紅四方面軍在綿陽廣元鬥爭紀實》（成都，四川省社會科學院出版社，1986）、張丙晨〈對紅四方面軍主力西移性質的再認識—與〝倉惶逃跑〞〝戰略轉移〞説共商〉（《爭鳴》1990年2期）、徐向前〈紅四方面軍的英勇長征〉（《軍史資料》1986年5期）、程光〈中央北上戰略方針的實現和紅四方面軍的奮鬥〉（《近代史研究》1986年1期）、孫仁良

〈紅四方面軍在開江揭開反六路圍攻作戰序幕〉（《川陝蘇維埃歷史研究》1992年2期）、程世才〈關於紅四方面軍粉碎〝六路圍攻〞戰況的回憶〉（《社會科學研究》1980年4期）、匡珊吉〈紅四方面軍反六路圍攻的勝利〉（《四川文物》1985年3期）、凌加杰〈從廣元市保存的紅軍標語布告論紅四方面軍發動強渡嘉陵江戰役的原因〉（《川陝蘇維埃歷史研究》1990年1期）、唐紹均等〈淺談強渡嘉陵江戰役的歷史地位和作用〉（《四川黨史研究資料》1986年9期）、崔洪禮〈試論紅四方面軍西渡嘉陵江與中央紅軍北上戰略方針的一致性〉（《川陝蘇區歷史研究》1986年2期）、杜中〈紅四方面軍強渡嘉凌江前後的艱苦歷程〉（同上，1985年2期）、沈果正〈紅四方面軍強渡嘉陵江戰役〉（《社會科學研究》1979年3期）、劉君等〈包座戰役初探〉（《川陝蘇區史研究》1986年2期）、宋程光〈論紅四方面軍第二次北上〉（《黨史研究》1987年6期）、曾德仁〈木門會議：紅四方面軍發展史上重要的一頁〉（《文物》1984年創刊號）、張才千〈紅四方面軍戰史上光輝的一頁〉（《星火燎原》1984年1期）、王禹〈試談紅四方面軍的戰略轉移〉（《地方革命史研究》1988年3、4期）、李作強〈關於紅四方面軍長途戰略轉移之我見〉（《江南黨史研究》1990年1、2期）、鄒俊程〈每當想起無辜被害的戰友們—張國燾危害紅四方面軍及川陝根據地見聞〉（《中華英烈》1986年5期）、馮忠驊〈從紅四方面軍騎兵師的戰鬥歷程看張國燾在長征中錯誤的嚴重性〉（《川陝蘇區歷史研究》1987年1期）、徐深吉〈徐向前同志在紅四方面軍〉（《星火燎原》1983年4期）、璞玉霍〈周恩來與紅四方面軍〉（《軍事歷史研究》1993年2期）、楊波〈記紅四方面軍總醫院〉

（同上，1982年4期）、晏慎鈞、韓文根〈新縣紅四方面軍後方總醫院〉（《中州今古》1984年2期）、林江口述、蔡世東整理〈是〝瓊花〞也是〝小花〞—回憶紅四方面軍婦女連生活〉（《婦女生活》1982年9期）。林超〈紅四方面軍是什麼情況下和在什麼時候開始長征的〉（《社會科學研究》1980年2期）、盛仁學〈紅四方面軍長征〉（《軍史資料》1985年10期）、馮凱口述、張平整理〈三軍過後盡開顏：我隨紅四方面軍長征〉（《黨史縱橫》1996年10期）、嚴尚華〈紅四方面軍在旺蒼準備長征〉（《川陝蘇區歷史研究》1986年2期）、王明淵〈紅四方面軍長征出發前後戰略指導思想之我見〉（同上）、沈有成等〈略述紅四方面軍長征途中的宣傳工作〉（同上）、綿陽市委黨史辦〈紅四方面軍長征初期的擴紅運動〉（《四川黨史研究資料》1986年10期）、元江〈關於紅四方面軍最大實力及長征前後兵力的考證〉（《四川黨史月刊》1988年8期）、鄧宏燦〈紅四方面軍女戰士在長征中的作用和貢獻初探〉（同上，1988年3期）、省婦聯婦運史料組〈巾幗長征氣如虹，血染沙場鬼亦雄：紅四方面軍有近兩千名婦女參加長征〉（《四川黨史研究資料》1984年3期）、李作強〈試析紅四方面軍的長途戰略轉移〉（《史學月刊》1988年1期）、趙德榮〈試論紅四方面軍對中央紅軍長征的支援〉（《黨史研究》1987年1期）、曹軍〈紅四方面軍在長征中的貢獻〉（《理論學刊》1986年11期）、范中倫〈紅四方面軍在長征中的歷史地位〉（《理論探討》1987年3期）、鄒一清〈川北蘇區崩潰與偽紅四方面軍再西竄〉（《共黨問題研究》2卷2期，民65年2月）及〈偽紅四方面軍北竄陝甘及其覆沒〉（同上，2卷3期，民65年3月）。至於紅四方面軍與鄂豫皖蘇區及川陝蘇區之關係的論著，已在前「鄂豫皖革命根據地」及「川陝革命根據地」中舉述，可參閱之（紅四方面與五次反〝圍剿〞之關係的論著亦同此）。

中央蘇區的紅軍－紅一方面軍，係由紅一軍團、紅三軍團合組擴編而成，一、三軍團則是由朱德、毛澤東之紅四軍、彭德懷之紅五軍擴編而成，關於紅四、五軍及一、三軍團的資料和論著有張奇中〈紅四軍創建前的一些回憶〉（《星火燎原季刊》1982年3期）、左志遠〈淺談黨中央在紅四軍建設中的作用〉（《南開史學》1983年1期）、裴茂榮〈中共中央在紅四軍建設中的作用〉（《鞍山師專學報》1991年4期）；〈紅軍中究竟有幾個紅四軍？〉（《中共黨史研究》1990年5期）、向紅〈第二次國內革命戰爭時期為什麼有過幾個紅四軍？〉（《歷史教學》1980年9期）、韓泰華〈關於工農紅軍第四軍的名稱問題〉（《山東師大學報》1982年1期）、林雄輝〈鮮為人知的紅四軍導烏整編〉（《黨史研究與教學》1992年3期）、黃少群〈《紅四軍部隊情況報告》究竟為何人所寫〉（《中共黨史研究》1990年1期）、李瑞川〈紅四軍前委《四軍報告》成文地點考證〉（《福建黨史月刊》1990年11期）、羅檢有〈中國工農紅軍第四軍《連隊黨代表工作條例》剖析〉（《空軍政治學院學報》1988年2期）、黃紀升〈紅四軍政治部建立于1929年春〉（《文獻和研究》1986年3期）、孫強〈關於1929年紅四軍下山的目的和任務的探討〉（《淮北煤師院學報》1983年2期）、羅惠蘭〈柏露會議決定紅四軍下山目的淺探〉（《求實》1987年3期）、李蕊珍〈從新發現的一份報告看紅四軍下山時邊界割據形勢及鬥爭策略〉（《江西黨史研究》1988年3期）、韓李敏〈1929年敵軍阻撓紅軍下井岡山檔案史料一組〉（《浙江檔案》1987年8期）、崔和平〈淺析紅四軍從井岡山向贛南進軍〉（《江西檔案》1987年4期）、宋俊生〈試論向贛南閩西進軍〉（《江西大學學報》1979年2期）、周聲柱〈偉大的進軍—紀念毛主席和朱德同志率領紅四軍主力向贛南閩西進軍五十周年〉（同上，1978年4期）、中共龍岩地委黨史辦公室《紅四軍入閩》（福州，福建人民出版社，1958）、中共福建省委黨校黨史研究室編《紅四軍入閩和古田會議文獻資料》（初編及續編，共2冊，同上，1979及1980）、潘晉明〈紅四軍入閩對於閩西形成工農武裝割據的作用〉（《福建論壇》1981年4期）、鄭錦華〈紅四軍入閩與閩西工農武裝割據〉（《福建師大學報》1979年1期）；邱松慶〈閩西暴動與紅四軍入閩〉（《廈門大學學報》1979年3期）、傅柏翠〈戰地黃花分外香—毛澤東率紅四軍進入閩西〉（《縱橫》1989年6期）、陳天綬、高伯文《毛澤東七次入閩》（福州，福建教育出版社，1993）；〈閩西暴動與紅四軍入閩〉（《革命文物》1979年2期）、林戩、蔣伯英〈紅四軍第一次入閩〉（同上）、陳懷信〈紅四軍三進閩西〉（載《史論》第1輯，福建省社聯歷史學會廈門分會，1981）、鄭義貴〈紅四軍出擊閩中及其歷史意義〉（《福建學刊》1988年3期）、鄭學秋〈毛澤東、朱德等率紅軍三戰龍岩史跡〉（《福建地方志通訊》1985年5期）、黃書孟〈毛澤東率領紅四軍創建贛南閩西根據地的理論意義〉（《杭州師院學報》1987年2期）、李孫強〈關於1929年紅四軍下山的目的和任務的探討：讀《彭德懷自述》以後〉（《淮北煤師院學報》1983年2期）、李輝〈紅四軍出擊東江地區之經過及其影響〉（《廣東黨史通訊》1985年1期）、曾憲恒〈試論紅軍第四軍進軍廣東對東江的影響〉（《桂海論叢》1995年3期）、余升雲〈古田會議前後的紅四軍〉（《星火燎原》1983年1期）、戴向青〈論紅四軍黨的七大的功過是非〉（《爭鳴》1987年6期）、圻水〈紅軍第四軍黨的七大史述略〉（《黨史研究與教學》1988年4期）、林蘊輝等〈紅四軍七大功過芻議〉（《黨史研究資料》1986年5期）、蓋軍等〈也談紅四軍的七大〉（《中共黨史研究》1988年4期）、韓榮璋、陳朝嚮〈紅四軍〝七大〞至古田會議述評〉（《近代史研究》1989年2期）、云理〈淺談紅四軍黨內認識分歧的由來〉（《福建黨史月刊》1989年1期）、劉寶聯〈關於紅四軍黨內的教育問題〉（同上，1989年12期）、邱林忠〈糾正紅四軍黨內錯誤思想的基本經驗〉（同上）、國琦〈朱毛紅四軍的宣傳制度〉（《黨史研究資料》1984年6期）、吳直雄〈袁文才曾任紅四軍參謀長嗎？〉（《爭鳴》1981年3期）、桂玉麟〈周恩來對傳播紅四軍鬥爭經驗的傑出貢獻〉（《上海黨史研究》1993年2期）、竹卿〈一樁亟待澄清的歷史公案：重評毛澤東在紅四軍黨的七大上為何未被選為前委書記〉（《黨史研究資料》1987年7期）、村田忠禧〈1929年の毛澤東—紅四軍からの脱離と復歸をめぐって〉（《外國語科研究紀要（東京大學教養學部外國語科）》34卷5號，1987）；其中文摘譯文為任常毅摘譯〈一九二九年的毛澤東—圍繞離開與返回紅四軍〉（載《黨史研究資料》1987年12期）、龍順林〈紅五軍與紅四軍會師時間地點考〉（《廣西黨校學報》1987年3期）、李光〈平江起義和紅五軍的誕生—彭德懷同志組織紅軍第五軍的經過〉（《湖南歷史資料》1979年1期）、黃仲芳〈紅五軍上井岡山〉（《歷史教學》1985年12期）、李鴻文〈紅五軍上井岡山與井岡山保衛戰〉（《東北師大學報》1981年6期）、蘇士甲〈紅五軍與井岡山鬥爭〉（《黨史研究資料》1981年5期）、李孫強〈關於1929年紅五軍下山目的和任務的探討一讀《彭德懷自述》以後〉（《淮北煤師院學報》1983年2期）、桂玉麟〈戰鬥在湘贛邊的紅五軍及其領導人彭德懷〉（《吉安師專學報》1984年1期）、洪殿祥〈紅五軍挺進鄂東南的歷史功績〉（《黄岡師專學報》1996年4期）、徐京城、周春華〈紅五軍士兵委員會的由來〉（《軍史資料》1989年2期；亦載《大慶師專學報》1990年1期）、陳鞏〈紅五軍暨紅三軍團建制名稱的演變情況〉（《宜春師專學報》1986年4期）、王健英〈中國工農紅軍第一軍團〉（《星火燎原》1984年4期）、王耀南〈紅一軍團工兵連的誕生〉（《爭鳴》1981年3期）、李大榮〈紅一軍團1930年向長沙進軍途中經過宜春地區情況考略〉（《宜春師專學報》1984年2期）、黃堂鯉〈毛澤東、朱德揮師宜春：紅一軍團、紅一方面軍在今宜春地區的革命風雲〉（《贛中社會科學》1990年3期）；〈毛澤東率領紅一軍團途經宜豐不容置疑〉（《黨史文苑》1990年2期）、袁史弩〈紅三軍團組建時間、地點新證〉（《貴州史學叢刊》1990年3期）、王健英〈中國工農紅軍第三軍團〉（《星火燎原》1984年5期）、中國工農紅軍第三軍團史編輯委員會編《中國工農紅軍第三軍團紀事》（北京，國防大學出版社，1988）、黃克誠〈紅三軍團組織沿革〉（《軍史資料》1986年1期）、楊勇〈第三次圍剿後紅三軍團組織沿革〉（同上）、蘇士甲〈紅三軍團的建立與沿革〉（《黨史研究資料》1984年4期）、江西現代史學會《與紅三軍團有關的歷史問題及文獻》（南昌，江西人民出版社，1981）、宮力〈紅三軍團第二次入閩作戰的目的何在〉（《黨史資料與研究》1987年2

期）、吳家丕等〈關於如何看待紅三軍團第一次打長沙的問題〉（《新湘評論》1980年1期）、戴向青〈論一打長沙〉（《江西社會科學》1984年4期）、李元勛〈紅三軍團一打長沙的再探討〉（《黨史研究》1983年2期）、王中興〈紅三軍團攻打長沙的前前後後〉（《軍事歷史》1993年1期）、武漢市檔案館〈紅軍第三軍團第一次奪取長沙史料選〉（《歷史檔案》1985年3期）、蘇士甲〈關於紅三軍團一打長沙的問題〉（《近代史研究》1984年5期）、中共長沙市委黨史辦公室、中共長沙市郊委黨史辦公室編《紅軍攻打長沙》（長沙，湖南出版社，1992）、何友良〈紅軍兩次攻打長沙問題淺述〉（《南京大學學報》1980年1期）、李志明〈二打長沙〉（《黨史研究與教學》1992年1期）、裴周玉〈憶第二次攻打長沙〉（《湖南黨史》1994年4期）、戴向青〈對二打長沙中一些問題的看法〉（《黨史研究》1983年5期）、夏海青〈紅軍兩次打長沙〉（《長沙史志通訊》1985年2期）、李炳圭〈紅三軍團何時攻占長沙〉（《黨史研究資料》1985年3期）及〈紅三軍團攻占長沙時間考〉（《湖南黨史通訊》1985年3期）、鄧建龍〈贊紅三軍團攻占岳陽〉（同上，1985年6期）。與其相關的尚有蕭克〈朱毛紅軍側記〉（《近代史研究》1990年5期）及《朱毛紅軍側記》（北京，中共中央黨校出版社，1993）、王健英〈"朱毛紅軍"稱謂的由來與傳播〉（《黨史文苑》1995年2期）及〈"朱毛紅軍"的組織沿革〉（同上，1996年1、2期）、邱林忠《朱毛紅軍與閩西革命》（廈門，廈門大學出版社，1993）、李文林、姚仁雋〈贛南紅軍和蘇區的創建〉（《軍事歷史》1990年3期）、武漢市檔案館〈中央革命根據地紅軍戰況史料〉（《歷史檔案》1986年1期）、吳家華〈關於中央蘇區紅軍戰略轉移的準備〉（《黨史文苑》1996年5期）、趙平〈淺談中央紅軍遠征漳州之役〉（《軍史資料》1987年3期）、王炳南〈略論中央紅軍攻克漳州的歷史意義〉（《黨史通訊》1983年5期）、聶榮臻〈攻克漳州〉（同上）、鄭錦華〈紅軍攻克漳州是一次重大戰略決策的勝利〉（收入《紅軍進漳論集》，北京，中央文獻出版社，1992）、魏秀茂〈中央紅軍攻克漳州〉（《中國現代史學會研究通訊》1983年4期）；〈楊成武同志談紅軍東征攻打漳州〉（《黨史資料通訊》1982年19期）、王大同〈中央紅軍迅速攻克漳州原因探索〉（《福建論壇》1992年3期）、胡嵐〈中央紅軍進軍漳州史話〉（《理論與實踐》1982年4期）、陳亞芳、陳宜雯〈中央紅軍進漳的重大勝利與歷史意義：紀念中央紅軍攻克漳州六十周年〉（《福建史志》1992年4期）、艾林〈紅軍入漳對梁山地區鬥爭的影響〉（《福建黨史》1992年7期）、蕭林〈論紅軍進漳籌款〉（載《紅軍進漳論文集》，北京，中央文獻出版社，1992）、毛美英、王建芝〈雄才定大略：淺議毛澤東東征漳州的決策與意義〉（《漳州師院學報》1992年1期）、張量〈中央紅軍的第一個山炮連〉（《軍事史林》1986年4期）、廣州軍區黨史辦公室〈關于中央紅軍同陳濟棠進行軍事停戰談判的幾個問題〉（《黨史通訊》1986年11期）、吳黎平〈毛澤東同志挽救了中央紅軍，也挽救了陝北革命根據地〉（《人文雜志》1981年慶祝建黨專刊）。

紅四軍、紅五軍之外的紅軍各軍有宋俊生〈安源會議組建了工農革命軍第一軍第一師嗎？〉（《萍鄉教育學院學報》1986年2期）、張力軍〈工農革命軍第一軍第一師組建時間考〉（《江西黨史研究》1988年2期）、宋俊生〈毛澤東創建工農革命軍第一軍第一師真相〉（《山東工業大學學報》1992年1期）、黃愛國〈誰是工農革命軍第一軍一師二團黨代表〉（《黨史研究資料》1988年1期）、新縣文管會〈中國工農紅軍第一軍司令部舊址〉（《中原文物》1981年4期）、余求校〈紅二軍獨立團鬥爭簡史〉（《常德師專學報》1983年2、4期）、黃建民、葉欣〈紅三軍在黔江鬥爭的一段史實〉（《歷史教學》1983年11期）、王慶瀾〈紅三軍和黔東特區〉（《貴州文史叢刊》1982年3期）、張健〈紅三軍獨立團始末〉（《湖南黨史月刊》1992年9期）、江振武〈在迎接紅三軍返回洪湖的日子裏〉（《湖南黨史通訊》1987年1、2期）；〈對紅四、六軍會師組成紅二軍團的時間地點的探討〉（《黨史通訊》1984年6期）、許光達〈紅六軍歷史材料〉（《軍史資料》1985年3期）；〈中國工農紅軍第六軍大事記（1927.9-1930.7）〉（《江西黨史資料》總23期，1992）、王祖蔭等〈從石首游擊隊到紅六軍主力〉（《地方革命史研究》1987年3期）、張平化〈回憶紅六軍西征和二、六軍團會師〉（《湖南黨史通訊》1986年8、9期）、陳兆堯〈長陽紅六軍是全國少數民族組建的第一個紅軍軍級單位〉（《湖北黨史通訊》1987年2期）、孫少衡〈少數民族最早以軍為建制的紅軍始於何時〉（同上）、莫文驊《回憶紅七軍》（南寧，廣西人民出版社，1961）、廣西檔案館《老戰士回憶紅七軍》（同上，1959）、薛宗耀〈紅七軍的建立及其戰鬥歷程〉（《黨史資料與研究》1987年3期）、李志明〈對紅七軍片葉的回憶〉（《廣西黨史研究通訊》1982年8期）、莫文驊〈回憶紅七軍的誕生〉（《民族團結》1961年7期）及〈憶我在紅七軍第六連〉（《時代的報告》1981年4期）、覃應機〈從童子團到紅七軍〉（《廣西黨史研究通訊》1986年6期）、江舢

〈紅七軍成立時間考證〉（《福建黨史通訊》1986年6期）、陳欣德〈紅七軍初創時期的若干政策〉（《學術論壇》1981年4期）、黃一平遺著〈紅七軍初創時期的若干政策〉（《廣西黨史研究通訊》1982年8期）、梁國瑋〈尊重知識、大膽任用知識分子—紅七軍的幹部政策初探〉（《廣西師院學報》1987年2期）、袁競雄等〈略論紅七軍初創時期的軍事行動〉（《廣西師大學報》1985年2期）；〈紅七軍歷次戰役〉（《中共黨史參考資料》1982年5期）、許鳳翔〈回憶紅七軍轉戰途中的募糧工作〉（載廣西民族學院學術委員會科研處編輯出版《建院三十周年學術論文選集（政治、歷史）》，1982）、蔣于里〈紅七軍拋棄立三〝左〞傾冒險主義的時間及其原因初探〉（《廣西黨史研究》1985年4期）、王錦俠〈論鄧小平率領紅七軍北上的特點及意義—兼對某些史實辨證〉（《桂海論叢》1992年5期）、江虹〈紅七軍北上的方針並非始自李立三的左傾冒險計劃〉（《軍事歷史》1992年6期）、伍越興等〈紅七軍北上並未經過龍勝〉（《廣西黨史研究通訊》1986年2期）、金力〈紅七軍北上史料〉（同上，1982年11期）、廣西軍區黨史資料徵集領導小組〈紅七軍北上江西蘇區〉（《軍史資料》1985年8-10期）、金本毅〈紅七軍在中央蘇區〉（《廣西黨史研究通訊》1989年6期）、黃兆星〈紅七軍轉戰粵北〉（《廣東黨史通訊》1989年2期）、廖治金〈紅七軍轉戰粵北及其影響〉（《廣西黨史研究通訊》1992年3期）、李仲凡等〈紅七軍六次進出湖南綜述〉（《湖南黨史通訊》1986年8期）、戴中翔〈紅七軍在邵陽〉（《湖南黨史》1994年4期）、尹緯斌〈紅七軍在湘贛蘇區〉（《廣西黨史研究通訊》1988年2期）、王錫堂〈記紅七軍在酃縣〉（同上，1987年1期）；〈紅七軍過連州〉(同上，1982年8期)、季泉、萬機〈紅七軍在貴州的革命活動〉(《貴州社會科學》1981年4期)、韋寶昌〈紅七軍的建設和保衛紅色政權的鬥爭〉(《黨史研究》1984年4期)、袁偉、王守淳〈中國工農革命軍第七軍重要會議簡介〉(《黨史研究資料》1988年3期)及〈中國工農革命軍第七軍委員會議簡介〉(同上，1988年2期)、姜茂生〈記紅七軍第二次黨代表大會〉(《廣西黨史研究通訊》1981年1期)、羅永平、曾傳先〈紅七軍時期的張雲逸〉(《廣西師大學報》1986年1期)、秦曉鷹〈苦戰七千里、尋找紅七軍〉(《中國老年》1986年7期)、羅錚〈紅七軍前委與右江地方黨的建設〉(《廣西大學學報》1996年5期)、歐致富〈紅七軍在第三、四次反〝圍剿〞中〉(《學術論壇》1982年2期)、陳世長〈略論紅七軍的歷史貢獻〉(《玉林師專學報》1985年3期)、姚藍等〈紅七軍、紅八軍在廣西各縣和湘黔滇粵贛邊的主要活動〉(《廣西黨史研究通訊》1989年6期)、龍明剛〈紅七軍攻克榕江與貴州的〝五一〞節〉(《貴州文史叢刊》1989年2期)；〈紅七、八軍和左右江革命根據地主要人物簡介〉(同上)、尹緯斌〈在湘贛蘇區工作的原紅七軍部分幹部簡歷〉(《廣西黨史研究通訊》1987年2期)、許鳳翔〈力挽狂瀾、奠立基業：回憶紅七、八軍起義〉(《探索》1985年2期)、勁松〈第二次國內革命戰爭時期，在我們黨領導下有幾個紅八軍？它們的情況如何？〉(《中學歷史教學》1983年2期)、仲民〈怎麼會有兩個紅八軍？〉(《百科知識》1980年3期)、頌紅〈我軍歷史上的三個紅八軍〉(《爭鳴》1983年2期)、陳欣德〈我國革命史上有三個紅軍第八軍〉(《湖南黨史通訊》1986年8期)；〈紅八軍的成立與失敗〉(《中共黨史參考資料》5卷3期，1982）、石功彬〈紅八軍成立時間和紅三軍團成立地點考〉（《軍史資料》1987年1期）、盧國權〈關於紅八軍第一縱隊離開龍州時間的考證〉（《廣西黨史研究通訊》1986年5期）、李陸奎〈轉戰七千里的少量源泉：紀念中國紅軍第八軍創建55周年〉（同上，1985年1期）、王笠夫〈反帝鬥爭的戰鼓：簡評1930年春紅八軍創辦的《工農兵》報〉（《廣西黨史》1995年2期）、蒙承光〈試論紅八軍和左江革命根據地失敗的原因〉（《南寧師專學報》1987年1期）、黃日昌、鄧永隆編《紅八軍故事》（南寧，廣西民族出版社，1985）、蕭輝等〈鄂北紅九軍始末〉（《地方革命史研究》1989年1期）、吳東峰〈鮮為人知的紅十軍〉（《瞭望》1987年24期）、劉維菱〈中國工農紅軍第十軍組建略述〉（《江西大學學報》1986年1期）、羅時平〈贛東北紅十軍之來龍去脈〉（《軍事歷史研究》1989年2期）、李享六講、劉亮記〈憶紅十軍的鬥爭〉（《解放軍文藝》1952年12期）、趙敏〈中國工農紅軍第十軍〉（《江西黨史資料》總24期，1993）、方志純〈血戰東風，風範長存—紀念紅十軍〉（同上）、胡少春〈紅十軍戰略戰術特徵淺探〉（同上）；〈中國工農紅軍第十軍大事件〉（《江西黨史資料》總24期，1993）、汪東興〈紅十軍中央紅軍匯合後的活動情況斷憶〉（同上）、陳光亞、殷育文〈試論紅十軍出擊贛北的軍事行動〉（同上）、中共九江市委黨史辦〈試述紅十軍出擊贛北的鬥爭策略及現實意義〉（《黨史文苑》1990年5期）、堅毅〈贛東北新老紅十軍的關係〉（《近代史研究》1986年1期）、廣東省委黨史研究會編《回憶紅十一軍》（內部發行，1986）、段琳〈關於紅十一軍幾個問題的探討〉（《江西黨史研究》1989年4期）、吳航雅

〈關於紅十一軍的成立及其隸屬問題—與段琳同志商榷〉（《黨史文苑》1990年2期）及〈關於紅十一軍的新說可以確立〉（《黨史文苑》1990年2期）、楊子耀〈關於紅十一軍問題的考證〉（《江西黨史資料》總24期，1993）、彭沃〈紅十一軍創立始末〉（《軍史資料》1985年7期）、堅毅〈閩西新老紅十二軍的複雜情況〉（《近代史研究》1987年4期）、中共浙江省委黨史資料徵集研究委員會等編《紅十三軍與浙南特委》（北京，中共黨史資料出版社，1988）、葉大兵〈浙南農民暴動和紅十三軍〉（《浙江學刊》1981年1期）、胡松遺作〈回憶紅十三軍〉（《浙南革命鬥爭史資料》1981年3期）；〈黨中央報刊上有關紅十三軍的記載〉（同上）；〈紅十三軍始末〉（《溫州黨史資料》1986年3期）、鄧唐良〈紅十三軍與紅軍挺進師成敗比較〉（《福建黨史月刊》1990年3期）、張關釗〈浙南紅十三軍失敗原因探析〉（《浙江師大學報》1991年3期）、葉大兵《浙南農民暴動和紅十三軍》（杭州，浙江人民出版社，1982）、吳東峰〈鮮為人知的紅十三軍〉（《瞭望》1987年24期）、中共南通市委黨史工作委員會、南通市檔案館編《中國工農紅軍第十四軍歷史文獻資料》（北京，中共黨史資料出版社，1990）、劉瑞龍《回憶紅十四軍》（南京，江蘇人民出版社，1981；修訂本，1986）、〈回憶紅十四軍〉（《群衆》1959年11-14期）、〈記紅十四軍〉（《百科知識》1979年5期）、〈通海如奉起義和紅十四軍〉（《群衆》1979年1-2期）及〈紅十四軍簡況〉（《黨史研究》1980年3期）；〈中國工農紅軍第十四軍簡介〉（《南通學刊》1990年2期）、徐仁坤〈中國工農紅軍第十四軍略述〉（《南通社會科學》1990年3期）、常浩如〈紅十四軍成立時間考〉（《江蘇歷史檔案》1996年5期）、張廷栖

〈紅十四軍與立三〝左傾〞錯誤〉（《南通學刊》1990年2期）、李實秋〈〝紅十四軍是立三路線的產物〞嗎？〉（《南通社會科學》1990年2期）、楊行義〈紅十五軍的創建歷程和歷史功績〉（《地方革命史研究》1990年4期）、黃梅縣委黨史辦〈中國工農紅軍第十五軍成立時間考〉（《湖北黨史通訊》1987年1期）、顧偉斌等〈關於紅十六軍成立的時間問題〉（《黨史研究資料》1986年9期）、周法浩〈湘鄂贛革命根據地的堅強柱石—試述紅十六軍的組織沿革與歷史功績〉（《黨史文苑》1990年3期）、吳泳湘〈紅十六軍初創前後〉（《江西黨史研究》1988年3期）、朱正平〈紅十六軍曾編第八師〉（《軍事資料》1986年3期）、游強進〈中國工農紅軍第十七軍史實考〉（《軍事歷史》1993年4期）；〈中國工農紅軍第二十軍大事記（1927年8月-1937年7月）〉（《江西黨史資料》總23期，1992）、王阿壽〈有關紅二十軍的三個問題—與孔永松、林天乙同志商榷〉（《福建論壇》1984年4期）、郭繼國、王善志〈贛西南紅二十軍始末〉（《軍事歷史》1994年1期）、王阿壽〈關於紅二十軍及其領導人〉（《近代史研究》1984年4期）、張日新、李祖榮〈陳毅與他創建的紅二十二軍〉（《江西社會科學》1985年6期）、施昌康〈紅二十二軍的成立和活動〉（《江西黨史研究》1989年4期）、齊渭川〈紅二十四軍的誕生及其失敗〉（《軍史資料》1985年8期）、葤英等〈紅二十四軍的誕生和阜平蘇維埃政權的建立〉（《山西大學學報》1984年2期）、陳子毅〈在一個多月的日子裏—紅二十四軍的片斷回憶〉（《革命史資料》1982年6輯）；《中國工農紅軍第二十五軍戰史資料編選》（北京，解放軍出版社，1991）、姜為民〈紅二十五軍的戰鬥歷程〉（《文獻和研究》1987年

6期）、段鐵安等〈紅二十五軍組建前後〉（《黨的生活》1983年15期）、徐文伯〈鄂豫皖重建的紅二十五軍的組成及領導人〉（《黨史研究資料》1981年3期）、姜為民〈淺談紅二十五軍與國民黨東北軍的關係〉（同上，1993年11期）、程子華等〈紅二十五軍的長征〉（《江淮文史》1996年5期）、江抗美〈論紅二十五軍的長征〉（《黨史研究》1987年1期）、張守憲〈紅二十五軍長征的若干史實：兼與江抗美商榷〉（同上，1987年6期）、盛仁學〈北上抗日先遣隊和紅二十五軍長征〉（《軍事資料》1986年1期）、彭希林〈紅二十五軍長征決策的醞釀及其歷史功績〉（《湖北黨史通訊》1986年4期）及〈紅二十五軍長征勝利的主要因素〉（同上，1987年2期）、潘正祥〈試論紅二十五軍在長征中的歷史地位〉（《安徽史學》1986年6期）、劉學遠、王則學〈試論紅二十五軍長征的歷史地位〉（《軍事史林》1987年1期）、鐘保松〈再談紅二十五軍長征的歷史功績〉（《河南黨史研究》1987年2期）、徐雁〈紅二十五軍對中國工農紅軍長征勝利的貢獻〉（《高等函授學報》1996年5期）、李文實〈紅二十五軍長征偶然作成中央紅軍之向導〉（《地方革命史研究》1991年6期）、王誠漢〈紅二十五軍長征與陝北會師〉（《近代史研究》1987年4期）、徐海東〈對編寫紅二十五軍戰史的意見〉（《黨史資料通訊》1982年4期）、周嘉厚〈紅二十五軍長征的三個問題〉（《近代史研究》1984年4期）、蘆振國、姜為民《紅二十五軍長征紀實》（鄭州，河南人民出版社，1986）、宋越〈紅二十五軍長征的艱難歷程〉（《河南黨史研究》1986年5期）、程子華、劉清華〈艱苦轉戰，長征入陝（紅二十五軍）〉（《軍史資料》1986年5期）、鄭位三〈紅二十五軍在陝南〉（《地方革命史研究》1985年6輯）、《中國工農紅軍第二十五軍戰史》編審委員會編《中國工農紅軍第二十五軍戰史》（北京，解放軍出版社，1990）、劉鳳閣〈陝甘邊紅二十六軍探源〉（《慶陽師專學報》1991年1期）、何素光〈紅二十七軍成立地點考證〉（《安慶師院學報》1990年3期）及〈紅二十七軍成立地點小考〉（《軍事歷史》1991年6期）、徐天宇〈紅二十七軍成立地點再考證〉（同上，1992年3期）、郭述申〈回憶戰鬥在皖西北的紅二十七軍〉（《軍史資料》1988年2期）、陳祥〈鏖戰在大別山區：紅二十八軍堅持鄂豫皖鬥爭的片斷〉（《革命史資料》1982年9輯）、楊天德〈紅二十八軍的重建及其反〝清剿〞鬥爭〉（《河南大學學報》1988年1期）、宋任窮〈紅二十八軍的東征西戰〉（《軍史資料》1986年5期）、詹化雨〈紅二十八軍手槍團戰鬥片斷〉（《星火燎原叢刊》1980年2輯）、曲長育等〈二十九軍的成立及其去向〉（《淮陰師專學報》1988年4期）、張兆文〈陝南紅二十九軍述評〉（《軍史資料》1987年3期）、元江〈關於紅三十三軍及其前身川東游擊軍史實的幾點考訂〉（《四川黨史研究資料》1987年5期）、廖樂山〈關於紅三十三軍兩個史實問題的考證〉（同上，1987年11期）、施昌康等〈紅三十五軍的成立及其活動〉（《江西黨史研究》1988年5期）。

紅一、三軍團之外的紅軍各軍團有常德軍分區黨史辦〈紅二軍團的建立和發展〉（《軍史資料》1985年3期）、張世昌〈關於紅二軍團成立時間、地點的考證〉（《地方革命史研究》1989年2期）、關向應〈二軍團十年來鬥爭之歷史概略〉（《黨的文獻》1994年5期）、徐詩蘭〈紅二軍團平息北極會叛亂和三次休整概述〉（《湖北黨史通訊》1987年2期）、彭蜀湘〈一個光輝的範例：

紅二、六軍團在畢節組建貴州抗日救國軍成因初探〉(《貴州社科通訊》1986年11期)、蔣國維、蔣永康《紅二、六軍團在黔東》(貴陽,貴州人民出版社,1985)、楊軍昌〈紅二、六軍團長征經石阡之革命活動〉(《貴州師大學報》1991年4期)、孫日錕〈紅二、六軍團長征中兵力增減情況〉(《貴州省博物館館刊》1986年3期)、尚巍〈略論紅二、六軍團長征初期的戰略方針〉(《軍史資料》1987年2期)、張家德〈紅軍二、六軍團長征途中之普渡河戰役〉(《雲南教育學院學報》1986年4期)、何輝儒等〈紅二、六軍團激戰普渡河〉(《軍史資料》1986年5期)、雲南省軍區黨史資料徵集辦公室編《紅二、六軍團長征過雲南》(昆明,雲南人民出版社,1986);〈蕭克在雲南麗江談紅二、六軍團長征〉(《雲南黨史通訊》1986年1期)、諶貽琴〈紅軍二、六軍團長征紀略〉(《文史天地》1995年2期)、宋毅軍〈紅二、六軍團與軍委的一場爭論〉(《中共黨史研究》1990年3期)、范子瑜〈憶紅二、六軍團的後勤工作〉(《黨史研究資料》1990年4期)、孫日錕〈紅二、六軍團退出黔大畢探討〉(《貴州史學叢刊》1986年2期)、謝盛林〈紅二、六軍團在婁底活動的幾個片斷〉(《湖南黨史通訊》1986年11期)、邢敏建〈中國工農紅軍二、六軍團在湘西戰鬥的史實述略〉(《吉首大學學報》1996年2期)、聶祖海〈紅二、六軍團黔東會師意義述略〉(同上,1993年1期)、謝元炳〈紅二、六軍團會師黔東特區的歷史意義〉(《銅仁師專學報》1983年1期)、向同倫〈紅二、六軍團南腰界會師的歷史不應改變〉(《四川黨史研究資料》1987年11期)、唐振南〈二、六軍團會師後的根本任務與湘鄂川黔革命根據地的戰略地位〉(《吉首大學學報》1996年1期)、郭占波〈紅二、六軍團會師後的行動方針和統一指揮的建立〉（《軍史資料》1986年5期）、蕭克〈紅二、六軍團會師前後—獻給任弼時、賀龍、關向前同志〉（《近代史研究》1980年1期）、郭學旺等〈試論紅二、六軍團升編為紅二方面軍的戰略意義〉（《上饒師專學報》1986年3期）、江文〈紅二、六軍團與中央通訊聯絡的中斷及恢復〉（《軍史資料》1985年3期）、沈德海〈淺談第五次反〝圍剿〞中的紅二、六軍團〉（《貴州史學叢刊》1986年3期）、蕭勁光〈紅五軍團的初創時期〉（《軍史資料》1984年創刊號）、曾慶圭〈試述紅五軍團的光榮歷史與慘痛經驗〉（《贛南社會科學》1991年4期）、王霞〈紅六軍團小史〉（《軍史資料》1987年3期）、紅六軍團征戰記編輯組編《紅六軍團征戰記》（北京，解放軍出版社，1994）、湖南省軍區黨史資料徵集辦公室〈紅六軍團建立和發展的若干情況〉（《軍史資料》1985年7期）、顧隆剛〈紅六軍團在貴州〉（《貴州社會科學》1981年1期）、袁史駕〈紅六軍團在湘鄂贛蘇區籌建〉（同上，1986年3期）、李凱國口述、戎生靈整理〈紅六軍團西征〉（《黨史研究》1985年5期）、郭占波〈紅六軍團西征〉（同上，1986年5期）、殷子賢〈試論中央派七軍團北上，六軍團西征的戰略目的〉（《軍事史林》1987年1期）、何友良〈長征前紅七、六軍團的先遣行動》（《江西社會科學》1986年6期）、薛宗耀〈紅七軍團的建立及其戰鬥歷程〉（《黨史資料與研究》1987年3期）、李萬成〈關於紅七軍團成立時間和所轄部隊問題的商榷〉（《福建黨史通訊》1987年2期）、俞濟時《贛浙皖閩邊區徹底剿滅方志敏部（紅第七、第十軍團）紀實—從中國赤禍溯源說起》（臺北，國防部史政編譯局，民71）、楊龍〈關於〝紅八軍團〞

的成立時間〉（《爭鳴》1988年1期）、胡玉春〈紅八軍團究竟在何地成立〉（《江西黨史研究》1989年4期）、蘇士甲〈紅九軍團的建立與沿革〉（《革命史資料》1981年5輯）、王輔一〈紅九軍團的戰鬥歷程〉（《軍史資料》1986年5期）、董有剛等〈紅九軍團在貴州單獨活動期間的幾個問題〉（《貴州文史叢刊》1982年4期）、王輔一〈趙熔與紅九軍團的後勤保障〉（《軍事史林》1986年4期）、黃火青〈紅九軍團護送紅七軍團渡過閩江北上抗日的經過〉（《福建黨史通訊》1986年7期）、宋霖〈對長征中紅九軍團黔漢川者單獨行軍的考辨〉（《安徽史學》1987年1期）、王二堯〈長征中的紅九軍團：局部服從全局的範例〉（《黨史文匯》1987年2期）、彭壽生等口述、李揚發、王學偉整理《紅九軍團在長征中》（南昌，江西人民出版社，1979）、井塘〈中國工農紅軍第十五軍團〉（《文物天地》1982年2期）。

其他如王禹〈鄂豫皖根據地紅軍發展概況〉（《地方革命史研究》1987年3期）、臺運行《鄂豫皖紅軍史話》（合肥，安徽人民出版社，1989）、朱繼明、胡文章〈論黃埔生在鄂豫皖紅軍創建和發展過程中的作用〉（《學術百家》1989年6期）、賀彪編《湘鄂西紅軍鬥爭史略》（北京，華夏出版社，1988）、梁琴〈關于湘鄂西黨和紅軍幾個史實的質疑〉（《黨史研究資料》1981年4期）、廣東省檔案館編《東江縱隊史料》（廣州，廣東人民出版社，1985）、東江縱隊史編寫組編寫《東江縱隊史》（同上）、王作堯《東縱一葉—革命回憶錄》（同上，1993）、李正堂等〈東江縱隊的建立和發展〉（《軍史資料》1985年7期）、兩廣縱隊史編寫組編《兩廣縱隊史》（同上，1988）、瓊崖武裝鬥爭史辦公室編《瓊崖縱隊史》

（同上，1987）；〈瓊崖縱隊光輝的戰鬥歷程〉（《海南師專學報》1980年1期）、韓劍夫〈對《瓊崖縱隊光輝的戰鬥歷程》等兩篇文章的幾點意見〉（同上，1981年1期）、陳青山〈從瓊崖紅軍到瓊崖縱隊〉（《軍史資料》1985年3期）、劉會信等〈湘鄂革命根據地紅軍作戰情況史料〉（《歷史檔案》1987年1期）、夏夔〈江南縱隊威震湘鄂邊〉（《湖南黨史通訊》1987年6期）、志紅〈湘鄂贛革命根據地紅軍發展之概況〉（《宜春師專學報》1981年2期）、堅毅〈湘贛革命根據地紅軍發展之概況〉（《吉安師專學報》1983年2期）、朱用亞〈淺析閩贛省黨和紅軍失敗的原因及歷史教訓〉（《福建黨史月刊》1988年11期）。楊進〈浙南紅軍游擊隊和上海黨的組織聯繫的經過〉（《黨史研究叢刊》1981年3輯）、向超〈由〝神兵隊〞到紅軍游擊隊：記鄂川邊紅軍游擊總隊的鬥爭〉（《四川黨史研究資料》1986年11期）、李維〈關於三路紅軍游擊隊若干史實的更正〉（同上，1985年4期）、戴白君〈對四川紅軍第四路游擊隊稱謂的查考〉（《四川黨史月刊》1988年2期）、向同倫〈羅雲農民運動與二路紅軍游擊隊的創建〉（同上，1990年12期）、宜賓地委黨史辦〈紅軍川南游擊縱隊和歷史功績〉（《四川黨史研究資料》1986年3期）、劉應學等〈回憶酉陽南腰紅軍游擊隊〉（同上）、王善甫等〈鄂豫皖邊區紅軍游擊隊及老八團的成長〉（《軍史資料》1985年4期）、敖文蔚〈論鄂豫皖邊區紅軍游擊隊的改編〉（《武漢大學學報》1985年4期）、邵冠群〈活耀在烏江中游的思南游擊隊〉（《重慶黨史研究資料》1986年12期）、張傳春〈試述閩浙贛人民游擊隊挺進江西〉（《福建黨史通訊》1986年6期）、弋陽縣委黨史辦〈楊文翰游擊隊的活動及其失敗教訓〉（《江西黨史研究》1988年3期）、石作林等〈楊文翰游擊隊及其歷史教訓〉（《江西大學學報》1981年3期）、曹德茂〈轉變關頭執行黨的指示的緊迫性：南方紅軍游擊隊對中央指示的不同態度與結果〉（《浙江師院學報》1982年2期）、裴國法等〈英雄的川滇黔邊區紅軍游擊隊〉（《西南師大學報》1987年3期）、陳彪〈回憶中國工農紅軍川滇黔邊區游擊縱隊〉（《軍史資料》1985年7期）、劉復初〈中國工農紅軍川滇黔邊區游擊縱隊的戰鬥歷程〉（《四川黨史研究資料》1983年5期）、陶利輝〈中國工農紅軍川滇黔邊游擊縱隊鬥爭述評〉（《四川黨史》1995年1期）、劉國語〈川滇黔邊區紅軍游擊縱隊的歷史回顧〉（《軍事歷史》1995年5期）、中國工農紅軍川滇黔邊區游擊縱隊鬥爭史編寫組編《中國工農紅軍川滇黔邊區游擊縱隊鬥爭史》（昆明，雲南人民出版社，1986）、陶利輝〈活躍在川滇邊境的紅軍雲南游擊隊〉（《四川文物》1996年1期）、余三江〈憶閩東游擊大隊的建立及其活動〉（《福建通訊》1986年2期）、蔡敏〈憶閩西北游擊隊的鬥爭活動〉（《福建黨史通訊》1986年8期）。晏蔚青〈土地革命戰爭時期江西地方紅軍的創建和發展〉（《黨史縱橫》1992年4期）、羅高松〈誕生在河南的第一支紅軍〉（《中州今古》1990年6期）、張家德〈試論川南紅軍〉（《四川師大學報》1986年4期）、陳仁洪〈閩贛邊紅軍石塘整編〉（《軍史資料》1985年4期）、孫少衡〈試論1927年湖北農民起義與工農紅軍建軍〉（《地方革命史研究》1987年3期）、元江〈對川陝蘇區時期紅軍斃傷敵軍將領的幾點考證〉（《黨史研究資料》1987年8期）、胡飛揚〈紅軍與湘鄂川黔邊區的神兵武裝〉（《四川黨史研究資料》1987年8期）、馮捷《黃山坳·紅岡景—西北紅軍征戰記》（北京，解放軍文藝出版社，1996）、胡忠誠〈鄂南第二師始初考〉（《地方革命史研究》1989年3期）、劉林松等〈紅二師在海陸豐第三次武裝起義中〉（《廣東黨史通訊》1987年1期）、周法浩〈中國工農紅軍獨立第三師的組建和沿革〉（《軍史資料》1985年7期）、劉林松等《紅軍第二師第四師史》（廣州，廣東人民出版社，1989）、丁守和〈《紅軍第二師第四師史》序〉（《廣東黨史通訊》1989年6期）、中共寶安縣委黨史辦公室編《回憶紅二師紅四師》（廣州，廣東人民出版社，1987）、張國琦〈蕭克與江西紅軍獨立第五師〉（《黨史文苑》1992年3期）；〈李先念談關於編寫五師戰史和鄂豫邊區革命史的幾個問題〉（《黨史通訊》1985年2期）、吳咏湘〈戰鬥在湘贛的紅十六師〉（《湖南黨史通訊》1983年1、2、4、5期）、田茂穗〈紅18師留守根據地的歷史作用〉（《湖南黨史月刊》1988年5期）、徐修宜〈紅三十二師成立時間和地點考辨〉（《阜陽師院學報》1987年1期）、齊揚〈皖西紅三十三師的建立及作用〉（《軍史資料》1985年7期）、黃子湘〈靖水寨暴動與中國工農紅軍第三十四師的建立〉（《合肥工業大學學報》1986年2期）、黃肇嵩〈紅三十四師喋血湘江〉（《福建黨史月刊》1996年5期）、林維先〈紅八十二師戰鬥在皖西北地區（1934年4月至12月）〉（《軍史資料》1985年1期）、徐許斌〈中央教導師始末〉（《江西黨史研究》1989年3期）、張愛萍等《憶少先隊和少共國際師》（南昌，江西人民出版社，1979）、郭德材〈少共國際師〉（《江西青運史研究》1986年2期）、方培虎〈少共國際師始末〉（《中國青運》1990年3期）、黃文明〈憶興國模範師〉（《星火燎原》1984年6期）、張志榮〈在紅三團的日子裏〉（《福建黨史通訊》1986年9期）、李亦山〈獨七團西進瑣記〉（《福建黨史通訊》1986年9期）、林輝才〈中國工農紅軍獨立第八團組建情況〉（《黨史資料與研究》1985年2期）、謝育才〈關於漳浦事變及紅九團下閩南〉（《福建黨史通訊》1985年1期）、余克勤〈商城獨立團創建始末〉（《中州今古》1983年5期）、白超〈英烈垂青史，功勛萬古存—鄂川邊紅軍獨立團的發展與鬥爭〉（《四川黨史研究資料》1987年5期）、黃慕憲〈江西工農紅軍第七、九縱隊的創建〉（《江西社會科學》1981年2期）、林秉成〈閩南紅二支隊的建立與發展〉（《福建黨史月刊》1990年6期）、茂生〈四川第一路工農紅軍簡介〉（《軍事歷史》1991年6期）、黃征〈艱辛的征途—右江工農赤衛軍十二連〉（《廣西黨史研究通訊》1986年1期）。又第五次「圍剿」後期，為掩護紅一方面軍轉移，由尋淮洲、粟裕等率領的紅七軍團組成北上抗日先遣隊，於1934年7月從瑞金出發「先期突圍」，經福建、浙江轉入贛東北，與方志敏等領導的紅十軍會合組成紅十軍團，繼續北上，途中遇襲失利，尋淮洲戰歿，方志敏被捕死之，餘部在粟裕等率領下，轉移至浙南，進行游擊戰爭，有關紅軍北上抗日先遣隊的論著有景德鎮市委黨史辨〈中國工農紅軍北上抗日先遣隊挺進皖贛邊蘇區〉（《江西黨史研究》1984年4期）、吳敬行、郜建輝〈紅軍北上抗日先遣隊皖南行動〉（《江淮文史》1996年5期）、鄭復龍〈北上抗日先遣隊的歷史作用及其教訓〉（《福建黨史月刊》1994年7期）、王永春、陳芷通〈對北上抗日先遣隊作用的一點看法〉（《中共黨史研究》1988年3期）、楊子耀執筆〈中國工農紅軍北上抗日先遣隊大事記（1934年7月—1935年3月）〉（《軍事史林》1986年4、5期）、方志純〈略述抗日先遣隊的組建、結局及經驗教訓〉（《爭鳴》1987年1期）、江蘇人民出版社編《紅軍北上抗日》（南京，編者印行，1958）、張嘉慶〈評北上抗日先遣隊〉（《南昌職業技術師院學報》1986年1期）、胡開明〈項英與紅軍北上抗日先遣隊〉（《徽州社會科學》1993年3期）。孫廣〈中華民族解放先鋒隊始末〉（《學習與研究》1985年12期）。至於1933年7月，由彭德懷等指揮的以紅三軍團為主組成的東方軍東征入閩的梗概有張方林〈簡評〝東方軍〞〉（《爭鳴》1987年1期）、宮力〈關於東方軍歷史的探討〉（《近代史研究》1987年2期）及〈評東方軍入閩作戰〉（《齊齊哈爾師院學報》1989年1期）、李志民〈回顧東方軍的英勇戰鬥和教訓〉（《中共黨史資料》1982年4輯）。李萬成〈二戰時期福建軍區成立時間、地點考〉（《軍史資料》1986年2期）、盧仁燦〈關于二戰時期福建軍區成立時間〉（《黨史資料與研究》1986年4期）、林板諧〈福建省軍區在紅軍長征後的一些情況〉（《福建黨史通訊》1986年2期）、林戩〈從汀州整編到回師攻吉—1930年閩西紅軍行軍紀實〉（同上，1986年6期）、張金錠〈簡述蘇區時期的閩北紅軍醫院〉（同上，1986年2期）、張華南〈我所知道的閩西中國紅軍軍官學校〉（《黨史資料徵集》1985年9期）、黃祖洪〈《我所知道的中國紅軍軍官學校的情況》之商榷〉（《黨史資料研究》1986年1期）、瀋陽醫學院校史編纂委員會編《紅色醫生的搖籃》（瀋陽，遼寧人民出版社，1961）、閻愈新〈魯迅、茅盾致中國紅軍賀信之發現〉（《新文化史料》1996年6期）。

關於「長征」，通論性的書籍有朱笠夫編著《從江西到陝北二萬五千里長征記：第八路軍紅軍時代的史實》（上海，抗戰出版社，民26）、趙文華《二萬五千里長征記》（大衆書局，民26）、大華《二萬五千里長征記》（復興出版社，民26）、救亡研究社編印《二萬五千里的長征》（上海，民26）、闕青編《二萬五千里長征》（冀東新華書店，民38；天津，知識書店，民38）、勞達夫《二萬五千里長征》（香港，新生書店，出版年份不詳）、蕭蕭編繪《二萬五千里長征史畫》（上海，聯合畫報社，民38）、史諾（Edgar Snow）《二萬五千里長征》（香港，現代出版公司，出版年份不詳）、廉臣著、李中校訂《從江西到四川行軍記》（民生出版社，民26）、廉臣《從東南到西北：紅軍長征時代的真實史料》（明月出版社，民27）及《隨軍西征記》（生活書店，民27）、陳雲《隨軍西行見聞錄：1935年秋》（北京，紅旗出版社，1985），該書最早於1936年發表在中共主辦的巴黎《全民月刊》上，同年在莫斯科出版單行本，當時為便於在國民政府統治區流傳，作者署名廉臣，並在文內假托為一名被紅軍俘虜的國民黨軍醫，為紀念遵義會議召開50周年，重新出版；夢秋編著《隨軍西行見聞錄：第八路軍紅軍時代長征史實》（上海，生活出版社，民27）、董必武等《紅軍長征記》（總政治部宣傳部，民31，原名《二萬五千里》）、胡羽高編《共匪西竄記》（貴陽，羽高書店，民35）；《長征回憶片斷》（中原新華書店，1949）；新民主出版社《長征的故事》（香港，撰者印行，1949）、中南新華書店編印《紅軍長征故事》（漢口，1950）、周振甫《萬里長征》（北京，開明書店，1951）；《中國工農紅軍第一方面軍長征記》（北京，人民出版社，1955）；《紅軍長征走過的道路》（北京，解放軍畫報社，1956）、宋之的《沿著紅軍戰士的腳印》（北京，中國青年出版社，1956）、金帆《在紅軍長征的道路上》（同上，1957）、馬憶湘等《在長征的道路上》（長沙，湖南人民出版社，1959）、蕭彬等《長征路上》（烏魯木齊，新疆青年出版社，1961）、敦煌文藝出版社編輯出版《長征道上一革命鬥爭回憶錄》（敦煌，1960）、蘇偉光《長征散記》（南昌，江西人民出版社，1957）、中央革命博物館籌備處編《二萬五千里長征（攝影集）》（北京，文物出版社，1958）、江蘇人民出版社編《二萬五千里長征》（南京，編者印行，1956）、司兆勵編寫《紅軍二萬五千里長征》（濟南，山東人民出版社，1956）、陳昌奉《跟隨毛主席長征》（北京，作家出版社，1958）、上海人民出版社《二萬五千里長征的故事》（上海，撰者印行，1958）、夏陽編寫《紅軍長征的故事》（鄭州，河南人民出版社，1959）、錢源偉編著《紅軍長征的故事》（瀋陽，遼寧人民出版社，1983）、少芒編寫《紅軍長征的故事》（上海，上海人民出版社，1960）、包村編寫《紅軍長征的故事》（同上，1956）、黃良成《憶長征》（瀋陽，春風文藝出版社，1959）、戴鏡元《長征回憶一從中央蘇區到陝北革命根據地》（北京，北京出版社，1960）、岡本隆三《長征一中國革命試練の記錄（正，續）》（東京，弘文堂，1963-1964）、《長征秘話》（東京，潮出版社，1972）及《中國革命長征史一現代革命精神の源流》（東京，サイマル出版會，1969）、Dick Wilson, The Long March 1935: Epics of Chinese Communism's Survival.（New York: Viking Press, 1971；London: Hamilton, 1971）、James P. Harrison, The Long March to Power.（New York: Praeger Publishers, 1972）、岡本隆三編《星火燎原一中國人民解放軍戰史(3)一長征》（東京，新人物往來社，1972）、Karen Gernant, The Long March.（Ph. D. Dissertation, University of Oregon, 1980）、

Simone de Beauvoir, The Long March.（Cleveland World Pub. Co., 1958）、劉伯承等《回顧長征》（北京，解放軍文藝書社，1975）及《回顧長征》（南昌，江西人民出版社，1975）、天津人民出版社編印《回顧長征》（天津，1977）；《紀念長征勝利四十周年》（北京，人民出版社，1975）；《偉大的長征》（哈爾濱，黑龍江人民出版社，1975）；《紀念長征勝利四十周年（第1輯）》（上海，上海人民出版社，1975）、安徽人民出版社編印《紀念長征勝利四十周年》（合肥，1975）；《偉大的長征》（南京，江蘇人民出版社，1975）；《紅軍不怕遠征難一紀念中國工農紅軍長征四十周年》（石家庄，河北人民出版社，1975）；《偉大的長征》（長春，吉林人民出版社，1975）；湖南人民出版社編印《偉大的長征》（長沙，1977）、甘肅人民出版社編印《偉大的長征》（蘭州，1978）、貴州人民出版社編印《紀念長征勝利四十周年》（貴陽，1975）；《偉大的長征一紀念中國工農紅軍長征勝利四十周年》（福州，福建人民出版社，1975）；《紅軍不怕遠征難一紀念長征勝利四十周年》（濟南，山東人民出版社，1975）；《紅軍不怕遠征難一長征回憶錄選編》（拉薩，西藏人民出版社，1975）；《回顧長征》（呼和浩特，内蒙古人民出版社，1975）；《回顧長征》（南寧，廣西人民出版社，1976）；《回憶長征》（合肥，安徽人民出版社，1976）；《偉大的長征》（青年叢書，太原，山西人民出版社，1976）、上海人民出版社編印《長征》（上海，1976）、魏國祿《隨周恩來副主席長征》（北京，中國青年出版社，1976）、蔣建農等編著《長征畫典》（鄭州，河南人民出版社，1996）、黃鎮《長征畫集》（北京，人民美術出版社，1977；修訂本，1982）；《紅軍不怕遠征難－長征回憶錄選編》（北京，人民出版社，1977）；《紅軍不怕遠征難—長征回憶錄選編》（鄭州，河南人民出版社，1977）、中國革命博物館編《紅軍不怕遠征難萬水千山只等閑》（中國工農紅軍長征之物選輯，北京，文物出版社，1977）、應伤吾《長征回憶錄》（北京，人民出版社，1977；修訂本，1987）、長春市教育學院編寫《長征的故事》（長春，吉林人民出版社，1978）、丁家榮《長征的故事》（北京，中國少年兒童出版社，1979）、李安葆《長征史話》（北京，中國青年出版社，1978）、遼寧人民出版社編印《回顧長征》（瀋陽，1977）及《回憶長征—紀念紅軍長征勝利四十周年》（同上，1976）、陝西人民出版社編輯出版《回顧長征》（西安，1976）、蕭鋒《長征日記》（上海，上海人民出版社，1979）、Charlotte Y. Salisbury, Long March Diary: China Epic.（New York: Walker and Co., 1986）其中譯本為夏洛特·索爾茲伯里著、王之希等譯《長征日記一中國史詩》（國際文化出版公司，1987）、楊成武《憶長征》（北京，解放軍文藝出版社，1982）、戴鏡元《長征回憶》（北京，北京出版社，1960）、王庭科《紅軍長征研究》（成都，四川省社會科學院出版社，1985）、袁任遠《征途紀實》（長沙，湖南人民出版社，1985）、李勇、殷子賢編著《紅軍長征編年紀實》（北京，中共中央黨校出版社，1996）、樹軍等編《萬里長征親歷記》（同上）、葉心瑜《放眼看長征》（北京，華文出版社，1996）、洪岩《長征到長征》（北京，中國青年出版社，1991）、張磊、陳思等編著《長征的故事》（北京，知識出版社，1995）、趙蔚《長征風雲（長篇歷史小說）》（北京，中國青年出版社，1987）、尚方誠《馬背上的江山叢書·第1冊：長征內幕》（北京，中國言實出版社，1996）、薄鳳波、曾慶祥《回顧長征－紀念中國工農紅軍長征勝利會師五十周年》（北京，人民出版社，1985）、童小鵬《軍中日記（1933年至1936年）》（北京，解放軍出版社，1986）、李安葆《長征史》（北京，中國青年出版社，1986）、璞玉霍、徐爽迷《鐵流二萬五千里－紅軍長征史話》（祖國叢書，上海，上海人民出版社，1986）、Jean Fritz, China's Long March: 6000 Miles of Danger.（New York: G. P. Putnam's Sons, 1988）、ソールベリー，ハリソン E.《長征－語られざる真實》（東京，時事通信社，1988）、伊勝利《中國工農紅軍的長征》（哈爾濱，黑龍江人民出版社，1986）、力平、余熙山、志咸《紅軍長征簡史》（武漢，湖北人民出版社，1986）、國防大學黨史政工教研室《長征新探》（北京，解放軍出版社，1986）、成都軍區黨史資料徵集委員會辦公室《紅軍長征回憶與研究》（昆明，雲南人民出版社，1986），共收錄文章46篇，分長征回憶錄、長征問題研究兩部分；Harrison E. Salisburg, The Long March: The Untold Story.（New York: Harper and Row Pub., 1985）其中譯本為索爾茲伯里·哈里森著、過家鼎等譯《長征：前所未聞的故事》（北京，解放軍出版社，1986）、鄭理、豫人編《紅軍長征大事紀略》（同上）、璞玉霍等《中國工農紅軍長征大事月表》（北京，軍事科學出版社，1986）、A·ローレンス著、竹內實監修《長征の道：中國瑞金－延安1200キロ》（東京，日本放送出版協會，1986）、陳伯鈞等著、中國革命博物館編《紅軍長征日記》（北京，檔案出版社，1986），收集了陳伯鈞、童小鵬、伍雲甫、張子意四位中共黨人在長征路上寫下的日記；《中國人民解放軍歷史圖片選集·第1集：鐵流兩萬五千里》（北京，長城出版社，1987）、鄭廣瑾、方十可《中國紅軍長征記》（鄭州，河南人民出版社，1987）、王景佳、周炳欽、張國琦《截不斷的洪流：中國工農紅軍長征紀實》（銀川，寧夏人民出版社，1988）、軍事科學院軍事歷史研究部、國防大學黨史黨建政工教研室編《歷史的豐碑：紅軍長征史研究》（北京，軍事科學出版社，1988）、中共甘肅省委黨史資料徵集委員會等編《長征精神永放光芒—紀念紅軍長征勝利五十周年文集》（蘭州，蘭州大學出版社，1987）、野町和嘉《長征夢現：ソアリズムの大地，中國》（東京，情報センター出版局，1989）、趙榕《長征日記（1933年12月14日-1936年10月24日）》（太原，山西人民出版社，1990）、偉大的長征編委會編著《偉大的長征》（西安，陝西人民出版社，1990）、郭軍寧編《二萬五千里長征》（中國革命史小叢書，北京，新華出版社，1990）、政協文史資料委員會《圍追堵截紅軍長征親歷記》編審組編《圍追堵截紅軍長征親歷記：原國民黨將領的回憶》（北京，中國文史出版社，1991）、陸平主編《再生之獄—告訴你一個真實的長征》（3冊，北京，國防大學出版社，1996）、中國人民解放軍歷史資料叢書編審委員會編《紅軍長征：回憶史料⑵》（北京，解放軍出版社，1992）及《紅軍長征—綜述、大事記、表冊》（同上，1990）、春風文藝出版社編輯出版《長征路上》（瀋陽，1960）、色諾芬著、崔金戎譯《長征記》（北京，商務印書館，1985）、中央檔案館編《紅軍長征檔案史料選編》（北京，學習出版社，1996）、中共中央黨史研究室第一研究部編《紅軍長征史》（瀋陽，遼寧人民出版社，1996）、力平等著《中國紅軍長征史》（北京，中共黨史出版社，1996）、中國人民解放軍軍事科學出版社歷史研究部編著《中國工農紅軍長征史》（太原，山西人民出版社，1996）、鄭廣瑾《長征事典》（鄭州，河南人民出版社，1996）、袁偉主編《長征·豐碑永存（圖集）》（北京，解放軍出版社，1996）、中國延安文藝學會編《長征鼓角一獻給中國工農紅軍長征勝利六十周年（圖集）》（北京，解放軍文藝出版社，1996）、地圖出版社歷史圖編繪室編製《中國工農紅軍長征路線圖》（北京，地圖出版社，1958）、陳靖《重走長征路》（北京，長征出版社，1990）、中國歷史博物館編《中國工農紅軍長征文物選輯》（北京，文物出版社，1977）。

非通論性的書籍則有中國第二歷史檔案館編《國民黨軍追堵紅軍長征檔案史料選編：中央部分》（2冊，北京，檔案出版社，1987）、甘肅省檔案館編《國民黨追堵紅軍長征和西路軍西進檔案史料匯編》（北京，中國檔案出版社，1995）、湖南省紅軍長征調查辦公室編《紅軍長征在湖南》（長沙，湖南人民出版社，1978）、《紅軍長征在湖南紀略》（同上，1979）及《紅軍長征在湖南：文物圖錄》（同上）、中共桂林地委《紅軍長征過廣西》編寫組《紅軍長征過廣西：紀念中國工農紅軍長征勝利會師五十周年》（南寧，廣西人民出版社，1986）、遵義會議紀念館編《紅軍長征在貴州（史料）》（貴陽，貴州人民出版社，1960）、貴州省文物管理委員會、貴州省博物館（羅會仁等撰文、金德明等攝影）《紅軍在貴州》（同上，1984）、貴州省革命文物、歷史文物調查徵集辦公室《黔山紅跡》（同上，1981）、田兵、王治新主編、沈耘、燕寶編《紅軍在貴州的故事》（北京，中國民間文藝出版社，1985）、陳集忍、邵斌主編、貴州省檔案館編《紅軍轉戰貴州：舊政權檔案史料選編》（貴陽，貴州人民出版社，1984）、中共貴州省委黨史辦公室紅軍在貴州資料編研組編《紅軍在貴州資料匯編》（1989年出版）、中央遵義地委黨史資料徵集研究領導小組辦公室、遵義會議紀念館編《紅軍在黔北—紀念遵義會議五十周年（1935-1985）》（北京，人民美術出版社，1984）邱亮《紅軍在黔西北》（貴陽，貴州人民出版社，1986）、顧隆剛《四渡赤水之戰》（貴州史地小叢書，貴陽，貴州人民出版社，1984）、貴州大學中文系《奔騰的烏江》寫作組《奔騰的烏江》（同上，1979）、劉亞樓《渡烏江》（北京，中國青年出版社，1956）、李夫克主編《力挽狂瀾：毛澤東指揮四渡赤水、南渡烏江、搶渡金沙江之戰紀實》（北京，國防大學出版社，1993）、張愛萍《從遵義到大渡河》（香港，三聯書店，1960）、周朝舉主編《紅軍黔滇馳騁風雲錄》（北京，軍事科學出版社，1987）、張家德《紅軍轉戰雲貴川論集》（昆明，雲南大學出版社，1992）、紅軍長征過雲南編寫組《紅軍長征過雲南》（昆明，雲南人民出版社，1985）、中共雲南省委黨史資料徵集委員會編《紅軍長征過雲南》（昆明，雲南民族出版社，1986）、南南省檔案館編《國民黨軍追堵紅軍長征檔案史料選編：雲南部分》（北京，檔案出版社，1987）、中共昆明市委黨史辦公室編《威逼昆明巧渡金沙江：紅軍長征過昆明資料選編》（昆明，雲南人民出版社，1988）、蕭宗第等《紅軍長征過四川》（四川史地叢書，成都，四川人民出版社，1980）、中共四川省委員會黨史工作委員會《紅軍長征在四川》編寫組《紅軍長征在四川》（成都，四川省社會科學院出版社，1986）、四川博物館沈果正等《紅軍長征在四川的戰鬥歷程》（成都，四川人民出版社，1981）、四川省檔案館編《國民黨軍追堵紅軍長征檔案史料選編：四川部分》（北京，檔案出版社，1986）、沈果正等《紅軍長征過四川革命文物選輯》（成都，四川人民出版社，1980）、中共雅安地委黨史工作委員會辦公室《從大渡河到夾金山：紅軍長征的一段艱苦歷程》（成都，四川省社會科學院出版社，1986）、孫繼先、楊成武《飛奪瀘定橋》（天津，百花文藝出版社，1961）、朱成源主編《長征在雪山草地》（成都，四川民族出版社，1986）、青海人民出版社編輯出版《紅軍經過青甘邊境的時候》（西寧，1958）、甘肅省博物館《紅軍長征在甘肅的文物》（蘭州，甘肅人民出版社，1982）、中共寧夏回族自治區黨史資料徵集委員會、中國人民解放軍寧夏軍區政治部編《紅旗漫捲：紅軍長征西征在寧夏》（銀川，寧夏人民出版社，1989）、中共陝西省委黨史資料徵集研究委員會編《紅軍長征勝利到陝北》（西安，陝西人民出版社，1986）、秦生《紅軍長征在西北》（蘭州，蘭州大學出版社，1991）、周錫銀《紅軍長征時期黨的民族政策》（成都，四川民族出版社，1985）、吉林文學工作者協會編《長征路上架索橋》（長春，吉林人民出版社，1960）、陳雲《隨軍兩行見聞記（1935年秋）》（北京，紅旗出版社，1985）、文顯堂《是非曲直—長征中的政治鬥爭》（紅軍長征紀實叢書，杭州，浙江人民出版社，1996）、陳伯江《跨越雄關—長征中的重大戰役》（同上）、張琦《歷史選擇—長征中的紅軍領袖》（同上）、朱少軍、王曉陽《征程軍魂—長征中的著名將領》（同上）、星火燎原編輯部《老帥在長征中》（北京，解放軍出版社，1986），收錄了朱德、彭德懷、劉伯承、賀龍、羅榮桓、葉劍英六人在長征中的經歷；I. G. Edmonds, Mao's Long March: An Epic of Human Courage.（Philadelphia: Macrae Smith Co., 1973）、I. G. Gittings and R. W. V. Gittings, Mao Tse-tung and the Long March.（Hulton Edue.）、蔣建農、鄭廣瑾《長征途中的毛澤東》（北京，紅旗出版社，1993）、Frederic Tuten, The Adventures of Mao on the Long March.（New York: Citadel Prss., Inc., 1971）、Yang Bingzhang, From Revolution to Politics: The Long March and the Rise of Mao.（Ph. D. Dissertation, Harvard University, 1987）、該論文旋加以修改出版，易名為From Revolution to Politics: Chinese Communists on the Long March.（Boulder Colorado: Westview Press, 1990）、Chen Chang-feng, On the Long March With Chairman Mao.（Peking: Foreign Languages Press, 1951）、毛澤東述《毛澤東1936年同斯諾的談話：關於自己的革命經歷和紅軍長征等問題》（北京，人民出版社，1979）、平卓《長征中的張國燾》（武漢，湖北人民出版社，1986）、吳生開等口述《回憶長征中的周恩來同志》（南昌，江西人民出版社，1977）、蕭顯社《東方魅力—長征與外國人》（杭州，浙江人民出版社，1996）、法村香音子《小さな「長征」：子供が見た中國の內戰》（東京，社會思想社，1989）、曾志主編《長征女戰士㈠》（北京，北方婦女兒童出版社，1986）、郭晨《特殊連隊：紅一方面軍幹部休養連長征紀實》（北京，農村讀物出版社，1985）。此外長篇歷史小說的長征大寫真三部曲，共3冊，分別為石鍾山《紅土黑血》（北京，解放軍出版社，1995）、伍近先《山水狂飆》（同上）、陳宇《草地龍虎》（同上）、石永音《草地驚變—毛澤東、張國燾從擁抱到決裂》

（北京，解放軍出版社，1994）。

散篇論文（或文章）中有關長征史研究情況及問題探討的有孫學寶、李新麗〈近年來紅軍長征若干問題研究概述〉（《歷史教學》1996年8期）及〈近五年來紅軍長征若干問題研究概述〉（《黨史研究與教學》1996年3期）、曾景忠〈近年來紅軍長征史研究的進展〉（《江西社會科學》1988年5期）；〈近幾年來有關長征問題研究綜述〉（《上海黨史資料通訊》1986年9期）、安東尼·加拉文特〈長征，需要繼續講述的故事—美國學者長征研究述評〉（《軍事歷史》1996年5期）、馬軍〈對長征史研究的幾點看法〉（同上，1991年4期）、力平〈紅軍長征史研究的若干問題〉（《中共黨史研究》1996年5期）、胡雄杰〈關於紅軍長征研究中的幾個問題〉（《貴州社會科學》1986年10期）、李安葆〈關於紅軍長征研究中的幾個問題〉（《黨史研究資料》1986年10期）、〈略談長征研究中存在的幾個問題〉（《貴州社科通訊》1986年10期）及〈進一步研究紅軍長征中的一些問題〉（《四川黨史研究資料》1987年1期）、曾景忠、衛香鵬〈紅軍長征史研究中一些重要問題的爭論情況〉（《社會科學（甘肅）》1986年6期）、伊勝利、陳書智〈關於對紅軍長征宣傳和研究中的幾個問題的異見〉（《齊齊哈爾師院學報》1986年3期）、仲彬、孫學寶〈紅軍長征問題研究綜述〉（《社科信息》1996年10期）、高維良〈中央紅軍長征的準備問題研究綜述〉（《黨史研究》1996年5期）、張煒瑋〈紅軍長征歷史意義的研究綜述〉（《南京政治學院學報》1996年4期）、孫學寶〈紅軍長征稱謂問題研究綜述〉（《文史雜志》1996年5期）、曾傳操〈關於加強紅軍長征史研究的設想〉（《中共黨史通訊》1992年14期）、梁慧榮

〈〝長征〞一詞的由來〉（《文獻和研究》1986年5期）；何守義〈長征幾個問題辨析〉（《西南民族學院學報》1986年4期）、王廷科〈紅軍長征幾個史實的考證〉（《歷史研究》1981年1期）、陳瑞芬〈近兩年來紅軍長征若干史實考證略述〉（《華東石油學院學報》1988年2期）、馬軍〈對中央紅軍長征幾則問題的考辨〉（《史林》1996年3期）、李義凡〈關於紅軍長征的兩個問題之考證〉（《商丘師專學報》1988年3期）、張嘉選〈關於紅軍長征兩個問題的探討〉（《甘肅理論學刊》1996年5期）、毛里和子〈長征期のいくっかの—革命根據地理論との關連において〉（《日本國際問題研究所紀要》第2號—國際問題研究，1970年2月）。

綜論（述）長征的論文有楊成武〈憶長征〉（《時代的報告》1982年2期）、嚴雨霖〈長征路上〉（《黨的生活》1980年3期）、夏振東〈長征路上〉（《黑龍江文藝》1982年7期）、林萬院〈長征路上〉（《黨史博采》1995年11期）、葉劍英〈長征的艱險歷程〉（《人物》1996年5期）、曾景忠〈偉大的紅軍長征〉（《百科知識》1996年9期）、廖信春、姜良芹〈紅軍長征—復興中華民族的偉大壯舉〉（《黨史文苑》1996年3期）、李元正〈紅軍長征：中國革命史的壯麗篇章〉（《蘭州大學學報》1996年4期）、劉英〈難忘的三百六十九天—紅軍長征〉（《瞭望》40-43期，1986）、Edgar O. Ballance, "The Long March."（Journal of the United Service Institution of India, No.89, Jun.—Mar. 1959）、M. Yurie, "The Long March of the Red Army of China, 50 Years Since It Ended."（Far Eastern Affairs, No.4, 1987）、Wilbur W. Dinegar, "The 'Long March' as Extended Guerrilla Warfare.（United States

Naval Institute Proceedings, Vol.78, No.3, March 1952）、鄭勉己〈長征淺議：寫在紅軍長征勝利五十周年之際〉（《福建黨史通訊》1986年3期）、李堅真〈回憶長征〉（《廣東黨史通訊》1986年5期）、廖似光〈長征：偉大的歷史壯舉〉（同上）、胡晟盛〈四老話長征〉（《民主與法制》1986年10期）、李維漢〈回憶長征〉（《黨史通訊》1985年1、20期）、丁放、范利民〈六老將軍憶長征〉（《文史精華》1996年10期）、陳德華〈長征回憶〉（《新觀察》1952年14期）、丁地樹、張莘如〈萬里長征不停步—紀念長征四十周年〉（《北京大學學報》1975年5期）、劉華清、張震〈偉大的戰略轉移：紀念中國工農紅軍長征勝利六十周年〉（《求是》1996年10期）、弋勝〈漫漫征程寫史詩：中央紅軍從瑞金到吳起鎮的足迹〉（《黨史縱橫》1996年9、10期）、何仲山〈紅軍長征〉（《宣傳手册》1996年17期）、姜思毅〈六十年後話長征〉（《求是》1996年18期）、盛仁學〈中國工農紅軍長征大事輯錄〉（《軍史資料》1985年8-10期）；〈紀念紅軍長征勝利五十周年專輯〉（《黨史資料徵集通訊》1986年10期）、小林弘二〈「長征」40周年記念社説によせて—路線鬥爭の過去および現在〉（《日中經濟協會會報》32號，1976年1月）、Jerome Chen（陳志讓），“The Story and History of the Long March: Review Article.”（Pacific Affairs, Vol.59, Summer 1986）及“Reflections on the Long March.”（The China Quarterly, No.111, Sep. 1987）、何仲山〈紅軍長征述評〉（《歷史教學》1986年12期）。〈紅軍長征領導人談長征偉大意義〉（《華東石油學院學報》1986年4期）、蕭天友〈我對長征歷史意義的理解〉（《歷史教學》1981年3期）、王應一編譯〈西方學者談紅軍長征的歷史意義〉（《黨史通訊》1986年9期）、武滿貫〈簡論長征勝利的歷史意義〉（《錦州師院學報》1996年4期）、張廷貴〈簡述紅軍長征的勝利及其歷史意義〉（《黨史資料研究》1986年4期）、王廷科〈對紅軍長征歷史意義的再認識〉（《社會科學研究》1988年1期）、衛忠海〈紅軍長征的歷史啟示和現實意義〉（《四川大學學報》1996年4期）、張卓、張耀坤〈輝煌的壯舉，歷史的昭示：紅軍長征勝利的歷史地位和現實意義〉（《毛澤東軍事思想研究》1996年3期）、李譽功、袁雅麗、丁柏峰〈簡論紅軍長征勝利的歷史意義〉（《攀登》1996年6期）、張志梅〈論長征勝利的歷史經驗及時代意義〉（《安徽史學》1996年4期）、鄧啟沛〈長征偉大意義新探〉（《萍鄉高專學報》1996年3期）、王淑增〈長征的偉大意義〉（《泰安師專學報》1996年4期）、荊南翔〈長征最重大的意義：第二次戰略轉移〉（《社會科學輯刊》1996年6期）、吉彥波〈關於長征歷史意義的多維思考〉（《慶陽師專學報》1996年2期）、彭塞〈紅軍長征的偉大歷史意義及四川在紅軍長征中的地位〉（《四川黨史》1996年6期）、鮑慶林〈兩次英勇的長征都是具有世界意義的偉大壯舉〉（《思維與實踐》1996年6期）。項斌〈紅軍長征的歷史作用〉（《河南財經學院學報》1986年4期）、唐明華〈紅軍長征的歷史經驗及其啟示〉（《貴州社科通訊》1986年11期）及〈紅軍長征的歷史經驗〉（《探索》1996年6期）、張光彩〈紅軍長征的歷史經驗和教訓〉（《廣西黨史研究通訊》1987年2期）、陸殿義、王峰〈長征勝利的歷史經驗與部隊思想政治建設〉（《江西社會科學》1996年11期）、李建寧〈長征勝利的啟示〉（《青海師專學報》1996年3期）、秦興漢〈長征史詩中的幾點啟示〉（《軍事史林》

1985年2期）、于雷〈紅軍長征勝利的歷史貢獻〉（《牡丹江師院學報》1995年2期）。

談長征精神的論文有王淼生、庹平〈紅軍〝長征精神〞研究〉（《軍事歷史研究》1996年3期）、伊勝利〈紅軍長征精神之研究〉（《理論探討》1996年6期）、范書林〈紅軍長征精神及其現實意義〉（《山東社會科學》1996年5期）、曹際祥、鄭金虎、蘇宗信〈論紅軍長征精神的現實意義〉（《石油大學學報》1996年4期）、沈世文〈長征精神：永存于世的民族偉力〉（《理論與實踐》1996年19期）、王健英〈發揚紅軍長征精神，推進新的偉大長征〉（《上海黨史研究》1996年5期）、楊迎春〈發揚長征精神，走好新的長征〉（《錦州師院學報》1996年4期）、郭振倫〈繼承和發揚紅軍長征的革命精神〉（《學習與交流》1996年5期）、安應民、安常福〈論長征精神與新時期的時代精神〉（《蘭州大學學報》1996年4期）、張美琴〈論新時期堅持〝長征精神〞〉（《贛南師院學報》1996年5期）、劉慶陽〈發揚長征精神，搞好現代化建設〉（《黨建研究》1996年10期）、桑維軍〈長征精神與現代化建設〉（《社科縱橫》1996年4期）、劉華清、張震〈長征精神永放光輝：紀念中國工農紅軍長征勝利六十周年〉（《求是》1996年10期）、張敏卿〈長征精神光照千秋〉（《學習論壇》1996年9期）、李秀芳〈不朽的長征精神：贊《偉大的長征》〉（《博覽群書》1992年2期）、楊迎春〈發揚長征精神、走好新的長征〉（《錦州師院學報》1996年4期）、曾憲國〈以長征精神搞好部隊財務供應保障〉（《江西社會科學》1996年11期）、彭遠光〈長征精神永遠鼓舞貴州人民〉（《思維與實踐》1996年5期）、徐新華、石育謙〈繼承和弘揚長征的艱苦奮鬥精神〉（《長白論叢》1996年4期）、鄧衛紅〈弘揚紅軍長征的愛國主義精神〉（《思維與實踐》1996年5期）、福建黨史月刊記者〈弘揚紅軍長征精神為實現跨世紀的新藍圖而奮鬥：我省舉行紀念紅軍長征勝利六十周年報告會〉（《福建黨史月刊》1996年11期）、逄先知等〈緬懷長征業績，弘揚長征精神：紀念紅軍長征勝利六十周年座談會發言商登〉（《求是》1996年20期）、廖正本〈論長征精神的內涵〉（《贛南師院學報》1996年5期）、雲杉、張春亭、王佩玉〈長征精神：中華民族的寶貴財富〉（《瞭望》1996年40期）、吳方寧〈論長征精神的時代價值〉（《求實》1996年9期）、王克祥〈弘揚艱苦奮鬥的紅軍長征精神〉（《思維與實踐》1996年4期）、黨時適〈發揚紅軍長征精神、堅持新的長征〉（《理論學習》1986年5期）、伍修權〈發揚長征精神，牢記歷史經驗〉（《黨史研究》1986年5期）、馮連舉〈學習紅軍長征歷史發揚紅軍長征精神〉（《長白學刊》1986年6期）、朱昌平、巴岱〈繼承和發揚長征精神〉（《寧夏社會科學》1996年6期）。

關於長征的原因、準備工作、出發及長征始末點點滴滴的論文（相關的書籍前已舉述，可參閱之）有趙小石〈紅軍長征原因的歷史沉思〉（《南京政治學院學報》1988年1期）、單人麟〈紅軍長征的主因是經濟問題〉（《甘肅理論學刊》1996年5期）、王健英〈中央紅軍長征前的醞釀和準備〉（《黨史資料徵集通訊》1986年8期）、陳其明〈長征前夕的壯歌〉（《黨史文苑》1996年3期）、金新果〈論長征的準備工作〉（《江西社會科學》1986年5期；亦載《軍事史林》1986年5期）、章克昌〈略論紅軍長征前的準備工作〉（《爭鳴》1986年4期）、袁征〈試論長征的準備〉（《江西社會科學》1986年5期）、徐興旺〈試述中央紅軍長征前的準備工作〉（《南充師院學報》1987年4期）、李輝〈關于中央紅軍長征準備的幾個問題〉（《軍事史林》1996年9期）、王獻忠〈論長征的決策及準備〉（《湘潭師院學報》1996年4期）、顧大全〈試論中央紅軍長征前的準備工作及其失誤〉（《貴州社會科學》1989年10期）、徐京城、姜任耕〈中央紅軍戰略轉移前的準備工作〉（《史學月刊》1986年5期）、曹景忠〈關於中央紅軍戰略轉移之準備〉（《近代史研究》1986年5期）、陳培均〈中央主力紅軍戰略轉移前的準備〉（《武漢教育學院學報》1986年4期）、吳家華〈關於中央蘇區紅軍戰略轉移的準備〉（《黨史文苑》1996年5期）、牛桂雲等〈關於黨中央決定長征的時間和長征出發前有無準備的問題〉（《黨史研究資料》1985年4期）、高維良〈中央紅軍長征的準備問題研究綜述〉（《黨史研究與教學》1996年5期）、游恩〈福建為紅軍長征所作的準備〉（《福建黨史月刊》1996年10期）；〈紅軍長征前的決策經過〉（《風範》1996年10期）、孟曉敏〈論中央紅軍長征的歷史必然性及其決策〉（《江西黨史研究》1989年5期）、呂黎平〈紅軍長征前的決策經過〉（《民族》1996年12期）、力平〈長征是何時決定的〉（《瞭望》1986年38期）、鄔家能〈中央紅軍的突圍轉移何時稱為長征？〉（《黨史研究資料》1986年10期）、曾景忠〈關於紅一方面軍長征開始時間的考析〉（《江西社會科學》1986年1期）、周炳欽〈關於中央紅軍長征之始的日期辨析〉（《黨史研究資料》1987年3期）、閻景堂等〈中央紅軍的長征究竟始于何日〉（《黨史研究資料》1984年10期）、黃少群〈中央紅軍長征出發時間、地點及人數的考訂〉（《歷史教學》1985年11期）、黃少群〈中央紅軍長征出發時到底有多少人〉(《黨史通訊》1986年9期)、薛宗耀〈《中央紅軍長征出發時到底有多少人》質疑〉(《黨史資料與研究》1986年1期)、齊德學〈八萬六千餘人的說法是正確的〉(《黨史通訊》1986年1期)、羅冠華等〈中央紅軍長征前在于都集結的情況〉(《黨史資料徵集通訊》1986年3期)及〈中央紅軍長征前的于都集結〉(《貴州社會科學》1986年10期)、張田勝〈中央紅軍長征的出發點應該是于都一地〉(《贛南師院學報》1986年4期)、鍾行萱〈中央紅軍長征的出發點就是于都一地嗎?—與張田勝同志商榷〉(同上)、凌步機〈也談紅一方面軍的長征出發地〉(《贛南師院學報》1987年2期)、丘仰霖〈也論紅軍長征的出發地—讀兩篇論證史實的文章之後〉(同上)、陳大猷等〈寧化是紅軍長征出發地史實考辨〉(《福建黨史通訊》1986年10期)、牛桂雲〈中央蘇區的主力紅軍在長征開始後稱為野戰軍〉(《黨史資料研究》1987年3期)、劉道生〈長征突圍第一仗〉(《中華英烈》1986年6期)及〈長征突圍第一仗:大庾嶺戰鬥前後〉(《老同志之友》1986年10期)、孔慶源〈對中央紅軍長征初期突圍行動評價的再思考〉(《成都大學學報》1989年2期)、張國星〈軍閥間的矛盾與紅軍長征初期的突圍〉(《黨史研究資料》1992年5期)、林戩〈探討紅軍長征與突圍的成功〉(《福建黨史通訊》1986年10期)、劉良〈長征初期紅軍為何會遭到重大損失〉(《黨史研究》1986年5期)、洪飛、唐遂中〈中央紅軍長征初期軍事失利初探〉(《贛南師院學報》1986年4期)、王建科、劉守仁〈長征初期國民黨對中央紅軍的圍堵及其失敗〉(《南京社會科學》1994年8期)、何友良〈論初期長征的〝避戰〞問題〉(《爭鳴》1990年6期)、衡陽軍分區黨史資料徵集辦公室〈中央紅軍長征初期突破的四道封鎖線〉（《軍史資料》1986年5期）、金新果〈中央紅軍長征初期究竟突破國民黨軍幾道封鎖線〉（《軍史資料》1983年3期）、黃繼祥〈試述中央紅軍突破四道封鎖線的經驗及教訓〉（《黨史資料通訊》1988年2期）、吳新光〈雄關漫道真如鐵：記中央紅軍突破國民黨軍四道封鎖線〉（《黨史天地》1996年12期）及〈〝左〞傾占統治地位的中央紅軍何以突破國民黨四道封鎖線〉（《湖湘論壇》1996年5期）、徐午苗等〈論紅軍突破四道封鎖線〉（《湖南黨史通訊》1986年10期）、曾景忠〈中央紅軍從蘇區退卻是不是〝逃跑主義〞？〉（《軍事歷史研究》1988年2期）、宮雲仟等〈關於中央紅軍長征初期戰略意圖問題探討〉（《湖南黨史通訊》1986年10期）。施鳳堂等〈略論江西在紅軍長征中的地位和作用〉（《江西社會科學》1986年5期）、姜任耕等〈從開始長征到湘江戰役：再論中央紅軍戰略轉移的準備工作〉（《大慶師專學報》1988年2期）、李明計〈浴血湘江：長征之初戰鬥紀實〉（《黨史縱橫》1996年10期）、潘健、王煥福〈論湘江戰役的歷史啟示〉（《社會科學家》1996年5期）、張震〈浴血戰湘江：回憶長征中突破蔣介石第四道封鎖線時紅十團的戰鬥情況〉（《黨的文獻》1996年5期）、徐景成、周春華〈對中央紅軍突破第四道封鎖線的管見〉（《歷史教學》1990年10期）、何成學〈關於湘江戰役若干問題之我見〉（《廣西黨史》1995年2期）、灌陽縣委黨史辦〈湘江戰役新圩阻擊戰〉（《廣西黨史研究通訊》1987年1期）、韓偉〈紅34師血戰湘江之側〉（《上海黨史資料與研究》1986年3期）、劉守仁〈湘江戰役中桂系主力南移之真相一兼與胡志平同志商榷〉（《爭鳴》1987年3

期）、中共興安縣委黨史辦公室〈紅軍長征突破湘江〉（《廣西黨史研究》1986年7期）、曹裕文〈紅軍過湘江受挫原因考察〉（《桂海論叢》1991年3期）、陳輝〈湘江激戰中的紅軍將帥〉（《廣西黨史》1996年6期）、黃遠熾等〈中央紅軍長征在湖南〉（《軍事史林》1986年4期）、王吉雲等〈試述紅軍長征在湖南的鬥爭〉（《湖南黨史通訊》1986年10期）、會同縣委黨史辦〈長征路上的一束擁軍愛民花：紅軍過會同的幾則故事〉（同上，1986年8期）、譚昭著〈關於紅軍長征在永明的一則史實辨誤〉（《湖南黨史通訊》1986年1期）。陳理〈試析紅軍長征順利通過粵北的主要原因〉（《廣東黨史通訊》1987年1期）、邵史等〈紅軍長征過粵北〉（同上，1986年5期）。彭源重〈論中央紅軍長征過廣西的歷史意義〉（《社會科學家》1996年6期）、唐一建〈紅軍長征過廣西記事〉（《廣西地方志通訊》1985年2期）、陸仰淵〈紅軍長征途經廣西邊境一役及其意義〉（《學術論壇》1981年4期）、黃漢星〈紅軍長征過廣西是遵義會議醞釀階段的重要組成部分〉（同上，1986年5期）、桂林地委黨史辦等〈紅軍長征經桂北時軍民關係及其深遠影響〉（同上，1984年6期）、裴周玉〈回憶中央教導師長征過廣西〉（《廣西黨史研究通訊》1986年7期）、桂林地委黨史辦等〈紅軍長征在通道尚未改變戰略進軍方向〉（同上，1984年6期）、李仲凡〈通道轉兵和通道會議〉（《湖南黨史通訊》1983年2期）、蔣天健〈通道轉兵前紅軍作戰方向選擇上的鬥爭〉（《湖南師院學報》1984年6期）、區華安〈中國工農紅軍長征途中的〝通道轉兵〞是怎麼一回事？〉（《歷史教學》1980年11期）、康健文〈通道轉兵的歷史意義〉（《貴州文史叢刊》1982年1期）、蓋波

〈不能簡單地說通道轉兵〉（《黨史通訊》1984年11期）、桂林地委黨史辦等〈不宜提通道轉兵〉（《學術論壇》1985年4期）、懷化地委黨史辦等〈關於通道會議和通道轉兵幾個問題的探討〉（《湖南黨史通訊》1986年11期）、黃少群〈關於是通道轉兵還是黎平轉兵的討論述評〉（《黨史研究資料》1987年4期）、劉國語〈是通道轉兵，還是黎平轉兵？〉（《黨史研究》1985年4期）及〈試論黎平轉兵及其歷史意義〉（《軍事史林》1986年4期）、孫煥臻〈通道醞釀，黎平轉兵〉（《學習月刊》1987年2期）、顧隆剛〈關於中央紅軍轉兵湘黔邊〉（《貴州省博物館館刊》1986年3期）、曾長秋〈長征初期湘桂黔邊〝轉兵〞問題之我見〉（《貴州文史叢刊》1995年5期）及〈對長征初期湘桂黔邊〝轉兵〞問題的探討〉（《吉首大學學報》1989年4期）、徐雪琪〈中央紅軍在湘黔邊戰略方針的轉變〉（《貴州民族學院學報》1987年1期）、何成風〈中央紅軍轉兵貴州是一個過程〉（《貴州師大學報》1986年4期）。歐多恒等〈中國工農紅軍遠征：長征在貴州概述〉（《貴州民族研究》1981年1期）、中國第二歷史檔案館〈中央紅軍突破國民黨第四道防線進入貴州資料選（1934年11月-12月）〉（《民國檔案》1986年2期）、董有剛〈中央紅軍長征入黔後幾個史實的考證〉（《貴州文史叢刊》1982年1期）、林齊維〈中央紅軍長征入黔後幾個問題的考證〉（《貴州省博物館館刊》1986年2期）、李雙壁〈中央紅軍入黔時西南軍閥與蔣介石的勾結和矛盾〉（《近代史研究》1986年4期）、范同壽〈紅軍長征與貴州人民的鬥爭〉（《貴州史學叢刊》1986年3期）及〈論紅軍長征與貴州新民主主義革命〉（同上，1994年6期）、黃自為〈毛澤東、周恩來、朱德等領導紅軍轉戰貴州的偉大實踐〉（《貴州師院學報》1980年1期）、貴州省博物館〈紅軍長征在貴州播下的革命火種〉（《文物》1975年3期）、彭遠光〈長征精神永遠鼓舞貴州人民〉（《思維與實踐》1996年5期）、周國珍〈紅軍在貴州的政權建設工作〉（《貴州社科通訊》1986年11期）、張烈〈紅軍在貴州的七項重要活動〉（《黨史資料通訊》1987年3期）、胡致祥〈紅軍長征在貴州使用過的貨幣〉（《貴州金融志資料》1988年9期）、王前〈略述黎平會議前毛澤東關於紅軍戰略方向的選擇〉（《南京政治學院學報》1986年4期）、任全才等〈關於攻占黎平的時間和部隊的考證〉（《黨史研究》1985年1期）、黎連榮〈也談攻占黎平的部隊和時間〉（《黨史研究》1987年2期）、岳松森〈試論湘江戰役到黎平會議中央紅軍的戰略方針的形成〉（載《黎平會議論文集》，貴州人民出版社，1988）、王群〈挺進遵義城，阻擊婁山關〉（《毛澤東思想研究》1985年1期）、曾保堂〈智取遵義〉（《貴州文史叢刊》1982年3期）、朱水秋、陳福林〈智取遵義城〉（《湖湘論壇》1990年4期）、費侃如〈關於紅軍攻占遵義時間的考析〉（《貴州社會科學》1985年1期）、周新華〈具有決定意義的轉折—遵義戰役〉（《貴州民族學院學報》1985年1期）、李超塵〈遵義—長征的轉折點〉（《中國建設》1984年7期）、張富杰〈中國工農紅軍在仁懷境內的活動〉（《貴州文史叢刊》1996年6期）、新生〈紅軍佯攻貴陽的必然性和偶然性〉（《貴陽黨史》1990年2期）、朱德〈關於四渡赤水戰役的電報（1935年1月-4月）〉（《黨史研究》1983年4期）、呂黎平〈首渡赤水〉（《星火燎原》1983年1期）、湯勝利〈毛澤東與二渡赤水〉（《黨史文苑》1996年5期）、趙曉石〈桐連大捷後紅軍為什麼再渡赤水〉

（《南京社會科學》1991年6期）、元江〈對紅軍三渡赤水幾個問題的探討〉（《南開學報》1989年4期）、周彬〈四渡赤水親歷記〉（《文史精華》1996年10期）、史鋒〈紅軍四渡赤水之戰〉（《學習與批判》1975年1期）、元江〈〝四渡赤水〞不宜稱做〝戰役〞〉（《南開學報》1991年5期）、田興咏等〈四渡赤水之戰〉（《貴州文史叢刊》1981年4期）、袁德平〈中央紅軍四渡赤水河〉（《黨史資料與研究》1985年2期）、何世紅〈紅軍四渡赤水之我見〉（《四川黨史月刊》1990年12期）、陳善智〈四渡赤水河戰役的政治歷史地位〉（《福州大學學報》1993年4期）、王乃明〈四渡赤水之戰是紅軍長征勝利的基礎〉（《軍事歷史研究》1996年3期）、齊光亮〈紅軍四渡赤水之役的軍事辨證法〉（《遼寧師院學報》1980年5期）、元江〈關於中央紅軍四渡赤水處處主動一說的辨析〉（《四川黨史月刊》1989年5期）及〈試論中央紅軍四渡赤水中的失誤及其原因〉（《近代史研究》1990年3期）、沈逸高〈兵家之絕唱：毛澤東四渡赤水兵逼貴昆〉（《山東社會科學》1996年5期）、邱訓琪〈從四渡赤水戰役看毛澤東卓越的軍事指揮藝術〉（《福建黨史月刊》1988年2期）、鄒應民〈從四渡赤水看毛澤東同志的軍事指揮藝術：紀念毛澤東同志誕生九十周年〉（《許昌師專學報》1984年1期）、林德龍〈從四渡赤水戰役看毛澤東同志的軍事辯證法：為紀念毛澤東同志誕辰九十周年〉（《鄭州大學學報》1983年4期）、楊超、畢釗橫〈四渡赤水之戰與毛澤東運動戰思想〉（《中共黨史研究》1996年3期）、張家德、李仲卿〈論四渡赤水戰略目標的區分〉（《貴州社會科學》1994年3期）、徐波〈對四渡赤水前後紅軍軍事轉折問題的再研究〉（《軍事歷史》1994年4期）、葉心瑜

〈紅軍土城戰鬥與四渡赤水〉（《中共黨史資料》34輯，1990）、孫平〈論紅軍四渡赤水勝利的原因〉（《黔南民族師專學報》1995年4期）、李榮忠〈紅軍四渡赤水時期川軍防堵兵力考辨〉（《民國檔案》1986年2期）、元江〈關於中央紅軍四渡赤水南渡烏江若干問題的探討〉（《成都大學學報》1992年4期）及〈試談中央紅軍土城戰鬥失利的原因〉（《軍史資料》1987年1期）、于建章〈遵義會議後中央紅軍實施北渡長江計劃述評〉（《貴州省博物館館刊》1986年3期）、張家德〈從遵義會議到尋甸轉兵渡江〉（《雲南教育學院學報》1987年專輯）、于建章〈中央紅軍北渡長江戰略淺議〉（《四川黨史研究資料》1987年5期）、元江〈中央紅軍長征途中未能北渡長江原因初探〉（《近代史研究》1987年1期）、顧大全〈試論烏江之役〉（《貴州社會科學》1985年1期）、遵義軍分區黨史資料徵集辦公室〈中央紅軍強渡烏江之戰〉（《軍史資料》1986年5期）、元江〈關於中央紅軍南渡烏江轉戰雲南幾件史實的訂正〉（《南開學報》1990年5期）。朱德〈關於紅軍長征過雲南的電報〉（《雲南黨史通訊》1986年1期）、張家德〈中央紅軍一進雲南的原因初探〉（《雲南師大學報》1988年2期）、徐繼濤〈紅軍長征過雲南大事記〉（《雲南文史叢刊》1986年4期）及〈紅軍長征過雲南述略〉（《雲南師院學報》1984年3期）、張家德〈紅軍長征過雲南大事記〉（《雲南方志》1987年2、3期）、高登智〈紅軍長征過雲南的文化宣傳〉（《民族藝術研究》1996年5期）、張家德〈紅軍長征時期雲南的後方防範〉（《昆明師院學報》1982年1期）、〈也談毛澤東〃只要能將滇軍調出來就是勝利〃戰略決策的形成〉（《貴州社會科學》1990年10期）及〈論紅軍長征在雲南的民族政策與兄弟民族對長征的偉大貢獻〉（《雲南教育學院學報》1991年2期）、楊秀山〈憶紅軍攻占富民和奔襲祥雲〉（《雲南黨史通訊》1986年1期）、魏家駿等〈西進雲南，北渡金沙江—紀念長征勝利五十周年〉（《雲南文史叢刊》1986年4期）、徐繼濤〈關於中央紅軍巧渡金沙江的兩個問題〉（《雲南社會科學》1986年6期）、張炳會〈奪取金沙江渡口〉（《雲南現代史研究資料》1982年11期）、聶榮臻〈回憶紅軍渡金沙江〉（《雲南黨史通訊》1986年1期）、周仁杰〈搶渡金沙江〉（同上）、王志卿〈搶渡金沙江〉（同上）、張金忠〈紅軍巧渡金沙江的渡船數目〉（《歷史教學》1986年11期）、謝振華〈巧渡金沙江，圍困會理城〉（《雲南黨史通訊》1988年4期）、中共會理縣委黨史工委辦公室〈關於中央紅軍長征中巧渡金沙江日期的考證〉（《四川黨史研究資料》1985年2期）、雲南省博物館〈金沙水拍雲崖暖〉（《文物》1975年3期）、鄭軒〈金沙水拍雲崖暖—記中央紅軍巧渡金沙江時遵紀愛民的事迹〉（《歷史研究》1975年5期）、杜明〈跟隨毛主席渡過金沙江〉（《福建黨史通訊》1986年10期）、張家德〈紅九軍團占領會澤及渡江日期的考證〉（《昆明師院學報》1982年2期）、溫禮敬〈紅軍長征與滇中鹽工〉（《鹽業史研究》1996年3期）、張家德〈滇蔣軍閥對中央紅軍第二次過雲南的堵截〉（《雲南師大學報》1985年3期）及〈試論中央紅軍轉進扎西的歷史功績〉（同上，1986年6期）。馬文忠〈中央紅軍瀘沽分兵與冕寧地下黨：強渡大渡河勝利的前奏〉（《四川黨史研究資料》1986年11期）、聶英敏〈在紅軍強渡大渡河的日子裏〉（《四川黨史月刊》1990年11期）；〈馮文彬談紅軍強渡大渡河的情況〉（《黨史資料通訊》1987年1期）、張光彩〈中央紅軍強渡大渡河勇士考證〉(《軍事史林》1985年2期)、儉輯〈紅軍強渡大渡河勇士是十七名〉(《紅旗》1983年20期)、宋豫君、朱樹長〈強渡大渡河的十七名勇士〉(《歷史教學》1984年9期)、周潤東〈應説十八勇士強渡大渡河〉(《江漢論壇》1989年9期)、楊得志〈強渡大渡河的紅軍勇士是多少個〉(《歷史研究》1982年4期)、吳旭光等〈有關強渡大渡河史實的研討〉(《軍史資料》1985年8期)、唐洪森〈論中央紅軍轉戰川滇黔與紅四方面軍暨紅二、六軍團的戰略配合〉(《歷史教學》1995年2期)、吳啟權〈長征在川大事記〉(《四川黨史研究》1987年1、3、5、7、8期;亦載《四川黨史月刊》1988年1-3期、5-10期)、王懷之〈對《長征在川大事記》的幾點淺見〉(《四川黨史月刊》1990年2期)、溫賢美〈紅軍長征過四川大事記〉(《四川地方志通訊》1987年3期)、張家德〈《紅軍長征在四川的戰鬥歷程》有關問題的商榷〉(《四川師院學報》1981年4期)、元江〈四川在紅軍長征史上的特殊歷史地位和作用〉(《四川大學學報》1996年4期)及〈紅軍長征在四川的幾個重要事實和數字〉(《四川黨史》1996年6期)、吳啟權〈紅軍在四川是長征史詩上光輝的篇章〉(《天府新論》1996年1期)、曾小勇〈紅軍長征在四川活動的影響〉(《西南師大學報》1996年4期)、彭塞〈紅軍長征的偉大歷史意義及四川在紅軍長征中的地位〉(《四川黨史》1996年6期)、鄧飛〈中央紅軍長征戰鬥在四川的回憶〉(《老區建設》1989年2期)、經盛鴻〈胡宗南在川西堵截紅軍的失敗〉(《民國春秋》1996年5期)、張家德〈堵截中央紅軍長征的沿江川軍兵力質疑〉(《近代史研究》1983年3期)、白靜〈也談堵截中央紅軍長征的沿江川軍兵力〉(同上,1984年5期)、新時〈川軍在川南防堵中央紅軍的兵力的考證〉(《四川黨史研究資料》1986年10期)、宜軍〈回顧中央紅軍在川南的革命事迹〉(《歷史研究》1975年5期)、蕭燕〈紅軍長征過四川的報刊宣傳〉(《文史雜志》1996年5期)、劉德先等〈有關紅軍長征過冕寧的時間考證〉(《四川黨史研究資料》1986年2期)及〈紅軍長征過冕寧有關人物、地點、事件考〉(同上,1986年3期)、中共冕寧縣委黨史研究室〈紅軍長征過彝區〝彝海結盟〞瑣談〉(《四川黨史》1996年1期)、曹步一等〈紅軍長征過綦江〉(《重慶黨史研究資料》1986年10期)、古高門〈中央紅軍長征中在敍永的幾次戰鬥〉(《四川黨史研究資料》1986年11期)、駱奇男〈紅軍長征過邛崍〉(《四川文物》1996年5期);〈川康邊區追剿共匪紀實〉(《四川文獻》170、171、173期,民68年3、6、12月)、〈楊成武憶飛奪瀘定橋〉(《四川黨史研究資料》1985年9期)、天寶〈不忘光榮傳統珍惜民族團結:紀念紅軍飛奪瀘定橋五十周年〉(《四川民族研究》1985年3期)、蕭宗弟、郭鐵川〈從安順場到瀘定橋〉(《歷史知識》1981年3期)、彭武清〈從金沙江到甘孜〉(《常德師專教學與研究》1981年1-2期)、胡效英〈中國工農紅軍陝甘支隊述評〉(《淮北煤師院學報》1987年4期)、章三駿〈紅軍突破腊子和改編陝甘支隊時間考〉(《軍事歷史研究》1989年3期)、魏連緒〈陝甘支隊是在何時組成的〉(《黨史研究資料》1985年4期)、金松林〈也談陝甘支隊是何時組成的〉(同上,1985年12期)、秦生〈再談陝甘支隊的組成問題〉(同上,1986年9期)、旭光等〈陝甘支隊究竟是在何時成立的〉(《文獻和研究》1986年5期)。甘肅省博物館《紅軍長征在甘肅的文物》(蘭州,甘肅人民出版社,1982)、王述維〈紅軍長征在甘肅的主要活動及其歷史地位：紀念紅軍長征勝利五十周年〉（《西北師院學報》1985年4期）、陳化軍〈紅軍長征在甘肅若干問題研究綜述〉（《理論內參》1986年5期）、李振翼〈中國工農紅軍長征過甘南〉（《甘肅民族研究》1986年3期）、余堯〈紅軍長征過甘肅〉（《甘肅師大學報》1980年2期）、秦生、周永剛〈紅軍長征在甘肅的概述〉（《社會科學（甘肅）》1983年4期）、閻麗娟〈略論甘肅在紅軍長征中的地位與作用〉（《蘭州學刊》1996年5期）、于東〈紅軍何時占領哈達鋪〉（《社會科學（甘肅）》1988年4期）、秦生〈〝岷洮西固戰役〞述評〉（《甘肅理論學刊》1988年6期）、王禹廷〈西北紅禍記一朱毛共匪擾甘竄陝紀略〉（《中外雜誌》23卷5期，民67年5月）、李牧可〈六盤山上高峰紅旗漫捲西風一紅軍長征過寧夏〉（《革命文物》1978年5期）、朱永馨等〈中國工農紅軍長征過青海的情況〉（《青海社會科學》1981年專刊）、秦生〈試論黨中央〝以陝北作為領導中國革命的大本營〞思想的形成〉（同上，1985年2期）及〈黨的第二次歷史性轉折進程中的偉大戰略決策：黨中央、毛澤東同志是怎樣確定和實現〝以陝北作為領導中國革命的大本營〞〉（《延安大學學報》1984年3期）、馬福生〈黨中央確定陝北為革命大本營過程述論〉（《軍事歷史研究》1989年2期）、孫德江〈試析陝甘根據地成為紅軍長征落腳點的原因〉（《人文雜志》1986年5期）、劉煜等〈黨中央何時決定到陝北試析〉（《延安大學學報》1983年3期）、丁雍年〈紅軍長征是怎樣選定陝北為落腳點的〉（同上）、力平〈長征何時確定落腳陝北〉（《瞭望》1986年26期）、張秀麗〈試論紅軍長征落腳陝北的歷史必然性〉（《延安大學學報》1996年4期）、王志新〈紅軍長征落腳點何時確定放在陝北〉(《黨史研究》1982年6期)、胡雄杰〈論紅軍長征北上抗日與陝北落腳點的選擇〉(《貴州文史叢刊》1988年2期)、秦生〈黨中央落腳陝北的決定是在哈達鋪作出的嗎?:也談紅軍長征落腳點的確定問題〉(《理論學習》1987年3期)、楊材美〈紅軍長征去陝北是在哈達鋪決定的〉(《近代史研究》1980年2期)、王廷科〈紅軍長征落腳點的演變〉(《黨史研究》1980年6期)、王志新〈再論紅軍長征落腳點問題〉(《黨史通訊》1984年12期)、李榮〈中央紅軍五易長征落腳點〉(《黨史文匯》1996年8期)、楊牧〈紅軍長征的戰略方針與落腳點的改變〉(《河南黨史研究》1990年4期)、曹慕堯〈一張報紙決定了紅軍長征落腳點的來龍去脈〉(《黨史研究資料》1994年4期)、徐占權、周繼強〈準備·密電·落腳點—《紅軍長征文獻》編纂札記〉(《黨的文獻》1995年5期)、袁立耀〈從中央紅軍長征途中〝落腳點〞的選擇看我黨實事求是思想路線〉(《黨史文苑》1996年6期)、李敏杰〈劉志丹與紅軍長征落腳點〉(《軍事歷史》1996年6期)、李牧可、何新宇〈中國工農紅軍長征在寧夏的革命活動及其深遠影響〉(《固原師專學報》1981年1期)、閻慶生〈山城堡戰役簡論〉(《甘肅社會科學》1996年6期)、王晉林、曲濤〈山城堡戰役與西安事變的爆發〉(同上,1992年4期)、閻慶生、黃正林〈山城堡戰鬥標志著紅軍長征勝利結束〉(《慶陽師專學報》1996年2期)、中國第二歷史檔案館戚厚杰選編〈紅軍三大主力山城堡戰役殲滅國民黨軍史料選輯〉(《民國檔案》1996年3期)、秦生〈也談中國工農紅軍長征的終點問題〉(《延安大學學報》1985年4期)、姜任根〈關於長征結束後的紅軍人數問題〉(《江西大學學報》1983年3期）、溫銳〈關於長征結束後紅軍人數問題探討的一點補充〉（《貴州社會科學》1986年10期）。

關於長征中的紅軍會師行動有席賓〈紅軍長征中的六次會師〉（《黨史文匯》1996年8期）。龔自德〈紅軍長征中的七次大會師〉（《川陝蘇區歷史研究》1986年2期）、李國遠等〈紅軍長征中的七次大會師〉（《四川黨史研究資料》1986年12期）、武志元〈會師精神的文化內涵〉（《甘肅理論學刊》1996年6期）。田景錫〈紅二、六軍團黔東會師的條件和作用〉（《貴州社科通訊》1986年11期）、孫煥臻等〈關於紅二、六軍團會師的來龍去脈〉（《黨史資料與研究》1986年2期）、李文清口述、向往等整理〈回憶紅二、六軍團南腰界會師的前前後後〉（《四川黨史研究資料》1986年11期）、向周倫〈紅二、六軍團在南腰界會師的歷史不應改變〉（同上，1987年11期）、謝元炳〈紅二、六軍團會師黔東特區的歷史意義〉（《黔南民族師專學報》1995年4期）、蕭克〈紅二、六軍團會師前後—獻給任弼時、賀龍、關向應同志〉（《近代史研究》1980年1期）、向同倫〈關於紅二、六軍團會師的地址問題〉（《四川黨史研究資料》1986年11期）、鄧應明〈中國工農紅軍第二、六軍團會師的地方—木黃鎮〉（《農業經濟與技術》1987年9期）、冉光海〈論二、六軍團會師後的統一行動〉（《西南軍史縱橫》1988年3期）、張平化〈回憶紅六軍西征和二、六軍團會師〉（《湖南黨史通訊》1986年8期）。廣西北流縣委黨史辦〈紅七軍北上與中央紅軍會師的確切地點〉（《黨史資料徵集通訊》1986年4期）。潔心〈關於紅一、四方面軍在長征途中會師的時間和地點〉（《黨史通訊》1986年9期）、杜中〈關於紅一、四方面軍會師前兩軍戰略方針之關係的探索〉（《川陝蘇維埃歷史研究》1986年2期）、沈果正〈試論紅一、四方面軍會師戰略決策的實施及懋功會師的歷史意義〉（同上）、〈紅一、四方面軍為什麼在懋功會師〉（《四川黨史研究資料》1986年10期）及〈試論懋功會師的歷史意義〉（《四川大學學報》1986年3期）、龔自德〈關於紅軍長征中一、四方面軍先頭部隊達維橋會師時間考〉（《軍史資料》1985年8期）及〈達維會師時間考〉（《四川黨史研究資料》1985年9期）、四川省博物館〈達維橋－工農紅軍一、四方面軍會師舊址〉（《文物》1975年3期）。張平化〈憶紅二方面軍同紅四方面軍勝利會師和並肩北上〉（《湖南黨史通訊》1986年10期）；〈慶祝二、四方面軍勝利會師（1936年7月10日）〉（《檔案工作》1986年9期）。顧偉斌等〈對中央紅軍到達陝北與西北紅軍會師時間和地點的考證〉（《黨史通訊》1986年11期）、張文輝等〈中央紅軍與陝北紅軍會師地點新考〉（《人文雜志》1986年5期）、田舍郎〈關於中央紅軍和十五軍團會師的時間和地點的考證〉（《延安大學學報》1984年2期）、趙耀宏〈永坪會師及其意義〉（同上，1986年4期）、仲琰〈那爾轟會師時間和經過辨析〉（《博物館研究》1983年1期）、李安葆〈會寧會師：長征勝利的豐碑〉（《近代史研究》1982年3期）、張百勝〈關於紅軍在會寧會師的幾個問題〉（《社會科學（甘肅）》1982年1期）、陳緒生〈紅一、四方面軍會寧會師時間考〉（《軍史資料》1987年1期）、張國星〈中共與張、楊等統戰關係對會寧會師的作用〉（《河南黨史研究》1991年1期）。顧偉斌等〈對紅一、二方面軍會師時間和地點的考證〉（《黨史通訊》1987年6期）；〈中共中央、中華蘇維埃中央政府、中華軍委為一、

二、四方面軍在甘肅境內會合給全軍的賀電（1936年10月10日）〉（《檔案工作》1986年9期）、廖國良〈推動時局轉換的重大歷史事件—讀《中央為慶祝一、二、四方面軍大會合通電》〉（《文獻和研究》1986年5期）、貴州省博物館館刊通訊員〈三大主力紅軍陝北會師〉（《貴州省博物館館刊》1986年3期）、陳永恭〈三大主力紅軍會師時間地點之我見〉（《理論學習》1986年5期）、楊尚昆〈全國主力紅軍大會合〉（《黨史研究》1986年5期）、甘肅省軍區黨史資料徵集辦公室編《三軍大會師》（2冊，蘭州，甘肅人民出版社，1987）、王榮先〈關於三支主力紅軍會師的幾個問題〉（《黨史通訊》1986年5期）、《紅軍長征在四川》編寫組〈三大主力勝利會師〉（《四川黨史研究資料》1986年8期）、王永康〈三大主力紅軍會師是黨的北上抗日方針的勝利〉（《甘肅理論學刊》1996年6期）、馬福生〈紅軍三大主力會師述論〉（《張家口師專學報》1996年3、4期）、劉國語〈紅軍三大主力會師是黨中央北上方針的勝利〉（《黨史資料與研究》1986年5期）、仲兆良等〈紅軍三大主力會師是黨中央北上方針的勝利〉（《文獻和研究》1986年5期）、邵維正〈團結是勝利的旗幟：紅軍三大主力會師的啟示〉（《求是》1996年20期）、邵予奮〈三軍過後盡開顏：記紅軍三大主力會師〉（《黨史天地》1996年10期）及〈紅軍三大主力會師與長征勝利結束〉（《上海黨史研究》1996年5期）、王永康〈北上抗日方針與三大主力紅軍會師〉（《理論學習》1980年5期）、薛正昌〈紅軍西征與三大主力會師〉（《固原師專學報》1996年5期）、邵予奮〈論將臺堡會師的歷史地位：兼論完整準確地宣傳紅軍三大主力長征會師的史實問題〉（《寧夏社會科學》1996年6

期）、梁慧榮〈三大主力紅軍會合時的人數為什麼有兩種說法〉（《黨史研究》1985年6期）、劉鐵林〈紅軍長征會師陝北的總人數是怎樣推算出來的？〉（《軍事歷史》1996年4期）、吳殿堯〈朱德與紅軍三大主力會師〉（《黨的文獻》1996年6期）、李軍〈朱德對三大主力紅軍會師的傑出貢獻〉（《社科縱橫》1996年5期）。

關於長征途中的幾次重要會議有蔣玉懷、王付海〈紅軍長征的八次會議〉（《黨史博采》1996年12期）、黃惠運〈紅軍長征途中十會議述評〉（《贛南師院學報》1986年4期）、劉國語〈中共中央在長征中召開的十次重要會議〉（《軍事歷史》1996年5期）、王廷科〈紅軍長征途中召開的歷次重要會議〉（《四川文物》1985年3期）。其中最重要被認為是毛澤東因此在中共黨中地位、權力急速提升的遵義會議（1935年1月在貴州遵義召開的中共中央政治局擴大會議）有聶榮臻等《偉大的轉折－遵義會議五十周年回憶錄專輯》（貴陽，貴州人民出版社，1984）；《遵義會議的光芒－紀念遵義會議五十周年》（北京，解放軍出版社，1984）、中共中央黨史資料委員會、中央檔案館編《遵義會議文獻》（北京，人民出版社，1985）、貴州省紀念遵義會議五十周年學術討論會秘書處編《豐碑：貴州省紀念遵義會議五十周年學術討論會論文選集》（貴陽，貴州人民出版社，1985）、丁芝珍等編《遵義會議前後》（同上）、遵義會議紀念館篇《紀念遵義會議五十周年（1935-1985）》（同上，1986）、郭軍寧編寫《遵義會議》（中國革命史小叢書，北京，新華出版社，1990）、史辛之《遵義會議：決定中國歷史命運的三天》（上海，上海人民出版社，1995）、石永言《遵義會議紀實》（北京，解放軍文藝出版社，1991）、區錫坤《遵義會議之研究》（政治大學東亞研究所碩士論文，民60）。馮建輝〈遵義會議研究述評〉（《教學與研究》1985年3期）、楊洪範〈遵義會議研究述評〉（《遼寧師院學報》1983年5期）、區錫坤〈中共遵義會議之研究〉（《東亞季刊》3卷1期，民60年7月）、胡雄杰〈論遵義會議〉（《貴州社會科學》1984年6期）、陳鐵健〈遵義會議述論：紀念遵義會議五十周年〉（《內部文稿》1985年1期）、楊中美〈遵義會議考—附、長征 コース 變遷考〉（《季刊中國研究》11號，1988）、三上諦聽〈遵義會議について〉（《龍谷史壇》56、57號—小笠原、宮崎兩博士華甲記念特集，1966年12月）、遵義會議紀念館〈光輝的遵義會議〉（《文物》1975年3期）、杜學斌〈成熟的開端：遵義會議〉（《黨史縱橫》1995年1期）、A. Titov, "About the Tsunyi Conference."（Far Eastern Affairs, No.1, 1976）、影雨〈遵義會議簡介〉（《星火燎原》1982年1期）、韓泰華〈生死攸關的歷史轉折點—遵義會議簡介〉（《齊魯學刊》1982年2期）、David Bonavia, "Lesson for the Left（1935 Zunyi Conference）."（Far Eastern Economic Review, Vol.127, Feb. 1985）、遵義會議紀念館〈真理的光輝：遵義會議紀實〉（《貴州青年》1980年1期）、伍修權〈遵義會議的光輝不容玷污：駁李德對遵義會議的污蔑〉（《紅旗》1981年20期）、楊尚昆〈紀念遵義會議五十周年〉（《黨史通訊》1985年1期）、葉心瑜〈遵義會議前後〉（同上）、費侃如〈遵義會議及其前後〉（《貴州文史叢刊》1981年3期）、伍修權〈生死攸關的歷史轉折—回憶遵義會議的前前後後〉（《星火燎原》1982年1期）、羅明〈遵義會議前後：紀念遵義會議召開五十周年〉（《貴州社科通訊》1985年3期）、關黔新〈遵義會議的歷史背景〉（《黔東南社會科學》1989年1期）。胡華〈關於遵義會議的若干情況〉（《新時期》1980年1期）、李安葆〈關於遵義會議的幾個問題〉（《貴州社會科學》1981年4期）、倪毓英〈關於遵義會議的幾個問題〉（《黨史研究資料》1982年8期）、莊明坤〈有關遵義會議的幾個問題〉（《中學歷史》1983年3期）、徐東海〈對遵義會議若干疑點的探索〉（《東亞季刊》20卷2期，民77年10月）、王振輝〈對遵義會議史料上幾個疑問的剖析〉（《共黨問題研究》14卷6期，民77年6月）、陳健偉〈談遵義會議的兩件事〉（《黨史研究》1981年5期）、伍紹祖〈提供一些與遵義會議有關的情況和看法〉（同上）、姜思毅〈遵義會議六十周年隨想〉（《當代思潮》1995年1期）、梁柱〈一座光芒四射的里程碑—紀念遵義會議六十周年〉（《求是》1995年1期）、李捷〈關於遵義會議的幾點認識〉（《黨的文獻》1994年6期）、石世龍〈對遵義會議的再認識〉（《雲南學術探索》1996年6期）。費侃如〈遵義會議召開和結束的時間問題〉（《黨史研究》1980年5期）；〈遵義會議召開和結束的準確時間〉（《社會科學參考》1981年9期）、李海文〈關於遵義會議召開和結束時間的商榷〉（《黨史研究》1981年4期）、才樹祥〈談遵義會議召開和結束的時間〉（《北京財貿學院學報》1983年1期）、劉晶芳〈也談遵義會議召開和結束的時間〉（《黨史研究》1981年2期）、費侃如〈關於遵義會議時間問題的考證〉（《貴州文史叢刊》1982年2期）、何賢山等〈關於遵義會議召開的時間〉（《社會科學（上海）》1983年6期）、田興咏〈也談遵義會議的時間問題〉（《貴州文史叢刊》1982年4期）、果繼山〈談遵義會議召開的前因〉（《唐山教育學院、唐山師專學報》1986年2期）、曾景忠

〈遵義會議前黨內鬥爭的幾個問題：有關遵義會議醞釀準備之探討〉（《貴州社會科學》1989年4期）、劉子富〈遵義會議有哪些人參加〉（《半月談》1981年13期）、張家德〈遵義會議的三個階段〉（《貴州社會科學》1995年2期）、曾景忠〈關於遵義會議進程的幾點探討〉（《中共黨史研究》1988年6期）。黃少群〈對遵義會議及其決議的幾個問題的認識〉（《文獻和研究》1987年4期）、殷子賢〈遵義會議決議最早版本時間考〉（同上，1985年1期）、項承武〈關於遵義會議決定的幾個問題：紀念遵義會議五十周年〉（《貴陽師院學報》1984年4期）、藤田正典譯及介紹〈遵義會議決議—1935年1月〉（《歷史評論》239、240號，1970年7、8月）、郭華倫〈論遵義會議決議〉（載《第一屆中美「中國大陸問題」研討會專輯》，臺北，民59）、Jerome Chen（陳志讓），"A Review of the Resolution of Zunyi Conference."（The China Quarterly, No. 40, 1969）、費侃如〈遵義會議《決議》研究二題〉（《貴州社會科學》1996年1期）、盧立人等〈從遵義會議《決議》看遵義會議的歷史地位：紀念遵義會議召開五十周年〉（《青島師專學報》1984年3期）、蓋軍〈毛澤東軍事思想的偉大勝利—重讀遵義會議的決議〉（《黨史研究》1984年6期）、李永芳〈遵義會議只提反右不提反〝左〞釋疑〉（《中共黨史研究》1996年4期）、鄒削強〈怎樣理解遵義會議決議中提出的〝反右傾〞問題〉（《湖湘論壇》1990年5期）、黃少群〈對遵義會議決議中一個提法的認識〉（《黨史研究》1984年6期）、吳述榮〈淺談遵義會議決議解決黨內矛盾的歷史經驗〉（《湖南黨史通訊》1985年2期）、周炳欽〈關於遵義會議決議大綱印發日期考〉（《黨史資料徵集通訊》1986年3期）、方長明〈關於《遵義會議決議》中〝五反〞與〝閩變〞問題探討〉（《福建黨史通訊》1986年4期）、費侃如〈《遵義政治局擴大會議傳達提綱》形成時間再研究〉（《黨史研究與教學》1991年2期）、〈《遵義政治局擴大會議傳達提綱》的發表及其意義〉（《貴州省博物館館刊》1987年4期）、張振明〈遵義會議決議傳達情況述評〉（《黨史研究與教學》1995年1期）。胡繩〈遵義會議的重大歷史意義〉（《中共黨史研究》1996年1期）、李安葆〈遵義會議反映述評〉（《教學與研究》1985年2期）、郭文運等〈遵義會議給我們的啟示〉（《貴州大學學報》1985年1期）、蓋軍〈弘揚實事求是精神：遵義會議的歷史啟示〉（《中國黨政幹部論壇》1995年1期）、廖惟一等〈試論遵義會議的歷史經驗〉（《貴州社科通訊》1985年1期）、宗錦福等〈試論遵義會議的歷史經驗及其在今天的重要意義一紀念遵義會議召開五十周年〉（《黨史研究》1984年6期）、劉仲良〈關於遵義會議偉大意義的幾點認識〉（《益陽師專學報》1982年1期）、劉勉玉〈遵義會議及其重大歷史意義〉（《江西大學學報》1985年1期）、楊盛清〈遵義會議的偉大歷史意義〉（《歷史教學》1965年1期）、石世龍〈對遵義會議意義的再認識〉（《玉溪師專學報》1986年3期）、于謙〈走向勝利的偉大轉折：試論遵義會議及其偉大意義〉（《軍事史林》1986年5期）；〈陸定一同志對遵義會議的偉大歷史意義的評價〉（《黨史資料通訊》1982年8期）。伍修權〈扭轉長征和中國革命局面的遵義會議〉（《中央黨史研究》1996年5期）、黃允升〈遵義會議是中國革命的偉大轉折點〉（《歷史檔案》1986年3期）、村田忠禧〈中國革命における二つの轉換點—遵義會議と11期3中總〉（《季刊中國研究》第3號，

1986）、崔德芬〈遵義會議也是中國革命和共產國際關係的轉折點〉（《貴州師大學報》1986年1期）、蕭北嬰〈論遵義會議對中國革命的影響〉（《黨史研究與教學》1996年6期）、朱華清、黃均儒〈兩次偉大轉折的歷史啟示：紀念遵義會議六十周年〉（《貴州民族研究》1995年1期）、葉心瑜〈中國共產黨生死攸關的偉大轉折一紀念遵義會議五十周年〉（《貴州社科通訊》1985年1期）、胡邦寧〈遵義會議在我黨第二次偉大歷史性轉變中的地位和作用一紀念遵義會議五十周年〉（《湖北大學學報》1985年1期）、王淇〈遵義會議是黨的歷史上一個生死攸關的轉折點〉（《求是》1991年16期）、馮祖貽〈對遵義會議是我黨歷史的偉大轉折點的幾點認識〉（《貴州社科通訊》1985年1期）、譚宗級〈我黨歷史的偉大轉折：遵義會議與十一屆三中全會〉（《理論月刊》1985年1期）、盧玉〈遵義會議是我黨歷史上的一個偉大轉折點〉（《晉陽學刊（增刊）》1981年4期）、張新華〈論遵義會議轉折的歷史含義〉（《重慶社會科學》1996年6期）、侯保重〈遵義會議也是黨的政治路線的轉折〉（《貴州社科通訊》1986年11期）。李安葆〈遵義會議：馬克思列寧主義普遍真理與中國革命具體實踐相結合的光輝勝利〉（《歷史教學》1983年12期）、費侃如〈遵義會議情況是誰向共產國際報告的〉（《黨史研究》1984年2期）及〈遵義會議情況流傳到共產國際新説〉（《黨史研究與教學》1992年6期）、趙蔚〈共產國際與遵義會議〉（《國際共運》1985年4期）、安滕正士〈遵義會議とコミンテルン〉（載《歷史における民衆と文化—酒井忠夫先生古稀祝賀記念論集》，東京，圖書刊行會，1982）、曾錫鵬〈遵義會議期間中央是否明確王明路線性質〉（《哲學社會科學通訊》1983年

3期）、王禮芳〈遵義會議為何沒有解決王明〝左〞的政治路線的錯誤〉（《甘肅社會科學》1993年1期）、張繼福〈遵義會議僅僅是來不及對王明〝左〞傾錯誤進行清理嗎？〉（《湖湘論壇》1993年3期）、邵代富等〈遵義會議是黨趨向成熟的標志〉（《貴州社科通訊》1985年1期）、夏宏根〈遵義會議與黨的成熟〉（《黨史研究》1984年6期）、郭淼〈遵義會議與黨的民主集中制的確立〉（《北京黨史研究》1995年1期）、杜學斌〈中共集體領導在遵義會議上的真正實現〉（《遼寧大學學報》1995年2期）、胡啟銳〈遵義會議與正確處理黨內矛盾〉（《毛澤東思想研究》1986年4期）、劉金祥、孟慶春〈遵義會議標志著中國共產黨在政治上開始走向成熟—兼論無產階級政黨成熟標準的基本要素〉（《瀋陽師院學報》1994年3期）、秦英君等〈遵義會議黨的成熟說質疑與反思〉（《河南大學學報》1988年4期）、韓風〈遵義會議對黨中央路線的肯定是一種鬥爭策略嗎〉（《南京政治學院學報》1988年1期）、季新民等〈遵義會議未能解決政治路線原因探評〉（《西安政治學院學報》1989年2期）、陳國棟〈遵義會議為什麼不解決政治路線問題〉（《九江師專學報》1986年2期）、王濤〈遵義會議未批評〝左〞傾政治路線的原因〉（《史學月刊》1996年5期）。元江〈關於遵義會議改組中央領導核心的表達問題〉（《南開學報》1987年6期）、林風〈也談遵義會議改組中央領導核心的表述問題〉（同上，1988年6期）、王健英〈遵義會議對中央領導核心的變動〉（《黨史研究》1984年6期）、周文順〈從遵義會議看領導班子成員的風格構成〉（《領導工作研究》1994年4期）及〈從遵義會議的成功看領導班子的最佳組成〉（《黨史博采》1995年9期）、劉品榮

〈遵義會議與領袖集團的雛成〉（《遼寧大學學報》1993年2期）、蜂屋亮子〈寧都會議と遵義會議—軍事指導における毛周交代と周毛交代〉（《お茶の水史學》22號，1979年4月）、林琳文〈向歷史的轉折點前進—從遵義會議前毛澤東之地位及其醞釀活動看遵義會議之性質〉（《共黨問題研究》14卷2期，民77年2月）、才家瑞〈遵義會議前毛澤東在黨內職務的變化及與錯誤路線的鬥爭〉（《歷史教學》1994年10期）、鍾其昌〈不能否定遵義會議確立了毛澤東在全黨的領導地位〉（《廣東教育學院學報》1996年4期）、曹欽溫〈為什麼說遵義會議確立了毛澤東在紅軍和黨中央的領導地位〉（《教學與研究》1985年2期）、杜勇躍等〈對遵義會議確立毛澤東在黨中央和紅軍中的領導地位之淺見〉（《教學與科研（寶雞師院學報）》1984年4期）、李敦送〈遵義會議與毛澤東在全黨全軍領導地位確立的再探討〉（《軍事歷史》1995年2期）、楊鳳〈也談遵義會議與毛澤東在全黨領導地位的確立〉（《黨史資料與研究》1996年2期）、夏振杰、唐洪森〈論遵義會議後毛澤東軍事領導地位的確立〉（《阜新社會科學》1994年1期）、Thomas Kampen, "The Zunyi Conference and Future Steps in Mao's Rise to Power."（The China Quarterly, No.117, 1989；其中譯文爲劉德喜、周世慧譯〈遵義會議與毛澤東領導地位的加強〉，載《檔案史料與研究》1993年2期）、Benjamin Yang, "The Zunyi Conference as One Step in Mao's Rise to Power: A Survey of Historical Studies of the Chinese Communist Party."（The China Quarterly, No. 106, June 1986；其中文摘譯文爲王宇等譯〈遵義會議是毛澤東取得權力的第一步，文載《國外社會科學情報》1987年5期）、本杰明·楊（Benjamin

Yang）著、蔡四偉譯〈遵義會議：毛澤東的崛起〉（《毛澤東思想研究》1989年1期）、北田定男〈遵義會議以前の中共指導部に對する毛澤東の造反（上の1-4）〉（《現代科學論叢》1-4號，1967年12月-1970年12月）、安都根〈長征期中國共產黨の指導體制の改變について—遵義會議と毛澤東の指導權確立をめぐって〉（《名古屋大學東洋史研究報告》19號，1995年3月）、德田教之〈中國共產黨における毛澤東の權威とソーダーシップの生成と定著化過程—遵義會議（1935年1月）から六期六中全會（1938年10月）の直前まで〉（《法學研究》43卷6號，1970年6月）、〈中國共產黨における毛澤東の權威について—遵義會議から七全大會までを中心として〉（《アヅア經濟》11卷1號—中國特集2，及11卷9號，1970年1月及9月）及〈中國共產黨における毛澤東の指導權出現の政治的支脈—遵義會議から瓦窰堡會議まで〉（載《中國革命の展開と動態》，東京，アジア經濟研究所，1972）、藝光〈遵義會議上毛澤東的致勝之道〉（《鐵道政工學刊》1993年6期）、董世明〈遵義會議沒有確立毛澤東在全黨的領導地位〉（《東北師大學報》1994年2期）、劉金祥、孟慶春〈對遵義會議後毛澤東領導地位的表述的辨正〉（《信陽師院學報》1994年4期）、丁長清〈遵義會議毛澤東進入中央書記處辨〉（《湖北大學學報》1996年5期）、李世宇〈毛澤東與遵義會議〉（《貴州大學學報》1995年1期）、侯保重〈毛澤東與遵義會議〉（《遵義醫學院學報》1992年1期）、白玉武〈毛澤東同志與遵義會議〉（《吉林大學社會科學學報》1984年5期）、劍戈〈遵義會議時的毛澤東〉（《年輕人》1986年9期）、方維剛等〈遵義會議前後的毛澤東—紀念遵義會議五十周年〉（《毛澤東思想研

究》1984年4期)、侯保重、婁勝霞〈毛澤東在遵義會議前後〉(《貴州社會科學》1995年1期)、張烈〈毛澤東與遵義會議〉(《黨的文獻》1995年1期)、哈里森·索爾茲伯里〈毛澤東同志在遵義會議前後〉(《黨的生活》1986年17期)、費侃如〈紅軍危難的歷史關頭:遵義會議前後的毛澤東〉(《黨史縱橫》1995年1期)、孫永志、葉文琴〈毛澤東對遵義會議的貢獻〉(《山東醫科大學學報》1994年2期)、黃自為〈試論毛澤東等老一輩革命家對遵義會議的傑出貢獻〉(《貴陽師院學報》1984年4期)、侯保重〈遵義會議前後的毛澤東獨立自主思想〉(《貴州社會科學》1993年5期)、楊家寶〈毛澤東獨立自主思想在遵義會議的偉大勝利〉(《安徽省委黨校學報》1992年4期)、王德木〈遵義會議與毛澤東思想的形成〉(《黄淮學刊》1989年4期)、鄭德榮、田克勤〈遵義會議是毛澤東思想從形成到成熟的新起點〉(《東北師大學報》1985年1期)、王首民〈略論遵義會議《決議》是毛澤東思想形成的重要起點〉(《長白論叢》1992年6期)、方維剛〈遵義會議與毛澤東思想的精髓〉(《黨史資料與研究》1995年1期)、李安葆〈《遵義會議決議》在毛澤東軍事思想中的地位和作用〉(《貴州社會科學》1985年1期)、袁似瑶〈遵義會議與毛澤東的軍事思想〉(《廣西師院學報》1990年1期)、蔣建農〈遵義會議後毛澤東重建革命根據地的主張與實踐〉(《黨的文獻》1996年5期)、謝新民〈從遵義會議看毛澤東卓越的領導藝術〉(《南通學刊》1993年3期)。周文順〈遵義會議顯領袖風格〉(《現代領導》1994年2期)、侯萬明〈選準舵手·撥正航向一紀念遵義會議召開六十周年〉(《歷史教學》1995年1期)、劉秀菊〈遵義會議為長征的勝利奠定了基礎〉(《貴州社科通訊》1985年1期）、王仲清〈遵義會議和長征精神〉（《思維與實踐》1994年1期）、羅明〈遵義會議的偉大勝利—紀念中央紅軍長征五十周年〉（《福建黨史通訊》1986年10期）、黃允升〈遵義會議一中國革命從全局上開始〝走自己的道路〞〉（《黨的文獻》1995年1期）、成國銀〈遵義會議是我黨獨立自主思想的第一次光輝實踐〉（《黨史文苑》1995年2期）、楊隆昌〈遵義會議是民主的會獨立自主的會〉（《貴州師大學報》1995年1期）、煒光〈我黨獨立自主地解決中國革命問題的偉大開端：為紀念遵義會議五十周年而作〉（《湘潭師專學報》1985年1期）、崔淑英〈遵義會議實現了由錯誤路線向正確路線的轉變〉（《錦州醫學院學報》1994年6期）、廖華翼〈怎樣理解對遵義會議所糾正的錯誤路線的不同提法〉（《黨的文獻》1989年4期）、黃國定〈實事求是的思想路線的勝利：紀念遵義會議五十周年〉（《貴陽師院學報》1984年4期）、彭洪志〈遵義會議與思想解放〉（《黔東南民族師專學報》1995年2期）、張才良〈遵義會議精神與建設有中國特色的社會主義〉（《貴州師大學報》1995年2期）。何少琦〈周恩來在遵義會議前後〉（《黨的文獻》1989年2期）、侯保重〈周恩來與遵義會議〉（載《周恩來和他的事業》，北京，中共黨史出版社，1990）、王渤光〈論周恩來在遵義會議前後的重要作用〉（《東北地方史研究》1992年4期）、鄭心芬〈周恩來在遵義會議前後的歷史作用〉（《歷史教學》1987年9期）、劉孝良、王忠〈周恩來對遵義會議的傑出貢獻〉（《淮北煤師院學報》1990年1期）、宋振虹、荊有祥〈遵義會議前後的周恩來〉（《撫順社會科學》1993年4期）。遵義會議紀念館編《張聞天與遵義會議》（北京，中共黨史資料出版社，1990）、田曉池〈張聞天與遵義會議〉（《河北師大學報》1989年3期）、張培森〈論張聞天同志遵義會議的轉變〉（《黨史研究》1983年3期）及〈張聞天與遵義會議〉（《文獻和研究》1985年1期）、孫彥釗〈張聞天在遵義會議前後〉（《炎黃春秋》1996年1期）、劉開華、董兆昕〈張聞天功著遵義會議〉（《軍事歷史》1996年4期）、韓廣富〈博古在遵義會議以後〉（《黨史縱覽》1996年6期）及〈博古在遵義會後的主要任職及活動〉（《黨史文苑》1996年2期）、耿飆〈張聞天對遵義會議的特殊貢獻〉（《中共黨史研究》1995年1期）、劉振華〈遵義會議前後張聞天建黨思想的轉變〉（《理論學刊》1995年6期）、吳小妮〈王稼祥對遵義會議的卓越貢獻〉（《濟寧師專學報》1996年3期）、徐則浩〈王稼祥對遵義會議的貢獻〉（《文獻和研究》1985年1期）、李安葆〈劉少奇與遵義會議〉（《湖南師大學報》1985年2期）、石永言〈鄧小平與遵義會議〉（《黨的文獻》1993年3期）。鄒愛國〈新發現的遵義會議史料〉（《瞭望》1984年10期）、黃允升〈《遵義會議紀實》若干史實辨證〉（《中共黨史研究》1992年2期）、史辛之〈遵義會議史研究正向縱深發展：介紹侯保重教授新著《遵義會議：決定中國歷史命運的三天》〉（《貴州社會科學》1996年1期）、朱仲麗〈〝關鍵一票〞的由來：王稼祥談遵義會議〉（《革命史資料》1980年1期）、李高陽、徐國義〈遵義會議與王稼祥的轉變：王稼祥是如何從王明〝左〞傾錯誤路線中擺脫出來的〉（《牡丹江師院學報》1993年1期）；〈伍修權談遵義會議〉（《黨史資料徵集通訊》1985年1期）；〈李卓然談遵義會議〉（同上）、徐心華等〈遵義會議回憶：訪伍修權〉（《半月談》1985年1期）、郭德宏〈駁王明《中共五十年》對遵義會議的污蔑和歪曲〉（《黨的文獻》1990年5期）、方維剛〈前事不忘，後事之師：紀念遵義會議五十五周年〉（《毛澤東思想研究》1990年1期）；〈沿著理論聯繫實際的道路勝利前進：紀念遵義會議召開五十周年〉（《紅旗》1985年1期）。蕭文豪〈黎平會議是遵義會議的奠基石〉（《貴州師大學報》1986年4期）、曾景忠〈對遵義政治局擴大會前舉行過中央政治局會議的探討〉（《黨史研究與教學》1989年2期）及〈遵義會議後三人軍事領導機構研究〉（《中共黨史研究》1989年4期）、費侃如〈遵義會議後的三人軍事指揮小組是不是黨中央軍委〉（《近代史研究》1984年1期）及〈三人軍事指揮小組與遵義會議決議〉（《貴州文史叢刊》1982年4期）、王健英〈〝三人軍事小組〞小考〉（《黨史文匯》1986年6期）、鄧啟沛〈遵義會議與會寧會師的思考〉（《武漢教育學院學報》1986年4期）、萬健生〈黨的十一屆三中全會與遵義會議之比較〉（《求實》1988年11期）。田京生〈遵義會議的教學思考〉（《歷史教學》1995年2期）、周錫銀〈遵義會議與黨的民族政策〉（《西南民族學院學報》1986年3期）、張家德〈從遵義會議到尋甸轉兵渡口〉（《雲南教育學院學報》1987年期）、楊中美《遵義會議與延安整風—中共爭權秘史》（臺北，奔馬出版社，民78）、劉勉玉〈遵義會議是南方三年游擊戰爭戰略轉變的關鍵〉（《中央黨史研究》1996年2期）、張家闊〈遵義會議後李德的行踪和表現〉（《社會科學探索》1996年4期）、費侃如《遵義會議會址》（北京，文物出版社，1987）、鄒愛國〈新發現的遵義會議史料〉（《瞭望》1984年10期）。

其他的會議如通道會議（1934年12月上旬，長征紅軍占領湖南西南邊境的通道城，即在該地召開了軍委擴大會議，會議決定放棄原定進軍湘西與紅二、六軍團會合的計劃，而轉兵西進向敵人兵力薄弱的貴州進發，即所謂〝通道轉兵〞）有林齊雅〈有關通道會議的幾個問題〉（《黨史研究》1982年4期）、宋教奎等〈關於通道會議的幾個問題〉（《黨史資料叢刊》1982年4輯）、馬繼善〈通道會議幾個問題的探討〉（《軍史資料》1986年5期）、曾景忠〈通道會議研究〉（《近代史研究》1996年5期）、李仲凡〈〝通道轉兵〞和〝通道會議〞〉（《湖南黨史通訊》1983年2期）、懷化地委黨史辦等〈關於通道會議和通道轉兵幾個問題的探討〉（同上，1986年11期）、中共桂林地委黨史辦等〈李德說的〝飛行會議〞不是通道會議〉（《學術論壇》1986年1期）、黃允升〈一份反映通道會議的電報〉（《黨史研究資料》1985年6期）、桂林地委黨史辦等〈李德說的〝飛行會議〞不是通道會議〉（《學術論壇》1986年1期）。黎平會議（1934年12月18日，中共中央在貴州之黎平召開政治局會議，決定在川黔邊區建立新根據地，過去在湘西創立新根據地的決定已經是不可能的，並且是不適宜的）及猴場會議（1935年1月1日，中共中央在貴州烏江南岸的猴場召開政治局會議，決定中央紅軍渡過烏江後在川黔地區轉入反攻，建立川黔邊區新的蘇區根據地）有貴州黔東南苗族侗族自治州黨史資料徵集辦公室等主編《黎平會議論文集》（貴陽，貴州人民出版社，1988）、羅竹香等〈黎平會議〉（《貴州文史叢刊》1982年1期）、胡光華〈光照史冊的黎平會議〉（同上，1992年2期）、黃世稀、胡慶寅〈黎平會議研究中幾個問題的質疑〉（《貴州民族學院學報》1987年1期）、汪舒〈論黎平會議的歷史作用〉（《中學歷史教學參考》1996年10期）、邱亮〈試論黎平會議的歷史地位和作用〉（《貴州黨史通訊》1987年1期）、郭德宏〈黎平會議在紅軍長征史上的地位和作用〉（《黨史研究》1987年1期）、蕭文豪〈黎平會議是遵義會議的奠基石〉（《貴州師大學報》1985年4期）、費侃如〈周恩來主持黎平會議的質疑〉（《黨史研究與教學》1993年1期）；〈陳雲關於黎平會議的來信〉（《貴州文史叢刊》1982年3期）、張家德〈從黎平－猴場會議到扎西會議〉（《貴州社會科學》1993年2期）、顧大全〈試論黎平、猴場會議與烏江之役〉（《貴州民族學院學報》1988年1期）、陳明軍〈猴場會議召開原因初探〉（《黔南民族師專學報》1995年4期）、李鶴群〈猴場會議是遵義會議的重要準備〉（《黨史資料通訊》1988年4期）及〈猴場會議意義初探〉（《黔南民族師專學報》1987年2期）、蕭文豪〈猴場會議是中央紅軍戰略轉兵的重要組成部分〉（《貴州師大學報》1989年4期）。扎西會議（關於扎西會議是否曾召開過？中國大陸的中共黨史學界尚有爭論。有人認為1935年2月5日至9日曾連續在滇、黔、川三省交界的雲南扎西縣境內，召開過中共中央政治局常委會、中共中央政治局會議和中共中央政治局擴大會議，決定由張聞天取代秦邦憲，出任中共中央總書記，與毛澤東配合合作，二人之分工，成為新的中央領導核心）有程中原〈扎西會議考辨－答張子明〉（《中共黨史研究》1990年4期）、張子明等〈關於扎西會議的性質問題〉（《四川黨史研究資料》1987年7期）、胡潤〈淺論扎西會議的歷史意義〉（《雲南學術探索》1996年6期）、程中原〈論扎西會議的歷史地位〉（《中共黨史研究》1989年4期）、張子明〈關於扎西會議的若干問題－與程中原商榷〉（同上，1990年2期）、徐波〈論遵義—扎西會議—1935年革命歷史轉折點再研究〉（《黨史研究與教學》1993年1期）、張家德〈扎西會議新考〉（《中共黨史研究》1992年5期）、程中原〈扎西會議考辨〉（同上，1990年4期）、李輔敏〈扎西會議是遵義會議的繼續〉（《貴州民族學院學報》1996年4期）、徐波〈張聞天在扎西會議中歷史作用及地位的重新研究〉（《安徽大學學報》1996年6期）、侯保重〈關於洛甫接替博古職務在雞鳴三省地域範圍確切地點的探討〉（《黨史研究》1985年6期）。會理會議（1935年5月12日，中共中央在四川會理縣城附近的鐵廠召開政治局擴大會議，決定中央紅軍繼續北上，越過大渡河，向紅四方面軍靠攏）有劉永康〈會理會議的基本情況〉（《四川黨史研究資料》1987年6期）、楊振保〈略論會理會議的重要作用〉（《南都學壇》1995年1期）。巴西會議（1935年8月，中共中央和前敵總指揮部率領右路軍向巴西班佑前進，張國燾則率領左路軍反對黨中央之「北上抗日方針」，中共黨中央和毛澤東因而在巴西舉行中央政治局緊急會議，決定迅速率紅軍第一、三軍團繼續北上，並再次電令張國燾立刻率左路軍向班佑、巴西開進，不得違誤）有王廷科〈巴西會議是什麼時候召開的〉（《歷史研究》1980年5期）、劉錄開〈巴西會議究竟是何時召開的〉（《貴州文史叢刊》1982年4期）、秦生〈也談巴西會議召開的時間問題〉（《近代史研究》1985年1期）、〈對《中共黨史大事年表》中巴西緊急會議時間、地點的商榷〉（《社會科學（甘肅）》1988年2期）及〈黨中央在巴西召開了哪些會議〉（《黨史研究資料》1987年11期）。俄界會議（1935年9月12日，中共在川北俄界召開的中央政治局會議，會議決定將其所率領的部隊改編為中國工農紅軍陝甘支隊，繼續北上）有秦生〈中央政治局俄界會議及其在長征史上的歷史作用〉（《社會科學（甘肅）》1986年4期）、龔自德〈俄界會議地址考〉（《四川黨史研究資料》1985年11期）及〈俄界會議地址考證〉（《軍史資料》1986年1期）。另如蕭甡〈關於沙窩會議召開的時間（1935年8月上旬）〉（《黨史研究資料》1985年4期）、耿仲琳等〈沙窩會議辨疑〉（《黨史研究》1987年1期）。龔自德〈〝卓木碉會議〞會址考〉（《四川黨史研究資料》1986年9期）及〈卓木碉會議會址考〉（《四川大學學報》1986年3期；亦載《軍史資料》1986年5期）、張家德、程昕〈論古窩白沙會議的歷史地位〉（《四川師大學報》1991年3期）、李安葆〈長征途中一次討論抗日問題的重要會議〉（《四川黨史月刊》1990年7期）、沈果正〈長征時期中共中央在川西北召開幾次政治局會議的史實〉（《四川文物》1991年4期）、顧偉斌等〈黨中央為完結中央紅軍長征召開的最後一次會議〉（《黨史研究資料》1987年9期）。

關於長征中的民族政策或民族工作有周錫銀《紅軍長征時期黨的民族政策》（成都，四川民族出版社，1985）、康基柱等〈紅軍長征時黨的民族政策及其實踐〉（《民族理論研究》1987年2期）、胡雄杰〈紅軍長征中的民族政策〉（《貴州社會科學》1988年6期）、田榮發〈淺談紅軍長征期間的民族政策〉（《西南民族學院學報》1984年2期）、王燦楣〈紅軍在長征期間的民族政策〉（《黔東南社會科學》1991年1期）、王燦楣、卿三瓊〈中國共產黨在紅軍長征期間的民族政策〉（《黔東南民族師專學報》1992年1期）、黃克雷〈紅軍長征時期的民族政策〉（《貴州文史叢刊》1996年6期）、王廷舉〈紅軍長征前後的我黨民族政策〉（《貴州師大學報》1990年1期）、黎德榮〈紅軍長征與民族政策〉（《安順地黨史通訊》1991年4期）、周錫銀〈紅軍長征與黨的民族政策〉（《思想戰線》1982年3期）、高新生、朱揚桂〈紅軍長征勝利與黨的民族政策〉（《新疆大學學報》1986年3期）、李曉霞〈民族政策與長征的勝利〉（《思維與實踐》1996年6期）、李加才旦〈長征時期紅軍執行民族政策的情況述要〉（《青海民族學院學報》1996年4期）、馬長軍〈紅軍長征中黨的民族政策〉（《民族工作》1996年11期）及〈長征與黨的民族政策〉（《民族團結》1996年10期）、楊盛規〈紅軍長征與黨的民族政策〉（《中共黨史研究》1996年5期）、支紹曾〈紅軍長征與黨的民族政策〉（《軍事歷史研究》1996年4期）、閻麗娟〈黨的民族政策與紅軍長征的勝利〉（《蘭州大學學報》1996年4期）、于世清、龔文友〈中國共產黨在長征中的民族政策和少數民族對長征的貢獻〉（《實事求是》1996年6期）、李大華〈紅軍長征途中黨的民族政策的實踐〉（《貴州社科通訊》1992年2期）、周錫銀〈紅軍長征時期有關民族政策的標語〉（《四川文物》1986年4期）、陸廷榮〈紅軍在長征時期黨的民族政策及其在雲南的實踐〉（《民族工作》1990年12期）、張家德〈論紅軍長征在雲南的民族政策與兄弟民族對長征的偉大貢獻〉（《雲南教育學院學報》1991年2期）、吳啟漢〈紅軍長征過四川時的民族政策和民族工作〉（《中共黨史研究》1991年6期）、周忠瑜〈紅軍長征途中民族政策在藏區的初步實施〉（《青海民族學院學報》1987年4期）、楊作山〈紅軍長征在藏區的民族政策〉（《固原師專學報》1996年5期）、溫賢美〈藏族人民支援紅軍長征〉（《西藏研究》1982年2期）、李榮珍〈紅軍長征在甘肅的民族政策〉(《甘肅民族研究》1986年3期)、周錫銀〈紅軍長征過少數民族地區大事記述〉(《思想戰線》1985年3期)、張孝忠〈克基與紅軍長征途中最早建立的少數民族革命政府〉(《黨史文匯》1988年6期)、陳淑珍〈試析紅軍長征中執行的少數民族政策〉(《黨史研究資料》1986年10期)及〈長征途中紅軍執行的少數民族政策〉(《百科知識》1986年10期)、陳石〈少數民族與紅軍長征〉(《福建黨史月刊》1996年10期)、趙一君〈紅軍長征途中對少數民族的政治工作〉(《高校理論戰線》1996年11期)、王躍飛〈紅軍長征中的民族工作〉(《吉首大學學報》1993年2期)、趙雅琴等〈黨在紅軍長征中的民族工作〉(《中央民族學院學報》1981年4期)、林華明〈紅軍長征與民族工作〉(《黨史通訊》1986年9期)、皮明義〈黨在紅軍長征中的民族工作大事記(1934年10月-1936年10月)〉(《中央民族學院學報》1987年3期)、羅佳瑛〈紅軍長征途中的民族工作〉(《中南民族學院學報》1987年3期)、朱愛農、周萍〈論紅軍長征時期民族工作的特點〉(《固原師專學報》1996年5期)、馬賢倫〈紅軍長征時期民族工作的巨大成就〉(《貴州民族學院學報》1991年1期;亦載《貴州文史叢刊》1991年1期)、康月田〈紅軍在長征中的民族工作實踐及其作用〉(《軍事歷史》1996年4期)、黃克雷〈紅軍入黔時期的民族政策〉(《貴州文史叢刊》1996年6期)、周錫銀〈紅軍長征與黨的民族統戰和宗教政策〉(《民族研究》1984年4期)及〈論紅軍長征時期中國共產黨的民族統戰宗教政策〉(《中央民族學院學報》1987年5期)、胡雄杰〈紅軍長征中的民族宗教政策〉(《貴州社會科學》1988年6期)、田正慧〈黨在紅軍長征前後對民族上層的統戰工作〉（《中央民族學院學報》1984年2期）、溫賢美〈紅軍長征與民族團結〉（《文史雜志》1996年5期）、崔廣陵〈尊重少數民族風俗與紅軍長征的勝利〉（《黔東南民族師專學報》1995年1期）、金炳鎬〈略論紅軍長征時期黨對民族問題的重視〉（《中央民族大學學報》1996年3期）、李榮珍〈長征時期中國共產黨對回族的政策〉（《回族研究》1996年4期）、周瑞海〈長征紅軍對回族工作大事記（1934年10月至1936年11月）〉（同上）、閻麗娟〈紅軍長征對西北回民的工作—兼論回族人民對紅軍長征的貢獻〉（《西北史地》1996年2期）、張文琳〈論紅軍長征在甘、寧時期對回族施行的政策〉（《民族研究》1996年6期）、曹成章、王承權、詹承緒〈紅軍長征在少數民族地區〉（《學術研究》1978年2期）、苗曉平《永恒情誼—長征與少數民族》（杭州，浙江人民出版社，1996）、烏爾希葉夫〈論長征時期我國少數民族的革命鬥爭—紀念紅軍長征勝利五十周年〉（《內蒙古社會科學》1986年5期）、陳學志〈格勒得沙共和國：紅軍長征中幫助建立的第一個少數民族革命政權〉（《中央民族學院學報》1991年6期）、李全中〈紅軍長征對四川少數民族的歷史性影響〉（《西南民族學院學報》1996年5期）、劉小兵〈紅軍巧過大涼山：劉伯承彝海結盟〉（《黨史縱橫》1996年10期）、王庭科、蕭宗弟〈紅軍長征過彝區〉（《四川大學學報叢刊》第5輯，1980年5月）、中共茂汶羌族自治縣委黨史工委辦公室〈各族人民的盛大節日—記紅軍長征在茂縣〉（《四川黨史研究資料》1986年9期）、張天偉〈紅軍與藏族羌族的魚水情〉（同上）、楊作山〈紅軍長征在藏區的民族政策〉（《固原師專學報》1996年5期）、李豫川〈紅軍在藏區的民族政策〉（《民族》1995年6期）。

其他以長征為題或與其相關的尚有松井博光〈「長征」雜記〉（《人文學報（東京都立大學）》36及42號，1963年8月及1964年3月）、蕭甡〈〝長征〞考辨〉（《黨史研究資料》1996年7期）、劉志農〈情滿長征路〉（《黨史天地》1996年10期）、李文實等〈血染長征路〉（《革命英烈》1986年9期）、李志民〈長征途中的苦與樂〉（《黨史研究與教學》1992年6期）、劉文〈在隨中央縱隊長征的日子裏〉（《革命春秋》1993年2、3期）、蕭青〈長征一家人〉（《黨史文匯》1995年9期）、李學先〈踏上長征路〉（《黨史縱覽》1996年6期）、張利華〈長征中的紅軍炮兵〉（《歷史大觀園》1993年1期）、方震〈長征路上的一支運輸隊〉（《黨的生活叢刊》1981年6輯）、胡忠紅、彭曉玲、潘琛〈長征途中的籌糧工作隊〉（《南京史志》1996年6期）、蘇士甲〈長征時期的紅軍院校〉（《黨史研究資料》1996年11期）、張汝光〈長征中的紅星醫院〉（《軍史資料》1985年1期）、夏遠生〈長征中的湘籍紅軍將領介紹〉（《湖南黨史通訊》1986年11期）及〈紅軍湘籍將領對長征勝利的歷史貢獻〉（《湖南黨史》1996年5期）、黃健民〈興國籍將軍在長征路上的風采〉（《黨史文苑》1996年5期）、田玄〈長征和南方游擊戰爭中的歸國華僑〉（《黨史文匯》1996年12期）、廖漢生〈長征路上四位政治委員〉（《黨史資料通訊》1987年3期）、軍博長征編輯組〈長征途中的女紅軍〉（《文史精華》1996年11期）、夏燕月〈長征中的女紅軍〉（《黨史博采》1996年8期）、劉明綱〈長征女英雄再現長征英雄詩篇〉（《黨史天地》1996年10期）、邱鋒〈長征中的巾幗英雄〉（《中國老年》1986年3期）、劉錄開〈長征路上巾幗錄〉（《四川黨史研究資料》1987年10期）、金青〈中國工農紅軍一方面軍參加長征的三十位女同志都是哪些人？〉（《人物》1981年6期）、張寒〈長征路上的〝蠻〞大姐：記紅軍女戰士李堅真〉（《黨史縱橫》1996年12期）、陳福才〈長征路上的女英雄－吳富蓮〉（《福建黨史月刊》1996年8期）、徐許斌〈紅軍長征女戰士邱一涵〉（《湖南黨史通訊》1986年4期）、董煒〈《長征－前所未聞的故事》的魅力及索爾茲伯里精神〉（《新疆大學學報》1989年4期）、馬軍〈長征途中的五個外國人〉（同上，1992年9期）、陳集忍〈也談長征途中的外國人〉（《貴州省博物館館刊》1986年3期）；〈蕭克談長征途中的另一位外國人〉（《湖南黨史通訊》1985年1期）、馮明科〈參加紅軍長征的又一個外國人〉（《黨史文匯》1989年4期）、薄復禮、盧海鳴〈最早向外界披露紅軍長征的人－英國傳教士〉（《縱橫》1993年1期）、潘文光等口述〈瑞士牧師與中國紅軍〉（《貴州省博物館館刊》1986年2期）、蕭軍〈美國人眼中的中國紅軍長征〉（《中共黨史研究》1996年5期）、蔣元明〈美國記者提出的問題－為什麼中國沒有記者寫長征〉（《黨史文匯》1986年6期）、王健英〈長征前後紅軍中的兩個總政治部〉（《黨的文獻》1994年3期）、劉國語〈長征中的幹部團〉（《黨史資料與研究》1986年4期）、通信兵史編審委員會辦公室〈中央紅軍在長征中的通信工作〉（《軍史資料》1986年5期）、郭淼〈長征中紅軍部隊的後勤保障工作〉（《北京黨史研究》1996年5期）、吳啟權〈中國共產黨和長征〉（《毛澤東思想研究》1991年3期）、孫國棟〈長征與中國共產黨〉（《內蒙古師大學報》1986年4期）、林祥庚〈紅軍長征與黨的思想政治工作〉（《福建論壇》1996年6期）、何理〈紅軍長征與黨的建設〉（《黨史研究資料》1996年12期）、李民效〈長征路上的中共中央西北局〉（《甘肅理論學刊》1993年1期）、汪普龍、汪國柱〈中共中央西北局漳州會議始末〉（同上，1988年6期）、秦生〈西北局漳縣會議未能糾正張國燾的西進錯誤〉（《近代史研究》1989年1期）及〈任弼時未曾出席西北局岷縣、漳縣會議〉（《黨史研究與教學》1989年4期）、袁理、張曉峰〈黨對軍隊絕對領導原則在長征中的體現和發展〉（《南京社會科學》1996年12期）、李萃華〈試述堅持黨管幹部原則對紅軍長征的組織保障作用〉（《北京黨史研究》1996年6期）、李清泉〈紅軍長征中政治工作淺析〉（《空軍政治學院學報》1996年5期）、白冰〈論紅軍長征中的統戰工作〉（《蘭州大學學報》1996年4期）、苟翠屏〈簡論紅軍長征期間的統戰工作〉（《西南師大學報》1996年4期）、劉維菱〈中央紅軍長征中的思想政治教育〉（《江西社會科學》1996年7期）及〈中央紅軍長征中的思想政治教育回顧〉（《理論學習月刊》1991年5期）、陸殿義、王峰〈長征勝利的歷史經驗與部隊思想政治建設〉（同上，1996年11期）、董有剛〈紅軍長征中的文化宣傳活動〉（《新文化史料》1996年5期）、篳路〈長征中的新聞出版工作〉（《黨史天地》1996年10期）、李安葆〈紅軍長征途中的體育運動〉（《黨史文匯》1996年3期）及〈紅軍戰士在長征途中的文化學習生活〉（《四川黨史月刊》1989年3期）。孫欲聲〈論紅軍長征戰略目標的演變〉（《青海民族學院學報》1996年4期）、陶用舒〈試論長征初期的戰略目標及其發展〉（《益陽地委黨校學報》1987年2、3期）、孫少華〈簡述中央紅軍主力戰略轉移的幾次變動〉（《北京黨史研究》1996年6期）、林天乙〈略論中央紅軍長征中的戰略轉變〉（《廈門大學學報》1986年4期）、蕭甡〈黨中央關於紅軍長征戰略方針的演變〉（《軍事史林》1986年5期）、劉國語〈試論中央紅軍在長征中戰略方針的變化〉（《黨史資料與研究》1986年3期）及〈試述中央紅軍在長征途中戰略方針的變化〉（《黨史研究》1986年5期）、李淑霞〈論黨在紅軍長征中戰略方針的變化：為紀念中央紅軍長征勝利六十周年〉（《昭烏達蒙族師院學報》1996年4期）、鄭兆輝〈紅軍長征路線的四次轉變〉（《中學文科參考資料》1987年11期）、孫日錕〈中央紅軍長征中的戰略方向改變〉（《貴州社科通訊》1986年11期）、李安葆〈關於紅軍長征的戰略方向問題〉（《歷史教學》1981年4期）、陶用舒〈試論長征初期的戰略目標及其發展〉（《益陽地委黨校學報》1987年3期）、陳浮等〈關於中央紅軍長征初期戰略方面問題的探討〉（《湖南黨史通訊》1986年10期）、徐公喜、遲嫘〈長征時期紅軍戰略方針和共產國際〉（《上饒師專學報》1995年3期）、林建曾、李雙璧〈試析遵義會議前後中央紅軍軍事策略的變化〉（《貴州史學叢刊》1985年1期）、庹平〈論紅軍長征中的運動戰略〉（《中共黨史研究》1996年5期）、丁之〈中央紅軍北上方針的演變過程〉（《文獻和研究》1985年5期）、羅佳瑛〈試論紅軍北上抗日戰略方針一與陳維民同志商榷〉（《中南民族學院學報》1987年1期）、王健英〈論紅軍長征與北上抗日〉（《黨史研究》1985年5期）、王廷科〈紅軍長征與北上抗日〉（《四川大學學報》1984年1期）、陳兵〈中央北上戰略方針與紅軍長征的勝利〉（《軍事歷史研究》1986年1期）、趙三軍、鄧軍〈抗日民族統一戰線政策與紅軍長征〉（《天津社會科學》1993年2期）、張興才〈長征勝利後紅軍戰略方針述略〉（《文史雜志》1996年5期）。赫志模〈略談毛澤東等老一輩無產階級革命家在長征中的傑出貢獻〉（《內蒙古師大學報》1986年4期）、周聲柱〈毛澤東是如何參加長征的〉（《江西大學學報》1989年3期）、曾文暉〈長征豐碑，永著毛澤東的團結藝術〉（《黨史文苑》1994年2期）、田永力、田曉池〈毛澤東與長征〉（《河北師大學報》1993年2期）、彭承福、潘洵〈紅軍長征與毛澤東〉（《重慶社會科學》1996年6期）；《毛澤東一九三六年同斯諾的談話—關於自己的革命經歷和紅軍長征等問題》（北京，人民出版社，1979）、謝一彪〈論毛澤東與長征的準備〉（《黨史研究與教學》1993年4期）、岡本隆三〈毛澤東—長征二萬五千里の試練〉（《潮》65號，1965年11月）、湯勝利〈毛澤東淚灑長征路〉（《湖南黨史》1996年6期）、戴向青〈論毛澤東同志在長征中的卓越貢獻〉（《江西社會科學》1986年5期）、伊勝利〈毛澤東與紅軍長征的勝利〉（《理論探討》1987年1期）、戴向青〈論毛澤東同志在紅軍長征勝利中的關鍵作用〉（《豫章學刊》1986年2期）、馬軍〈長征：毛澤東領袖地位的初創〉（《史林》1993年4期）、藤田正典〈長征途上における毛澤東の指導權確立について〉（《歷史學研究》333號，1968年2月）、孫平〈紅軍長征與毛澤東領導地位的確立和鞏固〉（《黔南民族師專學報》1995年3期）、李安葆〈紅軍長征與毛澤東軍事思想〉（《軍事歷史研究》1989年4期）及〈毛澤東的抗日民族統一戰線思想與紅軍長征的勝利〉（《中國人民大學學報》1994年1期）、李敦送〈毛澤東在長征中的高超謀略和領導藝術〉（《軍事歷史》1996年6期）、李倫〈毛澤東長征時在四川的活動記略〉（《毛澤東思想研究》1986年3期）、宋元昊〈毛澤東與瞿秋白的長征惜別〉（《黨史文苑》1994年2期）、璞玉霍〈長征中的周恩來〉（《毛澤東思想研究》1986年3期）、葉心瑜〈毛澤東等老一輩無產階級革命家心目中的長征〉（《四川黨史》1996年6期）、廖治金〈周恩來長征過東昌〉（《廣東黨史》1994年4期）、劉中剛、孔凡銅〈論長征前期周恩來在〝三人團〞中的地位和作用：紀念紅軍長征勝利六十周年〉（《社會科學（上海）》1996年10期）、成國銀〈長征勝利—周恩來的功績不可磨滅〉（《黨史文苑》1996年3期）、李佩良〈周恩來對長征勝利的傑出貢獻〉（《南京政治學院學報》1996年5期）、劉維泰〈長征期間周恩來為確立、捍衛毛澤東對黨和紅軍的領導的特殊貢獻〉（《湖北大學學報》1987年4期）、張兆文〈試論張聞天對長征的貢獻：紀念紅軍長征勝利五十周年〉（《漢中師院學報》1986年3期）、羅一群、孫光明〈略論張聞天同志在長征中的貢獻：紀念紅軍長征勝利會師五十周年〉（《宜春師專學報》1986年4期）、張培森、程中原、李安葆〈論張聞天同志在長征中的歷史作用〉（《黨史研究》1987年3期）、蔣賢斌〈張聞天與紅軍長征勝利：紀念紅軍長征勝利六十周年〉（《萍鄉高專學報》1996年2期）、金英豪〈張聞天在長征中反對右傾分裂主義的鬥爭〉（《理論探討》1991年2期）、何菁〈長征途中朱德的故事〉（《統一戰線》1996年12期）、李陽〈從長征中看朱德的偉人品格〉（《華夏文化》1996年4期）、胡大牛等〈長征時期朱德在四川的活動〉（《探索》1986年5期）、鄧達夫〈深情—長征途中朱德關心老戰士的故事〉（《中國老年》1986年7期）、紀希晨〈賀龍在長征中〉（《汾水》1979年6期）、吳清泉口述、謝日林整理〈賀龍長征二三事〉（《湖南黨史》1996年6期）、羅林遠〈相識在長征路上的劉伯承和汪榮華〉（《黨史天地》1996年7

期）、任立〈長征路上的劉伯承〉（《黨史縱覽》1996年5期）、鄭立〈試論任弼時對紅軍長征勝利的歷史貢獻〉（《武陵學刊》1994年2期）、章學新〈紅軍長征中的任弼時〉（《文獻和研究》1987年3期）、崔利民〈團結的榜樣一記長征中的任弼時〉（《軍事史林》1996年5期）、徐則浩〈王稼祥同志在長征中的特殊戰鬥〉（《黨史文匯》1986年3期）、朱正琪〈長征中的王稼祥：紀念長征勝利六十周年暨王稼祥誕辰九十周年〉（《黨史博采》1996年11期）、徐則浩〈長征途中的王稼祥〉（《學術界》1987年2期）、張江明〈葉劍英在長征中〝立了大功〞〉（《廣東社會科學》1996年5期）、蔣如洲〈論葉劍英對長征勝利的貢獻〉（《南京政治學院學報》1996年6期）、楊槐〈葉劍英在長征中的歷史功勛〉（《葉劍英研究》1996年2期）、楊建成〈葉劍英在長征中的偉大貢獻〉（同上）、郭淼〈紅色宣傳家：長征路上的鄧小平〉（《福建黨史月刊》1994年8期）、謝廬明〈長征途中的鄧小平〉（《黨史文苑》1996年6期）、貴生〈斬關奪隘，開路先鋒：長征途中的左權將軍〉（《黨史縱橫》1996年12期）、廖漢生〈長征路上四位中央委員（余秋里、楊秀山、董瑞林、周聲宏）〉（《黨史資料通訊》1987年3期）。凌步機〈長征期間黨中央與中央蘇區的聯繫〉（《江西社會科學》1986年6期）、葉心瑜〈紅軍長征與中國蘇維埃運動〉（《成都黨史》1994年3期）、戴向青、羅惠蘭〈主力紅軍長征前後的肅反（1934.4-1935.2）〉（《黨史研究資料》1990年3期）、Thomas Kampen, "Changes in the Leadership of the Chinese Communist Party During and After the Long March."（Republican China, Vol. 12, No.2, April 1987），其中譯文為托馬斯·坎彭著、曾景忠譯〈長征期間及其後中國共產黨領導層的變動〉（《國外中國近代史研究》19輯，1992年1月）、高維良〈紅軍長征與黨的第一代領導集體的形成〉（《南京政治學院學報》1996年4期）、李鳳飛、曹力鐵〈論紅軍長征與以毛澤東為核心的黨中央正確領導的形成〉（《理論探討》1996年6期）、王忠、胡效英〈正確進行黨內鬥爭的一個範例：紀念中國工農紅軍長征勝利五十周年〉（《徽州師專學報》1987年1期）、高維良等〈長征中一次成功的黨內鬥爭〉（《南京政治學院學報》1986年4期）、李充實〈試論長征路上的黨內兩條戰線鬥爭〉（《內蒙古師大學報》1986年4期增刊）、川陝革命根據地科研組〈長征路上黨粉碎張國燾右傾分裂主義路線的鬥爭〉（《四川大學學報》1979年1期）、莫文驊〈反對張國燾右傾路線的一個側面〉（《新時期》1980年3期）、許順富〈毛澤東反對張國燾分裂主義的鬥爭策略〉（《懷化師專學報》1994年2期）、孫軍杰〈戰勝張國燾的右傾分裂主義與毛澤東領導地位的鞏固和加強〉（《內蒙古師大學報》1986年4期）、劉宗堯〈更喜岷山千里雷：長征途中反對張國燾的鬥爭及其歷史經驗〉（《四川教育學院學報》1995年5期）、修義嵩等〈張國燾的分裂主義及其失敗〉（《華東石油學院學報》1986年4期）、劉國語〈紅軍三大主力會師是黨中央北上方針的勝利—兼論張國燾右傾分裂主義的鬥爭〉（《黨史資料與研究》1986年5期）、李雲龍〈介紹兩河口會議—兼辨張國燾《我的回憶》之偽〉（《黨史通訊》1985年3期）、葉心瑜〈第二方面軍同張國燾分裂主義的鬥爭〉（《文獻和研究》1987年4期）、簡鐵〈張國燾南下川康〉（《匪情月報》20卷4、5期，民66年10、11月）及〈張國燾在西康〉（同上，20卷6、7期，民66年12月，67年1月）、龔自德

〈張國燾成立〝第二中央〞的地址在何處〉(《歷史知識》1986年6期)、經緯〈張國燾與第二〝中央〞〉(《萍鄉教育學院學報》1987年1期)、劉國語〈張國燾率部第二次北上同黨中央一致了嗎?〉(《軍事史林》1986年5期)、劉錄開〈關於張國燾〝武力解決〞中央問題〉(《貴州文史叢刊》1982年4期)、呂黎平〈對《關於張國燾要〝武力解決〞中央密電的質疑》的回答〉(《黨史資料與研究》1982年5期)、王年一〈再談張國燾要〝武力解決〞中央的密電問題—敬答呂黎平同志〉(同上,1982年6期)、張廷貴〈張國燾機會主義和〝偏師〞說的破產〉(《黨史資料與研究》1985年5期)、劉雲龍〈張浩在反對張國燾右傾分裂主義鬥爭中的作用〉(《理論探討》1988年3期)。李永強〈中央紅軍在長征中的整編〉(《毛澤東思想研究》1996年4期)、唐洪森〈中央紅軍長征時期整編工作述評〉(《黨史縱横》1988年10期)、鞏健芳〈對長征途中紅一、四方面軍混編時部隊番號和左路軍力量配置問題的考訂〉(《史學月刊》1985年3期)、唐洪森〈論中央紅軍轉戰川、滇、黔與紅四方面軍暨紅二、六軍團的戰略配合〉(《歷史教學》1995年2期)、元江〈對中央紅軍長征途中幾個重要階段敵軍兵力的考訂〉(《黨史研究資料》1986年10期)、張家德〈堵截中央紅軍長征的沿江川軍兵力質疑〉(《近代史研究》1983年3期)、白靜〈也談堵截中央紅軍長征沿江川軍兵力〉(同上,1984年5期)、陳集忍等〈略論長征紅軍粉碎敵人圍追堵截的歷史性勝利〉(《貴州社科通訊》1986年11期)、羅冠華、盧仕俊〈長征途中擊落敵機創先例〉(《老區建設》1996年9期)、楊青〈不朽的樂章:長征沿途人民群眾對紅軍的支援〉(《黨史天地》1996年10期)、陳榮華〈長征中創建革命根據地計劃問題〉（《江西社會科學》1986年5期）、張起〈中央紅軍長征途中建立根據地的設想及其變化的依據〉（《廊坊師專學報》1987年2期）。郭新瑞〈長征中的士氣激勵〉（《政工學刊》1996年12期）、王芹木、段勝利〈紀念長征勝利六十周年：共產黨員在長征中的模範作用及經驗〉（同上）、宋維〈紅軍長征與財政、物資的供給〉（《爭鳴》1985年4期）、劉錄開〈長征中的商業政策與商業活動〉（《北京商學院學報》1986年4期）、熊述碧等〈試論黨在紅軍長征中的宗教政策〉（《世界宗教研究》1986年4期）、李安葆、胡本志〈紅軍長征與宗教〉（《北京黨史研究》1996年3期）、李肇路〈長征與藝術〉（同上，1996年6期）、謝春明〈試論紅軍長征和新長征〉（《內蒙古師大學報》1986年4期增刊）、閻麗娟〈為了全人類共有的精神財富：斯諾與索爾茲伯里的〝長征情結〞透視〉（《社科縱橫》1996年5期）、中村治〈紅軍長征ー抗日民族統一戰線形成へのー考察〉（《茅茨（青山學院大學）》第1號，1985年4月）、李彬、姚文琦、馬玉卿〈西北紅軍在長征勝利中的歷史地位〉（《理論導刊》1996年11期）、胡哲峰〈長征對國民黨政府內外政策轉變的影響〉（《近代史研究》1987年4期）、郭緒印〈評紅軍長征中利用國民黨派系矛盾〉（《黨史研究與教學》1996年6期）、潘健〈中央紅軍長征與蔣介石和地方軍閥的矛盾〉（《福建論壇》1996年5期）、溫賢美〈論紅軍長征對我國西部社會政治經濟發展的推動和影響〉（《甘肅理論學刊》1996年5期）、陽吉瑪〈紅軍長征的勝利與內蒙古抗日運動的發展〉（《內蒙古師大學報》1986年4期）、潘洵〈論紅軍長征對抗日戰爭的準備〉（《西南師大學報》1996年4期）、趙三軍、鄧軍

〈抗日民族統一戰線與紅軍長征〉（《天津社會科學》1993年2期）、張振朝〈紅軍長征與中國時局變化之關係〉（《河北學刊》1996年4期）、李安葆〈紅軍長征的國際影響〉（《黨史資料通訊》1987年2期）。黃超凡〈福建人民對紅軍長征勝利的偉大貢獻〉（《福建黨史通訊》1986年10期）、曾梅生等〈長征中的福建人民子弟兵〉（同上）、陳玲〈閩西婦女在長征前〉（《福建黨史月刊》1996年5期）及〈福建婦女對紅軍長征的偉大貢獻〉（《福建師大學報》1996年4期）、鍾建英〈福建人民對長征的傑出貢獻〉（《福建黨史月刊》1996年10期）、山高〈譜寫長征史詩的閩籍精英〉（同上）、游思〈福建為紅軍長征所作的準備〉（同上）、吳鳳娥〈閩西人民：業績鐫刻在長征豐碑上〉（《福建黨史月刊》1996年12月）。馬宏驕、梁占方〈紅軍長征前與廣東軍閥陳濟棠的一次合作〉（《黨史博采》1996年12期）及〈一次秘密軍事談判：中央紅軍長征前與廣東軍閥陳濟棠的合作〉（《黨史縱覽》1996年4期）、黃繼祥、李正棠整理〈紅軍長征前與陳濟棠的秘密軍事談判〉（《中共黨史文摘年刊》，1986）、陳瑜〈陳濟棠為中央紅軍長征讓道的原因初探〉（《湛江師院學報》1992年1期）、黃健民等〈中央紅軍長征前夕的最後一仗〉（《黨史資料通訊》1987年2期）、趙蔚〈共產國際與中央紅軍長征時機的選擇〉（《近代史研究》1988年6期）、張萬明〈紅軍長征有沒有第三方面軍〉（《大連教育學院學刊》1989年1期）。錢希均〈長征途中的一次突然行動〉（《黨的生活》1983年3期）、李元明〈長征途中的一次〝特殊戰鬥〞：回憶葛曲河護羊〉（《湖南黨史》1996年5期）、汪東興〈我在長征途中參加的七次戰鬥〉（《中共黨史研究》1996年5期）、辛平〈有關記述長征故事的故事〉（《炎黃春秋》1996年7期）；〈西方學者論中國長征〉（《中外歷史》1987年1期）、蕭軍〈美國人眼中的中國紅軍長征〉（《中共黨史研究》1996年5期）、徐成〈第一位向世界客觀介紹紅軍長征的外國人〉（《黨史博采》1996年11期）、李安葆、洪釗斌〈宋慶齡與長征〉（《黨史研究與教學》1993年1期）、秦生〈對《中國共產黨的七十年》中記述長征若干史實的商榷〉（《中共黨史研究》1992年5期）、蔣建農〈紅軍長征的最早記錄：重讀《隨軍西行見聞錄》札記〉（《黨史縱横》1995年12期）、湯靜濤〈索氏《長征》一書若干史實正誤〉（《江西黨史研究》1988年3期）、孫國林〈第一部寫長征的書—《紅軍長征記》〉（《延安大學學報》1985年3期）、朱佳木〈長征路上的珍貴文獻：讀《游擊隊如何去組織群眾運動》〉（《黨史博采》1995年9期）。何毅、蕭然〈論紅軍長征勝利之因〉（《青海師專學報》1996年4期）、吳思明〈講政治：紅軍長征勝利的本源〉（《風範》1996年10期）、郭偉〈民主集中制與紅軍長征的勝利〉（《理論與改革》1996年10期）、胡志平〈國民黨軍閥的派系鬥爭與紅軍長征的勝利〉（《爭鳴》1986年4期）及〈從國民黨軍閥派系之爭透視紅軍長征勝利的原因〉（《江西檔案》1986年5期）、葉心瑜〈黨的正確領導是紅軍長征勝利的保證〉（《福建黨史月刊》1989年9期）、汪大銘〈中國工農紅軍長征勝利必要性的研究〉（《福建黨史通訊》1986年10期）、彭書貴〈長征的勝利與統一戰線〉（《昆明社科》1996年6期）。劉景欽〈讓艱苦創業精神發揚光大：紀念紅軍長征勝利六十周年〉（《求是論壇》1996年4期）、陶瑞恒〈中國革命史上的重大轉折：紀念長征勝利的六十周年〉（《阜陽師院學報》1996年2

期）、吳興錦〈生死攸關的歷史轉折：紀念中國工農紅軍長征勝利六十周年〉（《創造》1996年4期）、鄭德榮、邢華〈經歷三個嚴峻考驗的英雄史篇：紀念紅軍長征勝利六十周年〉（《長白論叢》1996年4期）、王士文〈牢記歷史教訓維護中央權威：紀念紅軍長征勝利六十周年〉（《探索》1996年6期）、張小惠〈斷裂中的延續：寄語紅軍長征勝利60年〉（《張家口師專學報》1996年3、4期）。

其他紅軍（紅二、四方面軍、二、六軍團、二十五軍等）的「長征」已在稍前「工農紅軍」、「長征中的紅軍會師」中舉述，可參閱之。至於紅軍長征結束後之東征（亦有人認為其與西征為長征的組成部分，是指1936年2月20日，紅一方面軍在毛澤東、彭德懷率領下，發起東征作戰，自陝北清澗以東的溝口、河口等地進入山西省境，與閻錫山之晉軍激戰，至5月2日，方開始西渡黃河，返回陝北）則有姚龍井、趙振春〈紅軍渡河東征的戰略地位〉（《山西師大學報》1995年2期）、牛興華〈紅軍東征始末簡記〉（《延安大學學報》1983年1期）、程子華〈漫憶紅軍長征〉（《黨史文匯》1986年1期）、劉振環〈紅軍東征述略〉（《軍事歷史研究》1988年4期）、牛興華〈紅軍東征起因及其經過〉（《延安大學學報》1979年創刊號）、思華〈東征的起因及其經過〉（載《中共黨史研究論文選》中冊，1983）、邱路〈紅軍東征戰略方針的提出過程及其演變〉（《黨史研究》1986年3期）、竇嘉緒《毛澤東東征》（2冊，鄭州，河南人民出版社，1991）、于化民〈毛澤東與東征戰略決策〉（《黨的文獻》1993年3期）、陳發長〈紅軍東征是毛澤東軍事思想的偉大實踐〉（《晉中社聯通訊》1984年增刊）、王連昌〈紅軍東征的歷史作用〉（《運城師專學報》1987年2期）、盧玉〈紅軍東征在我黨歷史上的地位和作用〉（《理論教育》1986年11期）、袁旭〈渡河東征促抗日一紀念紅軍東征五十周年〉（《思想戰線》1986年4期）、李玉明〈紀念紅軍東征發揚革命傳統〉（《黨史文匯》1996年9期）、闞延華、溫偉〈紅軍東征對抗日救國運動的促進作用〉（《遼寧師大學報》1996年5期）及〈略論紅軍東征期間對抗日民族統一戰線形成的促進作用〉（《統一戰線》1996年10期）、任振河、劉志和〈談紅軍東征的目的與任務〉（《山西師大學報》1986年3期）、景占魁〈紅軍東征目的再認識〉（《晉陽學刊》1996年3期）、耿仲琳、田逢祿、唐群〈具有重大戰略意義的紅軍東征〉（《黨的文獻》1996年6期）、江麗〈紅軍東征前後中共與張學良、楊虎城的關係〉（《北京黨史研究》1996年6期）、王克榮〈沿黃河水手工人在紅軍東征中的作用〉（《理論學刊》1985年11期）、孫毅〈憶紅軍的東征與西征〉（《黨史博采》1996年12期）、牛興華〈試論紅軍東征和西征在長征中的地位〉（《延安大學學報》1986年4期）、楊澤寧等〈劉志丹東征遇難紀實〉（《黨史文匯》1986年1期）、田中香苗〈支那共產軍の山西進擊〉（《支那》27卷4號，1936年4月）、陸軍省新聞班編印《共產軍の山西侵入に就いて》（東京，1936）。

西路軍（由紅四方面軍主力組成，包括紅30軍、紅9軍、紅25軍及紅四方面軍總部，共二萬一千餘人）及其西征始末（1936年11月，由徐向前率領之西路軍西渡黃河，欲由甘肅西向新疆，在河西走廊遭青海國軍攔擊，激戰至1937年1月，西路軍幾乎全軍覆滅，抵達新疆之殘部僅剩下數百人）有孫欲聲主編《西路軍始末》（蘭州，甘肅人民出版社，1992）、董漢河〈關於西路軍史研究中的幾個問題—西路軍考查報告之一〉（《社會科學（甘肅）》1980年1、2期）、張嘉選〈紅軍西路軍史研究中有關問題的再探討〉（同上，1990年5期）、牟慧芬、麻琨〈研究西路軍史應該實事求是—與張嘉選同志商榷〉（《甘肅社會科學》1991年3期）、嚴實〈關於西路軍的幾個史實問題的研究〉（《黨史研究》1982年1期）、盧冀寧〈關於紅軍西路軍的幾個問題〉（《百科知識》1989年2期）、孫煥臻〈關於西路軍的幾個問題—兼與趙萬鈞同志商榷〉（《河北師大學報》1995年1期）、叢進〈有關西路軍的幾個問題—與張亦民同志商榷〉（《黨史研究資料》1982年5期）、竹郁〈把歷史的內容還給歷史：西路軍問題初探（附〝西軍〞疑）〉（同上，1983年9期）；〈近年來部分報刊發表的關於西路軍研究的文章目錄〉（同上）、張朝陽〈也談西路軍的形成〉（《福建黨史月刊》1996年8期）、史靜波整理〈紅軍西路軍大事記〉（《青海社會科學》1981年紀念建黨專刊）、董漢河〈西路軍大事記〉（《社會科學（甘肅）》1985年5期）、陳鐵健〈論西路軍：讀徐向前《歷史的回顧》札記〉（《歷史研究》1987年2期）、董漢河〈悲哉壯哉西路軍〉（《甘肅青年》1982年7、8期）、張亦明〈駁張國燾在《我的回憶》中有關西路軍的謬論〉（《黨史研究》1982年1期）、叢進〈對〝毛選〞中關於西路軍的一個斷語和一條注釋的辨疑〉（《黨史研究資料》1983年9期）、董漢河〈張國燾路線對紅四方面軍西路軍的影響〉（《青海社會科學》1984年4期）、〈試論西路軍的民族統戰政策〉（《社會科學（甘肅）》1990年6期）及〈西路軍婦女先鋒團考略〉（《黨史研究》1987年3期）、李敏杰等〈娘子軍壯歌：記紅軍西路軍婦女先鋒團〉（《軍事資料》1989年2期）、紀學〈大姐們年輕的時候：聽王定國談紅軍西路軍的女士們〉（《退休生活》1987年3期）、劉琦〈西路軍歷史的最後一頁〉（《江准文史》1996年4期）、陳鐵健〈西路軍悲壯的歷程〉（《社會科學戰線》1995年3期）、潘富盈、王德孝〈紅軍西征述略〉（《西北師院學報》1983年3期）、孫欲聲〈西路軍與抗日民族統一戰線〉（《青海民族學院學報》1995年4期）、董漢河〈西路軍與西安事變—兼論西路軍失敗的原因〉（《人文雜誌》1993年2期）、倪立保〈紅西路軍與新疆國際交通線〉（《實事求是》1996年5期）、何岩〈紅四方面軍西路軍是什麼時候渡河西征的〉（《黨史研究》1981年2期）、吉彥波〈西路軍西征和抗日先鋒軍東征是長征組成部分〉（《懷化師專學報》1996年3期）、李凱國口述、戎生靈整理〈回憶紅軍西征〉（《寧夏大學學報》1986年4期）、劉文安〈回憶西路軍西征〉（《川陝蘇區歷史研究》1986年2期）、宋侃夫〈紅四方面軍西征內幕〉（《春秋》1988年4、5期）、王志強〈論西征紅軍的政治工作〉（《共產黨人》1992年2期）、張全有〈紅四方面軍欲在甘肅永靖西渡黃河原因新探〉（《甘肅社會科學》1994年2期）、秦生〈也談紅四方面軍西路軍渡河的時間問題〉（《理論學習》1984年3期）、陳文斌〈從寧夏戰役到紅西路軍西征〉（《四川師大學報》1992年1期）、施平〈英勇的西征〉（《黨的文獻》1996年5期）、牛興華、麻明正〈西征及其歷史作用〉（《延安大學學報》1981年2期）、徐曉玉〈中國人民紅軍西方野戰軍西征及其歷史作用〉（載《中共黨史研究論文選》中冊，1983）、段成斌〈關於紅軍西征的基本任務〉（《理論學習》1986年6期）、佘貴孝

〈紅軍西征與黨的民族政策〉（《固原師專學報》1996年5期）、《西路軍史》組（鄭子文執筆）〈西路軍在河西遭馬匪阻擊的考察－西路軍史考察報告之三〉（《社會科學（甘肅）》1980年3期）、吳曉軍〈西路軍攻占臨澤、高臺時間考〉（《甘肅社會科學》1993年1期）、許惠章〈紅五軍在高臺失敗的前前後後〉（《甘肅師大學報》1981年1期）、孫堂厚、何淑梅〈喋血西征路：西路軍血戰河西走廊始末〉（《黨史縱橫》1995年5期）、周純麟《血戰河西走廊》（北京，解放軍出版社，1984）、高文遠〈河西戰役－剿匪史上的殲滅戰〉（《西北雜誌》14、15期，民77年6、9月）、陳福才〈血戰祁連山〉（《福建黨史月刊》1994年11期）、黃明發〈關於紅軍正征戰役中的幾個問題〉（《黨史研究》1986年3期）、趙萬鈞〈簡評西路軍西征的得失及其戰略方向的選擇〉（《河北師大學報》1992年1期）、岡本隆三《長征秘話－西路軍潰滅の記錄》（東京，潮出版社，1972）、李寶平〈試論西路軍失敗的原因〉（《呂梁教育學院學報》1989年1期）、周忠瑜〈對紅軍西路軍失敗原因的一點看法〉（《攀登》1989年4期）及〈對紅軍西路軍失敗原因再認識〉（《西北史地》1989年2期）、靳寶民〈〝西北戰略〞之爭與西路軍的覆敗〉（《遼寧師大學報》1989年2期）、王若望〈「西路軍」覆滅秘史〉（《明報》26卷12期，1991年12月）、張嘉選〈紅軍西路軍失敗原因之異議〉（《攀登》1990年4期）、董漢河〈西路軍失敗原因綜論－兼駁〝有意讓西路軍失敗〞論〉（《甘肅社會科學》1994年6期、1995年1期）及〈論河西革命根據地建立之不可能－兼論西路軍失敗之重要原因〉（《蘭州學刊》1992年2期）、《西路軍史》組〈董漢河執筆）〈西路軍失敗的原因及其他西路軍史考察報之二〉（《社會科學（甘肅）》1980年2期）、董漢河〈中共中央對西路軍營救述論〉（同上，1986年4期）、朱永馨〈中共中央營救西路軍被俘與失散人員情況介紹〉（《軍事史林》1990年2期）、王紅雲〈西安街頭偶救西路軍被俘人員〉（《黨的文獻》1992年4期）、周忠瑜、徐世和〈周恩來營救被俘西路紅軍片斷〉（《青海民族學院學報》1988年2期）、朱永馨〈懷念幫助我黨營救西路軍的馬德涵、趙守鈺先生及高金城烈士〉（同上，1982年1期）、董漢河〈對西路軍戰俘問題的思考〉（《甘肅社會科學》1993年6期）、〈西路軍戰俘為何如之多—對西路軍戰俘問題的考察之一〉（同上，1992年2期）、〈西路軍戰俘之遭遇考略〉（《人文雜志》1992年4期）及《紅軍女戰士蒙難記》（北京，解放軍文藝出版社，1989）、郭夢林〈紅西路軍在河西地區的巨大影響〉（《祁連學刊》1991年2期）、青海民族學院政治系〈難忘的戰鬥歷程：紅軍西路軍部分指戰員在青海堅持鬥爭的片斷〉（《青海社會科學》1980年1期）、饒子健〈西路軍進疆前後〉（《新疆青年》1984年1期）、康立澤〈毛主席關心西路軍左支隊指戰員：西路軍左支隊挺進新疆前後〉（《黨史縱橫》1993年12期）、中共新疆維吾爾自治區委員會黨史工作委員會、中共烏魯木齊市委員會黨史工作委員會編《中國工農西路軍左支隊在新疆》（烏魯木齊，新疆人民出版社，1991）、莊嚴〈西路軍餘部入新疆返延安鬥爭情況述略〉（《黨史研究》1984年4期）、董漢河〈西路軍與抗日〉（《固原師專學報》1996年1期）。

5.國共的謀和（含中共的抗日民族統一戰線）

中央統戰部、中央檔案館編《中共中央抗日民族統一戰線文件選編》（3冊，北京，檔案出版社，1984-1986）、解放社編印《抗日民族統一戰線指南》（10冊，民27-29年印行）、凱豐《抗日民族統一戰線教程》（中國文化社，民27）、張國燾講《抗日民族統一戰線的分析與批評》（統一出版社，民31）、滿鐵調查部《抗日民族統一戰線運動史：國共再合作に關する政治資料》（大連，撰者印行，1937）、東亞研究所《抗日民族統一戰線》（東京，撰者印行，1941）及《抗日民族統一戰線の史的考察－中間報告》（同上）、林華田《中共「抗日民族統一戰線」透視》（臺北，幼獅文化事業公司，民74），係其碩士論文－《中共「抗日民族統一戰線」之研究》（政治作戰學校政治研究所，民65年8月）加以修訂而成；李勇、張仲田編著《抗日民族統一戰線大事記》（北京，中國經濟出版社，1988）、葉飛鴻《「國共關係」與「抗日民族統一戰線」》（中國文化學院大陸問題研究所碩士論文，民66年6月）、余義章《七七事變前後中共策略路線之研究－民國廿四年－廿七年抗日民族統一戰線》（政治大學東亞研究所碩士論文，民59年7月）、徐恩奎《中共關於「抗日民族統一戰線」的宣傳教育（1935-37）》（同上，民64年6月）、Shum Kui-Kwong, The Chinese Communist's Road to Power: the Anti-Japanese National United Front, 1935-1945.（Oxford: Oxfrd University Press, 1988）、中西功、西里龍夫《中國共產黨と民族統一戰線》（東京，大雅堂，1946）、高柳虎雄《抗日人民戰線運動の展望》（上海，中國資料月報社，1936）、陳建仁《抗日戰爭前中共統戰之研究（九一八事變—西安事變）》（政治作戰學校政治研究所碩士論文，民81）、顧朗麟《中共統戰策略與西安事變關係之研究》（中國文化學院大陸問題研究所碩士論文，民65年7月）。水羽信男〈近年日本における抗日民族統一戰線史研究について〉（《廣島大學東洋史研究室報告》第5號，1983年9月）、秦國生〈抗日民族統一戰線在醞釀時期的發展變化〉（《文獻和研究》1985年5期）、靳希光〈中國共產黨是抗日民族統一戰線的倡導者〉（《思想戰線》1985年8期）、趙立娟、任思明〈論中國共產黨在抗日民族統一戰線中的主導作用〉（《齊齊哈爾師院學報》1995年5期）、吳智棠、陳彥峰〈論中國共產黨在抗日民族統一戰線中的領導地位和作用〉（《嶺南學刊》1995年5期）、王仰青〈抗日民族統一戰線領導權新論〉（《史林》1995年2期）。張金華〈論抗日民族統一戰線的形成〉（《大慶師專學報》1985年4期）、張文艷〈試論中國共產黨與抗日民族統一戰線的形成〉（《社會科學論壇》1995年5期）、謝莫華〈論抗日民族統一戰線的形成〉（《昭通師專學報》1986年2期）、何平〈論抗日民族統一戰線的形成〉（《函授教育》1995年2期）、周泓、張偉林〈試論抗日民族統一戰線的形成〉（《黑河學刊》1996年6期）、潘合定等〈抗日民族統一戰線的形成〉（《文獻和研究》1985年4期）V. Nikiforov、R. Mirovitskaya、A. Titov, "The Formation of a United National Front in China."（Far Eastern Affairs, No.4, 1977）、李良志〈抗日民族統一戰線形成問題研究述評〉（《教學與研究》1986年4、5期）、蘇廣純〈論抗日民族統一戰線形成的歷史背景及其過程〉（《貴陽黨史》1995年4期）、溫淑華〈抗日民族統一戰線形成的條件〉（《寧夏社會科學》1985年3期）、莊明坤〈論抗日民族統一戰線的形成及其意義〉（《中學歷史》1985年4期）、李良志〈抗日民族統一戰線的形成及特點〉（《教學與研究》1981年1、2期）、洪萬辰等〈抗日民族統一戰線的形成及其特點〉（《寧波師院學報》1984年4期）、張朝陽〈試述抗日民族統一戰線的形成及其特點〉（《福建黨史月刊》1995年7期）、李紹庚〈抗日民族統一戰線的形成及其特點〉（《遼寧大學學報》1987年5期）、白素玉〈試論抗日民族統一戰線形成中的四個特點〉（《太原師專學報》1993年1期）、王顯乾〈略論抗日民族統一戰線的形成及其重大意義〉（《重慶社會科學》1985年3期）、金再及〈關於黨的抗日民族統一戰線形成的幾個問題〉（《近代史研究》1986年1期）、張嘉選〈國共兩黨與抗日民族統一戰線之形成：兼論國民黨在抗戰前後的政治態度〉（《青海社會科學》1995年增刊）、古廐忠夫〈中國抗日民族統一戰線の形成と發展〉（《歷史評論》243號，1970年10月）、笠原正明〈連蔣抗日民族統一戰線の形成〉（《神户外國語大學外國學研究所研究年報》第3號，1966年3月）、石川忠雄〈抗日民族統一戰線形成過程における中國共產黨とコミンテルン〉（《法學研究》34卷2號，1961年2月）、岡本三郎〈抗日民族統一戰線の形成過程〉（《歷史學研究》138號，1949年3月）、平野正〈抗日民族統一戰線形成の一側面—「西北嚮導」にみる東北軍の抗日意識の發展について〉（《歷史評論》294號，1974年10月）、楊強〈抗日民族統一戰線形成的哲學基礎〉（《歷史教學問題》1995年3期）、苗懿明〈略論抗日民族統一戰線的形成及其偉大的歷史作用〉（《齊齊哈爾師院學報》1995年5

期）、馬賢倫〈抗日民族統一戰線的形成、作用及啟示〉（《大慶高專學報》1996年1期）、曾憲林〈愛國主義與抗日民族統一戰線的形成〉（《江漢論壇》1996年1期）、劉建寧〈值得借鑑的歷史經驗：論抗日民族統一戰線的形成及其意義〉（《江蘇教育學院學報》1995年3期）、李大華〈試論中共抗日民族統一戰線政策的形成〉（《貴州社會科學》1996年4期）、才樹祥〈略論抗日民族統一戰線策略的形成〉（《北京財貿學院學報》1987年1期）、オカモト·サブロウ〈抗日民族統一戰線の形成過程〉（《歷史學研究》138號，1949）、橫山英〈抗日民族統一戰線の形成過程〉（載《講座社會科教育》12卷，東京，柳原書店，1965）、方敏〈再論抗日民族統一戰線的形成〉（《中州學刊》1992年6期）、劉金祥、孟慶春〈關於抗日民族統一戰線初步形成標志的重新思考〉（《遼寧教育學院學報》1996年1期）、孟慶春〈國民黨五屆三中全會並非抗日民族統一戰線初步形成的標志〉（《民國檔案》1995年1期）、齊彪〈地方實力派與抗日民族統一戰線之形成－簡論地方實力派轉向抗日對蔣介石的影響〉（《民國檔案》1994年3期）、丁易（葉彝）〈文藝界抗日民族統一戰線的形成〉（《新中華》14卷21期，1951年11月）、李田貴〈論中間黨派對抗日民族統一戰線形成的歷史貢獻〉（《河北師大學報》1993年2期）、孫藝〈共產國際與抗日民族統線的形成〉（《安徽教育學院學報》1995年4期）、宮力、趙志元〈共產國際對中國共產黨抗日民族統一戰線策略形成和發展的貢獻〉（《河北師院學報》1987年2期）、井上久士〈國民政府と抗日民族統一戰線の形成－第二次國共合作論へ一視角〉（載《中國國民政府史の研究》，東京，1986）；其中譯文為杜世偉譯〈國民政府與抗日民族統一戰線的形成：第二次國共合作觀點之一〉（文載《黨史研究與教學》1988年3期）、董秋英〈抗日民族統一戰線的形成與中國國民黨〉（《湖南師大學報》1993年增刊）、馮正欽〈中國共產黨促成抗日民族統一戰線形成的歷史經驗〉（《華東師大學報》1985年4期）、孔繁政等〈我黨在抗日民族統一戰線形成時期的獨立自主原則〉（《南京政治學校校刊》1985年3期）、李倩文、阮湘華〈〝逼蔣抗日〞不是抗日民族統一戰線形成〉（《求實》1986年3期）及〈〝逼蔣抗日〞不是抗日民族統一戰線形成中的一個獨立階段〉（《求索》1986年3期）、張梅玲〈中國共產黨與地方實力派抗日民族統一戰線的形成〉（《山東社會科學》1989年4期）、汪涵清〈黨與地方實力派抗日民族統一戰線的形成〉（《益陽師專學報》1993年1期）、邁克爾·M·盛著、王靜譯〈毛澤東、共產國際與抗日民族統一戰線的形成（1935-1937）〉（《北京黨史研究》1995年4期）、邁克爾·M·申著、周敏譯〈毛澤東、斯大林和抗日民族統一戰線的形成：1935-1937〉（《毛澤東思想研究》1992年4期）、朱錦章〈毛澤東與抗日民族統一戰線的形成〉（《徐州師院學報》1987年2期）、張喜德〈毛澤東抗日民族統一戰線中獨立自主原則的形成與共產國際〉（《中共黨史研究》1995年3期）、韓榮璋等〈周恩來與抗日民族統一戰線的形成〉（《北京師大學報》1981年1期）、楊光彥、陳明欽〈周恩來對抗日民族統一戰線形成的卓越貢獻〉（《西南師大學報》1985年1期）、楊奎松〈王明在抗日民族統一戰線策略方針形成過程中的作用〉（《近代史研究》1989年1期）、田中仁〈王明における抗日民族統一戰線論の形成について〉（《史學研究》158號，1983年2月）、呂興光〈王明與黨的抗日民族統一戰線方針的提出與形成〉（《黨史文匯》1993年6期）、黃啟鈞〈中共駐共產國際代表團與抗日民族統一戰線的形成〉（《中共黨史研究》1988年6期）、徐鋒〈試論季米特洛夫對中國抗日民族統一戰線形成的影響〉（《上海教育學院學報》1995年3期）、野澤豐〈一二・九前後ー抗日民族統一戰線の形成過程〉（《歷史評論》41號，1953年1月）、石川忠雄〈抗日民族統一戰線の形成と西安事件〉（載《世界の歷史》16卷，東京，筑摩書房，1962）、安藤正士〈中國革命における農村革命根據地ー抗日民族統一戰線の形成をめぐって〉（《國際問題研究》第1號，1968年12月）、葉炳南〈抗日民族統一戰線在浙江的形成和發展〉（《浙江學刊》1985年5期）、張有成〈略談山西抗日民族統一戰線的形成及其特點〉（《學術論壇》1986年4期）、張國祥〈紅軍東征與山西抗日民族統一戰線的形成〉（《晉陽學刊》1982年5期）、楊國東〈二戰時期東北抗日統一戰線的形成及其歷史特點〉（《遼寧師大學報》1991年3期）、寺廣映雄〈滿洲における抗日統一戰線の形成について〉（《歷史研究（大阪教育大學）》第6號，1968）、尤・姆・奧夫欽尼柯夫・尤・姆著、赤真譯〈關於抗日統一戰線在滿洲建立的過程〉（《陰山學刊》1991年2期）、奧夫欽尼科夫〈抗日民族統一戰線在滿洲形成的歷史過程〉（《國外中國近代史研究》11輯，1988）、上田仲雄〈東北地方（滿州）における抗日統一戰線の形成ー抗日民族統一戰線の先驅的役割として〉（《岩手大學教育學部研究年報》37號ー人文・社會，1977）、佐佐木太郎〈抗日民族統一戰線運動の一考察ー1930年代「滿洲」を中心として〉（《月刊アジア・アフリカ研究》24卷7-9號，

1984年7-9 月）、Anthony Coogan, "Northeast China and the Origins of the Anti-Japanese United Front."（Modern China, 20, No.3, July 1994）、毛里和子〈中國共産黨の抗日民族統一戰線理論の形成における若干の問題ー東北抗日運動を軸にして〉（《國際問題研究》第1號，1968年12月）、孫淑娟〈東北反日統一戰線的形成及其特點：兼論中國共產黨對東北反日統一戰線形成的影響〉（《龍江黨史》1995年5期）、謝文〈共產國際與東北抗日武裝統一戰線的形成〉（《歷史檔案》1993年3期）、蔣孝山〈中共駐共產國際代表團與東北地區抗日民族統一戰線的制定和形成〉（《東北師大學報》1996年2期）、李振剛、丁偉斌〈西北地區抗日民族統一戰線形成的特點和意義〉（《韓山師專學報》1984年1期）、張梅玲〈西北〝三位一體〞統一戰線的形成〉（《華東石油學院學報》1986年4期）、朱培民〈新疆抗日民族統一戰線的形成及其特點〉（《近代史研究》1988年5期）、張炳勇〈新疆抗日民族統一戰線的形成與破裂〉（《政法學習》1993年3期）、孫欲聲、喬正孝〈論抗日民族統一戰線形成對青海的影響〉（《青海社會科學》1995年增刊）、程華萍〈鄂南地區抗日民族統一戰線的形成及特點〉（《統一戰線》1992年6期）、王其彥〈魯西北抗日民族統一戰線的形成、鞏固和發展〉（《聊城師院學報》1995年3期）及〈再談魯西北抗日民族統一戰線的形成問題〉（同上，1996年2期）、胡志平〈陳毅與江西抗日民族統一戰線的形成〉（《江西檔案》1985年5期）、陳欣德〈黨的抗日民族統一戰線與桂林文化〉（《中南民族學院學報》1996年1期）、羅雲〈玉林地區抗日民族統一戰線的形成和發展〉（《廣西黨史研究通訊》1985年5期）。翟昌民〈關於抗日民族統一戰線的建立〉（《歷史教學》1996年6期）、蔡國裕〈國共第二次和談的歷史述要—中共抗日民族統一戰線的建立〉（《共黨問題研究》16卷12期、17卷1、2期，民79年12月、80年1、2月）、胡秀勤、張雪峰〈簡論建立抗日民族統一戰線的方法〉（《長沙水電師院學報》1993年1期）、屠靜芬〈愛國主義與抗日民族統一戰線的建立〉（《華中師大學報》1995年5期）、陳心耕〈試論抗日民族統一戰線的建立及其重大作用〉（《福建學刊》1995年4期）、蔣景源〈從〝反蔣〞到〝逼蔣〞、〝聯蔣〞的政策轉變—回顧我黨為建立抗日民族統一戰線而鬥爭的一段歷史〉（《上海師大學報》1979年4期）、徐修宜〈中國共產黨與抗日民族統一戰線的建立〉（《阜陽師院學報》1995年1期）、謝樹坤、陳瑾〈中國共產黨與國民黨地方實力派建立抗日反蔣統一戰線的經驗〉（《信陽師院學報》1993年2期）、周怡如〈試論國民黨與抗日民族統一戰線的建立〉（《唯實》1987年5期）、王學峰〈中間勢力與抗日民族統一戰線的建立〉（《民國檔案》1994年3期）、孟慶春〈論抗日民族統一戰線建立的歷史必然性〉（《齊齊哈爾師院學報》1986年2期）、張連國〈近百年社會變遷與抗日民族統一戰線的歷史必然性〉（《山東社會科學》1995年4期）、林祥庚〈民主黨派與抗日民族統一戰線的建立〉（《社會科學》1995年7期）、羅禮太〈馮玉祥與抗日民族統一戰線的建立〉（《廈門大學學報》1996年1期）。劉鴻喜〈試論抗日民族統一戰線〉（《寶雞師院學報》1985年3期）、野澤豐〈中國の抗日民族統一戰線〉（載《岩波講座世界歷史》28卷，東京，岩波書店，1971）、藤井高美〈抗日民族統一戰線に關する一考察—1935～1937年〉（《アジア 研究》8卷2、3號，1961年5、9

月）、逄先知等〈抗日民族統一戰線的幾個問題〉（《紅旗》1985年17期）、楊波〈抗日民族統一戰線的特點及其理論的發展〉（《許昌師專學報》1985年4期）、房廣順、周洪軒〈論中國共產黨關於建立抗日民族統一戰線的理論出發點〉（《遼寧大學學報》1985年5期）、劉有才、李義凡〈抗日民族統一戰線理論的起點問題異析〉（《信陽師院學報》1989年2期）、房文順等〈論中國共產黨關於建立抗日民族統一戰線的理論出發點〉（《遼寧大學學報》1985年5期）、田中仁〈中國共產黨における抗日民族統一戰線理論の確立〉（載池田誠編《抗日戰爭と中國民衆—中國ナシヨナリズムと民主主義》，東京，法律文化社，1987）、田克勤、孫玉民〈論中國共產黨關於抗日民族統一戰線政策的提出〉（《延邊大學學報》1987年1期）、衛藤瀋吉〈中國共產黨と抗日民族統一戰線方式〉（《アジア研究》3卷1號，1956年10月）及〈抗日民族統一戰線方式できるまで〉（《東洋文化研究所紀要》11號，1956年11月）、安井三吉〈抗日民族統一戰線と中國共產黨の「路線の確立」〉（《歷史評論》243號，1970年10月）、楊穎奇〈略論中共抗日民族統一戰線的確立〉（《東南文化》1995年2期）、張大軍〈淺談中國共產黨抗日民族統一戰線策略方針的確立〉（《河北師院學報》1991年2期）、宇野重昭〈抗日民族統一戰線と中國共產黨〉（載《戰後日本史》第5卷，東京，青木書店，1962）、天兒慧〈統一と抗爭の理論—抗日民族統一戰線における毛澤東の發想〉（《一橋論叢》78卷3號，1977年9月）、William F. Dorrill, "C C P United Front Policy After the Manchurian Incident: A Critique of the Maoist Interpretation." (In Collected Documents of the First Sino-American

Conference on Mainland China, Taipei: Institute of International Relations, 1971）、梁秀華、楊恩長〈略論抗日民族統一戰線中的策略問題〉（《山東大學學報》1995年2期）、Yu Ovchinnikov, "The Strategy of A United Anti-Japanese Resistance Front: Manchurian Experience."（Far Eastern Affairs（Moscow）》1988 No.3）、佐佐木太郎〈抗日民族統一戰線運動の一考察—1930年代「滿洲」を中心として〉（《日刊アヅア·アフリカ研究》24卷7-9號，1984年7-9月）、宮坂宏〈抗日民族統一戰線への轉換期の法と政策の若干の問題〉（《社會科學年報（專修大學社會研究所）》13號，1979年3月）、平野正〈抗日民族統一戰線への視角をめぐって—中國共產黨の指導性に關連して〉（《中國—社會と文化》第3號，1988年6月）及〈中國共產黨の抗日民族統一戰線政策の發展—「反蔣抗日」から「連蔣抗日」への轉換の意義について〉（《歷史評論》287號，1974年3月）、劉昭豪〈中國共產黨制定抗日民族統一戰線策略的演變〉（《湘潭大學學報》1982年3期）、袁天成〈關於抗日民族統一戰線的原則的策略〉（《鎮江學刊》1995年3期）、江于夫、徐惠勤〈從"九·一八"到西安事變中共抗日民族統一戰線策略淺析〉（《浙江社會科學》1991年3期）、李維志〈共產國際和黨抗日民族統一戰線政策—紀念抗日戰爭勝利四十周年〉（《徐州師院學報》1985年3期）、劉炳愉、李成福〈論我黨在確立抗日民族統一戰線策略原則過程中與共產國際的關係〉（《理論界》1996年5期）、楊建萍〈淺析共產國際對我黨制定抗日民族統一戰線政策的影響〉（《共產國際研究》1993年3期）、葉心瑜〈關於我黨獨立自主地制定抗日民族統一戰線策略之我見〉

（《安徽省委黨校學報》1990年3期）、馮學成、鄭漢良〈學習黨的抗日民族統一戰線策略思想的體會〉（《紹興師專學報》1984年1期）、李大華〈論中國共產黨在抗日民族統一戰線的鬥爭策略〉（《貴州社會科學》1995年3期）、李燕奇〈我黨抗日民族統一戰線政策的偉大勝利〉（《求是》1995年16期）、靳寶民〈〝七七〞事變前抗日民族統一戰線政策的演變〉（《遼寧師大學報》1987年4期）、馬齊彬、楊聖清〈中共在抗日民族統一戰線中的策略〉（《毛澤東思想研究》1992年1期）、王榮先〈中國共產黨關於抗日民族統一戰線策略的演變〉（《歷史檔案》1989年3期）、唐正芒〈〝抗日民族統一戰線的經濟政策〞論析〉（《湘潭大學學報》1996年5期）、吳鈞善〈抗日民族統一戰線土地政策的制定和實施〉（《安徽教育學院學報》1991年1期）、侯曉峰〈黨的抗日民族統一戰線政策永放光芒〉（《青海社會科學》1995年增刊）、劉淑敏〈論黨的抗日民族統一戰線策略對東北抗日聯軍發展的歷史作用〉（《長春師院學報》1985年1期）。田中仁〈中國抗日民族統一戰線研究に關する覺書—中國共產黨の政策を中心に〉，載桑島昭編《兩大戰間期アジアにおける政治と社會》，大阪外國語大學，1987；其中譯文〈關於中國抗日民族統一戰線的研究筆記—以中國共產黨的政策為中心〉（載《史學月刊》1989年4期）、水羽信男〈抗日民族統一戰線史研究の課題—平野正「北京12·9學生運動—救國運動から民族統一戰線へ」をめぐって〉（《近きに在りて》16號，1989年11月）、〈抗日民族統一戰線運動史〉（載《日本の中華民國史研究》，東京，1995）及〈近年日本における抗日民族統一戰線史研究について〉（《廣島大學東洋史研究室報告》

第5號，1983年9月）、薛鈺〈抗日民族統一戰線與第二次國共合作研究述評〉（《史學月刊》1995年4期）、顧小平〈抗日民族統一戰線策略方針與第二次國共合作的形成研究綜述〉（《黨史研究》1984年2期）。程大方〈〝抗日民族統一戰線〞概念初探〉（《安徽大學學報》1987年2期）、黃超凡〈抗日民族統一戰線的〝基礎〞問題淺見－兼談抗日民族統一戰線形成的階段〉（《福建黨史月刊》1990年2期）、湯宜庄〈抗日民族統一戰線問題的質疑〉（《益陽師專學報》1987年2期）、王仰青〈抗日民族統一戰線領導權問題〉（《史林》1995年2期）、朱順佐〈試論抗日民族統一戰線的特點〉（《紹興師專學報》1982年2期）、陳勝華〈抗日民族統一戰線的特點新論：紀念中國抗戰勝利及世界反法西斯戰爭勝利五十周年〉（《宜春師專學報》1995年6期）、郭維儀等〈略記抗日民族統一戰線的特點及其歷史作用〉（《理論學習》1985年5期）、何煥昌〈試論抗日民族統一戰線的歷史作用〉（《廣東社會科學》1995年6期）、張敏生〈抗日民族統一戰線的結構與功能〉（《社會科學評論》1986年7期）、黃干周〈抗日民族統一戰線是抗戰勝利的法寶〉（《南昌大學學報》1995年3期）、陳榮華等〈抗戰勝利與民族統一戰線〉（《江西社會科學》1985年5期）、石世龍〈抗日戰爭的勝利和抗日民族統一戰線的歷史經驗〉（《思想戰線》1985年4期）、馬賢倫〈抗日民族統一戰線的歷程及啟示〉（《貴州民族研究》1995年4期）、王壽豐〈抗日民族統一戰線給我們的啟示〉（《思維與實踐》1995年4期）、王顯乾〈抗日民族統一戰線的巨大歷史作用：兼談實現祖國統一的〝一國兩制〞方針〉（《四川黨史》1995年5期）、羅一群等〈論抗日民族統一戰線的偉大意義〉

(《宜春師專學報》1986年1期)、何煥昌〈試論抗日民族統一戰線的歷史作用〉(《廣東社會科學》1995年6期)、王棣章〈國民黨抗日民族統一戰線的歷史經驗:展望第三次國共合作〉(《思維與實踐》1995年5期)、童金懷〈論堅持抗日民族統一戰線的歷史經驗〉(《青海社會科學》1995年增刊)、高光華〈論抗日民族統一戰線在抗日戰爭中的地位和作用〉(《惠州大學學報》1995年2期)、林祥庚〈黨指揮槍原則在抗日民族統一戰線中的光輝實踐〉(《福建學刊》1995年4期)、李代玲、李吉〈抗日民族統一戰線的光輝篇章〉(《理論教育》1987年9月)。藤井高美〈抗日民族統一戰線の先聲〉(《福岡學藝大學久留米分校研究紀要》10號,1960年3月)、夏以溶〈初評毛蔣抗日方針兼評抗日民族統一戰線的開端〉(《西南民族學院學報》1983年3期)、廖立地〈抗日民族統一戰線工作的史實〉(《黃海學壇》1991年2期)、楊成生〈淺談我黨關於抗日民族統一戰線的一個策略口號〉(《承德師專學報》1986年1期)、洪萬辰等〈試論抗日民族統一戰線中的獨立自主原則〉(《寧波師院學報》1985年4期)、王繼春〈抗日民族統一戰線中獨立自主問題的再認識〉(《山東師大學報》1985年4期)、蔡麗華〈論抗日民族統一戰線中的獨立自主原則〉(《牡丹江師院學報》1995年3期)、嚴志才〈抗日民族統一戰線中的獨立自主原則論析〉(《東北師大學報》1992年6期)、劉芳〈試論抗日民族統一戰線中的獨立自主原則〉(《寶鷄文理學院學報》1994年1期)、甘治國〈抗日民族統一戰線中的獨立自主原則〉(《文科月刊》1986年10期)、王森〈堅持黨在抗日民族統一戰線中的獨立自主原則為爭取抗戰勝利而鬥爭〉(《鄭州工學院學報》1983年2期)、羅鳳琳

〈抗日民族統一戰線〝裂而不破〞原因探析〉(《理論導刊》1995年9期)。John W. Garver, "The Origins of the Second United Front: The Comintern and the Chinese Communist Party."(The China Quarterly, No.113,1988)、程顯煜〈論共產國際與我黨抗日民族統一戰線〉(《理論與改革》1995年9期)、王綺蘭〈共產國際第七次代表大會與中國的抗日民族統一戰線〉(《江西大學學報》1985年2期)、夏以溶〈共產國際與中共抗日民族統一戰線政策方針的關係初探〉(《西南民族學院學報》1985年3期)、劉以順〈論共產國際政策的轉變和中國抗日民族統一戰線的關係〉(《江淮論壇》1986年6期)、張慶瑰〈獨立自主的光輝篇章：論在建立抗日民族統一戰線中黨同共產國際的關係〉(《瀋陽師院學報》1985年2期)、張慶瑰、秦曉波〈中國共產黨獨立自主原則的光輝一章——論在建立抗日民族統一戰線中我黨同共產國際、國民黨的關係〉(同上，1994年3期)、楊雲若、李良志〈共產國際和毛澤東關於中國抗日民族統一戰線策略方針的比較研究〉(《抗日戰爭研究》1993年3期)、王綺蘭〈共產國際第七次代表大會與中國的抗日民族統一戰線〉(《江西大學學報》1985年3期)、陳再凡〈共產國際七大和中國抗日民族統一戰線〉(《華中師大學報》1987年2期)、楊雲芝〈共產國際與中國抗日民族統一戰線〉(《錦州師院學報》1996年2期)、姫田光義〈「反のフアツシヨ國際統一戰線」の樹立をめざす中國共產黨のたたかい——抗日民族統一戰線との關連で〉(《歷史學研究別册特集》，1970年10月)。閻玉田、李愛香〈論國共兩黨關於抗日民族統一戰線組織形式的鬥爭〉(《河北大學學報》1994年1期)、劉明綱〈為了更好的一躍而後退—談中國共產黨為促成抗日民族統一戰線而做的讓步〉（《湖北大學學報》1987年2期）、劉慶楚〈論中共抗日民族統一戰線政策中的讓步問題〉（《學海》1994年1期）、Kim Hong Nack, The Communist United Front Movement in China, 1931-1937.（Ph. D. Dissertation, Georgetown University, 1965）、Peter W. Colm, Chinese Communist Tactics: The "United Front From Below" and the "United Front", 1931-1938.（Regional Studies Paper, Harvard University, 1951）、Tomohide Nomura, Some Aspects of the United Front in China, 1931-1936.（Ph. D. Dissertation, Columbia University, 1961）、Tetsuya Kataoka（片岡鐵屋），Resistance and Revolution in China: The Communists and the Second United Front.（Berkeley: University of California Press, 1974）、James D Thomas Jr., " Communist Policy and the United Front in China, 1935-1936."（'Paper on China, Vol.11, Cambridge: Harvard University, East Asian Research Center, 1957）、楊穎奇〈論中國共產黨對抗日民族統一戰線的堅持〉（《學海》1996年1期）、李先福〈中國共產黨在抗日民族統一戰線中的思想政治工作〉（《湘潭師院學報》1992年1期）、松本忠雄〈中國共產黨の活動と抗日連合戰線〉（《支那》28卷4號，1937年2月）。黃偉〈中國各愛國民主黨派與抗日民族統一戰線〉（《安徽教育學院學報》1995年3期）、徐文生〈中國民主黨派在抗日民族統一戰線中的貢獻〉（《四川社科界》1995年5期）、楊恒源〈論民主黨派對於以國共合作為基礎的抗日民族統一戰線的政治主張〉（《蘇州大學學報》1987年3期）、查寧〈試論民盟在抗日民族統一戰線中的

地位與作用〉（《廣東社會科學》1994年3期）、黃超凡〈論〝中間勢力〞在抗日民族統一戰線中的歷史地位〉（《福建黨史月刊》1995年12期）、王德承〈中間勢力是抗日民族統一戰線最早的倡導者〉（《上饒師專學報》1995年3期）、曹選玉〈華僑對抗日統一戰線的貢獻和作用〉（《重慶教育學院學報》1995年3期）、李佩〈略論華僑對抗日民族統一戰線的重要作用〉（《上海大學學報》1995年3期）、袁鋒〈抗日民族統一戰線與愛國華僑：紀念抗日戰爭勝利五十周年〉（《中央民族大學學報》1995年5期）、董妙玲〈中國婦女抗日統一戰線組織的特點和作用〉（《中州學刊》1995年5期）、郭美蘭〈婦女界抗日統一戰線的建立和特點〉（《華中師大學報》1995年5期）、野澤豐〈下鄉運動と新任務ー抗日民族統一戰線と中國學生〉（《大學評論》第7號，1953年10月）、李相久〈試論青年抗日統一戰線的建立及其歷史作用〉（《青年學研究》1995年3期）、野澤豐〈抗日民族統一戰線と文化の大眾化〉（載《新中國の經濟と文化》，東京，法律文化社，1954）、竹內實〈抗日民族統一戰線と中國文學〉（《國文學：解釋と教材の研究》20卷9號，1975年7月）、小野信爾〈日本帝國主義と民族統一戰線〉（載《講座日本史》第7卷，東京大學出版會，1971）、波多野乾一〈抗日聯合戰線と蘇聯邦〉（《支那》27卷11號，1936年11月）、上田仲雄〈抗日統一戰線結成への道ー西安事變と第二次國共合作〉（《中國研究》11號，1971年2月）、野原四郎〈抗日民族統一戰線と西安事變〉（《社會科學年報（專修大學）》11號，1977年6月）、楊穎奇〈論抗日民族統一戰線與西安事變的發生〉（《學海》1994年3期）、趙三軍、鄧軍〈抗日民族統一戰線政策與紅軍長征〉

（《天津社會科學》1993年2期）、平野正〈抗日民族統一戰線と憲政運動〉（載《講座中國近現代史》第6卷，東京大學出版會，1978）、劉景泉、劉鳳蘭〈中共在建立抗日民族統一戰線中的上層統戰〉（《黨史資料與研究》1991年1期）、平野正〈知識人層における統一戰線の特徵〉（《中國研究》67號，1975年11月）、石島紀之〈抗日民族統一戰線と知識人－「滿洲事變」時期の鄒韜奮と「生活」週刊をめぐって〉（《歷史評論》256、259號，1971年11月、1972年2月）。田中仁〈抗日民族統一戰線をめぐる王明と中國共產黨〉（同上，423號，1985年7月）、李良志〈關於王明對建立抗日民族統一戰線的作用〉（《史學月刊》1989年2期）、劉俊民、翟忠海、趙曉菊〈論王明在抗日民族統一戰線策略制定中的歷史作用〉（《齊齊哈爾師院學報》1996年1期）、葉健君〈對王明關於抗日民族統一戰線的主張深層剖析〉（《求索》1994年3期）、郭德宏〈王明與抗日民族統一戰線的提出〉（《黨史研究與教學》1988年5期）、田中仁〈王明の抗日統一戰線論に關する資料上の若干の問題について〉（《廣島大學東洋史研究室報告》第4號，1982年10月）及〈論王明的抗日民族統一戰線理論特點〉（載南開大學歷史系編《中國抗日根據地史國際學術討論會論文集》，北京，檔案出版社，1986）、田中仁著、張曉峰譯〈圍繞抗日民族統一戰線的王明與中國共產黨〉（《黨史研究》1986年6期）、唐曼珍〈王明為〝一切經過統一戰線〞的錯誤翻案是徒勞的─駁王明在《中共五十年》中的一個謬論〉（同上，1983年3期）、蜂屋亮子〈ソビェト革命期の抗日問題における王明路線〉（收入高木誠一郎、石井明編《中國の政治と國際關係》，東京大學出版會，1984）、Shum Kui Kwong, “The

'Second Wang Ming Line' (1935-1938)."(The China Quarterly, No.69, March 1977)、丸山昇〈1935、6年の〝王明路線″をめぐって一國防文學論戰と文化大革命⑴〉(《東洋文化》44號,1968)、程中原〈張聞天與抗日民族統一戰線〉(《瞭望》1990年35期)、張世貴、高銘仁〈張聞天與抗日民族統一戰線〉(《山東師大學報》1995年增刊)、張兆文〈張聞天與抗日民族統一戰線的建立和鞏固〉(《漢中師院學報》1995年2期)、費迅〈張聞天關於抗日民族統一戰線的實踐和理論〉(《上海黨史研究》1995年5期)及〈論張聞天對抗日民族統一戰線的巨大貢獻〉(《揚州師院學報》1995年3期)、金英豪〈抗日民族統一戰線:張聞天功不可沒〉(《黨史文苑》1993年1期)、葉心瑜〈張聞天建立抗日民族統一戰線的歷史功績〉(《黨史論壇》1990年11期)、王林濤〈略論張聞天的抗日民族統一戰線思想〉(《中共浙江省委黨校學報》1990年3期)、周利生、蔣賢斌〈張聞天關於抗日民族統一戰線理論〉(《萍鄉高專學報》1995年3期)、李維志〈張聞天對抗日民族統一戰線的理論貢獻〉(《徐州師院學報》1992年3期)、龔偉〈略論張聞天對抗日文化統一戰線的獨特貢獻〉(《青海社會科學》1993年2期)、周青山〈張聞天對抗日民族統一戰線中階級鬥爭問題的討論〉(《湖北師院學報》1995年2期)、Nym Wales, "Why the Chinese Communists Support the United Front: An Interview With Lo Fu."(Pacific Affairs, Vol.11, 1938)、蔣建農〈論毛澤東對抗日民族統一戰線的獨特貢獻〉(《史學月刊》1995年1期)、萬世雄〈毛澤東對抗日民族統一戰線的傑出貢獻〉(《南充師院學報》1988年1期)、陳靜〈毛澤東對抗日民族統一戰線的重大貢獻〉

（《龍江社會科學》1993年6期）、夏燕月〈毛澤東對抗日民族統一戰線的卓越貢獻〉（《當代思潮》1993年6期）、Glenn Landes Shive, Mao Tse-tung and the Anti-Japanese United Front: A Rhetorical Analysis of a Mixed-Motive Conflict, 1935-1942.（Ph. D. Dissertation, Temple University, 1979）、天兒慧〈統一と抗爭の論理—抗日民族統一戰線における毛澤東の發想〉（《一橋論叢》78卷3號，1977年9月）、宋東俠〈試論毛澤東的抗日民族統一戰線思想〉（《青海社會科學》1995年增刊）、張喜德〈毛澤東抗日民族統一戰線中獨立自主原則的形成與共產國際〉（《中共黨史研究》1995年3期）、曲慶彪、李軍〈毛澤東抗日民族統一戰線獨立自主原則的思想〉（《遼寧師大學報》1995年4期）、李世欽〈淺論毛澤東抗日民族統一戰線中的獨立自主原則〉（《貴州師大學報》1993年4期）、蔣景源〈毛澤東關於抗日民族統一戰線的理論與實踐〉（《歷史教學問題》1984年1期）、李安葆〈毛澤東的抗日民族統一戰線思想與紅軍長征的勝利〉（《中國人民大學學報》1994年1期）、張國祥〈毛澤東和山西抗日民族統一戰線〉（《黨史文匯》1986年4-6期）、黃志英〈周恩來與抗日民族統一戰線〉（《華南師大學報》1995年3期）、楊光彥、陳明欽〈周恩來對抗日民族統一戰線形成的卓越貢獻〉（《西南師大學報》1986年1期）、劉春秀〈周恩來對建立抗日民族統一戰線的貢獻〉（《黨史研究與教學》1995年5期）、邢軍〈淺析周恩來對抗日民族統一戰線理論與實踐的貢獻〉（《黨史資料與研究》1995年2期）、楊秀能〈周恩來同志對黨的抗日民族統一戰線策略方針的理論貢獻〉（《撫順師專學報》1985年3期）、周普杰〈周恩來對抗日民族統一戰線的卓越貢獻：紀念抗日戰爭勝利五十周年〉（《遼寧商專學報》1995年3期）、王關興〈周恩來與抗日民族統一戰線：紀念抗日戰爭勝利四十周年〉（《歷史教學問題》1985年4期）、馬芷蓀〈周恩來與抗日民族統一戰線的鞏固和發展〉（《文獻和研究》1985年5期）、沈繼英〈周恩來論抗日民族統一戰線〉（《北京大學學研究》1981年2期）、李世平、魏積溫等編《周恩來和統一戰線》（成都，四川大學出版社，1986）、李雲龍〈張國燾是抗日民族統一戰線的首創者和擁護者嗎？〉（《黨史通訊》1986年1期）、胡松〈試論朱德對抗日民族統一戰線的貢獻〉（《江西社會科學》1995年7期）、郭維儀〈劉少奇對抗日民族統一戰線的貢獻〉（《甘肅理論學刊》1996年1期）、張義漁、李飛〈劉少奇同志對抗日民族統一戰線理論的貢獻〉（《社會科學》1982年2期）、閻樹恒〈劉少奇同志對抗日民族統一戰線理論的貢獻〉（《東北師大學報》1983年3期）、陳洪〈試論劉少奇對抗日民族統一戰線中黨的領導權問題的理論貢獻〉（《重慶師院學報》1994年2期）、田澤沛、陳君聰〈劉少奇與抗日民族統一戰線〉（《北方論叢》1988年2期）、葉青、吳漢全〈劉少奇同志對抗日民族統一戰線的貢獻〉（《徐州師院學報》1988年4期）、王超〈劉少奇與華北抗日民族統一戰線〉（《探索》1987年3期）、吳漢全〈劉少奇與華北抗日民族統一戰線〉（《大慶師專學報》1991年2期）、王世誼〈劉少奇與華中抗日民族統一戰線〉（《黨史研究與教學》1988年6期）、郭學旺〈劉少奇和山西抗日民族統一戰線〉（《統戰理論研究》1987年10期）、胡志平〈陳毅與江西抗日民族統一戰線的建立〉（《爭鳴》1986年1期）、謝一彪〈陳毅與南方抗日民族統一戰線的建立〉（《黨史文苑》1991年2期）、徐永久〈陳毅的抗日民族文化統一戰線活動初探〉（《近代史研究》1989年1期）、張棣〈略論葉劍英對抗日民族統一戰線的貢獻〉（《暨南大學研究生學報》1992年2期）、熊經裕〈張浩和抗日民族統一戰線〉（《黃岡師專學報》1990年4期）、李璉〈鄧穎超對抗日民族統一戰線中的婦女運動〉（《中共黨史研究》1988年3期）、田保國〈宋慶齡抗日民族統一戰線思想的演進及其理論貢獻〉（《吉林大學學報》1996年1期）、張家來、李廣法、焦德忠〈馮玉祥與抗日民族統一戰線〉（《棗莊師專學報》1995年1期）及〈馮玉祥對抗日民族統一戰線的重大貢獻〉（《山東社會科學》1995年5期）、松本昭〈抗日統一戰線結成過程の魯迅〉（《現代中國》23號，1953年10月）、中川俊〈魯迅の書簡—左翼作家連盟から「抗日統一戰線」への問題をめぐって〉（《野草》第5號，1971年10月）、竹內實〈徐懋庸に答え，をわせて抗日統一戰線問題にかんして—評論に即しての魯迅〉（《文學》44卷5號，1976年5月）、鹿地亘〈魯迅と抗日民族戰線〉（《大安》12卷10、11號，1966年10、11月）。陳欣德〈黨的抗日民族統一戰線與桂林文化城〉（《學術論壇》1995年5期；亦載《中南民族學院學報》1996年1期）、吳漢家主編、西南地區政協文史資料協作會議編《抗日民族統一戰線在西南》（成都，四川人民出版社，1990）、邢麗雅、馬余良〈黨關於在東北建立抗日民族統一戰線策略思想的提出及其貫徹實行〉（《齊齊哈爾師院學報》1991年1期）、蔣孝山〈中共駐共產國際代表團與東北地區抗日統一戰線方針提出〉（《東北師大學報》1992年4期）、麻玉林〈東北抗日民族統一戰線的特點及其作用〉（《吉林大學學報》1996年3期）、何學國、張秀振〈東北抗日武裝統一戰線的形成及其歷史地位〉（《黑河學刊》1995年5期）、張秀振〈試述東北抗日武裝統一戰線的歷史地位〉（《龍江黨史》1993年1期）、申言〈黨的抗日民族統一戰線政策與東北抗日聯軍〉（《社會科學輯刊》1993年1期）、葯英等〈黨在山西建立抗日統一戰線的歷程〉（《山西大學學報》1983年1期）、哈思同、傅躍華〈簡析山西抗日民族統一戰線的主要特點〉（《北京黨史研究》1995年5期）、趙淑英〈山西抗日民族統一戰線在全國抗戰中的地位和作用〉（《山西革命根據地》1986年4期）、霍成勛〈試論抗日民族統一戰線在山西的發展和經驗〉（《文史研究》1991年2期）、趙延慶〈山東抗日民族統一戰線述論〉（《齊魯學刊》1983年3期）、王繼春〈山東抗日民族統一戰線工作的歷史特點〉（《山東師大學報》1989年2期）、馬偉鴞〈抗日戰爭時期我黨在廣西的統一戰線工作〉（《廣西民族學院學報》1985年3期）、南柱成、李志林、閻佩璋〈論新疆抗日民族統一戰線〉（《新疆社會科學》1995年4期）、許惠民〈獨具特色的新疆抗日民族統一戰線〉（《喀什師院學報》1989年3期）、朱培民〈新疆抗日民族統一戰線概述〉（同上，1990年4期）、郭林〈西安事變與新疆抗日民族統一戰線〉（《新疆歷史研究》1987年1期）、李爽、康芬〈抗日民族統一戰線的建立對新疆教育的影響與促進〉（《新疆大學學報》1995年1期）、宋雅嵐〈試論綏遠抗日民族統一戰線多方面的特點〉（《內蒙古大學學報》1992年3期）、孫作賓〈黨的抗日民族統一戰線在甘肅的實踐〉（《理論學刊》1986年7期）、鄭錦華〈福建黨組織具體運用抗日民族統一戰線的幾個問題〉（《福建黨史通訊》1985年12期）、黃典文〈略述福建抗日民族統一戰線的建立〉

（《理論學習月刊》1995年9期）、李齊夫〈閩南地區的抗日民族統一戰線〉（《福建黨史月刊》1990年10期）、武彥根〈江上青與皖東北抗日民族統一戰線〉（《黨史縱橫》1995年4期）、邢增杰〈瓊崖抗日民族統一戰線的特點〉（《新東方》1995年4期）、石肖岩等〈抗日民族統一戰線與冀南根據地的開闢〉（《學習與研究》1985年9期）。宮永廉等〈我黨同閻錫山的抗日統一戰線初探〉（《遼寧師大學報》1985年6期）、黃永金〈黨的抗日民族統一戰線工作與龍雲的思想轉化〉（《雲南師大學報》1987年6期）、張德〈抗日民族統一戰線的組織—〝動委會〞〉（《常德師專學報》1985年4期）、王進成〈抗日民族統一戰線為中國革命開闢了廣闊的道路〉（《許昌師專學報》1989年1期）、李光正〈以民主推動抗戰，是我黨實現抗日民族統一戰線領導權的關鍵〉（《河池師專學報》1988年4期）及〈論中國共產黨對抗日民族統一戰線領導權的實現〉（同上，1993年4期）、蕭健〈黨在抗日民族統一戰線下鋤奸鬥爭的五項基本原則〉（《公安大學學報》1991年4期）、龔光餘〈抗日民族統一戰線是靈活運用對立統一鬥爭藝術的典範〉（《上饒師專學報》1985年3期）、余海寧〈論抗日民族統一戰線在相持階段中的〝左〞傾危險〉（《學術研究叢刊》1983年2期）、原田繁〈「抗日民族統一戰線」機關紙としての「新華日報」—國民黨統治區での中國共產黨紙〉（《創價大學學院紀要》14集，1992年11月）、今井駿〈抗日民族統一戰線と抗戰戰略の問題—國民黨系の抗戰戰略をめぐって〉（載《1930年代中國の研究》，東京，アジア經濟研究所，1975）、馬齊彬、楊聖清〈中共在抗日民族統一戰線中的策略〉（《毛澤東思想研究》1992年1期）、董偉〈試論

〝一·二六〞指示信在黨的抗日民族統一戰線策略思想中的地位〉(《黨史縱橫》1989年1期)、谷麗娟〈〝一·二六〞指示信提出抗日民族統一戰線政策了嗎?〉(同上)、〈正確評價一·二六指示信〉(《黑河學刊》1988年4期)及〈一·二六指示信是〝左〞傾路線的產物〉(《學術交流》1993年2期)、胡海波〈《一·二六指示信》的再評價〉(《龍江黨史》1993年1期)、常好禮〈論中共中央〝一·二六〞指示信及其對東北抗日鬥爭的影響〉(《學習與探索》1986年1期)、許慶昌〈關於《〝一·二六〞指示信》的〝左〞傾思想〉(《吉林大學社會科學學報》1986年6期)。

其他的與抗日民族統一戰線相關者尚有王幫佐編《中國共產黨統一戰線史》(上海,上海人民出版社,1991)、張鐵男等主編《中國統一戰線紀事新編:1919-1988》(瀋陽,東北師大出版社,1991)、楊清海《中共統一戰線剖析:組織、演變、論證》(臺北,龍文出版社,民80)、孫劍青〈中共統一戰線之研究〉(《台北護專學報》第1期,民70年12月)、Lyman P. VanSlyke, “The United Front in China.” (The Journal of Contemporary History, No. 3, 1970)、Yu Ovchinnikov, “The Stategy of a United Anti-Japanese Resistance Front.” (Far Eastern Affairs, No.3, 1988)、朱企泰等編《統一戰線大事記:1921年7月-1990年12月》(北京,中共黨史出版社,1991)、中國統一戰線辭典編委會編《中國統一戰線辭典》(同上,1992)、李青〈近年來統一戰線史研究述評〉(《北京黨史研究》1994年2期)、竹內實〈中國1930年代的統一戰線問題:兩個口號問題之我見〉(《立命館國際研究》3卷3號,1990

年12月）、古厩忠夫〈抗日期中國共產黨の統一戰線理論の發展—新民主主義共和國構想を中心に〉（載《世界史における1930年代》，東京，青木書店，1971）、瞿昌民〈論抗戰爆發前統一戰線中獨立自主思想的形成〉（《歷史教學》1991年12期）；周建超〈關於《八一宣言》發表的經過〉（《歷史教學》1992年2期）、楊樹先〈關于《八一宣言》的發表情況〉（《黨史資料叢刊》1981年1輯）、向青〈《八一宣言》形成的歷史過程〉（同上，1982年3輯）、陳溶〈關於《八一宣言》出現於國內的時間〉（同上，1981年4輯）、周亞東〈《八一宣言》在國內的傳播及影響〉（《松遼學刊》1995年3期）、鄧傳淮〈淺論《八一宣言》〉（《淮北煤師院學報》1990年2期）、姚寅虎、楊聖清〈簡評《八一宣言》〉（《黨史研究》1983年3期）、山極潔〈コミンテルンと中國共產黨（上）—八一宣言の傳達をめぐって〉（《東洋大學紀要（教養課程篇）》28號，1989）、崔軍山〈試論《八一宣言》的歷史地位和作用〉（《瀋陽師院學報》1988年2期）、叢彩娥、楊世谷〈《八·一宣言》與黨的統戰策略轉變異析〉（《青年工作論壇》1993年3期）、葉美霞等〈八一宣言是共產國際七大思想與中國實際相結合的產物〉（《華東工學院學報》1987年3期）、蕭紹斌〈略論吳玉章對《八一宣言》的貢獻—紀念吳玉章同志誕辰110周年〉（《重慶社會科學》1988年5期）、譚人榮〈《八一宣言》與瓦窯堡會議決議〉（《四川師院學報》1991年4期）、童小鵬〈瓦窯堡會議的光輝：黨史學習筆記〉（《福建黨史研究》1992年2期）；趙舒〈張聞天與瓦窰堡會議〉（《中共黨史研究》1990年5期）、宋仲福〈試論瓦窰堡會議的歷史意義：學習毛澤東關於建立抗日民族統一戰線的策略思想〉(《西北師院學報》1984年3期)、董世明〈瓦窰堡會議後中共關於國共合作策略思想的發展〉(《東北師大學報》1995年1期)、高九成〈從〝瓦窰堡會議〞到〝廬山談話〞共產黨對蔣政策的演變〉(《渤海學刊》1988年3期);于耀洲、劉杰〈中國共產黨由〝反蔣抗日〞向〝逼蔣抗日〞方針轉變原因試析〉(《社會科學戰線》1991年2期)、謝俊春〈中國共產黨從反蔣抗日到逼蔣抗日的實施〉(《西北師大學報》1989年增刊)、張國權等〈從反蔣抗日逼蔣抗日再到聯蔣抗日〉(《鞍山師專學報》1985年2期)、劉培平〈〝安內攘外〞與〝反蔣抗日〞〉(《文史哲》1995年6期)、藤井高美〈中國共產黨統戰政策素描－その①「反蔣抗日」〉(載《現代世界と政治》,東京,世界思想社,1985)、陳榮勛〈關於抗日反蔣的幾個問題〉(《華東石油學院學報》1986年4期)、廣德明〈〝抗日反蔣〞辨析〉(《佳木斯教育學院學報》1989年4期)、楊穎奇〈論〝抗日必先反蔣〞方針的失誤〉(《學海》1992年2期)、李培臣〈〝反蔣抗日〞的提法應當改變〉(《鄭州工學院學報》1985年3期)、夏以溶〈初評〝反蔣抗日〞方針兼及抗日民族統一戰線的開端〉(《西南民族學院學報》1983年3期)及〈再評〝反蔣抗日〞方針兼及抗日民族統一戰線的分段〉(同上,1984年2期)、劉經宇〈論〝抗日反蔣〞與〝逼蔣抗日〞〉(《黨史通訊》1987年7期)、廣德明〈也論〝抗日反蔣〞與〝逼蔣抗日〞—與劉經宇同志商榷〉(《理論探討》1989年2期)、逄翼、唐堅〈第二次國內戰爭時期我黨放棄反蔣口號的時間新考〉(《學術交流》1987年2期)、丁雍年〈關於我黨逼蔣抗日政策的提出〉(《黨史研究資料》1985年9期)、薛宗耀〈試論逼蔣抗日方針的形成〉(《福建黨史通訊》1986年1期）、李平〈試析〝逼蔣抗日〞方針的形成〉（《探索》1996年3期）、石偉夫等〈試論黨的逼蔣抗日方針〉（《北京師院學報》1982年2期）、榮維木、趙剛〈中共〝逼蔣抗日〞策略方針的形成〉（《近代史研究》1988年3期）、李義彬〈關於〝逼蔣抗日〞方針形成問題〉（同上，1989年4期）、趙勝軍〈論〝逼蔣抗日〞局面的形成〉（《社會科學論壇》1995年4期）、張建芳〈共產國際與我黨〝逼蔣抗日〞〉（《安慶師院學報》1994年1期）、林祥庚〈民主黨派與中國共產黨的〝逼蔣抗日〞方針〉（《中共黨史研究》1996年3期）、李倩文等〈〝逼蔣抗日〞不是抗日民族統一戰線形成中的一個獨立階段〉（《求索》1986年3期）、王武〈略論〝逼蔣抗日〞是第二次國共合作過程中的一個〝獨立〞階段〉（《龍江黨史》1993年5、6期）、黃乃管〈略談抗日戰爭全面爆發前我黨對蔣介石鬥爭的〝三個口號〞〉（《運城師專學報》1984年1期）、張小滿〈〝逼蔣抗日〞與〝聯蔣抗日〞關係淺探〉（《南都學壇》1988年4期）、藤井高美〈中國共產黨統戰政策素描－その②・③「逼蔣抗日」、「連蔣抗日」〉（《中國問題（國際善鄰協會）》10號，1985）、張樹宣〈從我黨〝逼蔣〞、〝聯蔣〞抗日方針的實施看第二次國共合作的形成〉（《青海民族學院學報》1987年3期）、楊奎松〈關於共產國際與中國共產黨〝聯蔣抗日〞方針的關係問題〉（《中共黨史研究》1989年4期）、阮湘華〈關於〝聯蔣抗日〞的幾個問題〉（《湖北黨史通訊》1986年3期）；〈中共中央和毛澤東等同志關於〝聯蔣抗日〞方針的一組文電（1936年4月－1944年2月）〉（《文獻和研究》1985年3期）、藤井高美〈中國共產黨統戰政策素描－その④「擁蔣抗日」〉

（《松山大學論集》1卷4號及2卷1號，1989年10月及1990年6月）。

關於抗戰前國共間的秘密接觸及談判有郝晏華《從秘密談判到共赴國難：國共兩黨第二次合作形成探微》（北京，燕山出版社，1992）、李淮成〈1935-1936年國共兩黨秘密接觸與談判〉（《民國春秋》1993年2期）、楊奎松〈關於1936年國共兩黨秘密接觸經過的幾個問題〉（《近代史研究》1990年1期）、張梅玲〈簡論1936年國共兩黨的秘密談判〉（《學術界》1987年6期）、鄧元忠〈國共第二次合作前的第一次秘密商談接觸：從一份俄文資料談起〉（《歷史學報（臺灣師大）》23期，民84年6月）、楊聖清〈西安事變前國共兩黨的重新接觸〉（《黨史通訊》1983年10期）、李海文〈西安事變前國共兩黨接觸和談判的歷史過程〉（《文獻和研究》1985年匯編本）；〈西安事變前國共兩黨接觸經過和有關人物〉（《人物》1985年5期）、陳德鵬、路運洪〈西安事變前〝國共合作〞述論〉（《許昌師專學報》1988年1期）、楊天石〈西安事變前後國共談判史實訂誤：評陳立夫《成敗之鑒》兼評他對於蘇增基君的批評〉（《近代史研究》1996年3期）、儲鏡明〈和平解決西安事變後的國共談判〉（載江蘇省歷史學會編《抗日戰爭史事探索》，上海，上海社會科學院出版社，1988）、楊奎松〈1936年鄧文儀與王明、潘漢年談判經過及要點〉（《黨史研究資料》1994年4期）；〈潘漢年關於與國民黨談判情況給毛澤東等的報告（1936年11月21日）〉（《黨的文獻》1993年5期）、林木〈潘漢年與一九三六年的國共秘密談判〉（《黨史博覽》1994年2期）、陶柏康〈潘漢年和中國共產黨的統戰工作〉（《上海師大學報》1996年2期）、楊奎松〈究竟是誰說服了誰：關於1936年延安會談結果的再探討〉

(《抗日戰爭研究》1996年1期)、杜連慶等〈延安會談及其歷史意義〉(《遼寧大學學報》1987年3期)、高峻等〈略論抗戰前夕國共談判中的三大關鍵問題〉(《黨史資料與研究》1987年5期、1988年1期)、高峻〈略述抗戰前夕國共和談中的紅軍改編問題〉(《福建黨史通訊》1987年7期)、趙建民〈1935至1945年之國共和談:過程、爭議與中共策略〉(《政治大學學報》68期下冊一人文科學類,民83年3月)、林慶南《1935年至1949年國共談判之研究》(政治大學東亞研究所碩士論文,民82)。其他如吳相湘〈抗戰前夕國共兩黨關係轉變經緯〉(《歷史月刊》88期,民84年5月)、劉曉、王樹蔭〈從全面對抗到第二次合作—從〝九一八〞到抗戰全面爆發的國共關係〉(《首都師大學報》1994年6期)、方企銘〈〝九·一八〞—〝七·七〞國共兩黨關係的變化〉(《教學月刊(中學文科版)》1988年10期)。李義彬主編《從內戰到抗戰1935-1937—中國新民主主義革命史長編》(上海,上海人民出版社,1995)、波多野乾一〈國共妥協問題の真相〉(《支那》28卷4號,1937年4月)、田中香苗〈國共對立解消問題と今後の支那〉(同上)。

(四)蘇、日的侵略

1.蘇俄的侵略

民國十八年(1929)的中東路事件有世界週報社《中東路事件》(上海,華通書局,民18)、Hollington H. Tong(董顯光),Facts About the Chinese Eastern Railway Situation.(中東路事件研究)(哈爾濱,東北文化社,民18)、董顯光《東路中俄決裂之真相》（上海，真善美書店，民18）、Chang Tao-shing（張道行），International Controversies over the Chinese Eastern Railway.（Shanghai: The Commercial Press, 1936）、李占才〈中東路事件始末〉（《民國春秋》1995年1期）、張福山〈中東鐵路事件始末〉（《學理論》1992年2期）、孫子和〈中東路事件經緯〉（《抗戰前十年國家建設史研討會論文集》上册，民73）、馮國民〈評〝中東路事件〞〉（《世界歷史》1986年12期）、王玉祥〈重評〝中東路事件〞〉（《山西師大學報》1993年2期）、祝界寬、王敏夫〈〝中東路事件〞評析〉（《東北地方史研究》1991年1期）、王春良〈論中東鐵路事件—兼談蘇聯從中國占去黑瞎子島〉（《山東師大學報》1995年3期）及〈論中東路事件與黑瞎子島問題〉（《煙臺大學學報》1995年4期）、劉萍華〈中東路事件是非評議〉（《北方論叢》1989年5期）、王宏〈也談中東路事件的是非觀：與劉萍華同志商榷〉（《理論探討》1990年4期）、島田俊彥〈東支鐵道をめぐる中ソ紛爭—柳條溝事件直前の滿州情勢〉（載《滿州事變》，東京，日本國際政治學會，1970）、張榮華〈簡析中東路事件爆發的原因及其後果〉（《蒲峪學刊》1987年3期）、李興〈1929年中東路事件影響淺析〉（《蘇聯問題研究資料》1991年5期）、尹雪曼譯〈張學良突襲中東鐵路—上海密勒氏評論報主持人鮑惠爾回憶錄之十六〉（《傳記文學》17卷4期，民59年10月）、呂明軍〈張學良與〝中東路事件〞〉（《遼寧大學學報》1988年5期）、杜連慶、陸軍〈張學良與〝中東路〞事件〉（《北方論叢》1987年2期）、李明〈1929年中ソ間中東鐵路紛爭と張學良〉（《社會科學研究（中央大學）》6卷2號，1986）、王章陵〈匪黨與「中東路事件」〉（《匪情月報》17卷

2期，民62）、劉作忠〈〝中東路事件〞與莫德惠〉（《炎黃春秋》1993年7期）、許慶昌、羅占元〈1929年中東路事件與黨的策略問題〉（《黨史研究》1983年1期）、劉剛〈對《1929年中東路事件與黨的策略問題》一文中幾個時間的考證〉（同上，1984年6期）、李妍〈試論我黨對中東路事件的策略及其影響〉（《龍江黨史》1995年5期）、葉忠輝〈對中東路事件的性質與我黨策略的探討〉（同上，1992年1期）、本庄比佐子〈東支鐵道紛爭と中國共產黨〉（《東洋學報》56卷2、3、4號，1975年3月），其部分譯文為吳建國摘譯〈中東路戰爭與中國共產黨〉（《中山大學研究生學刊》1987年1期）、胡忠明〈陳獨秀與中東路事件〉（《安徽省委黨校學報》1992年1期）、王玉祥〈陳獨秀對中東路事件之認識與中共黨內托派問題〉（《徐州師院學報》1995年3期）、胡正權〈共產國際、前蘇聯與中東路事件〉（《黑河學刊》1992年4期）、露西亞通信社編印《世界的視聽を集めた東支鐵道と露支紛爭》（2冊，東京，1929）、鄭彥棻〈一九二九年中東路之爭執與國際輿論〉（《外交月報》2卷3期，民22年3月）、呂林貴〈中東路事件發生前後的歷史情況及其根源〉（《哈爾濱史志叢刊》1985年2期）、權赫秀〈1929年中蘇邊界之戰與交涉〉（《東北師大學報》1991年3期）、K. K. 川上〈中俄在滿洲之衝突〉（《中央大學半月刊》1卷5期，民18年12月）。

其他關於中東路的論著或資料有中央研究院近代史研究所編印《中俄關係史料·第2冊：中東路與東北邊防（民國9年）》（臺北，民58）及《中俄關係史料·第3冊：中東鐵路與俄政策》（同上，民63）、李濟棠《沙俄侵華的工具—中東鐵路》（哈爾濱，黑龍江人民出版社，1979）、李國雄《中東鐵路建造的前因後果及其在外交史上的地位》（政治大學外交研究所碩士論文，民60）、哈爾濱鐵路分局、中國社會科學院歷史研究所史地組合編《中俄密約與中東鐵路》（北京，中華書局，1979）、曾志陵《中東路交涉史》（北平，建設圖書館，民20）、鮑亦蜚編《中東路交涉史》（上海，國貨評論社，民18）、周鯁生、蔣星德《中俄關係與中東鐵路》（上海，商務印書館，民22）、張復生《東路與蘇聯的東方外交政策》（民18年出版）、F. R. Gladeck, The Peking Government and the Chinese Eastern Railway Question, 1917-1919.（Ph. D. Dissertation in International Relations, Philadelphia: University of Pennsylvania, 1972）、J. J. Delanty, F. Stevens and His Role in the Struggle for the Control of the Chinese Eastern Railway, 1917-1922.（Master Thesis in History, Fullerton: California State College, 1970）；國民黨中央宣傳部編印《中東路問題重要論文彙刊》（民19年序）、高良佐《中東鐵路與遠東問題》（上海，太平洋書店，民19）、中國國民黨廣東省宣傳部編印《中東鐵路與遠東問題》（廣州，民19）、鄭長椿編《中東鐵路歷史編年，1895-1952》（哈爾濱，黑龍江人民出版社，1987）、傅角今《中東鐵路問題之研究》（上海，世界書局，民18）、Tsao Lien-en, The Chinese Eastern Railway-An Analytical Study.（上海，國民政府工商部工商調查局，民19）、G. E. Sokolsky, The Story of the Chinese Eastern Railway.（Shanghai: North-China Daily News & Herald Ltd., 1929）、國民政府工商部工商訪問局編印《中東鐵路問題》（南京，民18）、雷殷《中東路問題》（哈爾濱，出版者不詳，民18；臺北，文海出版社

影印，民56）、國民黨宣傳部《中俄關於中東鐵路之交涉史略》（2冊，南京，撰者印行，民18）、李念萱〈「哈亂」與中東鐵路—哈埠俄人亂事與中國在中東路區權勢的復振〉（《中央研究院近代史研究所集刊》第9期，民69年7月）、馮會明、劉佩芝〈中東鐵路與遠東國際關係〉（《上饒師專學報》1994年3期）、葛鳳花〈沙俄與中東鐵路〉（《河北師大學報》1981年4期）、滿鐵哈爾濱事務所運輸課編印《東支鐵道を中心とする露支勢力の消長》（2冊，大連，1928）、露西亞通信社編印《東支鐵道に於ける露支勢力消長史》（東京，1929）、滿蒙研究會編印《露支最近の時局と東支鐵道》（大連，1929）、滿鐵總務部勞務課編印《中國共產黨內部に於ける東支鐵道問題に關する理論鬥爭》（大連，1930）、毋忘〈中東鐵路大事記〉（《人文月刊》1卷2期，民19年3月）、林時懋〈中東路的過去與現在〉（《新生命月刊》2卷8期，民18年8月）、陳炎興〈俄國之東方政策與中東鐵路〉（《社會科學論叢》1卷11期，民18年11月）、新泉〈中東路糾紛之分析及日俄前途之預測〉（《四十年代》1卷23期，民23年6月）、胥維譯〈東鐵交涉與日俄將來〉（《勇進半月刊》3卷7期，民23年9月）、松繩善三郎〈露支協定に到る東支鐵道の利權回收と日本の對應〉（《軍事史學》13卷2號，1977年9月）、立光隼人〈ロシアの東支鐵道建設について〉（《鐮田博士還曆記念歷史學論叢》，鐮田先生還曆記念會，1969）、王玉祥〈十月革命後中東鐵路問題的歷史考察〉（《徐州師院學報》1990年4期）、薛銜天〈十月革命與中國收回中東鐵路區主權的鬥爭〉（《近代史研究》1988年4期）、李嘉谷〈十月革命後中蘇關於中東鐵路問題的交涉〉（同上，1989年2期）、嚴繼光〈中東鐵路問題〉（《民族》1卷7期，民24年7月）、西村文夫〈東支鐵道をめぐるリヴェト外交—1919年のカラハン宣言と東支鐵道處理問題〉（《共產圈問題》10卷10號，1966年10月）、郭新秋〈東鐵問題之今昔〉（《黑白》1卷1、2期，民23年4月）、華企雲〈東鐵問題之回顧與前瞻〉（《新亞細亞月刊》9卷5期，民24年5月）、邵翰齋〈中東路問題縱斷的考察〉（《世界知識》1卷7期，民24）、B.Φ索洛維約夫著、吳永清譯〈1918-1920年中東鐵路的罷工鬥爭〉（《國外中國近代史研究》20輯，1992年1月）、石楠〈沙俄攫取中東路區行政權始末〉（《近代史研究》1989年4期）、吳文銜〈中國政府收回中東鐵路行政權〉（《北方文物》1993年3期）、于傳波、胡忠巍〈蘇聯在中東鐵路問題上的對華政策〉（《東北師大學報》1994年3期）、汪謙干〈從中東路問題看蘇聯對華政策的演變〉（《安徽史學》1994年2期）、崔萍〈蘇聯在中東路問題上的政策變化〉（《首都師大學報》1996年2期）、傅恩齡〈日本輿論中之東鐵問題〉（《外交月報》2卷5期，民22年5月）、龔善〈日本對於中東鐵道之野心及中國應取之方針〉（《留日學生季報》1卷1期，民10年3月）、Bruce A. Elleman, “The Soviet Unions Secret Diplomacy Concerning for the Chinese Eastern Railway”（The Journal of Asian Studies, Vol.53, No.2, 1994，其中譯文爲于耀洲譯〈關於中東鐵路和蘇聯秘密外交（1924-1925）〉，《齊齊哈爾師院學報》1996年3期）、滿鐵哈爾濱事務所調查課編印《蒙古貿易と東支鐵道》（大連，1924）、《東支鐵道貨物運賃研究》（同上，1925）、《東支鐵道警察の概要》（同上，1924）及〈東支鐵道土地回收運動に對する考證〉（同上，1923）、滿鐵庶務部調查課編印《北滿洲と東支鐵道》（2冊，大阪，大阪每日新聞社，1928）、滿鐵哈爾濱事務所編印《東支鐵道商業課附帶事業概觀》（大連，1928）、郭蘊深〈中東鐵路與俄羅斯文化的傳播〉（《學習與探索》1994年5期）、劉家磊〈中東路展地與反展地的鬥爭〉（《求是學刊》1982年3期）、才家瑞〈〝九·一八〞前後蘇聯中東路政策變化〉（《歷史教學》1993年12期）、王鳳賢〈〝九一八〞事變與蘇聯出售中東鐵路〉（《龍江黨史》1996年2期）、金光耀〈蘇聯出售中東鐵路〉（《民國春秋》1993年3期）、王安平〈蘇聯出賣中東鐵路款問題初探〉（《文史雜志》1992年5期）、王之相、劉澤榮〈東鐵出賣成功之觀察〉（《外交月報》6卷2期，民24年5月）、周伊武〈就中東路買賣之成交論日俄關係〉（《日本評論》5卷4期，民23年11月）、方保漢〈中東路買賣問題〉（《新亞細亞》8卷4期，民23年10月）、薛代強〈中東路買賣交涉之法理問題〉（《政治評論》128期，民23年10月）、慕天譯〈東鐵買賣交涉之回顧與前瞻〉（《北強月刊》1卷5期，民23年10月）、黃玄〈中東路非法讓渡之回顧與前瞻〉（《中國與蘇俄》1卷2期，民24年2月）、林大經〈中東鐵路非法買賣之進展與國際關係〉（《國際週報》10卷4期，民23年12月）、朱鴻禧〈中東路讓渡交涉之面面觀〉（《東方雜誌》31卷22號，民23年11月）、嚴繼光〈中東路非法讓渡問題之檢討〉（《民族》3卷3期，民24年3月）、果銳〈東鐵轉讓與遼東政局〉（《黑白》3卷4期，民24年2月）、金梅〈《蘇滿關於中東路轉讓基本協定》所涉及的國際法問題〉（《近代史研究》1990年4期）、邢麗雅、丁志宏〈試論蘇聯向偽滿轉讓中東鐵路的性質和影響〉（《齊齊哈爾師院學報》1995年5期）、萬琮〈日俄非法買賣中東路成交之檢討〉（《交通雜誌》3

卷5期，民24年3月）、雪若〈東鐵非法買賣與日本滿洲鐵道政策〉（《黑白》3卷4期，民24）、汪漁洋〈偽滿時期中東鐵路轉移與邊釁〉（《東北文獻》11卷1期，民69年8月）、吳其玉〈中東路出售以後〉（《獨立評論》139號，民24）、江鐸〈中東路非法買賣後之北滿與遠東〉（《邊事研究》6卷1期，民26年6月）、陸軍省調查班編印《東支鐵道の過去及現在》（東京，1932）；〈東北事變前之中東路簡史〉（《時事月報》11卷5期，民23年11月）、玄輯〈中東路沿革略述〉（《先導》1卷10期，民22年7月）、張國人〈中東鐵路之後顧與前瞻〉（《中央半月刊》2卷11期，民18年2月）、張健甫〈中東路的過去與現在〉（《新中華》2卷23期，民23年12月）、王芸生〈東北事變前之中東路簡史〉（《時事月報》11卷5期，民23年11月）、陸俊〈九一八以來中東路之史的檢討〉（同上）、王盛濤〈中東路創痛的回憶和檢討〉（同上，3卷1期，民61年8月）。臼井勝美〈1929年中ソ紛爭と日本の對應〉（《外交史料館報》第7號，1994年3月）、顧耕野〈奉蘇之戰的回憶〉（《東北文獻》11卷3、4期，民70年2、5月）、尹雪曼譯〈中俄邊境狼犬大戰一上海密勒氏評論報主持人鮑惠爾回憶錄之二〇〉（《傳記文學》18卷2期，民60年2月）；譚桂戀〈關於中東鐵路研究評述〉（《近代中國史研究通訊》21期，民85年3月）、李毓澍〈中東路與外蒙古交涉〉（教育部主編《中華民國建國史》第2編，民72）、王卓然〈中東路之軍事與經濟的價值〉（《時事月報》11卷5期，民23年11月）、雷殷〈中東路之價值〉（同上）、梁鋆立〈中東路之法律地位〉（同上）、郭蘊深〈中東鐵路附屬地〉（載上海市政協文史資料研究會等編《列強在中國的租界》北京，中國文史出版社，1992）、岳秀〈中東鐵路建築史料〉（《外交月報》7卷3-6期、8卷1、2期，民24年9-12月、25年1-2月）、薛銜天《中東鐵路護路軍與東北邊疆政局》（北京，社會科學文獻出版社，1993）、戈利岑著、奇恰戈夫、沃洛欽科編輯、李述笑、田宜耕譯《中東鐵路護路隊參加一九〇〇年滿洲事件紀略》（北京，商務印書館，1984）、The Economic Bureau of the Chinese Eastern Railway ed., North Manchuria and the Chinese Eastern Railway.（Harbin: The CER Printing Office, 1924）、吳文銜、張秀蘭《霍爾瓦特與中東鐵路》（長春，吉林文史出版社，1993）、H. C. 因杜卡耶娃〈法國壟斷資本家控制中東鐵路的企圖〉（《國外中國近代史研究》12輯，1989）、淩源勛編著《七十年來東清、中東、中長鐵路變遷之經過（中、下編）》（臺北，交通部交通研究所，民54）。

2.日本的侵略

以日本侵華史或中日關係史為題的通論性專書（含論文集）有張潤泉編著《日本侵略中國史》（上海，中華書局，民18）、蔣堅忍《日本帝國主義侵略中國史》（上海，聯合書店，民19）、孔昭〈日本帝國主義侵略中國史綱》（上海，昆崙書店，民20）、李溫民《日本侵略中國史》（北平，東華書店，民21）、李白英《日本帝國主義侵略中國史》（上海，大同書局，民21）、陳殷《日本帝國主義侵略中國史》（美新書局，出版年份不詳）、吳兆名《日本帝國主義與中國》（商務印書館，出版年份不詳）、淺田喬二編《日本帝國主義下の中國》（東京，樂游書房，1981）、梁又銘編《日本侵略中國史畫（上冊）》（通俗畫集編輯社，民21）、陳智乾〈日本侵華史略〉（廣南書局，民27）、張覺人《日本帝國主義侵略中國史》（重慶，青年書店，民28）、翁其法《日本帝國主義侵略中國簡史》（福建省警官訓練所，民26）、周策農編《日本帝國主義侵略中國史》（南京，中山印書館，民18）、劉惠吾、劉學照主編《日本帝國主義侵華史略》（上海，華東師大出版社，1984），簡要地敍述了從甲午戰爭到抗日戰爭的半個世紀中日本帝國主義侵略中國的歷史；新華通訊社攝影部編《日本侵華圖片史料集》（北京，新華出版社，1984）；日本國防衛廳戰史室編、天津市政協委員會編譯委員會譯校《日本軍國主義侵華資料長編：《大本營陸軍部》摘譯》（3冊，成都，四川人民出版社，1987）、中央檔案館等編《日本帝國主義侵華檔案資料選編》（北京，中華書局，1993）、國防部史政局編印《日本侵華史》（臺北，民55）、程伯軒《暴日侵華血史》（江西省地方政治研究會，民27）、重光葵著、徐義宗、邵友保譯《日本侵華秘史》（香港，現代出版公司，1970）、李蔚岩編《日本侵華痛史》（上海，律師公會，民21）、周郁年《日本侵略中國史（下冊）》（上海，廣益書局，民22）、徐正學《日本侵略中國史大綱》（卜生天常識編譯會，民22）、曹伯韓《日本侵華簡史》（漢口，上海雜誌公司，民27）、秦豐川、陳鳳章《日本侵略中國史》（民族革命出版社，民28）、李潔西《日本侵略中國小史》（長沙，商務印書館，民27）、學友互助總社編《日本侵略中國痛史》（成都，編者印行，民20）、國民黨中央宣傳部編《日本侵略中國年表》（南京，編者印行，民20）、邱培豪《日本侵略中國大事年表》（上海，新聲通信社，民20）、中國社會科學院近代史研究所編著《日本侵華七十年史》

（北京，中國社會科學出版社，1992）、焦山橋編著《日本對我侵略之剖視》（重慶，正中書局，民28）、鄭學稼《日帝侵華秘史》（臺北，地平線出版社，民64）、陸奧宗光著、龔德柏譯《日本侵略中國外交秘史（原名：蹇蹇錄）》（上海，商務印書館，民18）、重光葵著、齊福霖譯《日本侵華內幕》（北京，解放軍出版社，1987）、勝田主計著、龔德柏譯《日本對華侵略之過去及將來》（上海，光華書局，民20）、方志平《血染我山河：日本侵華史實》（臺北，金禾出版公司，民82）、鍾鶴鳴《日本侵華之間諜史》（漢口，華中圖書公司，民27）、劉永輝、常家樹《日本侵華間諜與謀略》（瀋陽，遼寧大學出版社，1995）、侯厚培、吳覺農《日本帝國主義對華經濟侵略》（上海，黎明書局，民20）、鄒魯《日本對華經濟侵略》（廣州，中山大學，民24）、吳世漢《日本對華煤鐵資源侵略檢討》（重慶，中華文化服務社，民30）、張雁深《日本利用所謂〝合辦事業〞侵華的歷史》（北京，三聯書店，1958）、松本俊郎《侵略と開發－日本資本主義と中國植民地化》（東京，御茶の水書房，1992）、章勃《日本對華之交通侵略》（上海，商務印書館，民19）、石子順《日本の侵略中國の抵抗－漫畫に見る日中戰爭時代》（東京，大月書店，1995）。關捷等編《中日關係史論文資料索引》（2冊，瀋陽，東北地區中日關係史研究會，1981）、山根幸夫、藤井昇三、中村義、太田勝洪編《近代日中關係史研究入門》（東京，研文出版，1992；其中譯本爲周啟乾監譯，臺北，金禾出版公司，民國八十四年印行）、山根幸夫編《近代日中關係史文獻目錄》（東京，東京女子大學東洋史研究室，1979）、市古宙三編《近代中國・日中關係圖書目錄》（東京，汲古書院，1979）、野澤豐《日中關係小史》（東京，實教出版，1972）、祖澄《中日關係小史》（上海，一般書店，民27）、張健甫著、錢俊瑞編《中日關係簡史》（上海，黑白叢書社，民26）、李則芬《中日關係史》（臺北，臺灣中華書局，民59）、張聲振《中日關係史》（長春，吉林文史出版社，1986）、楊孝臣主編《中日關係史綱》（上海，上海外語教育出版社，1987）、楊正光《中日關係簡史》（武漢，湖北人民出版社，1984）、東北地區中日關係史研究會《中日關係史論集·1-4輯》（5册，齊齊哈爾，齊齊哈爾師院：1982-1985）、《中日關係史論文集》（哈爾濱，黑龍江人民出版社，1984）及《中日關係論叢》（瀋陽，遼寧人民出版社，1982）、鄭樑生《中日關係史研究論集》（臺北，文史哲出版社，民79）、彭澤周《近代中日關係研究論集》（臺北，藝文印書館，民67）、蘇振申編著《中日關係史事年表》（臺北，華岡出版部，民66）、河原宏、藤井昇三編《日中關係史の基礎知識》（東京，有斐閣，1974）、李季《二千年來中日關係發展史》（2册，南寧，學用社，民27及29）、林明德《近代中日關係史》（臺北，三民書局，民73）、國民外交叢書社編《近代中日關係略史（1871-1924）》（上海，中華書局，民14）、左舜生《近代中日關係史綱要》（同上，民24）、朱宗震《從甲午戰爭到天皇訪華—近代以來的中日關係》（福州，福建人民出版社，1996）、趙連泰等《近代中日關係史研究指南》（哈爾濱，哈爾濱船舶學院出版社，1992）、日本國際協會太平洋問題調查部《最近日支關係史》（東京，1940）、山田辰雄編《中日關係の150年：相互依存·競爭·敵對》（東京，東方書店，1994）、上野秀夫《現代日中關係の展開》（東京，フタバ書店，1971）、張健甫《近六十年來的中日關係》（上海，生活書店，民26）、中華書局編印《二十年來之中日關係》（上海，民8）、周開慶《抗戰以前之中日關係》（臺北，自由出版社，民51）及《中日關係史話》（南京，拔提書店，民25；臺北，四川文獻月刊社，民64年再版）、入江昭著、興梠一郎譯《中日關係の百年》（東京，岩波書店，1995）、馬場明《日露戰爭後の日中關係：共存共榮主義の破綻》（東京，原書房，1993）、鹿錫俊〈國民政府對日關係の船出（1927-1928）〉（《東瀛求索》第7號，1995年7月）、曹潛《九一八事變以前的中日關係》（中國文化學院政治研究所碩士論文，民57）、蔣永敬等編《近百年中日關係論文集》（臺北，中華民國史料研究中心，民81）、中日關係史國際學術討論會籌備組《中日關係史國際學術討論會論文（選編）》（中國中日關係史研究會，1988）、中日關係史研究編輯組《中日關係史研究·第3輯》（瀋陽，東北地區中日關係史研究會，1984）、遼寧大學科研處編《中日關係史論文集：中日關係史第四次學術討論會》（瀋陽，遼寧省中日關係史研究會，1984）、中日關係研究會編印《中日關係論文集·第1輯》（臺北，民60）、汪向榮著、王杰成編《中日關係史文獻論考》（長沙，岳麓書社，1985）、池田誠等編《世界のなかの日中關係—20世紀中國と日本》（2册，東京，法律文化社，1996）、藤井昇三等編著《日中關係の相互イメージ—昭和初期を中心として》（東京，アヅア政經學會，1975）、Joshua A. Fogel, The Cultural Diminsion of Sino-Japanese Relations: Essays on the Nineteenth and Twentieth Centuries.（Armonk, M. E. Sharpe, 1994）、Lan Nish, "An Overview of

Relations Between China and Japan, 1895-1945."（The China Quarterly, No.124, December 1990）。馬場明《日中關係と外政機構の研究一大正·昭和期》（東京，原書房，1983）、阿部洋《日中關係と文化摩擦》（東京，巖南堂書店，1982）。

以中日外交史等為題的專書有陳博文編著《中日外交史》（上海，商務印書館，民17）、實藤惠秀《近代日中交涉史話》（東京，春秋社，1973）、黑龍會《日支交涉外史》（2冊，東京，黑龍會出版部，1938-1939）、植田捷雄《日華交涉史一日本の大陸發展とその崩壞過程》（東京，野村書店，1948）、日本國際政治學會《日本外交史研究一日中關係の展開》（東京，1961）、八木昇《日中交涉私史：日中戰爭への道》（東京，桃源社，1966）、佐藤三郎《近代中日交涉史の研究》（東京，吉川弘文館，1984）、渡邊龍策《近代日中政治交涉史》（東京，雄山閣出版，1978）、汪向榮《中日交涉年表》（北平，中國公論社，民34）、藤家禮之助著、張俊彥、卞立強譯《日中交流二千年史》（北京，北京大學出版社，1982）、王芸生編《六十年來中國與日本·1-7卷》（7冊，天津，大公報社，民21-23；另1-8卷，北京，三聯書店，1979-1982）、張蓬舟主編《近五十年中國與日本：1932-1982（第1-5卷）》（成都，四川人民出版社，其第1卷敍1932-1934年事，第2卷爲1935-1937年，均係1985年出版；第3卷爲1938-1939年，1987年出版；第4卷爲1940-1943年，第5卷爲1944-1945年，均係1992年出版）、渡邊龍策《日本と中國の百年一何が日中關係を狂めせたが》（東京，講談社，1968）、竹內好等編《近代日本を中國》（東京，朝日新聞社，1974）、安藤彥太郎編《近代日本と中國一日中關係史論

集》（東京，汲古書院，1989）、北山康夫《近代における中國と日本》（東京，法律文化社，1958）、山口一郎《日本と中國》（東京，潮出版社，1976）、曾村保信《近代史研究一日本と中國》（小峰書店，1958）、山根幸夫《論集近代中國と日本》（東京，山川出版社，1976）、實藤惠秀《近代日中交涉史話》（東京，春秋社，1973）、伊田憙家《日本帝國主義と中國》（東京，龍溪書舍，1988；其中譯本爲卞立強等譯《日本帝國主義與中國（1868-1945）》，北京，北京大學出版社，1989）、澤瀉《日本と中國》（東京，吾妻書房，1967）、臼井勝美《日本と中國一大正時代》（東京，原書房，1972）、中村治編著《日本と中國·ここが違う》（東京，德間書店，1994）、奈良本辰也、陳舜臣《歷史對談日本と中國》（東京，德間書店，1990）、向志邁編著《日本在中國》（臺北，中華民國歷史文化出版社，民62）、日高六郎編《日本と中國：若者たちの歷史認識》（梨の木舍，1995）、增田弘、波多野澄雄編《アジアのなかの日本と中國一友好と摩擦の現代史》（東京，山川出版社，1995）、Royal Institute of International Affairs, China and Japan.（London: Oxford University Press, 1938；The Third Edition, 1941）、Marius B. Jansen, Japan and China: From War to Peace, 1894-1972.（Chicago: Rand McNally College Publishing Company, 1970）、Alvin D. Coox and Hilary Conroy, eds., China and Japan: Search for Balance Since World War I.（Santa Barbara, California: ABC-Clio, 1978）、Barbara Jeanne Brooks, The Japanese Foreign Ministry and China Affairs: Loss of Control, 1895-1938.（Ph. D. Dissertation, Princeton University, 1991）、John

Paton Davies, Jr., Dragon by the Tail: American, British, Japanese, and Russian Encounters with China and Another.（London: Robson, 1974）、楊家駱《甲午以來中日軍事外交大事紀要》（重慶，商務印書館，民30）及《近世中日國際大事年表》（重慶，中山文化教育館，民30）、史俊民《中日國際史》（上海，新益書局，民8）、竹內實編《日中國交基本文獻集》（2冊，町田，蒼蒼社，1993）、津久井龍雄《日支國交史論》（東京，昭和刊行會，1943）、井口和起《朝鮮・中國と帝國日本》（東京，岩波書店，1995）、貝塚茂樹、桑原武夫編《日本と中國》（東京，筑摩書房，1968）、王朝佑《中國與日本》（上海，文美書莊，民17）、鄭學稼《中國與日本》（重慶，文苑社，民27）。依田憙家《戰前の日本と中國》（東京，三省堂，1976）、長野朗《日本と支那の諸問題》（東京，支那問題研究所，1929）、林正幸《孫文以後の支那と日本》（本山村，木蘭書院，1929）、市古宙三《近代日本の大陸發展》（東京，螢雪書院，1941）、、Thomas Arthur Bisson, Japan in China, 1931-1937.（New York: Macmillan, 1938）、Peter Duus, Ramon H. Myers, and Mark R. Peattie eds., The Japanese Informal Empire in China, 1895-1937.（Princeton, New Jersey: Princeton University Press,1989）、大東書局編印《日本帝國主義與中國》（上海，民17）、淺田喬二編《日本帝國主義下の中國》（東京，樂游書房，1981）、朱少軒《日本帝國主義與中國市場》（上海，崑崙書店，民20）、許宅仁《中日的舊恨與新仇》（北平，青年書店，民21）、王曉秋《近代中日文化交流史》（北京，中華書局，1992）、木宮彥泰著、胡錫年譯《日中文化交流史》（北京，商務印書館，1980）、周一良《中日文化關係史論》（南昌，江西人民出版社，1990）、簡湗勤《日本在華文教活動（公元1859年-1931年）》（政治大學歷史研究所碩士論文，民72年6月）。

以日本侵華史或中日關係史、外交史（交涉史）等為題的論文約有安藤實〈日本帝國主義の中國侵略の形態について〉（《歷史學研究》336號，1968年5月）、徐勇〈日本侵華史研究綜述〉（《世界史研究動態》1989年3期）、彭訓厚〈論日本發動侵華戰爭（1931-1945）的主要原因〉（《軍事歷史研究》1990年1期）、劉叔雅〈日本侵略中國的發動機〉（《獨立評論》19、20期，民21）、李爾重〈日本帝國主義積極侵略中國之原因〉（《現代月刊》1卷5期，民20）、朱永德〈日本侵華的歷史根源〉（載蔣永敬、張玉法等編《近百年中日關係論文集》，臺北，中華民國史料研究中心，民81）、陳福霖〈撫今追昔：日本侵華之歷史教訓〉（載胡春惠主編《紀念抗日戰爭勝利五十周年學術討論會論文集》，香港，珠海書院亞洲研究中心，1996）、史雲〈日本侵華史述略〉（《思想戰線》1982年5期）、楊樸園〈日本侵華內幕〉（《新思潮》33號，1954）、黃慎之〈日本侵略中國之回顧與前瞻〉（《中央導報》2卷19期，民20年12月）、莊明坤〈日本軍國主義對中國的侵略〉（《中學歷史》1982年4期）、安藤實〈日本帝國主義と東アジア－日本帝國主義の中國侵略の形態について〉（《歷史學研究》336號，1968）、陳在俊〈日本軍閥的壯大與侵略中國〉（《日本（研究雜誌）》346期，民82年10月）、林芊〈論大正昭和初期日本陸軍內部的派系紛爭及日本對華入侵的進程〉（《貴陽師專學報》1995年3期）、姚洪卓〈〃七·七〃事變前日本帝國主義的對華侵略〉（《中國民航學院學報》1988年3期）、盛清才〈試論日寇侵華的戰前準備〉（《許昌師專學報》1993年2期）、馬烈〈抗戰前日本利用社會問題侵華手段種種〉（《歷史月刊》64期，民82年5月）、謝劍〈日皇裕仁與侵華戰爭〉（《日本侵華研究》第2期，1990年5月）、井上清〈天皇與日本的侵略戰爭〉（同上，13期，1993年2月）、藤井志津枝〈日本歷史教科書上的「侵略」與「進出」〉（同上，第6期，1991年5月）、郭永鈞、聶月岩〈日本侵華的歷史不容篡改—兼駁〝偶然〞論〝進入〞論與〝和平〞論〉（《革命春秋》1992年2期）、水野明〈日本侵略中國思想的驗證〉（《抗日戰爭研究》1995年1期）、李曄〈日本帝國主義侵華〝理論〞評析〉（《東北師大學報》1992年4期）、予覺民〈日本の大陸侵略史〉（《歷史教育》2卷2號，1954）、馬場毅〈日本の中國侵略と秘密結社〉（載神奈川大學人文學研究所編《秘密社會の國家》，東京，勁草書房，1995）、陳暉〈日資侵華之史的分析〉（《外交月報》5卷6期，民23年12月）、陳慶瑜〈日本對華侵略之經濟的說明〉（《新生命月刊》1卷7期，民17年7月）、陳友琴〈日本對於我國的經濟侵略〉（《軍聲》3卷6期，民20年10月）、鄒魯〈日本對華經濟侵略〉（《三民主義半月刊》3卷5-6期、4卷1-5期、5卷1期，民23年5、7、8、9、11月、24年1月）及〈日本對華鐵路侵略的檢述〉（同上，3卷2期，民23年2月）、章勃〈日本侵略中國鐵路之急進與吾人應有之對策〉（《鐵路月刊—南潯線》9卷1期，民20年1月）、君島和彥〈日本帝國主義對中國礦產資源的掠奪過程〉（《國外中國近代史研究》第6輯，1984）、高峻〈論日本帝國主義對中國的文化侵略〉（《福建黨史月刊》1995年12期）、孟國祥〈日本利用宗教侵華之剖析〉

（《民國檔案》1996年1期）、蔡念蘇〈中日關係的回顧與前瞻〉（《南風》14卷1期，民27年5月）。張九如〈百年來中日關係的演變〉（《大陸雜誌》5卷5期，民41）、李廷揚〈民國以來中日關係大事年表〉（載《中日文化論集續編》，民47）、霍大直〈二十年中日關係之綜合觀〉（《海天》1卷2期，民23）、林明德〈中日關係史研究的回顧〉（載《六十年來的中國近代史研究》下冊，臺北，中央研究院近代史研究所，民78）、臧廣恩〈中日關係的過去與未來〉（載《百年來中日關係論文集》，臺北，民57）、張居瀛玖〈中日關係今昔〉（同上）、大高常彥〈日支關係の過去〉（《歷史教育》15卷3號，1940）、植田捷雄〈近代史より見たる日支關係〉（《支那》28卷11號，1937）、曾我部靜雄〈支那國民性より見たる日支關係〉（《外交時報》807號，1938）、王維禮、程舒偉〈近代中日關係的歷史反思〉（載胡春惠主編《近代中國與亞洲學術討論會論文集》下冊，1995）、臼井勝美著，陳鵬仁譯〈近代的中日關係〉（《近代中國》51期，民75年2月）、王升〈略論第一次世界大戰至〝九·一八〞事變期間的中日關係〉（《東北亞論壇》1996年4期）、安藤彥太郎〈日中關係の歷史と課題—漢洲事變前後を中心に〉（《中國研究月報》530號，1992年4月）、平野義一郎〈日中朝交涉史について—特近代史に關して〉（《歷史教育》5卷10號，1930）、郭廷以〈中日交涉中的歷史教訓〉（《大陸雜誌》2卷4期，民40）、沈恩孚〈對日外交痛史〉（《人文月刊》2卷9、10期，民20年11、12月）、中村義〈日本帝國主義と中國〉（《歷史學研究》348號，1969）、依田憙家〈日本近代化＝日本軍國主義化と朝鮮人·中國人に對する蔑視感の形成〉（《中國研究月報》270號，

1970）、安藤彥太郎〈百年來の中國と日本〉（載《現代中國》，東京，每日新聞社，1973）、張振鵾〈近代日本の對中關係の特徵〉（載井上清、衛藤瀋吉編著《日中戰爭と日中關係》，東京，原書房，1988）、實藤惠秀〈「中國」と「日本」〉（《華僑文化》51號，1953）、韻夫〈中國與日本〉（《三民主義半月刊》5卷4、5期，民24年4、5月）。

其他相關者有Parks M. Coble, Jr. Facing Japan: Chinese Politics and Japanese Imperialism, 1931-1937.（Cambridge: Harvard University Press, 1991）、復旦大學歷史系編譯《日本帝國主義對外侵略史料選編（1931-1945）》（上海，上海人民出版社，1983年2版）、姜克夫編《民國軍事史略稿·第3卷：日本侵華和全民抗戰》（2冊，北京，中華書局，1991）、波多野澄雄〈日本陸軍の中國認識—1920年代から30年代へ〉（載井上清、衛藤瀋吉編著《日中戰爭と日中關係》，東京，原書房，1988）、井上清〈近代日本史における 日中戰爭〉（同上）、Germine A. Hoston, The State, Identity and National Question in China and Japan.（Princeton, New Jersey: Princeton University Press, 1994）、Peter Duus、Romon Myers & Mark R. Peattie, eds., The Japanese Informal Empire in China, 1895-1937.（Princeton, N. J. Princeton University Press, 1989）。

以日本大陸政策為題的有張樹人《日本大陸政策解剖》（最近之日本週刊社，民20）、東亞研究所《日本大陸政策の發展》（東京，1940）、古川萬太郎《近代日本の大陸政策》（東京，東京書籍株式會社，1991）、陳豐祥《近代日本的大陸政策》（臺北，金禾出版公司，民81）、王友仁《日本大陸政策與中國》（臺北，德華出版社，民70）、易顯石《日本大陸政策と中國東北》（東京，六興出版，1989）、袁文韶〈日本大陸政策之歷史的研究〉（《新中華》3卷4期，民24年2月）、段國卿〈日本大陸政策初探〉（《東岳論叢》1983年1期）、葉秋〈日本的大陸政策〉（《世界知識》3卷10期，民25年2月）、陳豐祥〈近代日本的大陸政策〉（《歷史月刊》91期，民84年8月）及〈甲午戰前日本的大陸政策〉（《歷史學報（臺灣師大）》13期，民74年6月）、大畑篤四郎〈大陸政策論の史的考察—幕末より日清戰爭直後まで〉（《國際法外交雜誌》68卷5·6號，1970年3月）、裴匡一〈論日本〝大陸政策〞的起源與形成〉（《黨史研究資料》1994年2期）、張志杰、孫克復〈試論日本大陸政策的形成〉（《遼寧大學學報》1991年3期）、謝國興〈日本大陸政策之形成與本質〉（《世界華學季刊》4卷4期，民72年12月）、米慶餘〈近代日本〝大陸政策〞的起源及形成的特徵〉（載中國日本史學會《日本史論文集》，瀋陽，遼寧人民出版社，1985）、鹿島守之助《我が大陸政策の史的考察》（《國際法外交雜誌》36卷4、5、6、9號，1937）、山本登〈大陸政策の展開過程〉（《國學會雜誌》34卷10號，1940）、胡鳴龍〈日本大陸政策發展及其策動〉（《新亞細亞月刊》6卷4期，民22年10月）、梁敬錞〈日本大陸政策的成長與變質〉（《東方雜誌》復刊2卷7號，民58年1月）、古屋奎二〈受國際政治鼓勵之日本大陸政策—大正自由主義至昭和法西斯主義過程〉（載《中華民國建國八十年學術討論集》第2冊，臺北，民80）、郎維成〈再論日本大陸政策與二十一條要求〉（載蔣永敬等編《近百年中日關係論文集》，臺北，中華民國史料研究中心印行，民81）、牛道慧〈淺談現代史上日本的大陸政策與中國不抵抗政策〉（《龍華學報》第3期，民75年5月）、陳昭成《日本之大陸積極政策與九一八事變之研究》（臺北，嘉新水泥公司文化基金會，民55）、一又正雄《彬山茂丸一明治大陸政策の源流》（東京，原書房，1975）、越夫編《日本的對華政策》（上海，日本研究社，民21）、馬場明〈日露戰爭後の大陸政策〉（載《日本外交史研究一日清·日露戰爭》，東京，日本國際政治學會，1962）、國難資料編輯社《日本大陸政策的真面目》（上海，生活書店，民27年4版）、北岡伸一《日本陸軍と大陸政策》（東京，東京大學出版會，1978）、崔丕〈也談日本的大陸政策和二十一條要求〉（《世界歷史》1986年3期）、趙連泰〈論日本的〝大陸政策〞與〝田中奏摺〞〉（《北方論叢》1981年4期）。

以抗戰以前日本侵華（或對華）政策（或決策）為題的有鄭德榮〈從〝九·一八〞到〝七·七〞日本侵華政策剖析〉（《革命春秋》1989年2期）、杜長印〈從〝九一八〞到武漢陷落日本侵華政策探析〉（《山東師大學報》1995年增刊）、劉國新〈〝七七〞事變前日本侵華政策的幾個問題〉（《民國檔案》1989年4期）、鄭德榮〈日本侵華政策剖析〉（《東北師大學報》1990年4期）、張麗雅〈從〝九·一八〞事變到〝七·七〞事變日本侵華政策的演變〉（《世界歷史》1988年5期）、劉建武〈從〝九一八〞到〝七七〞日本侵華政策的演變〉（《湘潭師院學報》1992年1期）、胡德坤〈走向全面侵華戰爭之路一〝七七〞事變爆發前日本侵華政策初探〉（《武漢大學學報》1983年1期）、陳鵬仁〈日本昭和初期的侵華政策一特別是對滿蒙政策〉（《中國現代史專題研究報告》15

輯，民82；亦載《日本（研究雜誌）》366期，民84年6月）、山田武吉著、周佩嵐譯《日本對華最近野心之暴露－日本新滿蒙政策》（上海，民智書局，民17年再版）、佐藤元英《昭和初期對中國政策の研究》（東京，原書房，1992）、Daniel Bailey Ramsdell, Japan's China Policy, 1929-1931: An Fateful Failure.（Ph. D. Dissertation, University of Wisconsin-Madison, 1961）、James Buckley Crowley, Japan's China Policy, 1931-1938: A Study of the Role of the Military in the Determation of Foreign Policy.（Ph. D. Dissertation, University of Michigan-Ann Arbor, 1959）、沈予〈盧溝橋事變前日本對華政策的特徵〉（《抗日戰爭研究》1994年2期）及〈從華盛頓會議到九一八事變－論1921-1931年日本對華政策的演變〉（同上，1991年1期）、未也〈盧溝橋事變前日本侵華政策的實行與演變〉（《四川師大學報》1994年4期）、唐寶林〈試論三十年代初日本統治集團在侵華政策上的分歧〉（《黨史研究資料》1990年5期）、陳在俊〈日本全面侵華決策過程之探討－以陸軍軍閥策謀為主（1874-1937）〉（《近代中國》105期，民84年2月）、小谷豪治郎著、黃朝茂譯〈以德報怨（31-37）：日本在第二次世界大戰前及戰時的對華政策〉（《日本研究》279-283號，1988年3-7月）、楊熙時〈日本對華侵略政策之歷史的觀點〉（《新亞細亞月刊》3卷5期，民21年2月）、李曄〈日本帝國主義侵華〝理論〞評析〉（《東北師大學報》1992年4期）。

關於田中義一（1863-1929）內閣的外交及侵華計劃和行動有芳賀秀明〈田中外交の一局面－張・山本協約について〉（《法政史學》16號，1964年3月）、石濱知行〈日本帝國主義の二

フの方向ー兒玉川リポートと田中メモーソアル〉（《新中國》第3號，1946年5月）、橋川文三〈田中義一と幣原喜重郎ー近代日本と中國〉（《朝日ヅヤーナル》14卷3號，1972年1月；亦收入《近代日本と中國》下卷，東京，朝日新聞社，1974）、荒井信一〈アメリカ極東政策と田中外交〉（《歷史學研究》175號，1954年9月）、臼井勝美〈田中外交についての覺書〉（載《日本外交史研究ー昭和時代》，東京，日本國際政治學會，1960）、小村俊三郎《田中內閣對支外交の總決算》（東京，國民外交協會，1929）、衛藤瀋吉〈田中義一の大陸進出〉（《中央公論》80卷1號，1965年1月）、我觀社《田中內閣批判》（1928年2月出版；《我觀》52號收載）、牛道慧《日本田中內閣滿洲政策之研究（1927-1929）》（臺灣大學歷史研究所碩士論文，民72年5月）、William F. Norton, Tanaka Giichi and Japan's China Policy.（New York: St. Martin's Press, 1980）、吉田清春述《田中內閣は何故に對支政策を失敗せるか》（東京，愛國社，1929）、大丸義〈田中內閣の戰爭政策と中日國民の抵抗〉（《歷史學研究》160號，1952年11月）、沈予〈日本東方會議和田中義一內閣對華政策〉（《近代史研究》1981年1期）、陳固亭〈1927年日本東方會議始末記〉（載《百年來中日關係論文集》，臺北，民57）、佐藤元英〈東方會議と初期日本外交〉（載《變動期における東アジアと日本》，東京，1980）、趙英蘭〈蔣介石的〝統一〞戰略和田中義一的〝滿蒙積極政策〞〉（《西南學院大學國際文化論集》11卷1號，1996年9月）、沈予、謝雪橋〈〝田中外交〞的對華政策〉（《歷史研究》1988年1期）、高倉徹一〈田中義一の對中國政策〉（《中國》18號，1965年5月）、中村菊男〈田中內閣の

對華外交〉（《法學研究（慶應大學）》31卷4號、9號，1958年4月、9月）、馬場申也《滿洲事變への道—幣原外交と田中外交》（東京，中央公論社，1972）、山口一郎〈東方會議と田中メモランダム〉（載《昭和日本史》，曉教育圖書，1976）及〈文獻解題「田中上奏文」その他〉（《中國》62號，1969年1月）、橋川文三〈田中上奏文の周邊〉（同上，15號，1965年2月）、培棫〈田中內閣時代之「滿蒙積極政策秘密上奏文」考證〉（《外交月報》2卷3期，民22年3月）、鍾悌之詮釋《日本田中侵略滿蒙積極政策奏稿與註釋》（上海，日本研究社，民20）、陳豐祥〈田中奏摺形成的背景〉（《歷史月刊》42期，民80年7月）、半賓〈出兵山東和「田中奏摺」—簡談日本侵華外交之二〉（《歷史月刊》19期，民78年8月）、陳鵬仁口述〈田中奏摺現形記：從蔡智堪與〝田中奏摺〞談起〉（同上）、林明德口述〈〝田中奏摺〞的骨血來自何處？〉（同上）、稻生典太郎著、陳鵬仁譯〈有關田中奏摺的幾個問題〉（同上；其原文〈「田中上奏文」をめぐる二三問題〉，載日本國際政治協會編《日本外交史〇諸問題》第1卷，1964）、沈予〈關于《田中奏摺》若干問題的再探討〉（《歷史研究》1995年2期）、郭林蔚〈《田中奏摺》真偽辨析〉（《黨史研究資料》1991年10期）、章伯鋒〈《田中奏摺》的真偽問題〉（《歷史研究》1979年2期）、宋紹柏〈《田中奏摺》的真偽〉（《國外中國近代史研究》第9輯，1986）、培棫〈「田中奏摺」真偽考證大要〉（《外交月報》2卷2期，民22年2月）、江口圭一〈田中上奏文の真偽〉（《日本史研究》80號，1965年9月）及〈田中 メモンダムははたして 偽物〉（載《人物往來》，1965）、橋川文三、今井清一、藤原彰〈「田中上奏文入手の顛末」その真偽をめぐって〉（《中國》32號，1966年7月）、王府民〈《田中奏摺》密件暴露始末〉（《民國春秋》1987年1期）、沈予〈關於《田中奏摺》抄取人蔡智堪及其自述的評價問題〉（《近代史研究》1996年3期）、蔡智堪〈我怎樣取得田中奏摺〉（《傳記文學》7卷4期，民54年10月）、趙尺子〈田中奏摺與蔡智堪—紀念一位臺灣愛國老人〉（同上）、眭雲章〈蔡智堪與〝田中奏摺〞〉（《政治評論》15卷3期，民54）、佳士〈密取「田中奏摺」的蔡智堪〉（同上，17卷11期，民56）、程玉鳳〈蔡智堪與《田中奏摺》—再論奏摺的真偽〉（《世界新聞傳播學院學報》第6期，民85年10月）、趙雲鵬〈〝九一八〞事變前蔡智堪與東北當局〉（《東北地方史研究》1985年4期）、稲生典太郎〈「田中上奏文」其後〉（《中央史學》第1號，1977）、王俊彥〈浪人與《田中奏摺》〉（北京，中國華僑出版社，1994）、馮作民〈關於田中奏摺〉（《反攻》251期，民52）、吳志明〈《田中奏摺》怎樣為張學良所獲〉（《民國春秋》1991年6期）、馬場明〈田中外交と張作霖爆殺事件〉（《歷史教育》8卷2號，1960年2月）及〈第一次山東出兵と田中外交〉（《アジア研究》10卷3號，1963年10月）、衛藤瀋吉〈京奉線遮斷問題の外交過程—田中外交とその背景〉（載《近代日本の政治指導》，東京，東京大學出版會，1965）、森島守人著、陳鵬仁譯〈日本侵華內幕㈡—田中內閣與關東軍〉（《中外雜誌》35卷1期，民73年1月）、高橋正則〈滿洲某重大事件で自壞した田中內閣〉（《政治學論集》）。他如都筑七郎著、趙連泰、靳桂英譯《陰謀與夢想》（長春，吉林文史出版社，1988），係以日俄戰爭至九一八事變前後，日俄兩國爭奪殖民地霸權為歷史背景，記述日本浪人為其政府和軍部推行大陸政策，插手中國軍政，為實現〝滿蒙獨立〞，全面侵華目的而大肆活動的陰謀內幕。陳固亭〈一九二七年日本東方會議始末記〉（載《百年來中日關係論文集》，臺北，民57）。

關於日本侵略滿蒙或東北的論著和資料有支恒貴《日本侵略滿蒙史》（上海，世界書局，民16）、朱偰編《日本侵略滿蒙之研究》（上海，商務印書館，民19）、馬凌甫編《日本侵略滿蒙講話》（南京，國民周刊社，民20）、雪地編《日本帝國主義侵略滿蒙概觀》（上海，明月書局，民20）、石明《日本侵略下之滿蒙》（上海，大東書局，民19年再版）、栗原健編著《對滿蒙政策史の一面：日露戰後より大正期にいたる》（東京，原書房，1966）、細野繁勝著、王慕寧譯《日本併吞滿蒙論》（上海，太平洋書店，民18）、陳經《日本勢力下二十年來的滿蒙》（上海，華通書局，民20）、金谷範三《日本參謀本部滿蒙國防計畫意見書》（北平，東北問題研究會，民21）、陳覺《日本侵略東北史》（上海，商務印書館，民23）、鈴木隆史《日本帝國主義と滿洲，1900-1945）》（2册，東京，塙書房，1992）、滿洲史研究會編《日本帝國主義下の滿洲—「滿洲國」成立前後の經濟研究》（東京，御茶の水書房，1972）、淺田喬二、小林英夫編《日本帝國主義の滿洲支配》（東京，時潮社，1986）、許興凱《日本帝國主義與東三省》（上海，崑崙書店，民19）、朱劍白編《暴日侵略東北的研究》（上海，北新書局，民20）、樂嗣炳編《日本侵略東北的陰謀》（上海，中華書局，民23）、高伯時《日本侵略東三省之實況》（上海，文藝書局，民21）、童瑜《日本帝國主義侵略東三省之概況》

（上海，崑崙書店，民20）、柏年《日本帝國主義侵略東北與第二次世界戰爭》（同上）、王秘之《日本侵佔東北之必然性與其前途》（上海，崑崙書店，民20）、虎口餘生《日軍侵據東北記》（上海，民衆書局，民20）、（蘇）扎哈羅娃著、董友忱編譯〈日本對滿洲的侵占〉（《國外中共黨史研究動態》1992年1期）、君度〈日本侵略滿蒙史鳥瞰〉（《燕大月刊》1卷1-3期，民16年10-12月）、覃厚仁〈日本侵略滿蒙之經過〉（《現代學生》2卷2期，民21）、江昌緒〈日本侵略滿蒙之史的研究〉（《邊事研究》1卷3期，民24年2月）、志公〈日本滿蒙政策之史的檢討〉（《新蒙古月刊》1卷6期—2卷1期，民23）、栗原健編《對滿蒙政策史の一面—日露戰後より大正期にひたる》（東京，原書房，1966）、孫克復〈日本的〝征服滿蒙和〝滿洲經營〞〉（《方志天地》1991年3期）、加藤祐三〈日本の滿州侵略と中國〉（《岩波講座世界歷史》27卷，東京岩波書店，1971）、江口圭一〈日本帝國主義の滿洲侵略〉（同上）、宇佐美誠次郎〈滿洲侵略〉（《岩波講座日本歷史》20卷，同上，1963）、井上清〈「滿洲」侵略〉（《岩波講座日本歷史》20卷，同上，1976）、何紹瓊〈日本在滿的侵略和我們的抗戰〉（《軍聲》3卷6期，民20年10月）、田中恒次郎〈日本帝國主義の滿洲侵略と反滿抗日鬥爭—中國革命の展開と關連して〉（載《日本帝國主義下の滿洲移民》，東京，龍溪書舍，1976）、金子文夫〈1920年代の日本帝國主義と滿洲〉（《社會科學研究》32卷4、6號，1981）、依田憙家〈日本帝國主義における「滿洲」—資源問題と產業計畫〉（《人文社會科學研究》10號，1974年1月）、松澤哲成〈日本帝國體制における 植民地—30年代「滿洲」に焦點 をめてて〉

（《第三文明》171號，1975年5月）、周樹人〈日俄在滿洲勢力消長之研究〉（《現代中國軍事史評論》第3期，民76年12月）、陶文釗〈日美在中國東北的爭奪（1905-1910）〉（載《第三屆近百年中日關係研討會論文集》上冊，臺北，中央研究院近代史研究所，民85）、扎哈羅娃著、董友忱編譯〈日本對滿洲的侵占〉（《國外中共黨史研究動態》1992年1期）、詹方瑤〈日本經濟危機與對我國東北的侵略〉（載胡春惠主編《近代中國與亞洲學術討論會論文集》上冊，香港，1995）、袁知訓〈日本侵略南滿的前前後後〉（《廣州月刊》第6期，民20年9月）、屠哲隱《日本在南滿》（南京，南京書店，民21）、顧明義等《日本侵占旅大四十年史》（瀋陽，遼寧人民出版社，1991）、相田洋〈日本の大陸侵略と東洋史學—滿蒙史を中心に〉（《史潮》105號，1968年11月）、石田興平〈日本の對滿進出の歷史的背景〉（《彥根論叢》100、101、102號，1963年11月、1964年3月）、西村成雄〈日本帝國主義下の中國東北地域社會論にかんする覺書—「滿洲經濟論爭」にあらねれた中西功の見解を中心に〉（《歷史評論》282號，1973年11月）、葉良〈日本侵略滿蒙之考察〉（《朝暉》第2、3期，民21）、井上清著、易廣居譯〈九一八事變前後日本對中國東北的侵略〉（《歷史教學》1956年12期）、張佐華〈日本侵略東北政策之昨日與今日〉（《新亞細亞月刊》3卷1期，民20年10月）、夢石〈日本侵略東北之史的回顧〉（《新東北》1卷1期，民34年11月）、樓桐茂〈日本侵略東北之面面觀〉（《中央導報》2卷16期，民20年12月）、鄧染原〈日本侵略東三省之面面觀〉（同上，2卷17期，民20年12月）、黃煜庭〈日本侵我東北的背景和我們應有的戰略〉（《軍聲》3卷6期，民20年10月）、徐振流

〈日本侵略東北之背景和分析〉（《時事月報》5卷5期，民20年11月）、續嚴〈日本侵略東北之分析〉（《現代月刊》1卷5期，民20）、林明德〈日俄戰爭後日本勢力在東北的擴張〉（《中央研究院近代史研究所集刊》21期，民81年6月）、黃慎之〈日本侵佔東北之內幕與吾人之對策〉（《中央導報》2卷15期，民20年12月）、區芳浦〈 日本佔領東北之內幕與吾人之對策〉（《軍聲》3卷6期，民20年10月）、莊心在〈日本侵略東北之政治的分析〉（《新亞細亞月刊》6卷4期，民22年10月）、蕭貽待〈日本對東北的政治侵略政策〉（同上，3卷1期，民20年10月）及〈日本對東北的武力奪取政策〉（同上）、魏鳳綱〈日本在東北的軍事陰謀〉（《新北方月刊》2卷3期，民20年9月）、莊嚴〈〝七·七〞事變前日本對東北的文化侵略〉（《東北地方史研究》1989年3期）、馬依弘〈〝九·一八〞事變前日本在我國東北殖民文化活動論述〉（《日本研究》1992年4期）、康紹鎧〈日本帝國主義在東北施行奴化教育的概況〉（《外交月報》5卷6期，民23年12月）、Herbert Philip Bix, Japanese Imperialism and Manchuria, 1890-1931.（Ph. D. Dissertation, Harvard University, 1971）、Sadako N. Ogate, Defiance in Manchuria: The Making of Japanese Foreign Policy, 1931-1932.（Berkeley: University of California Press, 1964）、孔繁娟〈歷史的財富不容掠奪—揭露日本侵略者對我國東北檔案的利用和破壞〉（《佳木斯教育學院學報》1996年4期）、子曰〈三十年來日本在東北侵略機關之演變〉（《黑白》3卷1期，民24年1月）及〈日本侵略東北機關新舊系統表〉（同上）、宗孟〈日本改革在東北侵略機關之因果〉（同上）、李恩涵〈九一八事變前後日本對東北（偽滿洲國）的毒化政策〉（《中央研究院近代史研究所集刊》25期，民85年6月）。

關於所謂滿蒙（或滿洲、東北）問題有津上善七編《滿蒙問題と支那研究》（東京，實業之世界社，1928）、滿洲青年連盟編印《滿蒙問題と其真相：全日本國民に愬ふ》（大連，1931）、半澤玉成《滿蒙問題序說：明治の國是に還へれ》（東京，外交時報社，1931）、田應春〈東三省問題研究〉（《邊聲月刊》1卷2期，民19年6月）、野村浩一〈滿洲事變直前の東三省問題〉（載《日本外交史研究：日中關係の展開》，東京，1961）、橋本喜知人編《滿蒙問題の再認識と國民の覺悟》（臺北，編者印行，1932）、顧敦鍒〈東北問題〉（《之江學報》第1期，民21年6月）、許興凱〈東北問題之史的發展〉（《求實月刊》2卷1期，民24）、耀光〈東北問題歷史的檢討〉（《國民外交雜誌》4卷5、6期，民23年9月）、楊玉清〈東北問題之根本的探討〉（《新亞細亞月刊》4卷6期，民21年10月）、張忠紱〈中國東北問題在國際間的出路〉（《外交月報》3卷6期，民22年12月）、杜若〈東北問題與美國〉（《申報月刊》1卷4號，民21年10月）、微知〈東北問題與國聯〉（同上）、孫懷仁〈東北問題之經濟的檢討〉（同上，1卷6號，民21年12月）、伊藤武雄〈支那言論界に於ける「滿洲問題」一余天體氏の「滿洲觀」紹介とその批判〉（《滿鐵支那月誌》5卷3號，1929）、島中雄三、片山哲、小池四郎《日本無產階級は滿蒙問題をどう見る》（東京，先進社，1931）、華企雲編著《滿蒙問題》（漢口，大東書局，民18）及《滿洲問題》（上海，黎明書局，民19）、王勤堉《滿洲問題》（上海，商務印書館，民20）、東北問題編輯委員會編《東北問題（第1、2集）》（2冊，東北大學，民21）、徐叔希《東北問題》（中國太平洋國際學會，民21）、毛應章《東北問題》（南京，拔提書店，民22）、何炳松等《東北問題（東方雜誌社三十週年紀念刊）》（上海，商務印書館，民22）、于毅夫《論東北問題》（重慶，東北救亡總會宣傳部，民29）、張其昀《東北問題（第1輯）》（國立浙江大學史地教育研究室，民31）、趙泉天編著《東北問題與世界和平》（重慶，南方印書館，民33）、范任宇《二十年來列強環伺下之東北問題》（上海，民智書局，民21）、申仲銘《太平洋會議與東北問題》（廣盛印書局，民19）、方樂天《東北問題》（上海，商務印書館，民22）、國民黨黨史會編印《革命文獻·第32輯：日本侵華有關史料一東北問題》（臺中，民53）及《革命文獻·第31輯：日本侵華有關史料一日俄戰後之東北問題》（同上）、藍孕歐編《滿蒙問題講話》（南京，南京書店，民21）、長野朗《滿洲問題の實相》（東京，支那問題研究所，1928）及《滿洲問題の鍵關間島》（同上）、伊東六十次郎《滿洲問題の歷史》（2冊，東京，原書房，1983）、〈アジア復興運動と滿洲問題〉（《アジア研究所紀要（亞細亞大學）》第2號，1976年2月）及〈アジアの復興運動と滿洲問題〉（載《滿洲建國の夢と實現》，東京，國際善鄰協會，1975）、柳生正文〈滿洲問題の發生と政府首腦〉（《政治經濟史學》128號，1977年1月）、杉野要吉編《「昭和」文學史における「滿洲」の問題第二》（東京，早稻田大學教育學部杉野要吉研究室，1994）、中山耕太郎〈滿洲問題について〉（《プロタリア科學》2卷5號，1930）、藤井昇三〈孫文與滿洲問題〉（《國外中國近代史研究》16輯，1990年10月）、角田順《滿洲問題と國防方針一明治後期における國防環境の變遷》（東京，原書房，1967）、作田莊一〈滿蒙問題〉（《東亞經濟研究》7卷1號，1923）、矢內原忠雄《滿蒙問題》（東京，岩波書店，1934）、王伯群〈滿蒙問題之國際背景〉（《中央半月判》13期，民16年12月）、佐藤勝清《滿蒙問題と我大陸政策》（東京，清揚社，1931）、松岡洋右〈滿蒙問題の認識と斷案〉（《東亞》4卷11號，1931）、王光祈譯《美國與滿蒙問題》（上海，中華書局，民18）。與其相關的有大阪對支經濟聯盟《滿蒙の我權益》（大阪，大阪每日新聞社，1932）、信夫淳平《滿蒙特殊權益論》（東京，日本評論社，1932）、蜷川新《滿洲に於ける帝國の權利》（東京，清水出版社，1932）、細野繁勝《滿蒙管理論：支那の本質と列國の對支政策檢討》（東京，功藝社，1928）、赤神良讓《滿蒙封建論》（東京，章華社，1933）、社會教育會編《滿蒙研究資料》（東京，編者印行，1931年再版）、池田秀雄《滿洲統治論》（東京，日本評論社，1934）、大石隆基《滿蒙の危機》（東京國交通信社，1931）、松岡洋右《動く滿蒙》（東京，先進社，1931）、細野繁勝《滿蒙の重大化と實力發動》（東京，功藝社，1931）、細野繁勝著、王慕寧譯《日本併吞漢蒙論》（上海，太平洋書店，民18）、國際連盟支那調查外務省準備委員會編印《日本卜滿蒙》（東京，1932）、楊格（C. Walter Young）著、王志文譯《日本在滿洲》（偉倫印刷館，民22），該書另一中譯本為葉天倪譯《日本在滿洲特殊地位之研究》（上海，商務印書館，民22）、橘樸編著《滿洲と日本》（東京，改造社，1931）、David George Egler, Japanese Mass Organizations in Manchuria, 1928-1945: The Ideology of Racial

Harmony.（Ph. D. Dissertation, University of Arizona, 1977）、滿鐵東亞經濟調查局編印《日滿關係の過去現在及將來》（東京，1925）、中央日報社譯〈中國日本與滿洲〉（《日本評論》1卷1期，民21年7月）、Ian Nish，"Conflicting Japanese Loyalties in Manchuria."（Japan Forum, Vol.6, No.2, 1994）、加·佛·札哈羅娃著、李隨安譯〈二十世紀初日本對〝滿洲〞政策的特殊性〉（《東北地方史研究》1991年2期）、吳瀚濤《東北與日本之法的關係》（北平，東北問題研究會，民21）、周憲文《東北與日本》（上海，中華書局，民21）、畢公、張蔭荃《東北與日本－暴日橫行東北之種種》（哈爾濱，東北通訊社，民20）、紹〈東北與日本〉（《行健月刊》1卷3期，民21年12月）、盛文迪〈日本與東三省的前後左右〉（《邊聲月刊》1卷1期，民19年5月）、張馥〈九一八事變前東北的對日關係〉（《東北文獻》24卷1期，民82年9月）、江鐸〈日俄在大陸之角逐與我國東北蒙古新疆〉（《邊事研究》5卷4期，民26年3月）、張大東〈滿蒙與日俄〉（《清華週刊》449期，民17年12月）、龔善（日本擾亂漢蒙證據〉（《留日學生季報》1卷1期，民10年3月）。

關於日本對東北（滿洲；有作州者，為統一起見，均書作洲）侵略方式之一的移民開拓行動有《滿洲移民關係資料集成》（40卷，東京，不二出版，1990-1992）共40冊，最為詳備，並有岡部牧夫特為之編著《滿洲移民關係資料集成解說》（1冊，同上，1990）、滿洲移民史研究會編《日本帝國主義在中國東北的移民》（北京，中國工人出版社，1991）、滿洲移民政策史研究會編《日本帝國主義下の滿洲移民》（東京，龍溪書舍，1976）、滿鐵經濟調查會編《滿洲農業移民方策》(14冊，大連，編者印行，1935-1936)、東亞問題調查會《滿洲移民》(東京，朝日新聞社，1939)、日本學術振興會編《滿洲農業移民文獻目錄》(東京，1936)、君島和彥、柚木駿一、高橋隆泰等編〈「滿洲」農業移民史研究の基礎資料〉(《龍溪》第8、9號，1973年12月、1974年4月)、田中恒次郎〈「滿洲」農業移民史研究の基礎資料〉(同上，10號，1974年8月)、小林英夫編《「滿洲」農業移民史研究の基礎資料》(同上，11·12號，1974年12月)、依田憙家編〈「滿洲」農業移民史研究の基礎資料〉(同上，13號，1975年4月)、協調會《滿蒙移民問題》(東京，1932)、平貞藏《滿蒙移民問題》(東京，日本評論社，1933)、難波勝治《滿蒙移植民問題(滿蒙講座6)》(大連，滿洲文化協會，1932)、拓務省拓務局東亞課編印《滿洲農業移民概況》(東京，1936)、日本學術振興會《日滿經濟統制と農業移民》(東京，撰者印行，1935)及《滿洲移民問題と實績調查》(同上，1937)、李作權〈日本帝國主義對我國東北的移民政策〉(《博物館研究》1984年3期)、孫繼武〈日本帝國主義對中國東北的武裝移民〉(《社會科學戰線》1990年1期)、桑島節郎《滿洲武裝移民》(東京，教育社，1979)、孔經緯〈1931年至1945年間日本帝國主義移民我國東北的侵略活動〉(《歷史研究》1961年3期)、蘭信三《〝滿洲移民〞の歷史社會學》(京都，行路社，1994)、山田武吉《日本の植民政策と滿蒙の拓植事業》(1925年出版)、趙中孚〈近代東三省移民問題之研究〉(《中央研究院近代史研究所集刊》第4期下冊，民63年12月)、淺田喬二著、劉含發摘譯、鄭毅校〈關於日本帝國主義滿洲移民問題研究的思考〉（《吉林師院學報》1989年3期）、向井章〈滿洲移民と其の研究文獻に就て〉（《東亞經濟研究》21卷2號，1937）、清水泰次〈滿洲の移民に就いて〉（《國際法外交雜誌》20卷9號，1921）、綱澤滿昭〈滿洲移民試論〉（《近畿大學教養部研究紀要》8卷2、3號，1976年11月、1977年3月）、小倉章宏〈滿洲の農業移民〉（《植民》12卷1、3、4號，1933年1、3、4月）、安藤彥太郎〈戰前の滿洲經營論と日本移民〉（《早稻田政治經濟學雜誌》171號，1961年10月）、梅谷光貞〈滿蒙移民の現狀とその對策〉（《植民》12卷7號，1933年7月）、小林英夫〈滿洲農業移民の營農實態〉（載《日本帝國主義下の滿洲移民》，東京，龍溪書舍，1976）、淺田喬二〈滿洲農業移民政策の立案過程〉（同上）、永田稠《滿洲移民前夜物語》（日本力行會，1942）、加藤完治〈滿洲移民の最大の危機—私の思い出〉（《農業と經濟》33卷5號，1967年5月）、中山四郎〈滿蒙移民の今昔—特に滿洲事變を中心として〉（《東亞經濟研究》17卷1號，1933）、青柳篤恒〈商租權與滿蒙移民〉（《新北方月刊》2卷4期，民20年10月）、錦織英夫〈我が滿洲農民移民の歸趨〉（《東亞》7卷3號，1934）、淺田喬二〈滿洲農業移民の農業經營狀況〉（《駒澤大學經濟學論集》9卷1號，1977年6月）、〈滿洲農業移民の富農化・地主化狀況〉（同上，8卷3號，1976年12月）、〈滿洲移民史研究の課題について〉（《一橋論叢》78卷3號，1977年9月）及〈滿洲移民の農業經營狀況〉（《經濟學論集》9卷1號，1977）、王秀華、李瑩〈試論日本移民中國東北及其影響〉（《日本研究》1995年3期）、靳寶民、王國義〈日本移民侵略的先驅—金州〝愛川村〞的入植及失敗〉（《遼寧師大學報》1988年4

期）、吳山〈日本對滿移民之調查〉（《中國經濟評論》5卷4期，民31年4月）、佟靜〈略論日本對中國東北的移民侵略〉（《遼寧師大學報《1995年6期）、孟東風〈淺談日本對東北的移民侵略〉（《吉林師院學報》1992年4期）、楊韶明〈淺論日本對我國東北農村移民〉（《歷史檔案》1995年4期）、李保安、沈丁〈試論日本向我國東北移民性質〉（《東北地方史研究》1989年6期）、張麗波〈簡述日本對中國東北的移民入侵〉（同上，1992年4期）、吳文、張連生〈簡述日本對我國東北實行移民侵略〉（同上，1988年4期）、田文彬〈東三省日本移民之檢討〉（《外交月報》5卷4期，民23年10月）、滄波〈日本移民東北問題之總檢討〉（《黑白》3卷1期，民24年1月）、劉晶輝〈有關日本向我國東北移民的兩個問題〉（《黑河學刊》1988年4期）、趙力群〈日本對中國東北移民侵略始末〉（《社會科學輯刊》1992年2期）、張鳳鳴〈日本移民對中國東北土地的掠奪〉（《齊齊哈爾師院學報》1995年5期）、盛襄子〈日本帝國主義對東北之人口壓迫〉（《新亞細亞月刊》3卷3期，民20年12月）、鄭敏〈試論日本〝分村分鄉〞移民的歷史背景〉（《學術研究叢刊》1992年4期）、高橋克己著、魏麟閣譯〈北滿移民問題的過去與將來〉（《新北方月刊》2卷4期，民20年10月）、宋嗣喜譯〈1927年的北滿移民運動〉（《黑河學刊》1989年3期）、劉谷豪〈移民東北之面面觀〉（《社會雜誌》1卷2期，民20年2月）、靳寶明〈日本移民侵略的先驅—金州〝愛川村〞的入植及失敗〉（《遼寧師大學報》1988年4期）、菱沼右一、木村誠《國策滿洲移民：分村計畫と青年義勇隊》（東京，中央情報社，1938）、皆藤喜代郎〈滿洲農業移民の教訓的回想〉（《大陸問題》11卷5號，

1962年5月）、日本學術振興會《滿蒙農業移民機關の形態》（東京，1936）、《滿蒙農業移民機關の組織及監督》（東京，1937）及《滿蒙農業移民機關の事業及資金》（東京，1938）、君島和彥〈滿洲農業移民關係機關の設立過程と活動狀況－滿洲拓植會社と滿洲拓植公社を中心に〉（載《日本帝國主義下の滿洲移民》，東京，龍溪書舍，1976）、高橋泰隆〈日本ファシズムと滿洲分村移民の展開－長野縣讀書村の分析を中心に〉（同上）及〈日本ファシズムと「滿洲」農業移民〉（《土地制度史學》18卷3號，1976年4月）、山田豪一〈滿洲における農業移民と抗日運動〉（《現代中國》37號，1962年2月）及〈滿洲における反滿抗日運動と農業移民〉（《歷史評論》142-143號、145-146號，1962年6-10月）、黃福慶〈論後藤新平的滿洲殖民政策〉（《中央研究院近代史研究所集刊》15期上冊，民75年6月）、柳澤遊〈「滿洲」商工移民の具體像－日露戰後の大連渡航事情〉（《歷史評論》513號，1993年1月）、三浦伊八郎〈滿蒙の日本移民帶〉（《植民》11卷7號，1932年7月）、井上雅二〈滿蒙移住の第一要件〉（同上）、山本嚴雄〈滿蒙移住の國家統制〉（《植民》11卷5號，1932年5月）、淺田喬二〈關東軍の滿洲農業移民計畫（試驗移民時期）〉（《駒澤大學經濟學論集》5卷2、3號、6卷1號，1973年9月-1974年6月）及〈拓務省の滿洲農業移民計畫（試驗移民期）〉（《駒澤大學經濟學部研究紀要》32號，1974年3月）、小林弘二《滿洲移民の村－信州泰阜村の昭和史》（東京，筑摩書房，1977）、高橋幸春《絕望の移民史：滿洲へ送られた「被差別部落」の記錄》（東京，每日新聞社，1995）、清水祐三〈小學校歷史學習における滿洲移民の教材化と實踐—長野縣下伊那郡泰阜村をとりあげて〉（《信州史學》第5號，1976年10月）、岡部牧夫〈滿洲農業移民政策の展開—長野縣を例として〉（載《日本フアシズムと東アジア》，東京，青木書店，1977）及〈滿洲農業移民政策と長野縣〉（《信州白樺》20號，1975）、柚木駿一〈「滿洲」農業移民政策と「庄內型」移民—山形縣大和村移民計畫を中心に〉（《社會經濟史學》42卷5號，1977年3月）、杉野忠夫〈滿洲移民の現狀と將來〉（載《アジア問題講座》第4卷—經濟·產業篇，東京，創元社，1939）、山田昭次編《近代民眾の記錄·第6卷—滿洲移民》（東京，新人物往來社，1978）、勝木新次〈滿洲移民の衛生問題〉（同上）、松村高夫〈日本帝國主義下における「滿洲」への朝鮮人移動について〉（《三田學會雜誌》63卷6號，1970年6月）、姜在修《滿洲の朝鮮人パルチザン：1930年代の東滿·南滿を中心として》（東京，青木書店，1993）、梶村秀樹〈1930年代滿洲における抗日鬥爭にたいする日本帝國主義の諸策動—「在滿朝鮮人問題」と關連して〉（《日本史研究》94號，1967年11月）、依田憙家〈滿洲における朝鮮人移民〉（載《日本帝國主義下の滿洲移民》，東京，龍溪書舍，1976）、金澤中《轉民流移東北之研究（1860-1910）》（政治大學歷史研究所碩士論文，民74年6月）、石森久彌《對滿朝鮮移民の堅實性》（朝鮮公論社，1933）、裴錫頤〈日本對滿蒙移殖韓民之研究〉（《新亞細亞月刊》3卷1期，民20年10月）、金岩山《日本對朝鮮移民東三省政策之研究》（政治大學外交研究所碩士論文，民59年12月）、時君譯〈日人對韓民移殖滿蒙之史的觀察〉（《新北方月刊》1卷4期，民20年4月）、哈羅〈日本鐵鞭驅策下之東北韓

僑〉（《黑白》3卷1期，民24年1月）、胡春惠〈「九一八」事變前的間島韓人社會〉（《中國現代史專題研究報告》第9輯，民68）、海外協會中央會《滿洲に於ける移住地の建設》（1932年出版）、馬平安、楚雙志〈移民與新型關東文化—關於近代東北移民社會的一點看法〉（《遼寧大學學報》1996年5期）、玉真之介〈〝滿洲移民〞から〝滿洲開拓〞へ—日中戰爭開始後の日滿農政一體化について〉（《經濟研究（弘前大學）》19號，1996年11月）；東亞研究所《滿洲開拓民に關する資料的調查：決定報告》（東京，1941）、安田泰次郎《滿洲開拓民—農業經營と農業生活》（大同印書館，1942）、永友繁雄〈滿洲の農業經營と開拓農業〉（滿洲移住協會，1944）、滿洲開拓史刊行會編印《滿洲開拓史》（1966年出版）、山岡亮一〈農業增強と滿洲開拓政策の課題〉（《東亞經濟論叢》3卷2號，1943）、滿洲拓植公社東京支社《滿洲開拓の基礎知識》（東京，1940）、滿鐵北滿經濟調查所《北滿拓殖移民事業計畫書》（哈爾濱，1938）、松野傳〈滿洲開拓と北海道農業》（東京，生活社，1941）、後藤連一《滿洲開拓物語〉（日本大學農獸醫學部拓植學科第四研究室，1974）、加藤完治〈滿洲開拓とその礎〉（載《ああ滿洲—國つくり產業開發者の手記》，滿洲回顧集刊行會編，農林出版，1965）、淺田喬二〈滿拓と東拓—近代日本と中國〉（《朝日ジヤーナル》14卷28號，1972年7月）、天野良和編《滿洲開拓年鑑》（滿洲通信社，1942）、喜多一雄《滿洲開拓論》（明文堂，1944）、拓務省編印《滿洲開拓拾年誌》（共9冊）、岸田五郎《「滿洲開拓」殉難者の碑—日本のなかの中國》（《中國》92號，1971年7月）、山崎朋子〈〝滿洲開拓〞と大陸花嫁ー近代日本と中國〉（《朝日アジセーナル》14卷36號，1972年9月）、梁玉多〈開拓還是掠奪〉（《齊齊哈爾師院學報》1995年5期）、野添憲治著、王希亮譯〈滿蒙開拓團始末〉（《東北地方史研究》1985年2期）、山川曉《滿洲に消えた分村：秩父・中川村開拓團顛末記》（東京，草思社，1995）、井出孫六《滿蒙の權益と開拓團の悲劇》（東京，岩波書店，1993）、角田房子《墓標なきハ万の死者ー滿蒙開拓團の壞滅》（東京，番町書房，1967）、森芳三〈〝滿洲〞「集合開拓團」經營の一例ー濱江省阿城縣高柴開拓團のばあい（昭和15-20年）〉（《山形大學紀要（社會科學）》4卷2號，1973年1月）、孫福海〈日本開拓團在盤山〉（《東北地方史研究》1986年2期）、滿史會編《滿洲開發四十年史》（3冊，東京，謙光社，1964-1965）及其補卷（滿洲開發四十年史刊行會，1965）、大形孝平《日本の滿洲開發（滿蒙講座3）》（滿洲文化協會，1932）。其他相關者尚有Kenichiro Hirano, The Japanese in Manchuria 1906-1931: A Study of the Historical Background of Manchukuo.（Ph. D. Dissertation, Harvard University, 1983）、中西勝彥〈中國國民革命期における在滿日本人の意識ー橘樸の「方向轉換」との係のりで〉（《大阪市立大學法學雜誌》25卷2號，1978年12月）、奉天居留民會編印《奉天居留民會三十年史》（1936年出版）、藤井宥二編《滿洲奉天日本人史》（東京，謙光社，1976）、平野健一郎〈滿洲事變前における在滿日本人の動向ー滿洲國性格形成の一要因〉（載《滿洲事變》，日本國際政治學會，1970）、傅佛果（Joshua Fogel）著、卞厲南譯〈移民滿洲與哈爾濱的日本社區〉（載蔣永敬等編《近百年中日關係論文集》，民

81）、張傳杰、孫靜麗〈剖析日本殖民者在大連的辦學目的〉（《東北地方史研究》1987年1期）、野村章〈舊〝滿洲〞在住日本人子弟の初等教育〉（《國際教育研究（東京學藝大學）》第9卷，1990年2月）、滿洲開拓青年義勇隊訓練本部《青年義勇隊の話》（東京，滿洲事情案內所，1941）、山名義鶴編《青年義勇軍富士小隊》（東京，滿洲移住協會，1939）、山田健二《滿洲開拓少年義勇軍》（草加幼稚園出版部，1967）、白岩秀康《若氣のいたリ：滿蒙開拓青少年義勇軍體驗記》（東京，近代文藝社，1995）、上笙一郎《滿蒙開拓青少年義勇軍》（東京，中央公論社，1973）、森本繁《ああ滿蒙開拓青少年義勇軍》（家の光協會，1973）、白取道博編（解題、後刻）《滿蒙開拓青少年義勇軍關係史料（1-3）》（3冊，東京，不二出版，1993）、孫繼武、潘佩孟〈日本〝滿蒙開拓青少年義勇軍〞計劃的實施與崩潰〉（《社會科學戰線》1995年4期）、朱海舉〈日本帝國主義向我國東北進行〝青少年義勇軍移民〞的軍事目的〉（《東北師大學報》1986年2期）、八州會編印《遙かなる赤い夕陽—舊滿洲開拓青少年義勇隊松田中隊の記錄》（1973年出版）、東寧會編印《嗚東哈達灣—滿洲開拓青年義勇隊東寧訓練所第一中隊回想記》（1971年出版）、義勇魂出版事務所編印《義勇魂—元滿蒙開拓青少年義勇隊第五次京都中隊記念誌》（同上）、金東和〈東滿青年義勇軍始末〉（《延邊大學學報》1987年2、3期）、東亞旅行社《滿洲開拓地：基本知識と視察の心得》（奉天，1942）、帝國農會《北滿移民村視察記》（1937年出版）、David George Egler, Japanese Mass Organizations in Manchuria, 1928-1945: The Ideology of Racial

Harmony.（Ph. D. Dissertation, University of Arizona, 1977）、岡部牧夫〈植民地フアジズム運動の成立と展開－滿洲青年連盟と滿洲協和黨〉（《歷史學研究》406號，1974年3月）、仙頭久吉編《滿洲青年連盟史》（東京，滿洲青年連盟史刊行委員會，1933）、高須祐三編《滿洲事變と滿洲青年聯盟－滿洲建國の裏ばない》（大連，滿洲青年聯盟懇話會，1972）。

關於日本在東北從事經濟侵略的機關－南滿洲鐵道株式會社（簡稱「滿鐵」，成立於1906年，1907年4月正式開業，至1945年9月，其設於大連的總社停止營業，1957年3月其設於東京的分社也宣告結束）及其他的經濟侵略活動有安藤彥太郎《滿鐵－日本帝國主義と中國》（東京，御茶の水書房，1965）、原田勝正《滿鐵》（東京，岩波書店，1982）、蘇崇民《滿鐵史》（北京，中華書局，1990）、吳英華《二十年來之南滿鐵道株式會社》（上海，商務印書館，民19）、滿鐵編印《滿蒙と滿鐵》（大連，1931）、滿鐵總裁室弘報課編印《滿洲と滿鐵》（大連，1936）、祁仍溪《滿鐵問題》（民19年出版）、菊池寬《滿鐵外史》（滿洲新聞社，1943；東京，原書房重印，1966）、大陸出版協會編印《滿鐵王國（附朝鮮事業錄）》（1927年印行）、鈴木隆史〈南滿洲鐵道株式會社（滿鐵）の創立過程〉（《德島大學教養部紀要（人文·社會科學）》第4號，1969年3月）、李朝津《滿鐵の創立について－日本的對滿政策に關する一考察》（慶應大學文學研究所碩士論文，1978）、有馬勝良編《滿鐵の設立命令書と定款〈滿鐵研究資料シリーズ第1卷〉》（東京，龍溪書舍，1984）、李朝津〈滿鐵成立時期之多種性格特質－日俄戰後日本殖民及經濟兩條對日路線的形成〉（《華岡文科學報》20期，民84年4月）、伊藤武雄、荻原極、藤井滿州男編《滿鐵》（3冊，東京，みすず書房，1966-1967）、竹森一男《滿鐵興亡史》（東京，秋田書店，1970）及《滿鐵の建設》（東京，圖書出版社，1974）、伊藤武雄《滿鐵に生きて》（東京，勁草書房，1964；新版，1982）、市原善積《滿鐵特急あじあ號》（東京，原書房，1976）、廣田鋼藏《滿鐵の終焉とその後―ある中央試驗所員報告》（東京，青玄社，1990）、宮坂宏等著、陳國柱譯〈滿鐵的創立〉（《日本問題研究參考資料》1980年4期）、金子文夫〈創業期の南滿洲鐵道―1907～1916〉（《社會科學研究》31卷4號，1980）、宮坂宏〈「滿鐵」創立前後―東三省をめぐる日中關係〉（載《日本外交史研究：日中關係の展開》，東京，日本國際政治學會，1961）、滿鐵編印《南滿洲鐵道株式會社二十年略史》（大連，1927）、滿鐵總裁室弘報課編《南滿鐵道株式會社三十年略史》（同上，1937；東京，原書房，1975）、安藤實〈滿鐵會社の創立について〉（《歷史評論》117、118號，1960年5、6月）、〈日露戰爭終結から滿鐵創立までの主要事項〉（《研究ノート中日問題》第4號，1960年2月）、〈滿鐵會社の創立と資金〉（同上，第2號，1959年7月）、〈滿鐵社史紹介―「第二次十年史」（1928年7月刊行）〉（同上，第3號，1959年10月）及〈滿洲經營の國際的條件―滿鐵史研究の序章〉（《現代中國》35號，1960年6月）、Y. Tak Matsusaka, Japanese Imperialism and the South Manchuria Railway Company, 1904-1914. (Ph. D. Dissertation, Harvard University, 1993)、南滿洲鐵道株式會社《南滿洲鐵道株式會社十年史》（大連，撰者印行，1919）、《南滿洲鐵道株式會社第二次十年史》（同上，1927）、《南滿洲鐵道株式會社第三次十年史》（東京，龍溪書舍，1978）、《南滿洲鐵道株式會社第四次十年史》（同上，1986）、《北京滿鐵月報》（同上，1978）及《滿鐵營業報告書·株主姓名表》（同上）；《滿鐵調查月報》（共48卷，別冊1卷，東京，不二出版社重印，1985）；《漢鐵調查時報》（大連，南滿洲鐵道株式會社發行，第1號至111號，1919年12月30日—1930年12月25日：合訂本，共29卷，東京，不二出版，1988）、吉林省社會科學院滿鐵史料編輯組編《滿鐵史料·第2卷：路權篇（第1—4分冊）》（4冊，北京，中華書局，1979）、解學詩主編《滿鐵史資料(4)—煤鐵篇(1)—(4)》（4冊，同上，1987）、小林英夫《滿鐵：「知の集團」の誕生と死》（東京，吉川弘文館，1996）、安藤實等〈南滿鐵道株式會社年表—1904～45年〉（《研究ノート中日問題》第9號，1964年7月）、江藤夏雄〈滿鐵論〉（載《アジア問題講座》第4卷—經濟·產業篇，東京，創元社，1939）、滿鐵總務部資料課編印《滿洲事變と滿鐵》（大連，1934）、于慶祥〈滿鐵—日本帝國主義侵害中國主權的工具〉（《現代日本經濟》1989年2期）、曙夢〈日本帝國主義者侵略滿蒙的唯一機關—南滿洲鐵道株式會社〉（《邊聲月刊》1卷2期，民19年6月）、桑洛卿〈侵略我東北之南滿洲鐵道株式會社〉（《時事月報》2卷5、6期，民19）、婁止齋〈南滿鐵道公司之特質及其史的發展〉（《東方雜誌》28卷24號，民20）、蘇崇民〈滿鐵史概述〉（《歷史研究》1982年5期）、滿鐵編印《滿鐵の概要》（大連，1934）、日笠芳太郎〈滿鐵活躍時代〉（《外交時報》108卷3號，1943）、仁禮山人〈轉向の滿鐵を語る（植民夜話）〉（《植民》12卷8號，1933年8月）、松岡洋右《滿鐵を語る》（東京，第一出版社，1937）、宇田正〈日本資本主義の滿洲經營－南滿洲鐵道株式會社の役割を中心に〉（《社會經濟史學》39卷2號，1973）、穆方〈東三省事變前後滿鐵在華之動態〉（《中國新論》2卷4期，民25年4月）、兒嶋俟郎《南滿洲鐵道史研究序説－「滿洲事變」より「滿鐵」改組問題「解決」まて》（慶應大學經濟研究所碩士論文，1981）、楊山木〈日本南滿鐵路公司在東三省的勢力〉（《學藝》3卷1、2期，民10年5、6月）、蕭炳龍〈滿鐵對東北經濟侵略的作用及其基本特徵〉（《學習與探索》1987年2期）、張祖國〈滿鐵與日本對我國東北的資本輸出〉（《中國社會經濟史研究》1989年2期）、平野蕃〈滿鐵の中國東北における農村・農業調查〉（《アジア經濟》26卷6號，1985）、解學詩〈〝九・一八〞事變與滿鐵〉（《社會科學戰線》1991年4期）、陳景彥〈〝九・一八〞事變期間滿鐵的軍事運輸及其作用〉（《現代日本經濟》1988年5期）、蘇崇民〈關於1907-1931年滿鐵利潤問題的探討〉（《現代日本經濟》1987年2期）、滿鐵鐵道部營業部貨物係《滿鐵貨物運賃調：滿洲に於ける鐵道運賃問題調查資料》（東京，日滿實業協會，1934）、滿鐵總裁室人事課編印《滿鐵鐵道營業貨物積卸に關する華工制度の沿革》（大連，1930）、謝明〈〝滿鐵〞研究與〝近代化〞問題〉（《世界史研究動態》1993年6期）、蘇崇民〈南滿洲鐵道株式會社和戰後的滿鐵史研究〉（《東北亞論壇》1993年4期）、任松〈〝滿鐵〞與日本獨霸東北鐵路權益〉（《龍江社會科學》1995年2期）、高橋泰隆〈鐵道支配と滿鐵〉（載淺田喬二、小林英夫編《日本帝國主義と滿洲支配》，東京，時潮社，1986）、王英文〈美國資本入侵滿洲與滿鐵中立化計劃〉

（《求是學刊》1990年6期）、岡部牧夫〈日本帝國主義と滿鐵—15年戰爭期を中心に〉（《日本史研究》195號，1978年11月）及〈1920年代の滿鐵と滿鐵調查部〉（《歷史公論》5卷4號，1979）、石田興平〈殖民地開發主體としての滿鐵〉（《京都產業大學經濟經營論叢》14卷1號，1979年6月）、民彥〈七七事變前後滿鐵在華北的經濟擴張〉（《現代日本經濟》1987年5期）、滿鐵編印《南滿洲鐵道株式會社事業概況（大正4，8年）》（2冊，大連，1915、1919）、槙田健介〈1930年代における滿鐵改組問題〉（《歷史評論》289號，1974年5月）、豬谷善一〈滿鐵改組の必然性とその方向〉（《東亞》7卷4號，1934）、方秋華〈滿鐵改組問題之檢討〉（《東方雜誌》31卷13號，民23年7月）、稻原勝治〈滿鐵を政黨の手から救へ〉（同上，4卷5號，1931）、安富步〈滿鐵の資金調達と資金投入—「滿洲國」期を中心に〉（《人文學報（京都大學人文科學研究所）》76號，1995年3月）、陳景彥〈1907-1931年日本滿鐵會社在中國東北的運輸政策〉（載蔣永敬、張玉法等編《近百年中日關係論文集》，臺北，民81）、藤野幸平《滿鐵教育への回想》（東京，赤間關書房，1971）、滿鐵地方部學務課編印《滿鐵教育回顧三十年》（大連，1937）及《南滿洲鐵道株式會社經營教育施設要覽》（大連，1919）、飯河道雄《本社支那人教育設施の目的に關する私見》（大連，滿鐵地方學部學務課，1920）、滿鐵總務部調查課編印《滿洲に於ける調查委員會と滿鐵》（大連，1933）、滿鐵建築會《滿鐵の建築と技術人》（1976年出版）、滿鐵會《財團法人滿鐵會小史》（增訂版，1976）及《滿鐵最後の總裁山崎元幹》（1973年出版）、野中時雄〈私の滿鐵での調查の跡〉（《農業經濟（兵庫農科大學）》第3號，1958年12月）、滿鐵總裁室地方部殘務整理委員會編印《滿鐵附屬地經營沿革全史》（3册，大連，1939；東京，龍溪書舍翻印，1978）、張緒進〈南滿鐵路附屬地〉（載《列強在中國的租界》，北京，中國文史出版社，1992）、宮坂宏〈滿鐵附屬地について〉（《研究ノート日中問題》第4號，1960年2月）及〈滿鐵附屬地をめぐる問題—滿鐵史研究報告〉（《現代中國》35號，1960年6月）、蠟山正道〈滿鐵附屬地の行政問題〉（《國際法外交雜誌》29卷5、6號，1930）、竹中憲一〈日本の關東州、滿鐵附屬地における中國人教育〉（《人文論集》31集，1993年2月）、高橋嶺泉《滿鐵地方行政史》（大連，滿蒙事情調查會，1927）、尾形洋一〈東北交通委員會と所謂「滿鐵包圍鐵道網計畫」〉（《史學雜誌》86卷8號，1977年8月）、菅野俊作〈滿鐵關係雜誌記事紹介—「東洋經濟新報(1)」〉（《研究ノート日中問題》第5號，1960年6月）、伊藤武雄〈「北京滿鐵月報」補說—總目類について〉（《アジア經濟旬報》615號，1965年6月）、小島麗逸〈「北京滿鐵月報」（「滿鐵支那月誌」、「上海滿鐵季刊」））〉（《アジア經濟資料月報臨時增刊》，1972年3月）、滿鐵調查部編印《南滿洲鐵道株式會社刊行物目錄：昭和15年3月末現在》（大連，1941）、山田豪一〈後藤滿鐵初代總裁就任前後〉（《研究ノート日中問題》第5號，1960年6月）及《滿鐵調查部—光榮と挫折の四十年》（東京，日本經濟新聞社，1977）、安藤彥太郎、山田豪一〈近代中國研究と滿鐵調查部〉（《歷史學研究》270號，1962年11月）、兒玉大三《秘錄滿鐵調查部》（《中央公論》75卷13號，1960）、野間清〈滿鐵調查部回想—調查部の統合調查の企畫と性質〉（《龍溪》第7號，1973年9月）、草柳大藏《實錄・滿鐵調查部》（2冊，東京，朝日新聞社，1979），其中譯本為劉耀武等譯《滿鐵調查部內幕》（哈爾濱，黑龍江人民出版社，1982）、野間清等編《滿鐵調查部綜合調查報告集》（東京，亞紀書房，1982）、王貴忠〈關於滿鐵調查部〉（《歷史教學》1984年7期）、石堂清倫〈滿鐵調查部と「 マルクス主義」〉（《運動史研究》第2號，1978）、原覺天〈滿鐵調查部の歷史とアジア研究〉（《アジア經濟》20卷1、2、4-9、11-12號，1979年1、2 、4-9、11-12月）、井村哲郎編《滿鐵調查部》（東京，アジア經濟出版會，1996）、伊藤武雄〈黃龍と東風—滿鐵調查局の回想〉（《世界經濟評論》3卷7、8、11、12號，4卷1-5、7、9、11、12號；5卷1-3、5-10、12號，6卷1、2、4、5、7-11號，7卷1-4、6、7、9、12號，8卷1、4、6、8-11號，9卷2號，1959年7月-1965年2月）及《黃龍と東風》（東京，國際日本協會，1964）、野々村一雄《回想滿鐵調查部》（東京，勁草書房，1986）、吉田公平〈滿鐵調查部論〉（《中央公論》56卷9號，1941）、宮西義雄編撰《滿鐵調查部と尾崎秀實》（東京，亞紀書房，1983）、石堂清倫等《十五年戰爭と滿鐵調查部》（東京，原書房，1986）、原覺夫《滿鐵調查部とアジア 》（東京，世界書院，1986）、野間清〈滿鐵經濟調查會の設立とその 役割—滿鐵調查回想〉（《愛知大學國際問題研究所紀要》56、58號，1975年1月、1976年2月）、〈滿鐵經濟調查會設置前後〉（《歷史評論》169號，1964年9月）及〈滿鐵經濟調查會の組織的變遷—關東軍 とのかかわりあいを 中心として〉（《愛知大學經濟論集》120・121號，1989年12月）、陳豐祥〈滿鐵經濟調查會之成立及其影響〉（《歷史學報（臺灣師大）》12期，民73年6月）、滿鐵產業部編印《滿鐵調查機關要覽（昭和11年度）》（大連，1937）、黃福慶〈九一八事變後滿鐵調查機關的組織體系（1932-1943）〉（《中央研究院近代史研究所集刊》24期上冊，民84年6月）、〈滿鐵調查部檢肅事件之背景探討〉（同上，22期下冊，民82年6月）及〈滿鐵調查部的調查事業—《滿洲舊慣調查報告》評估〉（同上，19期，民79年6月）、祁建民〈滿鐵調查部《中國抗戰力調查報告》及其根據地認識〉（《歷史教學》1992年8期）、高樂才〈滿鐵調查課的性質及其侵華活動〉（《近代史研究》1992年4期）、宮坂宏〈滿鐵調查與〝九一八〞事變〉（《日本問題研究參考資料》1980年4期）、井村哲郎〈滿洲事變後滿鐵海外弘報、情報、活動の一段〉（《アジア經濟》34卷10號，1993年10月）、龐慧茹〈〝滿鐵〞線上的破路鬥爭〉（《日本研究》1996年4期）、古啶留子《滿鐵から西幹鐵道へ》（東京，近代文藝社，1993）、西澤泰彥〈南滿洲鐵道株式會社の建築家：元の跡遷と特徵〉（《アジア經濟》35卷7號，1994年7月）、南滿洲鐵道株式會社編《滿鐵關係條約集》（2冊，東京，龍溪書舍，1993）、滿鐵總務部交涉局編印《南滿洲鐵道株式會社關係條約集》（大連，1917）、滿鐵總務部調查課編印《南滿洲鐵道株式會社關係條約集別冊》（大連，1918）、滿鐵庶務部調查課編印《滿鐵關係條約集》（大連，1928）及《滿鐵關係條約集索引》（同上）、滿鐵編印《南滿洲鐵道株式會社株主姓名表》（大連，1934）、滿鐵社員會編印《滿鐵社員健鬥錄（第1，2輯）》（2冊，大連，1933、1934）及《滿鐵遺芳錄》（大連，1936）、滿蒙產業研究會編印《滿鐵の事業と人物》（大連，1922）、市川健吉《會社經濟事情に經理事務に就

て》（大連，滿鐵社員會，1927）、城所英一《鐵路鮮血史》（同上，1935）、花井卓藏《滿鐵事件を論ず》（東京，春秋社，1930）、山口忠三〈滿鐵問題の真相〉（出版時地不詳）、金井清《南滿洲鐵道視察報告》（1916年印行）、小島精一《滿鐵ユンツエルン讀本》（東京，春秋社，1937）、溝口房雄〈華北農業に關する滿鐵の調查研究活動〉（《アジア經濟》26卷11號，1985年11月）。

潘景隆〈日本帝國主義對我國東北金融的掠奪〉（《革命春秋》1987年3期）、趙長碧摘譯〈〝九·一八〞事變前日本對東北的資本侵略〉（《國外社會科學情報》1986年6輯）、孫玉玲〈〝九·一八〞事變前日本帝國主義對東北的資本輸出〉（《社會科學輯刊》1988年2期）、劉萬東〈從本溪湖煤鐵公司看日本帝國主義對我國東北的經濟侵略〉（《遼寧大學學報》1982年2期）、鈴木隆史〈滿洲經濟開發と滿洲重工業の成立〉（《德島大學學藝紀要（社會科學）》13號，1964年3月）、宇田川勝〈日產財閥の滿洲進出〉（《經營史學》11卷1號，1976年7月）、坂本雅子〈三井物產と「滿洲」·中國市場〉（載藤原彰、野澤豐編《日本フアジズムと東アジア》，東京，青木書店，1977）。莊嚴、趙朗〈日本財閥資本對東北經濟的滲透與侵略（《齊齊哈爾師院學報》1995年5期）、張傳杰〈日本對中國東北牧業資源的掠奪〉（同上）、張傳杰、孫靜麗〈日本對我國東北森林資源的掠奪〉（《世界歷史》1996年6期）、裴錫頤〈東北林業與日本〉（《新亞細亞月刊》3卷3期，民20年12月）、依田憙家〈日本帝國主義の中國東北における勞働統制—大東公司の設立をめぐって〉（《社會科學討究》23卷1號，1977年7

月）、秦舒〈〝九·一八〞前日本帝國主義對我國東北農業的掠奪〉（《學術研究叢刊》1986年3期）、桑潤生〈日本軍國主義對我國東北農業的掠奪〉（《社會科學戰線》1987年2期）、王古魯〈日本對東三省經濟侵略情狀述略〉（《人文月刊》2卷10期，民20年12月）、王雨桐《最近之東北經濟與日本》（新中國建設學會，民22）、陳景彥〈淺論〝日滿經濟一體化〞政策與東北經濟的殖民地化〉（《現代日本經濟》1986年6期）、久保亨〈日本の侵略前夜の東北經濟－東北市場における中國品の動向を中心に〉（《歷史評論》377號，1981年9月）、久保亨著、李力摘譯〈〝九·一八〞前夜日中在東北市場上的矛盾〉（《學術研究叢刊》1983年1輯）、塚瀨進〈中國東北綿製品市場をめぐる日中關係：1907-1931年〉（《中央大學人文研究所紀要》11號，1990年8月）、宋紹英〈中國東北經濟之殖民地化與日本〉（載蔣永敬等編《近百年中日關係論文集》，民81）、Chen Shih-ta, Enclave Growth in an Open Agarin Economy: Manchuria under Japanese Colonialism.（Ph. D. Dissertation, Cornell University, 1973）、赫樹權〈開埠通商和〝九·一八〞前日本人在東北的商業〉（《遼寧商業經濟》1988年4期）、中溝新一〈東三省之日人商租權問題〉（《中央大學半月刊》1卷12期，民19年4月）、詹方瑤〈日本經濟危機與我國東北的侵略〉（《鄭州大學學報》1986年6期）、孔經緯〈〝九一八〞事變前東北的中日〝合辦〞事業〉（《史學月刊》1959年4期）、張京育《清末東北鐵路開放政策問題之研究》（政治大學外交研究所碩士論文，民50年5月）、大塚實《日本對華政策與滿洲鐵路》（臺灣大學政治研究所碩士論文，民69年6月）、王英男〈九一八事變前東北之（鐵路）建路與日人所謂「特殊權益」〉（《近代中國》85期，民80年10月）及〈戰前日俄於東北鐵路設施、設備、附屬利益之攫取與東北地方人文景觀之改變〉（《文史學報（中興大學）》20期，民79年3月）、Chao Wei, Foreign Railroad Interests in Manchuria: An Irritant in Chinese-Japanese.（Ph. D. Dissertation, St. John's University, 1980）、李貌華《東北鐵路問題與中日關係（1905-1931）》（政治大學歷史研究所碩士論文，民78）、林同濟《日本對東三省之鐵路侵略—東北之死機》（上海，華通書局，民19）、振〈日人處心積慮經營東北鐵路之真相〉（《日本評論》1卷2期，民21年8月）、鄺宗源〈日本侵略滿蒙之鐵道政策〉（《廣東留平學會年刊》第1期）、蒙智〈日本在東北之條約權與鐵路並行線問題〉（《路線半月刊》23、24期合刊，民22）、尾形洋一〈第二次「幣原外交」と「滿蒙」鐵道交涉〉（《東洋學報》57卷3·4號，1976年3月）、章真利《東北交通委員會與鐵路建設（1924-1931）》（臺灣師大歷史研究所碩士論文，民75）、康慰生〈日本侵略東三省郵電概況〉（《外交月報》2卷3期，民22年3月）、子日〈三年來東北郵政之被劫與封鎖〉（《黑白》3卷2期，民24年1月）、關捷、魏然〈1905-1931年日本帝國主義通過大連港對中國東北的經濟掠奪〉（載《中日關係史論文集》，黑龍江人民出版社，1984）、董長芝〈日本帝國主義對東北工礦業的掠奪及其後果〉（《中國經濟史研究》1995年4期）、王渤光〈日本對撫順煤田的侵占與掠奪〉（《社會科學輯刊》1995年5期）、劉萬東〈1905-1945年日本侵略者對我國東北煤炭資源的攘奪〉（《遼寧大學學報》1987年6期）及〈1905-1945年日本侵略者對我國東北鐵礦資源的攘奪〉（載《中國東北地區經濟史專題國際學術會議文集》，北京，學苑出版社，1989）、任國慶〈日本掠奪海城鐵礦之始末〉（《東北地方史研究》1988年4期）。

關於日本在東北的駐軍一關東軍（1905年日本在遼陽設立關東都督府，1914年在旅順口設關東軍司令部，其所轄軍隊是為關東軍），及其相關者有《關東軍文件集》（長春，吉林大學出版社，1995），係吉林省檔案館所藏有關九一八事變爆發至1934年7月之關東軍的檔案，加以刊行而成的資料集，極具參考價值；（日本）防衛廳防衛研修所戰史室《關東軍》（2册，東京，朝雲新聞社，1969、1974）、島田俊彥《關東軍：在滿陸軍の獨走》（東京，中央公論社，1965）、徐副群等編著《〝皇軍之花〞：關東軍內幕紀實》（北京，京華出版社，1994）、James Edwin Weland, The Japanese Army in Manchuria: Covert Operations and the Roots of Kwantung Army Insubordination.（Ph. D. Dissertation, University of Arizona, 1977）、楳本捨三《全史關東軍》（東京，經濟往來社，1978）、《關東軍始末記》（東京，原書房，1967）、《定本大關東軍史》（東京，國書刊行會，1984）及《關東軍總司令部》（東京，經濟往來社，1971）、楳本捨三著、高書全、袁韶瑩譯《關東軍秘史》（上海，上海譯文出版社，1992）、宅倉寺郎《關東軍參謀部》（東京，PHP研究所，1985）、萩原正三《關東軍特務機關ミルワロードに消ゆ一大陸政策に青春を賭けた慟哭の記錄》（1976年出版）、長尾和郎《關東軍軍隊日記一兵士の生と死と》（東京，經濟往來社，1968）、草地貞吾《その日，關東軍は一元關東軍參謀作戰班長の證言》（東京，宮川書房，1967）、國防部史政編譯局譯印《九一八事變與關東軍：關東軍作戰㈠㈡》（2冊，臺北，民77）、徐付群等《日本關東軍獸行內幕》（香港，利文出版社，1995）、汪漁洋〈關東軍侵佔東北農田記〉（《東北文獻》6卷3期，民65年2月）、穆超〈趙欣伯與日本關東軍〉（同上，24卷2期，民82年12月）、尹正萍〈九一八事變：日本關東罪加一等〉（《軍事史林》1995年9期）、郭建平〈〝九一八〞事變前日本關東軍的軍事準備探析〉（《遼寧大學學報》1991年6期）、楪本捨三著、張錦堂譯〈關東軍與〝九・一八〞事變〉（載東北地區中日關係史研究會編《中日關係史研究》第1輯，1981年8月）、張錦堂〈日本關東軍策劃〝九・一八〞事變的內幕〉（載《遼寧省社會科學院學術論文選（歷史分册）》，瀋陽，1982）、魏書梅《中日戰爭期間關東軍侵滿之研究》（政治大學歷史研究所碩士論文，民80）、李惠〈東北抗聯歷史研究中的敵情－日本關東軍實力辨析〉（《軍史資料》1986年6期）、平塚柾緒、森山康平〈主要事件てっブ關東軍の興亡〉（載《滿州國と關東軍》，東京，新人物往來社，1994）、林青梧《黃土の碑－關東軍に刃をかラ日本人》（東京，光風書店，1973）、林三郎《關東軍と極東リ連軍－ある對リ情報參謀の覺書》（東京，芙蓉書房，1974）、新人物往來社戰史室編《滿洲國と關東軍》（東京，新人物往來社，1994）、濱口裕子〈「滿洲國」の中國人官吏と關東軍による中央集權化政策の開展〉（《アジア經濟》34卷3號，1993年3月）、王貴忠〈關東軍自治指導部始末〉（《日本研究》1993年2期）、西原征夫著、趙晨譯《哈爾濱特務機關：日本關東軍情報部簡史》（北京，群衆出版社，1986）、松島正治《關東軍の風來坊》（東京，松島書店，1973）、　エルニヤニマリノフスキ一著、石黑寛譯《關東軍壞滅す：リ連極東軍の戰略秘錄》（東京，德間書店，1968）、島田俊彥著、李汝松譯《日本關東軍覆滅記》（瀋陽，遼寧教育出版社，1991）、蕭炳龍〈日本關東軍〝滿〞蘇國境陣地與對蘇戰備研究初探〉（《齊齊哈爾師院學報》1995年5期）、李良志、廖良初〈關東軍的建立與覆滅〉（《抗日戰爭研究》1991年2期）、北川正夫〈關東軍壞滅〉（《文化評論》13號，1948年11月）、徐啖《關東軍覆滅記》（臺北，風雲時代出版公司，民83）、陳嘉驥〈關東軍覆滅記〉（《東北文獻》7卷1期，民65年8月）、袁昌堯〈論日本關東軍的覆滅〉（《徐州師院學報》1988年3期）、穆景元〈日本關東軍覆滅的原因〉（《錦州師院學報》1986年2期）、稻葉千晴〈關東軍總司令部の終焉と居留民・抑留者問題一日本側資料の再檢討とリ連接收文書の分析によせて〉（《軍事史學》31卷4號，1996年3月）、楳本捨三〈遁殘關東軍34萬〉（《每日情報》6卷11號，1961年11月）。其侵華重要將佐有本庄繁《本庄日記》（東京，原書房，1967）、林政春《滿洲事變の關東軍司令官本庄繁》（大阪，大湊書房，1977）及《陸軍大將本庄繁》（千葉，青州會陸軍大將本庄繁傳記刊行會，1967）、高培〈本庄繁與九・一八事變〉（《抗日戰爭研究》1991年2期）、良邑〈本庄繁與柳條湖事件〉（《日本侵華研究》16期，1993年11月）、申賀春一《本庄總裁と軍事保護院》（青州會，1961）、西鄉鋼作《板垣征四郎》（東京，成光館書店，1938）、板垣征四郎刊行會《秘錄板垣征四郎》（東京，芙蓉書房，1972）、菅原節雄《板垣征四郎と石原莞爾》（東京，今日の問題社，1937）、常征〈〝九・一八〞事變的陰謀策劃者一板垣征四郎〉（《社會科學輯刊》1994年1期）、孔德明〈土肥原賢二一死有餘辜的侵華陰謀家〉（《名人傳記》1993年11期）、劉蘇〈土肥原賢二《中日事變的真正意義》〉（《北京檔案史料》1995年2期）、土肥原賢二刊行會《秘錄土肥原賢二－日中友好の捨石》（東京，芙蓉書房，1972），其中譯本為天津市政協編譯組譯《土肥原秘錄》（北京，中華書局排印，1980）、Chiang Wenhsien, Doihara Kenji（土肥原賢二）and the Japanese Exppansion into China, 1931-1937.（Ph. D. Dissertation, University of Pennsylvania, 1969）、B. Winston Kahn, Doihara Kenji and the North China Autonomy Movement, 1935-1936.（Tempe: Center for Asian Studies, Arizona State University, 1973）、劉蘇選編〈土肥原賢二《中日事變的真正意義》〉（《北京檔案史料》1995年2期）、橫山臣平《秘錄・石原莞爾》（東京，芙蓉書房，1973）、角田順編《石原莞爾資料－國防論策，戰爭史論》（2冊，東京，原書房，1967-1968）、成澤米三《人間石原莞爾》（東京，經濟往來社，1977）、保坂富士夫編《石原莞爾研究・第1集》（大阪，精華會中央事務所，1950）、平岡正明《石原莞爾試論》（東京，白川書院，1977）、高木清壽《東亞の父石原莞爾》（東京，錦文書院，1954）、藤本治毅《石原莞爾》（東京，時事通信社，1964）、野村乙二朗《石原莞爾－軍事イデオロギストの 功罪》（東京，同成社，1992）、青江舜二郎《石原莞爾》（東京，讀賣新聞社，1973）、佐治芳彥《石原莞爾（上冊）》（東京，日本文藝社，1990）、仲條立一《石原莞爾のすべて》（東京，新人物往來社，1989）、山口重次《悲劇の將軍石原莞爾》（東京，世界社，1952）、上法快男、橫山臣平《石原莞爾の素顏》（東京，芙蓉書房，1983）、入江辰雄《石原莞爾と民族問題》（東京，近代文藝社，1994）、Mark R. Peattie, Ishiwara Kanji and Japan's Confrontation With the West.（Princeton: Princeton University Press, 1975）、秦郁彥〈參謀·石原莞爾〉（《自由》5卷8、9號，6卷1號，1963）、五百旗頭真〈滿洲事變の一面—石原莞爾の滿蒙問題解決案（上）〉（《政經論叢（廣島大學）》21卷3號，1971年12月）及〈石原莞爾における支那觀の形成(1)〉（同上，21卷5-6號，1972年4月）、蘇振申〈石原莞爾的世界帝國構想—九一八事變背景的透視〉（《中華學報》6卷1期，民68年1月）、陳靜宜〈石原莞爾及東亞聯盟之理想〉（《日本學報》第5期，民73年12月）、柳生正文〈石原莞爾の對滿蒙構想〉（《日本史學研究》第1號，1976年4月）、福本修〈石原莞爾の思想—滿洲事變の一斷面〉（《社會科學年報（專修大學社會科學研究所）》24號，1990年3月）、服部卓四郎〈石原莞爾さんの思出〉（《流れ》5卷2號，1957年2月）、松澤哲成〈石原莞爾と笠木良明—近代日本と中國〉（《朝日ジャーナル》14卷9號，1972年3月）、河原宏〈石原莞爾と東亞連盟—「近代日本におけるアジア觀」の一〉（《政經研究（日本大學）》2卷2號，1965年10月）、李明〈石原莞爾の滿洲事變〉（《社會科學研究》8卷2號，1988年1月）、水野明〈石原莞爾和「九一八」事變〉（《日本侵華研究》16期，1993年11月）、張勁松〈石原莞爾與〝九一八〞事變〉（《遼寧大學學報》1991年3期）、朱海舉〈〝九·一八〞事變與石原莞爾〉（《東北師大學報》1981年5期）、梅村光弘《滿洲事變と石原莞爾》（慶應大學法學研究所碩士論文，1962）、佐治芳彥〈滿洲事變と石原莞爾〉（載《滿洲國と關東軍》，東京，新人物往來社，1994）、常征〈〝九一八〞事變具體策劃者一石原莞爾〉(《遼寧大學學報》1993年6期)、清家基良〈石原莞爾と大東亞戰爭〉(《軍事史林》27卷4號,1992年3月)、大森實〈石原莞爾と滿洲建國〉(《中央公論》80卷8號,1965年8月)、濱口裕子〈橘樸と石原莞爾一滿洲事變前後を中心に〉(《軍事史學》24卷2號,1988年9月)、陳在俊〈「東洋唐吉訶德」一田中義一、永田鐵山、石原莞爾〉(《近代中國》47-49期,民74年6、8、10月)、平野零兒《滿洲の陰謀者一河本大作の運命的な足あと》(自由國民社,1961)、草地貞吾〈8月15日の關東軍首腦たち〉(載《滿洲國と關東軍》,東京,新人物往來社,1994)、松村知勝《關東軍參謀副長の手記》(東京,芙蓉書房,1977)。

關於滿蒙懸案(如萬寶山事件、中村事件等)有梨本祐淳《滿蒙重要懸案の解説》(東京,日本書院,1931)、李明〈所謂「滿蒙懸案交涉」と張作霖の對應〉(《名古屋大學東洋史研究報告》第9號,1984年5月)、馬場明〈滿洲懸案解決交涉と伊集院彥吉〉(《國學院雜誌》93卷5號,1992年6月)、叢成義〈九一八前的東北韓人問題與中日糾紛〉(《韓國學報》第3期,民72年12月)及《萬寶山事件之研究》(臺灣大學政治研究所碩士論文,民72年1月)、遼寧省檔案館等編《萬寶山事件》(長春,吉林文史出版社,1991)、譚譯、王駒〈萬寶山事件始末〉(《社會科學輯刊》1981年6期)、大川周明〈萬寶山事件ノ顛末〉(《拓殖公論》6卷63號,1931年8月);〈萬寶山事件ノ真相〉(《外交時報》639號,1931年7月)、孫茂生〈略論萬寶山事件〉(《遼寧大學學報》1990年3期)、臼井勝美〈朝鮮人の悲しみ一萬寶山事件〉(《朝日ジャーナル》7卷11號,1965年3月)、林永錫著、鄭早苗抄譯〈萬寶山事件の歷史的背景〉（《朝鮮研究年報》12號，1970）、曲祥仁〈萬寶山事件始末〉（《吉林檔案》1986年5期）、徐釣溪、劉家塤編輯《萬寶山事件及朝鮮慘案》（南京，日本研究會，民20）、中國國民黨河北省黨務整理委員會編印《萬鮮兩案之事實與認識》（民20年出版）、中國國民黨中央執行委員會宣傳部編印《萬寶山事件及朝鮮排華慘案》（民20年出版）、翁仲〈萬寶山事件の經過及其前途〉（《中國雜誌》1卷1期，1931）、長野朗〈萬寶山事件ノ本質〉（《東亞》4卷8號，1931年8月）、船橋〈暴狀を極めし萬寶山事件〉（《滿鐵調查月報》117號，1931）及〈再び萬寶山問題起り之に因して朝鮮事件勃發す〉（同上，118號，1931）、戶倉〈萬寶山朝鮮事件を起因とする上海に於ける排日運動〉（同上，119號，1931）、綠川勝子〈萬寶山事件及び朝鮮內排華事件についての一考察〉（《朝鮮史研究會論文集》第6號，1969年6月）；〈萬寶山事件ト鮮支人衝突問題〉（《東亞翻譯通信》47號，1931年7月）；〈萬寶山事件ト朝鮮ノ報復暴動〉（《東洋》34卷8號，1931年8月）、胡春惠〈萬寶山事件與東北的韓僑問題〉（《日本侵華研究》第9期，1992年2月）及〈萬寶山事件中的韓僑問題〉（《韓國學報》11期，民81年6月）、陳彥之〈萬寶山事件的追記（東北淪陷史料）〉（《東北》1卷1期，民29年3月）、長春市政籌備處呈吉省及駐哈外部特派員〈萬寶山事件調查報告〉（《東方雜誌》28卷31號，民20年11月）、李弘慧〈萬寶山事件與「萬寶山」〉（《東北師大學報》1995年1期）、羅鳳鳴〈回憶萬寶山事件的審理〉（《法學雜志》1985年6期）、周克讓〈〝九·一八〞事變前奏一萬寶山事件的主犯郝永德公審旁聽紀實〉（《中國現代史學會簡報（吉林）》

1981年1期）、王玉平〈中村事件與〝九·一八〞事變〉（《史學月刊》1983年1期）、馮學忠〈張學良與〝中村事件〞〉（《檔案與社會》1992年6期）、志渝〈中村事件始末（東北淪陷史料）〉（《東北》1卷3期，民29年5月）、馬東玉、邸富生〈論中日東三省五案交涉〉（《北方文物》1987年3期）。

以九一八事變（滿洲事變、東北事變）為題的專書以梁敬錞《九一八事變史述》（臺北，世界書局，民53）為其中之代表作，全書於九一八事變的史事外，兼述中日雙方的背景，對事變之後國聯處理的敍述尤為詳密；梁氏另有英文論著－Liang Chin-tung, The Sinister Face of the Mukden Incident.（New York: St. Johns University Press, 1969）。易顯石、張德良、陳崇橋、李鴻鈞《〝九·一八〞事變史》（東北文史叢書，瀋陽，遼寧人民出版社，1981）、中央檔案館、中國第二歷史檔案館、吉林省社會科學院編《九·一八事變》（北京，中華書局，1988）、吉林省檔案館編《九一八事變》（北京，檔案出版社，1991）、中華民國外交問題研究會編印《中日外交史料叢編㈡－九一八事變》（臺北，民54）、李雲漢編《九一八事變史料》（臺北，正中書局，民66）、吉林省政協文史資料委員會編《〝九·一八〞事變資料匯編》（長春，吉林文史出版社，1991）、王文治編《九一八事變》（中國革命史小叢書，北京，新華出版社，1990）、劉庭華《〝九·一八〞事變研究》（北京，國防大學出版社，1986）、上海社會科學院歷史研究所編《九一八抗戰史料選編》（上海，上海人民出版社，1986）、國民黨黨史會編印《革命文獻·第33-35輯：日本侵華有關史料－九一八事變》（3冊，臺中，民53-54）、遼寧省檔案館編

《九一八事變檔案史料精編》（九一八事變叢書，瀋陽，遼寧人民出版社，1991）、馬越山《九一八事變實錄》（同上）、譚澤主編《九一八抗戰史》（同上）、林聲主編《九一八事變圖志》（同上）、沈偉一等主編《九一八事變圖片集》（北京，對外貿易教育出版社，1987）、陳鵬仁譯《日人筆下的九一八事變》（臺北，水牛出版社，民80）、于海鷹編《〝九一八〞事變》（長春，吉林人民出版社，1993）、石鈞編寫《不忘國恥，振興中華：紀念〝九一八〞事變六十周年》（瀋陽，遼寧教育出版社，1991）、姜念東主編《歷史教訓：〝九一八〞紀實》（長春，吉林人民出版社，1991）、中村勝範編《滿洲事變の衝擊》（東京，勁草書房，1996）、島屋政一《滿洲事變》（大阪，大阪出版社，1931）、稻葉正夫、小林龍夫、島田俊彥編《滿洲事變（正、續）》（2冊，東京，みすず書房，.，1964-1965）、中村菊男《滿洲事變》（東京，日本教文社，1965）、關寬治、島田俊彥著、王振鎖、王家驊譯《滿洲事變》（上海譯文出版社，1983）、伊達龍城《滿洲事變》（東京，明治出版社，1932）、三井實雄《滿洲事變》（東京，亞洲社，1942）、日本近代史研究會《滿洲事變》（東京，國文社，1967）、島田俊彥《滿洲事變》（東京，人物往來社，1966）、西內雅《滿洲事變—民族協和の實現》（大阪，大湊書房，1988）、（日本）外務省《滿洲事變（第1卷第1-3冊）》（東京，1977-1978）、柳井恒夫、守島伍郎監修《滿洲事變》（鹿島研究所出版會，1973）、藤原彰、今井清一編集《十五年戰爭史⑴：滿洲事變》（東京，青木書店，1989）、歷史學研究會《太平洋戰爭史．第1冊：滿洲事變》（東京，東洋經濟新聞社，1953）、日本國際政治學會太平洋戰爭原因論研究部《太平洋戰爭への道(2)：滿洲事變》（東京，朝日新聞社，1962）、日本國際政治學會編印《滿洲事變》（東京，1970）、齋藤大典《滿州事變について》（立正大學文學部史學科畢業論文，1990年度）、牧野久喜男《（決定版）昭和史(6)；滿州事變》（東京，每日新聞社，1985）、鹿島平和研究所《日本外交史(18)：滿州事變》（東京，鹿島研究出版，1975）、人物往來社、島田俊彥《近代の戰爭(4)：滿州事變》（東京，人物往來社，1966）、小尾俊人《現代史資料(7)：滿州事變(6)》（東京，みすず書房，1964）、武田勘治編《滿洲事變實誌》（東京，日東書院，1932）、松田雪堂《滿洲事變の真相》（東京，文化書房，1931）、仲摩照久編《滿洲事變の經過》（東京，新光社，1932）、小高寅藏《滿洲事變之真相》（天津，東方研究社，民21）、松下正典《滿州事變勃發の原因》（立正大學文學部史學科畢業論文，1994年度）、星野辰男編《滿洲事變寫真全輯》（東京，朝日新聞社，1932）、近代日本史研究會編《滿洲事變前後》（東京，白揚社，1937）、每日新聞社編印《滿洲事變前後》（東京，1975）、參謀本部編《滿洲事變作戰ノ概要－滿洲事變史》（東京，巖南堂書店，1935）、林銑十郎《滿洲事件日誌》（東京，みすず書房，1996）、中央滿蒙協會編（半澤玉城主編）《滿洲事變日錄史》（東京，外交時報社，1934）、津田元德《滿洲事變秘史》（大連，滿洲文化協會，1934）、新谷正太朗《滿洲事變に關する一考察》（立命館大學史學科修士論文，1994）、Sara R. Smith, The Manchurian, Crisis, 1931-1932—A Tradedy in International Relations.（New York, Columbia University Press, 1948）、臼井勝美《滿洲事變—戰爭と外交》（東京，中央公論社，1974）、緒方貞子《滿洲事變と政策の形成過程》（東京，原書房，1966）、石橋湛山《經濟恐慌と滿洲事變》（東京，東洋經濟新報社，1971）、松本仲武《滿洲事變をめぐる社會的情勢》（立正大學文學部史學科畢業論文，1985年度）、（美）道夫曼（B. Dorfman）著、國際問題研究會譯《滿洲事變的考證》（上海，國際問題研究會，民23）、馬場伸也《滿洲事變への道—幣原外交と田中外交》（東京，中央公論社，1972）、吳登銓《日本發動九一八事變之國內外時代背景之分析》（中國文化大學政治研究所碩士論文，民82）、James William Morley, ed., Japan's Road to the Pacific War: Japan Erupts, The London Naval Conference and the Manchurian Incident, 1928-1932.（New York: Columbia University Press, 1985）、Takehiko Yoshihashi（武彥吉橋），Conspiracy at Mukden: The Rise of the Japanese Military.（New Heaven, Conn.: Yale University Press, 1963）、三宅喜二郎《滿洲事變の研究—その背景、原因、經過と真相》（東京，外務省研修所，1967）、森克己《滿洲事變の裏面史》（東京，國書刊行會，1976，列爲森克己著作選集之6）、程旨雲《東北事變之由來》（杭州，浙江省教育廳，民20）及《東北事變與日本》（上海，東方輿地學社，民20，爲上書改名出版）、陳昭成《日本之大陸積極政策與九一八事變之研究》（臺北，嘉新水泥公司文化基金會，民55）、廖勝雄《民國二十年東北事變與國際聯盟調處之經緯》（同上，民58）、栗原憲太郎編《滿洲事變と二・二六》（東京，平凡社，1975）、林久治郎《滿洲事變と奉天總領事》（東京，原書房，1978）、岡部牧夫編（並解說）《滿洲事變における憲兵隊の行動に關する資料—15年戰爭史極秘資料集第4集》（東京，不二出版，1987）、星野豐七《滿洲事變と新滿洲國》（東京，南光社，1932）、佐藤清勝《滿洲事變と新國家》（東京，春秋社，1932）、松原一雄《滿洲事變と不戰條約·國際聯盟》（東京，丸善株式會社，1932）、南滿洲鐵道株式會社《滿洲事變と滿鐵》（2册，東京，原書房，1974）、綾川武治《滿洲事變の世界史的意義》（東京，大陸國策研究會，1934）、建國大學研究院《滿洲事變とその歷史的意義》（新京〔長春〕，滿洲帝國協和會建國大學分會出版部，1942）、（日本）外務省情報部編印《滿洲事變關係發表集》（2册，東京，1931）及《滿洲事變及上海事變關係公表集》（東京，1934）；《滿洲事件に關する外交文書：1931.9.19-1932.1.16》（撰者出版時地不詳）、波多野乾一（榛原茂樹）、柏正彥《滿洲事變外交史》（東京，金港堂，1932）、渡邊明《滿洲事變の國際背景》（東京，國書刊行會，1990）、俞辛焞《滿洲事變期の中日外交史》（東京，東方書店，1986）、劉維開編《國民政府處理九一八事變之重要文獻》（臺北，國民黨黨史會，民81）、關東軍參謀部總務課《滿洲事變機密政略日誌（其1：昭和6年9月18日—10月31日）》（1931-1932年印行）、三島泰雄《眼のあたり見た滿洲事變》（東京，時事新報社，1932）、偕行社編纂部編印《滿洲事變關係の體驗と教訓及所見》（東京，1932）及《滿洲事變の體驗と教訓及所見》（同上，1933）、木下猛《滿州事變の正視》（東京，社會教育協會，1931）、蜷川新《滿州事變と內外への警鐘》（東京，奉公會，1931）、陸戰史普及研究會《滿洲事變史：第二師團のチチハル 攻略》（東京，原書房，1967）、宮地貫道《對支國策論：滿洲上海兩事變解説》（1932年出版）、朝日新聞社編印《滿洲·上海事變全記》（東京，1932）、東洋文化協會《滿洲建國と滿洲上海大事變史》（前橋，上毛新聞社，1932）、棟田博《兵隊日本史—滿洲事變、支那事變編》（東京，新人物往來社，1975）、滿鐵太平洋問題調查準備會編印《滿洲事變に關する諸誘因雜輯》（大連，1931）、機文宙、張梓生編《東北事件》（上海，長城書局，民20）、中國電訊社南京總社出版部、編輯部編印《東北事件（上冊）》（民20年出版）、李生浚編《東北事變文電選錄》（上海，現代書局廣州分店，民22）、東北問題研究會編印《九一八事變真相》（北平，民20）、燕京大學教職員抗日會編印《東北事件》（北平，出版年份不詳）、王清彬《九一八》（正中書局，民27）、沈吉蒼《九一八—東北被占》（上海，大成出版公司，民27）、南柔編《九一八事變之回顧》（南京，日本評譯社，民23）、曾宗孟《九一八週年痛史（上卷：東北淪陷紀實）》（北平，九一八學社，民21）、胡適編《中國東北四省與九一八事變》（長沙，湘鄂書局，民23）、王秉忠主編《〝九一八〞事變前後日本與中國東北—滿鐵秘檔選編》（瀋陽，遼寧人民出版社，1991）、譚伯譯主編《「九·一八」抗戰史》（同上）、開封教育實驗區教材部編《九一八國恥紀念》（編者印行，民23）、外交月報社《九一八事變週年紀念號》（北平，民21）、世界與中國社《東三省事變特號》（上海，民20）、東北民眾救國軍委員會編印《九一八與東北民眾救國軍》（民21年出版）、中國抗日戰爭史學會《抗日戰爭與中國歷史：〝九·一八〞事變六十周年國際學術討論會文集》（瀋陽，遼寧人民出版社，1994）、王秉忠主編

《東北淪陷十四年史研究：紀念〝九·一八〞事變六十周年，1931—1945·第2輯》（瀋陽，遼寧人民出版社，1991）、林寧《絕不允許日本帝國主義重演〝九一八〞事變》（長春，吉林人民出版社，1980）、中國現代史資料編委會編《從九一八到七七國民黨的投降政策》（上海，上海人民出版社，1958）、解放日報社編《從〝九一八〞到〝七七〞—國民黨禍國殃民史錄》（山東新華書店，出版年份不詳）、華東新華書店輯印《從〝九一八〞到〝七七〞》（1949年4月出版）、蘇南新華書店輯印《從〝九一八〞到〝七七〞（長篇史錄）》（1949年6月出版）、東北書店輯印《從〝九一八〞到〝七七〞》（1949年4月再版）、馬仲廉編著《〝九·一八〞到〝七七〞》（北京，中國青年出版社，1986）、全國政協文史資料研究委員會「從九一八到七七事變」編審組編《從九一八到七七事變》（北京，中國文史出版社，1987）、中央陸軍軍官學校第三分校編印《從〝九一八事變〞到〝盧溝橋事變〞》（民26年10月出版）、村上知行《九·一八前後》（東京，福田書房，1935）、郭大鈞、張北根編《勿忘〝九·一八〞：柳條湖事件的前前後後》（北京，中國華僑出版社，1992）、吉林省文化廳、偽皇宮陳列館編（劉欣主編）《勿忘〝九·一八〞：東北淪陷十四年史實展覽圖片集》（長春，吉林美術出版社，1992）、椎野八束編《未公開寫真に見る滿洲事變》（東京，新人物往來社，1988）、藤原彰、今井清《日本近代史の虛像と實像3：滿洲事變—敗戰》（東京，大月書店，1989）、江口圭一《日本帝國主義史論—滿洲事變前後》（東京，青木書店，1978）、每日新聞社《一億人の昭和史(1)：滿洲事變前後》（東京，撰者印行，

1975）、中野雅夫《滿洲事變と十月事件—昭和史の原點》（東京，講談社，1973）、胡愈之《東北事變之國際觀》（上海，良友圖書公司，民20）。其他相關的書籍論著有梁雪清、圖畫編輯、余貽澤文字編輯《東北巨變血淚大畫史》（上海，文華美術圖書公司，民23）、天行編《東北記痛》（華中圖書公司，民27）、印維廉等《東北血痕》（中國復興學社，民22）、強項生編《瀋陽痛史》（臺北，文海出版社影印，民76）、羅隆基《瀋陽事變》（上海，良友圖書公司，民20）、陳覺編《國難痛史》（5冊，北平，東北問題研究會，民21），東北問題研究會編印《國難須知》（北平，文化學社，民21）、許嘯天《哭訴（國難寫真批評與報告）》（上海，紅葉書店，民20）、齊玉峰《東北痛史—十四年見聞記（前編）》（長春，國民圖書公司，民35）、粟直編《東北淪陷真象》（吉林，中國文化服務社吉林分社，民35）、軍事新聞社編《東北淪亡寫真全集》（上海，軍事新聞社總部國民救國宣傳社，民22）、良友圖書印刷公司編輯部編印《日本侵略東北真相畫刊》（上海，民20）、中國國民黨遼寧省黨務指導委員會編印《暴日入寇紀實》（出版時地不詳）、奮鬥報社編印《日本強占東三省記》（民20年出版）、李劍萍編《東北淞滬血戰集》（軍事新聞社總部，民22）、中央大學商學院學生抗日救國會宣傳股編印《暴日侵占東省特刊》（南京，民20）、廈門大學編印《暴日蹂躪東北彙刊》（民20年出版）、觀海時事分類編集月刊社編《暴日侵寇東北專刊》（民20年10月出版）、虎口餘生《日軍侵據東北記》（民衆書局，民20）、楊仲民編印《東三省慘禍》（民20年出版）及《日兵侵入後東三省慘禍》（同上，爲上書增補之再版）、中國國民黨上海特別市執行委員會編印《暴日入寇東北實錄》(民20年出版)、東北編譯社編印《日本侵略東北暴行之真相》(上海，民20)、聯友出版社編印《暴日占據東北痛史》(上海，民20)、周開慶《暴日強占東三省之認識》(民20)、維真《九一八後東北與日本》(貞社，民24)。

論文方面談九一八事變研究狀況及史實辨正的有張勁松、馬依弘〈九一八事變研究綜述〉(《抗日戰爭研究》1991年1期)、白雅琴〈〝九一八〞事變研究綜述〉(《社會科學戰線》1991年4期)、沈偉一〈從九一八事變研究現狀談九一八文獻的開發利用〉(《圖書刊學刊》1986年4期)、張錦堂編譯〈日本戰後研究九一八事變和偽滿洲國的主要書目和論文索引〉(《國外社會科學情報》1981年7期)、史桂芳〈日本學者對九一八事變的研究狀況〉(《黨史研究資料》1992年2期)、良邑〈在九·一八事變史研究中值得注意的一種傾向—評介日本關於九·一八事變史研究〉(《松遼學刊》1989年3期)、鈴木俊〈滿洲事件と支那人の滿洲研究〉(《歷史學研究》5卷2號，1935)、金子文夫〈1970年代における「滿洲」研究の狀況(1)(2)—日露戰爭から滿洲事變まで，滿洲事件から「滿洲國」の崩壞まで〉(《アジア經濟》20卷3號，1979年3月；20卷11號，1979年11月)、柳澤游〈「滿洲事變」をめぐる社會經濟史研究の諸動向〉(《歷史評論》377號，1981)；楊裕泰〈九·一八若干史實辨正〉(《中共黨史研究》1990年6期)、袁旭〈〝九一八〞事變史考〉(《黨史研究資料》1988年5期)、束幸一郎〈「滿洲事變」から考えたにとこ〉(《季刊現代史》第2號，1973年5月)、張志強〈對於九一八事變中幾個小問題的認識〉

（載《遼寧省社會科學院學術論文選（歷史分冊）》，瀋陽，1982）、王大任〈〝九一八事變〞之真相—揭穿四十年來一幕歷史疑案〉（載《東北論文集》第5輯，臺北，中華大典編印會，民59）、徐建東、王維遠〈〝九一八〞事變肇事地名考〉（《遼寧大學學報》1981年2期）、大畑正弘〈「九一八事變發生地名考」再考〉（《日本史研究》）。

綜合論述九一八事變的論文有中村菊男〈講座·滿洲事變〉（《軍事史學》第3、4號，1965年11月、1966年2月）、曉林〈〝九一八〞事變〉（《歷史教學》1991年9期）、張銓〈論〝九·一八〞事變〉（《史林》1991年4期）、馬場明〈滿洲事變の一斑〉（《國史學》78號，1960年3月）、今井武夫〈滿洲事件の顛末〉（《外交時報》1073號，1970年4月）、梁敬錞〈九一八事變史迹〉（《中國一周》813期，民54）、智建中〈〝九一八〞事變〉（《東北文化》1卷4、5期，民35年11月）、董圻〈〝九一八〞事變外紀〉（《時代批評》4卷83期，民30年11月）、安藤彥太郎〈九一八前後〉（《アジア經濟旬報》874號，1972年9月）、孤憤〈〝九一八〞事變的前前後後〉（《尚志》1卷20、21期，民21）、任澤全〈刻骨銘心九一八〉（《外國史知識》1982年9期）、Richard Story, "The Mukden Incident of September 18-19, 1931.（Far Eastern Affairs , No.1〔St. Autony's Papers, No.2〕"）、Robert H. Ferrel, "The Mukden Incident, September 18-19, 1931.（Journal of Modern History, Vol.27, No.1, 1955）、葉叔衡等〈〝九一八〞事變之回顧與前瞻〉（《時事月報》7卷4期，民21年10月）、董文琦〈九一八事變之回顧〉（《東方雜誌》復刊4卷3期，民59年9月）、王鐵漢〈「九一八」的回憶〉

（同上）、沈雲龍〈九一八事變的回顧〉（《傳記文學》33卷3期，民67年9月）、侍郎〈東北事變之回顧〉（《進展月刊》1卷8、9期，民21年11月）、恒甫〈追述〝九一八〞事變之經過〉（《新東北》1卷1、2期，民34年11月）、天放〈〝九一八〞週年之回顧與前瞻〉（《行健月刊》1卷1期，民21）、吳相湘〈九一八事變的歷史省思〉（《歷史月刊》105期，民85年10月）、項迺光〈九一八事變－日本武裝侵略的開始〉（《戰史彙刊》13期，民70）、臼井勝美〈誰がための「王道樂土」－滿洲事變〉（《朝日ジヤ－ナル》7卷14號，1965年4月）、陳崇橋〈〝九・一八〞事變述略〉（載《中日關係史論集》，吉林人民出版社，1984）。

談九一八事變背景及發生原因的論文有何華國〈淺析九一八事變的經濟背景〉（《湘潭大學學報》1987年4期）、易顯石〈日本製造「九一八」事變的經濟背景〉（《近百年中關係論文集》，臺北，民81）、董謙、林谷良〈〝九一八〞事變爆發的經濟背景初探〉（《近代史研究》1982年2期）、江口圭一〈世界恐慌と滿洲事變〉（載《岩波講座世界歷史》27卷，東京，岩波書店，1971）、包奕誠〈日本經濟危機與九一八事變〉（《新疆大學學報》1980年2期）、林明德〈日本軍國主義的形成－九一八事變的探討〉（《歷史學報（臺灣師大）》11期，民72年6月）、楊小紅〈論皇姑屯炸車案與〝九一八〞事變的因果關係〉（《社會科學輯刊》1994年3期）、呂福元〈日奉鐵路交涉與〝九・一八〞事變〉（《民國檔案》1991年4期）、郎維成〈日本軍部在九一八事變中的作用〉（《吉林大學學報》1985年2期）及〈日本軍部、內閣與九一八事變〉（《世界歷史》1985年2期）、大木康榮〈「滿洲事變」と軍部

ファアジズム　〉（《季刊現代史》第1號，1972年11月）、張勁松〈〝九·一八〞事變與日本軍部的〝國民動員〞〉（《日本研究》1991年2期）、郎維成〈新發現的日本軍部關於〝九·一八〞事變的三份歷史文件〉（《東北師大學報》1985年6期）、中利行〈日本陸軍はいかに「滿洲事變」を計畫したか〉（《季刊現代史》第1號，1972年11月）、華永正〈櫻會與九一八事變〉（《黨史縱橫》1995年3期）、陳在俊〈日本「昭和軍閥」製造〝九一八〞事變真相〉（載《中國現代史專題研究報告》15輯，民82）、王希亮〈略論日本民間右翼勢力對九·一八事變的催動和影響〉（《社會科學戰線》1995年5期）、趙步雲〈日本帝國主義策劃〝九·一八〞事變始末〉（《外國問題研究》1987年1期）、里蓉〈從檔案看日本發動〝九一八〞事變的軍事準備〉（《遼寧檔案》1991年5期）、胡正邦〈論一九三一年日本對中國的軍事進攻—〝九·一八〞事件的由來及其後果〉（《思想戰線》1983年4期）、殷昌友〈日本利用國共對立發動九一八事變〉（《抗日戰爭研究》1993年2期）、孔令波〈關於九一八事變前後中日雙方東北的兵力問題〉（《黨史縱橫》1993年8期）、董圻〈〝九一八〞事變外紀〉（《時代批評》4卷83期，民30年11月）、沈予〈日本發動九一八事變政策形成的真相〉（《檔案與歷史》1990年2期）、史桂芳〈〝滿蒙危機〞論與九一八事變〉（《北京黨史研究》1994年4期）、古屋哲夫〈滿洲事變にいたる侵略勢力の形成過程〉（載井上清、衛藤瀋吉編著《日中戰爭と日中關係》，東京，原書房，1988）、孫克復〈〝九·一八〞事變真相〉（《方志天地》1991年4期）、王良〈從日本歷史文獻看九一八事變真象〉（《東北文獻》24卷1期，民82年9月）、王大任〈九一八事變之真相〉（同上，2卷1期，民60年8月）、姜念東〈〃九·一八〃事變的內幕〉（《新村》1986年2期）、今井武夫著、宋念慈譯〈九一八事變真相－所謂柳條溝事件〉（同上，14卷2、3期，民72年11月、73年2月）、秦郁彥〈柳條溝事件の再檢討－殘れた疑問〉（《政治經濟史學》183號，1981年8月）、光田剛〈〃白堅武日記〃に見る九·一八事變－國民黨批判と對日協力〉（《立教法學》42號，1995）、任永祥〈九一八事變是日本推行〃大陸政策〃的一個重要步驟〉（《遼寧師大學報》1996年5期）、孫克復〈〃九·一八〃事變是日本軍國主義和〃大陸政策〃的產物〉（《方志天地》1991年1期）、柳茂坤〈〃九·一八〃事變是日本發動武裝侵略中國戰爭的開端〉（《檔案史料與研究》1991年4期）、陳叔時〈東北事變的根源及其必然性〉（《微音》1卷8期，民21）、田中武志《日滿關係を中心とする滿洲事變の原因》（慶應大學法學研究所碩士論文，1954）、智建中〈〃九一八〃事變發生的根源－中國人民抗日鬥爭簡史第1講〉（《東北文化》1卷1期，民35年10月）、丹東〈日本是怎樣發動九一八侵略的〉（《世界知識》1982年17期）、湛貴成〈論日本帝國主義發動〃九一八〃事變的時機選擇〉（《山東師大學報》1995年增刊）；趙振績〈九一八事變促成的原因〉（《文藝復興》17期，民60年5月）、向山寬夫〈滿洲事變の原因〉（《中央經濟》21卷4號，1972年4月）、林和生〈略論〃九·一八〃事變爆發的原因〉（《山西師大學報》1985年2月）、王瑛〈論日本發動九一八事變的原因〉（《博物館研究》1987年1期）、徐光金、黃中元〈試論九一八事件的起因〉（《齊齊哈爾師院學報》1983年3期）、張熙〈九一八事變的原因〉（《福州師專學報》1982年1期）、郎維成〈從一部日本帝國主義侵華史看日本發動九一八事變的根本原因〉（《外國問題研究》1991年3期）、吳天威〈〝九一八〞事變之肇因及日本學者對〝中日戰爭〞之曲解〉（《傳記文學》51卷4期，民76年10月）、沈覲鼎〈九一八事變起因補遺〉（同上）、董文琦〈九一八事變進攻—九一八事件的由來及其後果〉（《思想戰線》1983年4期）、杜又陵譯〈日人眼中九一八事變的遠因〉（《北強月刊》1卷4期，民23年9月）、梅濟民〈促成「九一八」事變的遠因近果〉（《東北文獻》23卷1期，民81年9月）、王鐵漢〈「九一八」事變的經過及其起因後果〉（同上，12卷1期，民70年9月）、王大任〈九一八瀋陽事變起因及其影響—為中華教育廣播電臺播講〉（同上，14卷2期，民72年11月）、沈予〈評九一八事變起因的外部壓力說〉（《近代史研究》1983年1期）、副島昭一〈中國不平等條約撤廢と「滿洲事變」〉（載古屋哲夫編《日中戰爭史研究》，東京，吉川弘文館，1984）、郎維成〈宇垣一成與九一八事變〉（載胡春惠主編《紀念抗日戰爭勝利五十周年學術討論會論文集》，香港，1996）、幣原喜重郎（遺稿）〈戰爭の幽靈—滿洲事變の起因〉（《中央公論》66卷5號，1951年5月）、甄鼎欽〈從遼東半島之地略價值看九一八事變之地理因素〉（《中國歷史學會史學集刊》23期，民80年7月）、徐凌霄〈〝九一八〞之前因後果〉（《光華週刊》1卷1期，民34年9月）、郝乾嬙、廉守君〈〝九一八〞事變前的東北形勢〉（《佳木斯教育學院學報》1996年3期）、周丹〈九一八事變前中日謀和之努力〉（載《中華民國建國八十年學術討論集》第2冊，臺北，民81）、尾形洋一著、趙長碧編譯〈〝九·一八〞事變前瀋陽的反日運動〉（《國外社會科學情報》1983年7輯）、劉鳳翰〈九一八事變前後的東北軍（1928年11月30日至1933年3月12日）〉（載《中國現代史專題研究報告》15輯，民82）、孫以昂〈九一八事變與東北〉（《史苑》7期，民55年5月）。

談九一八事變的發生及其後續發展的論著有高二音〈〃九·一八〃事變發生論〉（《東北師大學報》1987年5期）、森島守人〈滿洲事變の發生—滿洲外交秘錄〉（《世界文化》4卷3號，1949年3月）、森島守人著、陳鵬仁譯〈日本侵華內幕㈢—㈤—九一八事變陰謀〉（《中外雜誌》35卷3-5期，民73年3-5月）、山下幸男〈滿洲事變の發生〉（《中京商學論叢》8卷3、4號，1962年3月）、今井武夫〈滿洲事變激發に對する一考察〉（《季刊東亞》第8號，1969年9月）、芳賀登〈滿洲事變の勃發と當時の國際情勢—新聞論調を中心として〉（《日本歷史》128號，1959年2月）、中村菊男〈柳條溝事件の勃發—滿洲事變勃發の頃〉（《論爭》2卷3號，1960年9月）、孟繁宗等〈〃九·一八〃事變時的瀋陽東大營〉（《近代史研究》1984年6期）、楳本捨三〈九一八當日及其後滿洲發生的事件概要〉（《龍江黨史》1994年2期）、田尻愛義著、陳鵬仁譯〈從天津看九一八事變〉（《世界華學季刊》5卷1期，民73年3月）、清水秀子〈日本外交文書「滿洲事變」について〉（《軍事史學》18卷2號，1982年9月）；〈九一八事變日軍侵占北寧鐵路電文一組〉（《北京檔案史料》1994年4期及1995年1期）、劉蘇編〈九一八事變日軍侵占北寧鐵路紀要〉（《北京檔案史料》1991年4期）、沈燕〈析〃九·一八〃當天的《日本軍司令官布告》〉（《革命春秋》1991年4期）、池田一之〈〃九·一八〃事變與日本新聞報道〉(《日本研究》1991年2期)、赤木進〈滿洲事件に關する內外新聞論調〉(《國際法外交雜誌》31卷4號、32卷1號,1932、1933)、江口圭一〈滿洲事變と民眾動員—名古屋市を中心として〉(載古屋哲夫編《日中戰爭史研究》,東京,吉川弘文館,1984)、澀谷由里〈「九一八」事變直後における瀋陽の政治狀況—奉天地方維持會を中心として〉(《史林》78卷1號,1995年1月)、立作太郎〈滿洲事件と兵力の行使〉(《國際法外交雜誌》32卷1號,1933)、長嶺秀雄〈滿洲事變初動における陸軍航空隊〉(《軍事史學》9卷1號,1973年6月)、中村菊男〈滿洲事變の一考察—その初期階段の分析〉(《法學研究》37卷12號,1964年12月)、島田俊彥〈滿洲事變の展開〉(《太平洋戰爭への道》第2卷,東京,朝日新聞社,1962)、安井郁〈滿洲事變の經過〉(《國際法外交雜誌》31卷4號、32卷1號,1932、1933)、臼井勝美〈錦州占領—幣原外交の一考察〉(《史淵》112號—創立五十周年論文集》,1975年3月)、穆景元〈日本帝國主義侵占錦州及遼西地區始末〉(《錦州師院學報》1985年2期)、張澍〈〝九一八〞事變中日軍對遼寧經濟的掠奪〉(《蘭臺世界》1996年10期)、伊文成〈日軍侵占齊齊哈爾、哈爾濱的經過〉(《學習與探索》1980年6期)、吳雪生《東北淪亡血淚記》(鄭州,抗日救國會,民21)、劉庭華〈日軍侵占東北三省的經過〉(《黨史研究資料》1985年4期)、佚名編《東省事變日軍行動一覽表》(民20年9月出版)、宋德玲〈〝九·一八〞事變後東北全面淪陷時間考〉(《北方文物》1995年3期)、侯宜嶺〈論〝九·一八〞事變後東三省瞬間淪陷的原因初探:兼談〝九·一八〞事變的歷史教訓〉(《連雲港教育學院學報》1991年4期)、陳覺

《九一八後國難痛史資料》（4冊，東北問題研究會，民21-22）及《九一八後國難痛史》（2冊，同上，民21）、張梓生《國難的二年（〝九一八〞紀念）》（上海，生活書店，民22）、安西華《最近國難紀實》（北平，中華書局，民23）、良友圖書公司編印《中國現象—九一八之後之中國畫史》（上海，民24）、顧青海《劫後東北的一斑》（上海，商務印書館，民24年再版）。

關於國民政府對事變的應對有徐光明〈九一八事件前後中國對日政策之分析〉（載《中華民國史專題論文集》：第三屆討論會，民85；亦載《筧橋學報》第3期，民85年9月）、李雲峰〈論九一八事變與南京國民政府的對日政策〉（《西北大學學報》1992年3期）、李雲漢主編、劉維開編輯《國民政府處理九一八事變之重要文獻》（臺北，國民黨黨史會，民81）、中國國民黨中央執行委員會宣傳委員會編印《〝九一八〞後對日外交之經過》（南京，民22）、蔣永敬〈九一八事變中國方面的反應〉（《新時代》5卷12期，民52年12月）、〈從「九一八」到「一二八」中國對日政策簡述〉（《日本侵華研究》創刊號，1990年3月）及〈從九一八事變到一二八事變中國對日政策之爭議〉（《抗戰前十年國家建設史研討會論文集》上冊，民73）、Sun Youli, "China's International Approach to the Manchurian Crisis 1931-1933." （Journal of Asian History, Vol.26, No.1, 1992）、李淑霞〈試析從〝九·一八〞到〝七七〞國民黨政府的對日政策〉（《昭烏達蒙族師專學報》1991年3期）、郭大鈞〈從〝九·一八〞到〝八·一三〞國民黨政府對日政策的演變〉（《歷史研究》1984年6期）、張貴珍、錢文亮〈國民黨政府對日政策轉變原因述論〉（《山西大學學報》1992年3期）、呂乃澄、梁旭毅〈從〝九·一八〞到〝八·一三〞蔣介石對日政策的變化〉(《歷史教學》1985年4期)、李雲漢〈九一八事變前後蔣總統的對日政策〉(《師大學報》21期，民65年4月)及〈「九一八」事變前後蔣中正先生的對日政策〉(載國防部史政編譯局編印《抗戰勝利四十週年論文集》上册，臺北，民74)、陳鳴鐘〈九一八事變爆發至《淞滬停戰協定》簽字期間的蔣日關係〉(《民國檔案》1988年2期)、李百齊〈九·一八事變後國民黨的內外政策探源〉(《山東醫科大學學報》1990年4期)、區苑華〈〝九一八〞事變後國民黨政府內外政策的演變〉(《廣東民族學院學報》1993年2期)、白岩博司〈滿洲事變における派遣幕僚之效果—軍中央部の不擴大努力〉(《軍事史學》31卷4號，1996年3月)及〈滿洲事變における參謀總長委任命令—發出經緯とその意味するもの〉(同上，24卷2號，1988年9月)、陳崇橋〈〝九·一八〞事變與蔣介石的不抵抗主義〉(《遼寧大學學報》1981年5期)、馬洪武、宋學文〈論蔣介石對〝九一八事變〞的不抵抗政策〉(《江蘇社會科學》1992年5期)、牛建國、鄭素一〈再論〝九·一八〞事變中的不抵抗政策〉(《革命春秋》1993年3期)、蔣永敬口述、吳秀玲整理〈九一八事變後有關抵抗與不抵抗問題之爭議〉(《歷史教學》1卷1期，民77年7月)、陳響之〈牢記九·一八事變不抵抗政策的沉痛教訓〉(《黨史研究與教學》1991年5期)、王維遠〈九一八事變張學良執行不抵抗政策原因初探〉(《遼寧師大學報》1996年4期)、土田哲夫〈張學良與不抵抗政策〉(《南京大學學報》1989年3期)、孫德沛〈不抵抗命令與張學良〉(《縱橫》1984年4期)、愷子〈九一八事變後張學良對日不抵抗原因新說〉(《革命春秋》1993年2

期）、何家驊〈所謂「不抵抗主義」的真相〉（載《國父建黨革命一百周年學術討論集》，第2冊，臺北，近代中國出版社，民84）、楊曉榕〈試析〝不抵抗主義〞〉（《中共浙江省委黨校學報》1986年2期）、魏宏運〈〝不抵抗主義〞剖析〉（《文史哲》1987年2期）、馮筱材〈〝不抵抗主義〞再探〉（《抗日戰爭研究》1996年2期）、劉蘆隱〈不抵抗主義的末路〉（《三民主義月刊》1卷5期，民22年5月）、滕柱〈不抵抗主義對於美國遠東政策之影響〉（同上，1卷5期，民22年5月）、陳饗之〈牢記〝九·一八〞事變不抵抗政策的沉痛教訓〉（《黨史研究與教學》1991年5期）、關志鋼〈不抵抗政策之我見〉（載《紀念抗日戰爭勝利五十周年學術討論會論文集》，香港，1996）、尾池和夫〈華北における 東北軍(1)—「不抵抗政策」〉（《早稻田大學文學研究科紀要別冊》第3號，1977年3月）、松永慎也〈中國國民政府の「不承認」政策〉（《法研論集》75-79號，1995年10月、1996年2、4、6、8月）、史桂芳〈九一八事變前後的中日雙方政策之比較〉（《首都師大學報》1994年2期）、袁成亮〈論〝九·一八〞事變後孫科內閣對日絕交宣戰計劃及其破產〉（《江蘇社會科學》1995年1期）、李恩涵〈王正廷的「革命外交」（1928-1931）與九一八事變〉（載《中華民國建國八十年學術討論集》第2冊，民80）、俞辛焞《滿洲事變期の中日外交史研究》（東京，東方書店，1986；亦爲其早稻田大學法學博士論文，1988年7月）、李良玉〈〝九一八〞事變後的中國外交〉（《江海學刊》1996年2 期）、Danald A. Jordan, Chinese Boycott Versus Japanese Bombs: The Failure of China's "Revolutionary Diplomacy", 1931-32.（Ann Arbor: University of Michigan Press, 1991）、全書自九一八事變以前之中日關係述起，至一二八事變在上海發生為止，論述其間中國工商界、學界等之反日愛國活動，並兼及廣東當局反中央及一二八事變發生的原因等等，為西文同類論著中之代表作；李雲漢〈顧維鈞與九一八事變之中日交涉〉（《近代中國》85期，民80年10月）、郭鳳明〈九一八事變後錦州地區中立化之交涉〉（《國史館館刊》復刊第1期，民75年12月）、袁成亮〈試論南京政府〝錦州中立區〞計畫及其失敗〉（《檔案史料與研究》1995年4期）、洪德先〈九一八後北寧路通車談判始末〉（《銘傳學刊》第3期，民81年7月）、沈雲龍〈從撤郵到通郵〉（《傳記文學》12 卷4-6期，民57年4-6月）及〈塘沽協定後之東北通郵交涉〉（載《百年來中日關係論文集》，臺北，民57）、慰生〈東北停郵與通郵〉（《外交月報》6卷4期，民24年4月）、吳頌皋〈對於通郵問題之意見〉（《外交評論》3卷6期，民23年6月）、田炯錦〈由通車通郵問題到「一·二八」以來之外交內政〉（《國民外交雜誌》4卷1期，民23年4月）、郭之奇〈平瀋通車與日人併東四省之策略〉（同上，4卷4期，民23年7月）、萬琮〈東北通郵問題解決之回顧〉（《交通雜誌》3卷3期，民24年1月）、陳碩彥〈從封鎖東北郵政說到通郵〉（《黑白》3卷2期，民24年2月）、難賓〈東北通郵問題解決〉（《東北雜誌》33卷2號，民24年1月）、李樹敬〈東北通郵感言〉（《黑白》3卷2期，民24年2月）、蔡行濤《瀋陽事變後（1931-1935）的東北郵政》（中國文化學院史學研究所碩士論文，民62年5月，又載《德明學報》第2期，民63年11月）、張翊〈「九一八」與東北郵政〉（《近代中國》102期，民83年8月）、松村正義〈滿洲事變における中國のパブソック・デイプロマシー〉（《帝京國際文化》第6號，1993年2月）、Reginald Bassert, Democracy and Foreign Policy—A Case History—The Sino-Japanese Dispute, 1931-1933.（London: Longmans, Green, 1952）。

事變後日本的對外政策（或關係）或列強對事變的態度（或與其之關係）有榛原茂樹〈滿洲事變と外交〉（《東亞》4卷11號，1931）、中山優〈滿洲事件と日本外交の新發展〉（《東亞》4卷12號，1931）、植田捷雄〈滿洲事變をめぐる日本の外交〉（《東洋文化研究所紀要（東京大學）》33號，1964年3月）及〈平和保障條約と日本の外交—特に滿洲事變を中心として〉（《國際法外交雜誌》47卷3、4號，1948年4月）、Sadako N. Ogata, Defiance in Manchuria: The Making of Japanese Foreign Policy, 1931-1932.（Berkeley: University of Colifornia Press, 1964）、古屋哲夫〈「滿洲事變」以後の對中國政策〉（《人文學報（京都大學人文科學研究所）47號—創立五十周年記念論文集，1979年3月），其中譯文為〈滿洲事變後的日本對華政策〉（載《國外中國近代史研究》第6輯，1984）、王貴忠〈〝九·一八〞事變前後日本政府的對華政策〉（《瀋陽師院學報》1991年4期）、平井友義〈滿洲事變と日ソ關係—不侵略條約問題を中心に〉（《日本外交史研究—日露·日ソ關係の展開》，東京，日本國際政治學會，1966）、吉村道男〈滿洲事變後における日ソ間漁業衝突問題の影響—富美丸漁夫射殺事件を中心に〉（《政治經濟史學》362號，1996年8月）、芳澤謙吉〈芳澤外相の日ソ不可侵條約·滿洲事變に關する回想談〉（《季刊國際政治》33號，1967年6月）、黃自進〈犬養毅與九一八事變〉（《中央研究院近代史研究所集刊》25期，民85年6月）、張電軍編譯

〈蘇聯與九一八事變〉(《國際共運》1986年6期)、胡充寒〈試析蘇聯對〝九一八事變〞的態度〉(《湘潭大學學報》1989年1期)、胡國順〈略論蘇聯對〝九·一八〞事變的態度〉(《國際共運教研參考》1982年3期)、王真〈九一八事變後蘇聯對中日衝突的不干涉政策〉(《抗日戰爭研究》1994年2期)、廣岡光治〈滿洲事件とリヴェト　聯邦〉(《東亞》4卷11號,1931)、George Alexander Lensen, The Damned Inheritance: The Soviet Union and the Manchurian Crisis, 1924-1935.(Tallahassee, Fla.: Diplomatic Press, 1974)、奧村房夫〈滿洲事變から日米交涉まで〉(《拓殖大學論集》31號,1962年10月)、陳芳芝〈〝九一八〞事變時期美日帝國主義的勾結〉(《北京大學學報》1963年3、4期)、賈白〈〝九一八〞事變中美國幫助日本侵略我國的罪行〉(《江海學刊》1961年9月號)、池井優〈滿洲事變· をめぐる日米の相互イメージ〉(《季刊國際政治》34號,1967年10月)及〈滿洲事變とアメリカの對應—スチムリンの 對日政策〉(《法學研究》39卷10號,1966年10月)、秦興洪〈九一八事變與美國對華對日政策〉(《華南師大學報》1990年2期)、金安泰〈九一八事變與美國外交〉(《史學集刊》1983 年3 期)、Justus Drew Doenecke, American Public Opinion and the Manchurian Crisis, 1931-33.(Ph. D. Dissertation, Princeton University, 1966);該博士論文於1984年由位於賓州Lewisburg之Bucknell University出版,易名為When the Wicked Rise: American Opinionmakers and the Manchurian Crisis of 1931-1933.、易顯石〈略論美國對〝九一八〞事變的態度〉(《近代史研究》1980年3期)、Robert M. Rodney, Jr., Reaching Out for

Solutions: American Diplomacy During the Manchurian Crisis, 1931-1933.（Ann Arbor: University of Michigan, 1990）、Justus Drew Doenecke, Comp., The Diplomacy of Frustration: The Manchurian Crisis of 1931-1933 as Revealed in the Papers of Stanley K. Hornbeck.（Stanford, Calif.: Hoover Institution, Press, 1981）、Dorothy Borg, The United States and the Far-Eastern Crisis of 1933-38: From Manchurian Incident Through the Initial Stage of the Undeclared Sino-Japanese War.（Cambridge: Harvard University Press, 1964）、孫之煊《九一八事變時期之美國對我國政策》（政治大學外交研究所碩士論文，民49年5月）、吳景平、趙哲〈評美國對九一八事變和一二八事變的態度—兼析「史汀生主義」的提出及局限性〉（《抗日戰爭研究》1993年3期）、許運清〈〝九·一八〞事變與美國綏靖主義政策〉（《遼寧教育學院學報》1992年1期）、陳錦驊〈九·一八事變後美國的〝不偏袒〞方針〉（《世界歷史》1988年6期）、李退愚〈美英帝國主義在〝九一八〞事變期間對中國的侵略〉（《史學月刊》1959年4期）、王宇博、冷光裕〈〝九·一八〞事變期間英美在華綏靖政策〉（《江蘇教育學院學報》1995年3期）、Robert Hecht, Britain, and American Face Japan, 1931-1933: A Study of Anglo-American Far Eastern Diplomacy During the Manchurian and Shanghai Crisis.（Ph. D. Dissertation, City University of New York, 1970）、洪郵生〈英國與〝九一八〞事變〉（《江蘇社會科學》1991年6期）、王宇博〈英國與〝九·一八〞事變〉（《江海學刊》1995年5期）、徐藍〈英國與〝九一八〞事變〉（《北京師院學報》1989年6期）、

Ronald Edward Powaski, Great Britain and the Manchurian Crisis, 1931-1933.（Ph. D. Dissertation, Case Western Reserve University, 1972）、汪文軍〈〝九一八〞事變期間英國的遠東政策〉（《武漢大學學報》1989年3期）、淺野和生〈滿洲事變勃發と英國議會〉（《法學研究（慶應大學法學部）》68卷1號，1995年1月）、川端末人〈滿洲事變とイギリスの對日宥和政策一擧國連立內閣の內政と外交〉（《大阪學藝大學紀要（人文科學》11號，1963年3月），余玉照〈史汀生不承認主義之研究〉（《師大學報》26期，民70年6月）、理查德·N.柯倫特著、黃晴譯、陶文釗校〈史汀生主義和胡佛主義〉（《國外中國近代史研究》19輯，1992年1月）、陶希聖〈史汀生主義文書一束〉（載《百年來中日關係論文集》，臺北，民57）、王明中〈〝滿洲危機〞與史汀生主義〉（《江海學刊》1984年1期）、Michael Howell Holcomb, Anglo-American Policy and Manchurian Crisis: The Simon-Stimson Controversy.（Ph. D. Dissertation, University of Colorado-Boulder, 1973）、Armin Rappaport, Henry L. Stimson and Japan, 1931-1933.（Chicago: University of Chicago Press, 1963）、Henry L. Stimson, The Far Eastern Crisis.（New York: Harpers, 1936）、橫田喜三郎〈滿洲事件とフーヴアー主義〉（《國際法外交雜誌》32卷1號，1933）。其他如江川英文〈滿洲事件に關する主要論文要旨〉（《國際法外交雜誌》31卷4號，1932）、橫田喜三郎〈滿洲事件と國際法〉（同上）、周君猛〈東北的國際投資戰與東北事變的各國對華政策〉（《先導》1卷1-3期，民21年12月、22年1月）、錢存訓編〈東北事件之言論索引〉（《中華圖書館學會會報》7卷5期，民21年4月）、宋佩章〈東北事變之歷史的解答〉（《中學生》21期，民21年1月）、Sara R. Smith, The Manchurian Crisis, 1931-1932: A Tragedy in International Relations.（New York: Columbia University Press, 1948）。

關於九一八事變後國際聯盟調處之始末除前述廖勝雄氏之專書外，尚有國際連盟事務局東京支局編印《國際連盟理事會並に總會に於ける日支紛爭の議事經過詳錄》（東京，1932）、伊藤述史〈連盟調查團と前後して〉（東京，共立社，1932）、國際聯盟日華紛爭調查委員會《國際聯合會調查團報告書》（2冊，聚珍印務書樓）、國際連盟事務局譯《國際連盟日支紛爭調查委員會報告書》（東京，日本評論社，1932）、外交部譯印《國聯調查團報告書》（南京，民22）、顧維鈞《參與國際聯合會調查委員會中國代表處說帖》（民21年出版）、外交部《中日問題之真相：參與國聯調查團中國代表提出之二十九種說帖，1932年4月至8月》（臺北，臺灣學生書局，民64）、Ian Nish, Japan's Struggle with Internationalism: Japan, China and the League of Nation, 1931-1933.（London: Kegan Paul International, 1933）、Wunsz King, China and the League of Nations: The Sino-Japanese Controversy.（Asian in Modern World Series, No.5, New York: St. John's University Press, 1965）、Westel W. Willoughy, The Sino-Japanese Controversy and the League of Nations.（Baltimore, Maryland: Johns Hopkins Univesity Press, 1935），其中譯本為韋羅貝著、邵挺（筱珍）、薛籌衡等譯《中日糾紛與國聯》（上海，商務印書館，民25）、楊炯光《一年中國際聯盟處理中日糾紛之經過》（民21年出版）、鮑德徵《國聯處理中日事件之經過》（上海，南京書店，民

21）、林明成《滿洲事變と國際聯盟》（慶應大學法學研究所碩士論文，1973）、Christopher Thorne, The Limits of Foreign Policy: The West, the League and Far Eastern Crisis of 1931-1933.（London: Hamilton, 1972）、Nazir A. Mughal, The Manchurian Crisis, 1931-33: League of Nations, the World Power, and the United States.（Ph. D. Dissertation, Southern Illinois University-Carbondale, 1972）、Lawrence Lowell, Manchuria, The League and the United States."（Foreign Affairs, No.10, 1932）、田中直吉〈國際連盟における滿洲事變の審議〉（載《外交史及び國際政治の諸問題》，東京，慶應通信，1962）、石井摩耶子〈國際連盟と滿洲事變－イギリス外交を中心にした素描〉（《歷史教育》15卷2號，1967年2月）、劉建武〈九一八事變與國際聯盟〉（《黨史研究資料》1989年1期）、張敬祿〈評國際聯盟在干涉〝九一八〞事變中的作用〉（《齊魯學刊》1988年3期）、神川彥松〈滿洲事件の國際聯盟〉（《國際法外交雜誌》31卷4號、32卷1號，1932、1933）、周鯁生〈東省事件與國際聯盟〉（《武漢大學社會科學季刊》2卷2-4期、3卷2-3期，民20年6、9、12月，21年6、9月）、卞直甫、王駒〈國際聯盟與〝九一八〞事件〉（《社會科學輯刊》1992年4期）及〈國際聯盟對〝九·一八〞事變的態度〉（載《遼寧省社會科學院學術論文選（歷史分冊）》，瀋陽，1982）、趙東輝〈〝九一八〞事變期間中日兩國在國聯的外交鬥爭〉（《齊齊哈爾師院學報》1995年5期）、王序《日本帝國主義進攻中國與國際聯盟》（上海，崑崙書店，民20）、王造時《國際聯盟與中國問題》（上海，新月書店，民21）、鮑德澂編譯《國際處理中日事件之經過》（南京，南京書店，民21）、國民黨黨史會編印《革命文獻·第39、40輯：日本侵華有關史料－中日事件與國際聯盟》（2冊，臺中，民55）、楊炯光《一年中國國際聯盟處理中日糾紛之經過》（中國國民黨北寧鐵路特別黨部籌備委員會，民21）、高宗武〈國聯處置東北事件之經過〉（《日本評論》1卷3期，民21年10月）、劉建武〈有關日本侵占東北後國際聯盟調處的幾個問題〉（《抗日戰爭研究》1992年1期）、于培九〈國聯調處中日問題記〉（《外交月報》1卷5期、2卷2-4期，民21年11月、22年2-4月）、俞辛焞〈「九一八」事變後國聯與中日外交的二重性評析〉（《抗日戰爭研究》1993年3期；亦載《日本侵華研究》16期，1993年11月）、關靜雄、堀口良一〈イアニ・ニツジコ「國際協調主義と格鬥する日本」に見る「滿洲事變」への國際連盟の對應〉（《帝塚山論集》80號，1994年3月）、于永志〈〝九·一八〞事變後國民黨倚賴國際聯盟的騙局及其破產〉（《史學月刊》1963年1期）、一又正雄〈國際連盟における滿洲事變および上海事件處理の概觀－故杉村陽太郎大使を追慕しつつ〉（載《現代中國を繞る世界の外交》，東京，野林書店，1951）、立作太郎〈最近滿洲事件と國際聯盟規約〉（《國家學會雜誌》46卷1號，1932）、黃淑賢編著《國際聯盟與中日戰爭》（重慶，獨立出版社，民28）、金問泗〈舊國聯如何受理我國對日本的聲訴〉（《傳記文學》9卷5-6期，10卷1、3、4期，民55年11-12月、56年1、3、4月）、竹島作造〈上海停戰會議と聯盟調查團の入滿〉（《プロレタリア科學》4卷8號，1932）、王奉瑞〈九一八事變與國聯調查團〉（《東北文獻》2卷2期，民60年11月）、張洪祥〈〝九一八〞事變與李頓調查團〉（《南開史學》1982年1期）、顧瑩惠〈李頓調查團始末〉(《民國春秋》1988年3期)、林白城〈反對〝國聯調查團〞來華〉(《東方青年》2卷5期,民21)、王文彬〈〝國聯〞調查團採訪記〉(《新聞研究資料》總15輯,1982)、張誠鑒〈國際調查團的來華及其顛倒是非的報告〉(《史學月刊》1960年1期)、周美雲〈重評李頓調查團報告書〉(《安徽師大學報》1992年3期);《國聯調解東北經過報告書全文合編》(上海,文華美術圖書公司)、中日問題研究社編《李頓報告書批判》(上海,光明書局,民21)、夢蝶《國聯調查團報告書之批評》(舊金山,世界日報社,1932)、李泰初、徐家錫編《國聯報告書及其批評》(廣州,晨報,民21)、中華民國國難救濟會編《國聯調查團報告書及其批評》(出版時地不詳)、馮玉祥《反國聯調查團報告書》(同上);《國聯調查團報告書評議》(同上)、民生編輯社編《報告國聯委員會調查團意見書》(上海,編者印行,民21)、九一八學會編印《九一八學會對於國聯調查團報告書之意見》(民21年出版)、周天啟〈我國對於國聯調查團解決東案意見應取之態度〉(《行健月刊》1卷2期,民21)、傅堅白〈國聯報告書草案述評〉(《時事月報》8卷3期,民22年3月)、周鯁生〈國聯調查團報告書〉(《武漢大學社會科學季刊》3卷1期,民21年9月)、陳民耿等〈國聯調查團報告書書後〉(《時事月報》7卷5期,民21年11月)、雷震〈國聯調查團報告書駁議〉(《日本評論》1卷3、4期,民21年10月、22年3月)、梁作民〈國聯調查團報告結論之質疑〉(《海外月刊》第3期,民21年11月)、趙明高〈國聯調查團報告書不足以救中國〉(《時事月報》7卷5期,民21年11月)、龔德柏〈評國聯調查團報告書〉(《日本評論》1卷3期,民21年10月)、劉百閔〈滿紙荊棘

和矛盾的李頓報告書〉（同上）、朱契〈對於國聯調查團報告書之批評〉（《時事月報》7卷5期，民21年11月）、陳長蘅〈對於國聯調查團報告書之總評與建議〉（同上）、羅鴻詔〈讀李頓調查團報告書後〉（《日本評論》1卷3期，民21年10月）、榛原茂樹〈リットン最終報告の預測〉（《東亞》5卷8號，1932）、大西齊〈リットン報告と聯盟の死沽〉（《東亞》5卷11號，1932）、松原一雄〈リットン報告と日本モンロ一主義〉（同上）、三枝茂智〈「リットン報告」の教訓〉（《東亞》6卷1號，1933）、神川松彥〈リットン報告における解決案の批判〉（《國家學會雜誌》46卷11號，1932）、神田正雄《リットン報告書全文解剖》（東京，海外社，1932）、外務省情報部〈「リットン報告書」批判〉（《國際事情》341、342號，1932）、羅學濂〈李頓報告書述評〉（《日本評論》1卷3期，民21年10月）、鮑夢超輯〈李頓報告書發表後之各方態度與意見〉（同上）、袁道豐〈李頓報告書發表後之國聯會議〉（《時事月報》8卷1期，民22年1月）、米田實〈國際聯盟・日本・滿洲國〉（《經濟往來》7卷11號，1932）、臼井勝美《滿洲國と國際連盟》（東京，吉川弘文館，1995）、浮田和民《滿洲國獨立と國際聯盟》（東京，早稻田大學，1932）、張松筠〈國聯不承認偽國與今後之中日外交〉（《外交月報》3卷4期，民22年10月）、立作太郎〈滿洲國不承認に關する國際聯盟機關の議決の效力〉（《國際法外交雜誌》35卷4號、35卷6號，1936）、內山正熊〈滿洲事變と國際聯盟脱退〉（載《滿洲事變》，日本國際政治學會，1970）及〈國際連盟脱退の由來〉（《法學研究（慶應大學）》40卷10號，1967）、國民黨黨史會編印《革命文獻・第39-40輯：日本侵華有

關史料—中日事件與國際聯盟》（臺中，民55）、中華民國外交問題研究會編印《中日外交史料叢編之3—日本製造偽組織與國聯的制裁侵略》（臺北，民55）、向井章〈國際聯盟の指導精神と滿洲國問題〉（《東亞經濟研究》16卷2號，1932）、王冷樵〈東北問題在日內瓦會議中的經過和教訓〉（《外交月報》2卷3期，民22年3月）、徐宗士〈十九國委員會調解中日糾紛及起草報告書之經過〉（《時事月報》8卷3期，民22年3月）。

其他與九一八事變相關的論著和資料尚有丁作韶〈「九一八」瀋陽來去〉（《東方雜誌》復刊2卷11號，民58年5月）、中塚明〈朝鮮支配の矛盾と「滿洲事變」〉（《季刊現代史》第1號，1972年11月）、馬場明〈滿洲事變と犬養內閣〉（《國史學》92號，1974年1月）、董偉〈〝九·一八〞事變與戰前日本政治〉（《學習與探索》1994年4期）、周丹（Donald A. Jordan）〈九一八事變前中日謀和的努力〉（載《中華民國建國八十年學術討論集》第2冊，民80）、方慶秋〈「九一八」前後的中日關係〉（載《第三屆近百年中日關係研討會論文集》上冊，民85年3月）、伊原澤周〈「九一八」事變前後的中日關係〉（《日本侵華研究》16期，1993年11月）、明明〈「九一八」以後中日的外交關係與今後的華北問題〉（《政治月刊》1卷4期，民23年7月）、Huang Tzu-chin（黃自進），“Sino-Japanese Peace Negotiations Over the Mukden Incident.”（Sino-Japanese Studies, Vol.5, No2, April 1993）、臼井勝美〈滿洲事變と幣原外交〉（《筑波法政》第1號，1978年3月）、俞辛焞〈滿洲事變と幣原外交〉（《日本史研究》253號，1983年9月）、山村文人〈林久治郎遺稿「滿洲事變と奉天總領事」について—その日本政治批判と中國觀〉(《國史學》109號,1979年10月)、丁果〈〝九·一八事變〞與《朝日新聞》:〝七·七〞事變五十周年代祭〉(《外國問題研究》1988年3期)、黃自進〈滿洲事變と中國國民黨－諸政治集團間の相克と協調〉(收入中村勝範編《滿洲事變の衝擊》,東京,勁草書房,1996)、姬田光義〈滿洲事變と中國共產黨〉(載《滿洲事變(國際政治43號)》,東京,日本國際政治學會,1970)、岡本宏〈滿洲事變と無產政黨〉(同上)、姚守真、齊欣〈國共合作的分裂與〝九一八〞事變〉(《遼寧大學學報》1993年5期)、張榮華〈國共兩黨對〝九一八〞、〝七七〞兩事變的立場〉(《華東石油學院學報》1987年3期)、陳世英、王叔宜〈〝九一八〞前後的關門主義和共產國際〉(《北京師院學報》1987年1期)、橫田喜三郎〈滿洲事變とフーヴアー主義〉(《國際法外交雜誌》32卷1號,1933)、拇井義雄〈滿洲事變と三井財閥－山本條太郎·森恪との關係を中心に〉(《社會科學年報》第6號,1972年3月)、Sandra Wilson, "The Manchurian Crisis and Moderate Japanese Intellectuals: The Japan Council of The Institute of Pacific Relations." (Modern Asian Studies, Vol. 26, Part3, 1992)、馬場明〈滿洲事變と外務省考查部問題〉(《季刊國際政治》37號,1968年10月)、荒川久壽男〈滿洲事變及び支那事變－その外交史的一考察〉(《神道史研究》15卷5、6號,1967年12月)、橫田喜三郎〈滿洲事件と國際法〉(《國際法外交雜誌》31卷4號,1933)、江口圭一〈滿洲事變と大新聞〉(《思想》583號,1973年1月)及〈滿洲事變と民眾動員－名古屋市を中心として〉(載古屋哲夫編《日中戰爭史研究》,東京,吉川弘文館,1984)、副島昭一

〈中國の不平等條約撤廢と「滿洲事變」〉(同上)、解學詩〈〝九·一八〞事變與滿鐵〉(《社會科學戰線》1991年4期)、陳暉〈九一八事變與中日貿易〉(《外交月報》4卷6期,民23年6月)、松澤哲成〈滿洲事變と「民族協和」運動〉(載《滿洲事變》,東京,日本國際政治學會,1970)、江良弘〈「滿洲事變」と中國民眾の抵抗〉(《季刊現代史》創刊號,1972)、明石陽至〈南洋華僑と滿洲事變〉(《東南アジア:歷史と文化》第1號,1971年10月)、吳劍雄〈九一八事變前後美國華人的愛國運動〉(《海外華人研究》第1期,民78年6月)、吳天威〈蔣介石與「九一八」事變〉(《日本侵華研究》第7期,1991年8月)、楊天石〈九一八事變後的蔣介石—讀蔣介石《日記類鈔》〉(載《慶祝抗戰勝利五十週年兩岸學術討論會論文集》,臺北,民85)、孫向遠、孟森〈〝九·一八〞事變前後的蔣介石和張學良〉(《遼寧大學學報》1991年6期)、俞辛焞〈九一八事變時期的張學良和蔣介石〉(《抗日戰爭研究》1991年1期)、呂正操〈九一八事變與張學良將軍〉(同上,1991年2期)、張德良〈張學良與〝九·一八〞事變〉(《社會科學輯刊》1991年5期)、魚汲勝〈九一八事變60周年之際試評張學良將軍當年對日寇〝不抵抗的抵抗〞〉(《遼寧師大學報》1991年5期)、〈〝不抵抗將軍〞的罵名可以休矣—重評九·一八事變時期的張學良〉(《學術研究叢刊》1992年3期)、李鐵民〈「九一八」與張學良〉(《民潮》1卷4期,民32年9月)、潘喜廷〈九一八事變與張學良將軍〉(載《遼寧省社會科學院學術論文選(歷史分冊)》,瀋陽,1982)、夏敬山〈〝九·一八〞事變與張學良將軍〉(《方志研究》1993年2期)、楊世谷〈〝九一八〞事變張學良東北撤軍之我見〉（《青年工作論壇》1991年3期）；〈張學良關於九一八事變所發密電〉（《北京檔案史料》1991年3、4期）、李德民〈九一八事變時東北三省面積考〉（《近代史研究》1990年3期）、劉祖蔭〈九一八事變的關外東北軍有19萬：我的一點考據〉（《黨史縱橫》1994年8期）、P·A·米羅維茨卡婭著、王武選譯、曹世杰校〈〝九一八〞事變後的中蘇關係〉（《民國檔案》1992年2、3期）、李嘉谷〈九一八事變後中蘇關係的調整〉（《抗日戰爭研究》1992年2期）、胡充寒〈試析九一八事變後蘇聯對蔣介石政府政策的調整〉（《湘潭大學學報》1992年3期）、李嘉谷〈〝九一八〞事變後中蘇復交經過〉（《民國春秋》1992年3期）、賀軍〈九一八事變與中蘇復交〉（《南京大學學報》1987年1期）、熊志男〈九·一八事變後南京政府的對美外交〉（《外交學院學報》1990年3期）、吳垂昆〈從九一八到抗戰勝利〉（《中外雜誌》42卷2期，民76年7月）、張振鵾〈從九一八、一二八到七七、八一三〉（《抗日戰爭研究》1992年1期）、沙古丁〈從〝九一八〞到〝七七〞史的研討〉（《戰地》3卷4、5期，民28年9月）、石秦〈從〝九一八〞到〝雙十二〞〉（《群衆》2卷36期，1948年9月）、周希奮〈從柳條溝到盧溝橋：淺論經濟危機與日本全面侵華〉（《暨南學報》1987年3期）、張春風〈李杜將軍談〝九一八〞秘史〉（《宇宙風》151期，36年6月）、胡德坤〈「九·一八」事變與綏靖政策〉（《武漢大學學報》1979年3期）、王大任〈東北學界與九一八事變〉（《近代中國》85期，民80年10月）、梁肅戎〈九一八事變前後中國國民黨人在東北的活動〉（同上）、梅佳等選編〈九一八事變後中國紅十字會北平分會組織救護隊赴遼經過情形〉

（《北京檔案史料》1993年3期）、陳九如〈〝九一八〞事變與日本的戰爭責任〉（《山東師大學報》1995年增刊）、熊沛彪〈滿洲事變期における日本對東アジア政戰略の變遷〉（《法研論集（早稲田大學）》75號，1995年10月）、鄭麗榕《九一八時期上海的對日經濟絕交運動》（政治大學歷史研究所碩士論文，民78）、守屋敬彥〈滿洲事變勃發直後の上海市における排日・排日貨運動〉（《史朋》25號，1990）、廣德明〈〝九・一八〞事變後的抗日民主運動〉（《理論探討》1993年6期）、賀新城〈論九一八事變後的中國統一問題〉（《抗日戰爭研究》1994年1期）、唐德剛〈從「九一八」看二次大戰的必然性〉（《日本侵華研究》第2期，1990年5月）、歐正文〈第二次世界大戰應以〝九・一八〞事變為起點〉（《河南師大學報》1982年4期）、孫禮剛〈論〝九・一八〞事變能否成為二戰起點〉（《東疆學刊》1988年3期）、劉士田〈第二次世界大戰起點〝九・一八〞和〝七・七〞說質疑〉（《河北師院學報》1991年2期）、陳智杰〈抗日戰爭的起點應是九一八事變〉（《南通師專學報》1989年3期）、柳茂坤〈試論抗日戰爭發端於〝九一八〞的歷史根據〉（《檔案史料與研究》1995年3期）、郭德宏〈抗日戰爭起點與〝九一八〞事變後中國社會主要矛盾研究述評〉（《黨史研究與教學》1995年3期）、陳顯泗〈第二次世界大戰不宜以〝九・一八事變〞而應以〝七・七事變〞為起點〉（《鄭州大學學報》1983年3期）、B.魯納奇〈1931年日本對中國的進攻是第二次世界大戰的序幕〉（《軍事歷史》1994年1期）、郎維成〈〝九・一八〞事變的教訓〉（《東北師大學報》1991年5期）、方衡等〈九一八事變的歷史教訓〉（《西南民族學院學報》1983年3

期）、陳瑞雲〈〝九·一八〞事變的歷史教訓〉（載《吉林大學社會科學論叢（歷史專輯）》，長春，1979）、陳崇橋、胡玉海〈〝九·一八〞事變的教訓與啟示〉（《社會科學戰線》1991年4期）、于斌〈九一八事變的影響及其歷史教訓〉（《東北文獻》2卷2期，民60年11月）、鄭德榮、吳敏先〈九一八事變的歷史啟迪〉（《革命春秋》1991年4期）、胡喬木〈九一八事變的歷史意義〉（《抗日戰爭研究》1991年2期）、何矧堂〈〝九一八〞的歷史意義〉（《現代華僑》2卷6期，民30年8月）、沙林〈〝九·一八〞的歷史意義〉（《現代青年》2卷5期，民29年9月）、于斌〈東北事變四十周年紀念的意義〉（《文藝復興》22期，民60年10月）、陳紀瀅〈九一八事變前後〉（《東北文獻》12卷1期，民70年9月）、向慕〈從「九一八」想到張漢卿〉（同上，12卷3期，民71年3月）、水野明〈紀念「滿洲事變」六十周年〉（《日本侵華研究》第7期，1991年8月）、王榮堂〈居安思危，勿忘國恥：紀念〝九一八〞事變六十周年〉（《瀋陽師院學報》1991年4期）、王樹才〈前事不忘，後事之師：〝九·一八〞事變六十周年〉（《平原大學學報》1991年3期）、赫中治〈勿忘〝九·一八〞牢記國恥日：紀念〝九·一八〞事變65周年〉（《阜新社會科學》1996年4期）、謝勁健〈九一八後日本對於東北之侵略〉（《外交評論》3卷1期，民23年1月）、彭明生〈殖民地的樊籠－日本統治東北手法述略之一〉（《承德師專學報》1993年1期）及〈奴隸的枷鎖－日本統治東北手法述略之二〉（同上，1993年2期）、殷相國〈論〝九·一八〞事變後中國殖民地半殖民地經濟及其危機〉（《革命春秋》1993年3期）、錢亦石〈九一八後日本在華經濟勢力的進展〉（《申報月刊》3卷9期，民23年9月）、劉燧元〈「九一八」以後日本與英美在中國市場之競爭〉（《民族》2卷5期，民23年5月）、孔經緯、王連忠、孫建華〈九一八事變後日本對奉系軍閥官僚資本的侵掠〉（《抗日戰爭研究》1996年2期）、胡鳴龍〈九一八後日人對東北之經濟侵略〉（《新亞細亞》9卷2期，民24年2月）、朱紹文〈論〝九·一八〞事變後日本帝國主義對我東北經濟的瘋狂掠奪〉（《教學與研究》1991年2、3期）、高秀清〈〝九·一八〞後日本對中國東北經濟侵略論析〉（《社會科學戰線》1993年5期）、陸仰淵〈〝九·一八〞後日本對中國東北的經濟掠奪〉（《學海》1991年4期）、大為〈九一八後日人經濟宰割下的東北〉（《外交月報》6卷1期，民24年1月）、曹必宏〈〝九一八〞後日本嗾使偽〝滿〞掠奪東北海關始末〉（《檔案史料與研究》1992年1期）、瓦德〈九一八後日本在滿權利及人口問題〉（《外交月報》6卷4期，民24年4月）。吳振漢〈九一八事變以來東北人士的流亡意識〉（《國立中央大學人文學報》第9、10期，民80年6月、81年6月）、邱錢牧〈試論〝九一八〞後民族資產階級政治態度的轉變〉（載《中國現代史百題》，湖南人民出版社，1987）、楊國東〈〝九·一八〞事變後民族資產階級的政治主張及其影響〉（《遼寧大學學報》1992年6期）、陳瑞雲〈九一八事變後南京政府的分化與改組〉（《史學集刊》1993年1期）、陸大鉞〈九一八事變後國民政府調整兵工事業述論〉（《抗日戰爭研究》1993年2期）、劉淑萍〈關於〝九·一八〞事變後黨對全國抗日救亡運動領導問題的辨正〉（《丹東師專學報》1994年2期）、陳少暉、周巍〈〝九·一八〞事變後的中國共產黨和地方實力派〉（《學術論壇》1993年5期）、張澤民〈托派漢奸與〝九·一八”以後國內三個政治事件關係的考察〉（《河南師大學報》1993年3期）、郭學旺〈〃九·一八事變”後日本對臺灣經濟掠奪重點的轉變〉（《臺灣研究》1995年3期）、史桂芳〈試析九一八事變後日本國內的〃侵華排外”狂潮〉（《黨史研究資料》1993年3期）、湯麗霞〈〃九·一八”事變後新桂系政治態度的變化〉（《社會科學戰線》1992年2期）、徐輝琪〈〃九·一八”事變與李烈鈞〃開放政權”〉（《近代史研究》1992年1期）、朱玉湘、劉培平〈論〃九一八”事變後東北地區的關內移民〉（《近代史研究》1992年3期）。

關於九一八事變後東北軍民的抗日行動有余貽澤編《東北失陷與抵抗》（上海，文華美術圖書公司，民22）、閻寶航等著、東北難民救濟會編印《東三省義民血戰記》（上海，民21）、楊瑰珍〈九一八事變及東北人民抗日鬥爭述評〉（《松遼學刊（四平師院學報）》1996年1期）及〈〃九·一八”事變及東北人民抗日鬥爭史回顧〉（《長白學刊》1995年4期）、徐首軍、孫鳳雲、施振興〈〃九一八”事變後東北人民抗日鬥爭的興起〉（《北方論叢》1979年1期）、李鴻文主編《東北抗日鬥爭史論叢》（長春，吉林社會科學院出版社，1983）、孔令波〈我國東北地區抗日鬥爭的歷史意義〉（《中國軍事科學》1991年3期）、陳志貴〈馬占山與江橋抗戰〉（《齊齊哈爾師院學報》1982年1期）、郎郡先〈馬占山江橋抗戰及其他〉（《綏化師專學報》1984年1期）、李潤〈馬占山與江橋抗戰〉（同上，1995年3期）、通途〈馬占山與江橋抗戰：義勇軍鋒芒初露〉（《東北民兵》1986年1期）、孔令波〈關於江橋抗戰的若干問題〉（《黑龍江史志》1990年5、6期）及〈論江橋抗戰的歷史意義〉(《龍江黨史》1990年6期)、王衛國、關琦〈論江橋抗戰的歷史意義〉(《齊齊哈爾師院學報》1995年5期)、宛晞山等〈試談江橋抗戰的始末及其歷史地位與作用〉(《龍江黨史》1991年5期)、周喜峰〈試論江橋抗戰在世界法西斯戰爭中的地位和影響〉(同上)、遼寧省檔案館〈馬占山江橋抗戰電報選〉(《歷史檔案》1985年4期)、王鴻賓、王秉忠〈略論江橋抗戰及馬占山將軍其人〉(《北方論叢》1981年4期)、王中興〈浴血江橋一打響中國抗日第一槍的馬占山〉(《軍事歷史》1995年1期)、李青〈馬占山打響中國抗戰第一槍〉(《黨史博采》1995年7、8期)、張鳳蘭〈從馬占山與張學良的往復《密電》看江橋抗戰〉(《東北地方史研究》1986年4期)、栗直〈馬占山和江省之戰〉(《中外雜誌》12卷1期,民61年7月)、劉邦厚、裴林〈評馬占山的抗日活動〉(《學習與探索》1981年5期)、常誠〈馬占山〉(《東北師大學報》1981年2期)、王鴻賓等《馬占山－東北抗日將領》(哈爾濱,黑龍江人民出版社,1985)、夢蝶編《馬占山龍江血戰記》(編者印行,民20)、黑龍江省政協文史資料研究委員會《馬占山將軍》編寫組《馬占山將軍》(北京,中國文史出版社,1987)、立花丈平《馬占山將軍傳一東洋のナポレオン 》(東京,德間書店,1990)、李鍾華《馬將軍占山正傳》(民20年出版);愛國書局編輯《馬占山將軍血戰史》(上海,編輯者印行,出版年份不詳)、栗直〈馬占山將軍傳〉(《東北文獻》創刊號,民59年3月)、楊子忱〈馬占山:從占山響馬到抗日名將〉(《黨史文匯》1995年6期)、都興智〈抗日名將馬占山〉(《人物》1995年2期)、馬玉文〈我的父親馬占山〉(《傳記文學》62卷4期,民82年4月,亦載《東北文獻》24卷1期,民82年

9月）、劉健群原作〈馬占山投效蔣委員長及中央的經過（節錄）—馬占山將軍親送〝蘭譜〞與我〝拜把子〞結異性兄弟追記〉（同上）及〈回憶馬占山將軍〉（同上，1卷4期，民51年9月）、尹雪曼譯〈馬占山戲劇化的抗日行動—上海密勒氏評論報主持人鮑惠爾回憶錄之十八〉（《傳記文學》17卷6期，民59年12月）、徐棻《馬占山將軍抗日戰》（北平，中北印刷局，民22）、劉書良《黑土驍將：抗戰中的馬占山將軍》（北京，中共中央黨校出版社，1995）、溫永錄〈馬占山在抗日戰爭中的作用〉（《社會科學動態》1985年11期）、陳志山翻譯《馬占山と滿洲》（東京，エイジ出版，1990）、松井仁夫《幻の惑星馬占山—滿洲建國の記錄》（東京，大湊書房，1977）、郎萬法〈民族英雄馬占山〉（《中外雜誌》58卷2-5期，民84年8-11月）、師哲原作〈在蘇聯如何安置在困境中的馬占山〉（《傳記文學》62卷4期，民82年4月）、李炎武〈東北事變後馬占山將軍孤軍抗日部分函電往來之真迹〉（載《東北論文集》第5輯，臺北，中華大典編印會，民59）及〈馬占山將軍抗日戰爭函電真蹟〉（《東北文獻》3卷3、4期、4卷1、2期，民62年2、5、8、11月）、馬占山《九一八國難周年紀念日馬占山痛告國人書》（上海，黑龍江省政府駐滬通訊處，民21）、趙連泰等〈再評馬占山〝降日〞問題〉（《北方論叢》1984年4期）、王鴻賓、王秉忠〈馬占山真降質疑〉（《東北師大學報》1982年3期）、步兵第十五聯隊補充隊編印《馬占山軍潰滅戰》（1932年印行）、陳嘉驥〈記馬占山將軍重返東北〉（《傳記文學》21卷1期，61年7月）、宛文君〈論海滿抗戰〉（《齊齊哈爾師院學報》1995年5期）、蘇炳文〈1932年海拉爾、滿洲里抗戰始末〉（《文史集萃》總第2輯，1983）、孫玉玲

〈蘇炳文與海、滿抗戰〉（《東北地方史研究》1986年4期）、曹文奇編《興京抗日烽火》（瀋陽，遼寧人民出版社，1991）、魏福祥、潘喜廷〈〝九·一八〞事變後遼寧人民初期的抗日鬥爭〉（載《遼寧省社會科學院學術論文選（歷史分册）》，瀋陽，1982）、穆景元〈錦西人民殲滅日軍古賀騎兵隊始末〉（載《中日關係史論集》，長春，吉林人民出版社，1984）、鄧鵬〈東北淪陷初期黑龍江省愛國軍隊抗日鬥爭述略〉（同上）。東北民眾救國軍委員會編印《九一八與東北民眾救國軍》（民21年出版）、金大植〈試探"抗日救國軍"的發展過程〉（《延邊大學學報》1985年4期）、雲光俠編著《東北抗日救國血戰史》（民22年出版）、岩英《東北義勇軍戰史》（香港，宇宙出版社，1965）、雷丁《東北義勇軍運動史話》（上海，天馬書店，民21）、陳彬和編《東北義勇軍（第1集）》（上海，日本研究社，民21）、東北民眾抗日救國會編《東北義勇軍概況》（編者印行，民21）、馬占山編《東北義勇軍的活躍》（上海，明明書局，出版年份不詳）、于友等《東北抗日義勇軍》（戰時出版社，出版年份不詳）、東北義勇軍總司令部編印《東北義勇軍抗日血戰記》（民23年出版）、溫永錄主編《東北抗日義勇軍史》（哈爾濱，黑龍江人民出版社，1985）、泳吉《義勇軍》（上海，現實出版社，民26年再版）、來敏樹編著《義勇軍（抗戰事跡）》（重慶，正中書局，民27）、國史館編印《東北義勇軍》（臺北，民70）、劉建華述、祁學玲記輯《東北義勇軍與抗戰》（臺北，老古出版社，民72）、潘喜廷、卞直甫、趙長碧、王秉忠《東北抗日義勇軍史》（瀋陽，遼寧人民出版社，1985）、元仁山《東北義勇軍》（哈爾濱，黑龍江人民出版社，1982）、趙侗《東北義勇軍》（出版時地不詳）、柳仁編《統一戰線後的東北義勇軍》（上海，時事新聞刊行社，民26）、朴宣泠《東北義勇軍之研究（1931-1933）》（臺灣師範大學歷史研究所碩士論文，民82年6月）、綠陰書房編《秘暴徒檄文集－抗日義兵鬥爭史料》（東京，編者印行，1995）、譚譯主編《東北抗日義勇軍人物志》（2冊，瀋陽，遼寧人民出版社，1987）、馬書慧〈東北抗日義勇軍著述研究述評〉（《黨史縱橫》1995年11期）、李秉剛〈試論東北抗日義勇軍對全國人民反日鬥爭的影響〉（《遼寧大學學報》1987年5期）、王鴻賓、王秉忠〈東北義勇軍的抗日鬥爭〉（《社會科學輯刊》1981年1期）、朱理峰〈東北抗日義勇軍的崛起和失敗〉（《龍江社會科學》1994年5期）、中野克也〈中國東北における東北義勇軍の抗日武裝鬥爭〉（《歷史研究（大阪教育大學）》20卷，1982年6月）、孔令波〈關於東北抗日義勇軍前期鬥爭結論始末〉（《東北地方史研究》1992年2、3期）及〈對東北抗日義勇軍人數為55萬的論證〉（同上，1992年1期）、蘇啟明〈東北義勇軍與抗日〉（載軍史研究編纂委員會編《抗戰勝利四十週年論文集》上冊，臺北，黎明文化事業公司，民75）、村田孜郎著、高璘度譯〈日本人眼中的東北義勇軍〉（《時事類編特刊》第1期，民26年9月）、石嘯沖〈戰鬥中的東北義勇軍〉（同上，48、49期，民29年3月）、侯明〈抗暴不已的東北義勇軍〉（《奮鬥》21期，民27年4月）、王成聖〈記東北義勇軍〉（《東北文獻》1卷4期，民60年5月）、黃恒浩〈東北義勇軍〉（同上，5卷1、2期，民63年8、11月）及〈東北義勇軍四年〉（同上，5卷4期、6卷1-4期、7卷1-4期、8卷1-4期，民64年5、8、11月、65年2、5、8、11月、66年2、5、8、11月、67年2、5月）、趙尺子〈九一八事變初期的東北義勇軍〉（《東北文獻》2卷1期，民60年8月）、顧耕野〈九一八事變與東北義勇軍〉（同上，11卷1期，民69年8月）、柳棠〈東北義勇軍運動之現勢〉（《新中華》2卷20期，民23年11月）、寒青〈東北義勇軍運動之歷史的考察〉（同上）、杜艷華〈論東北抗日義勇軍的歷史地位〉（《龍江黨史》1991年6期）、高雲凌〈東北抗日義勇軍在抗日戰爭中的歷史地位〉（《黑河學刊》1995年6期）、張鋪麟〈簡述東北抗日義勇軍—紀念〝九·一八〞五十五周年〉（《學術研究叢刊》1986年4輯）、沈述〈老北風和他的抗日義勇軍〉（《社會科學輯刊》1985年1期）、李社〈東北義勇軍之過去與現在〉（《國訊旬刊》248期，民29年9月）、敬〈由東北義勇軍的現狀說到華北前途〉（《先導》1卷2期，民22年1月）、李士龍〈東北抗日義勇軍與東北抗日聯軍〉（《歷史大觀園》1987年11期）、卞直甫〈東北抗日義勇軍的愛國精神述略〉（《錦州師院學報》1985年1期）、穆景元〈抗日義勇軍襲擊大凌河車站始末〉（同上，1984年2期）、王駒〈遼寧義勇軍攻打瀋陽初探〉（《社會科學輯刊》1986年2期）、王忠瑜〈義勇軍攻打瀋陽城〉（《炎黃春秋》1995年4期）、李萬武〈錦州義勇軍歷史面貌與有關書刊記述之間的矛盾〉（《錦州師院學報》1984年11期）、黃宇宙〈張學良與遼東抗日義勇軍〉（《縱橫》1991年6期）、穆景元〈遼西義勇軍收復錦州私義縣的戰鬥始末〉（《錦州師院學報》1990年1期）、杜尚俠、沈一言〈遼南抗日義勇軍的活動〉（《東北地方史研究》1989年4期）、郭文魁等〈活動在哈東地區的抗日義勇軍〉（《黑龍江文物叢刊》1982年2輯）、張世杰〈吉林抗日義勇軍簡述〉（《博物館研究》1987年1期）、霍燎原〈吉林義勇軍抗戰述略〉（《社會科學戰線》1985年4期）、黑龍江省政協文史資料研究委員會編《義勇軍松江浴血（即《黑龍江文史資料・第21輯》）》（哈爾濱，黑龍江人民出版社，1986）、王希亮〈吉黑義勇軍聯合反攻哈爾濱評述〉（《學習與探索》1988年2期）及〈試論東北抗日義勇軍中的綠林武裝〉（《朝陽師專學報》1985年2期）、卞直甫〈東北軍與東北抗日義勇軍〉（《社會科學輯刊》1993年6期）、王漢鳴、劉庭華〈共產黨領導的抗日武裝不屬於義勇軍嗎？〉（《史學月刊》1991年3期）及〈關於中國共產黨領導的東北抗日武裝與義勇軍關係問題的商榷〉（《軍事歷史》1991年1期）、許慶昌〈〝九一八〞後黨對東北義勇軍的工作〉（《黨史研究》1986年2期）、王希亮〈試論東北義勇軍的抗日活動及其歷史地位〉（《社會科學輯刊》1988年1期）、孔令波〈東北義勇軍在熱察地區抗日活動〉（《東北地方史研究》1988年3期）、卞直甫〈東北抗日義勇軍失敗原因初探〉（《北方論叢》1984年6期）、永濤等〈也談東北抗日義勇軍的失敗原因〉（《黨史縱橫》1990年3期）、于溶春〈東北抗日義勇軍在新疆〉（《西域研究》1993年4期）、王鴻賓、王秉忠〈東北義勇軍入疆餘部的結局〉（《社會科學輯刊》1983年6期）、高樹橋《血肉長城》（北京，解放軍出版社，1986）、全書分上下兩篇，上篇敍述東北抗日義勇軍的發展過程及其英雄業績，下篇敍述東北抗日聯軍艱苦卓絕的戰鬥歷程。

馮仲雲《東北抗日聯軍十四年奮鬥簡史》（遼寧建國書社，民35）及《東北問題（第2集）—東北抗日聯軍十四年苦鬥簡史》（東北書店，民35）、徐首軍《東北抗日聯軍的鬥爭》（哈爾濱，黑龍江人民出版社，1986）、李惠《東北抗日聯軍鬥爭史簡編》（北京，解放軍出版社，1987）、東北抗日聯軍史料編寫組《東北抗日聯軍史料》（2册，北京，中共黨史資料出版社，1987）、王明閣等編著《東北抗日聯軍鬥爭史略：初稿》（哈爾濱，哈爾濱師大《北方論叢》編輯部，1980）、東北抗日聯軍鬥爭史編寫組編《東北抗日聯軍鬥爭史》（北京，人民出版社，1991）、孫鳳雲《東北抗日聯軍鬥爭史》（哈爾濱，黑龍江人民出版社，1991）、高樹橋《東北抗日聯軍後期鬥爭史》（瀋陽，白山出版社，1993）、彭施魯《我在抗日聯軍十年》（長春，吉林教育出版社，1992）、于蘭閣〈一份特急情報—東北抗聯回憶錄〉（《北疆》1982年4期）、李忠義〈首戰富錦，小濱喪膽—東北抗聯回憶錄〉（同上）、劉鐵石〈在國難當頭之際—抗聯回憶錄〉（同上，1982年1期）、孫繼英、周興、宋世章《東北抗日聯軍第一軍》（哈爾濱，黑龍江人民出版社，1986）、陳炎、孔令波〈東北抗日聯軍第一軍〉（《東北地方史研究》1989年2期）及〈抗日聯軍第一軍作戰的主要經驗〉（《黨史縱橫》1989年6期）、霍燎原、于文藻、呂永華《東北抗日聯軍第二軍》（哈爾濱，黑龍江人民出版社，1987）、楊全興〈東北抗日聯軍第二軍—東北抗日聯軍史研究系列文章之二〉（《東北地方史研究》1989年3期）、霍燎原〈東北抗日聯軍第二軍的建立和發展〉（《學術研究叢刊》1980年1輯）及〈試論東北抗日聯軍第二軍的組成、特點及歷史作用〉（同上，1984年4期）、劉楓《東北抗日聯軍第三軍》（哈爾濱，黑龍江人民出版社，1986）、陳炎、楊金高〈東北抗日聯軍第三軍〉（《東北地方史研究》1989年4期）、康俊峰〈抗聯三軍後方基地金高麗溝考察瑣記〉（《龍江黨史》1994年2期）、龔惠、馬彥文《東北抗日聯軍第四軍》（哈爾濱，黑龍江人民出版社，

1986）、李延祿述、駱賓基整理《過去的年代：關於東北抗聯四軍的回憶》（同上，1979）、陳炎、楊金高〈東北抗日聯軍第四軍〉（《東北地方史研究》1990年2期）、孫杰《東北抗日聯軍第四軍》（巴黎，救國出版社，民25）、陳炎、孔令波〈東北抗日聯軍第五軍－東北抗日聯軍史研究系列文章之五〉（《東北地方史研究》1990年3期）、劉文新《東北抗日聯軍第五軍》（哈爾濱，黑龍江人民出版社，1985）、李荊璞〈憶抗聯五軍及一師的後勤工作〉（《龍江黨史》1992年2期）、吳國恩、孔令波〈略論東北抗日聯軍第六軍作戰的特點及經驗教訓〉（同上）、鄒晗〈抗聯第六軍攻打鶴崗煤礦前〉（《黑龍江文物叢刊》1981年3期）、吳國恩、孔令波〈東北抗日聯軍第六軍－東北抗日聯軍史研究系列文章之六〉（《東北地方史研究》1990年4期）、陳炎、楊金高〈東北抗日聯軍第七軍－抗日聯軍史研究之七〉（同上，1991年1期）、元仁山《東北抗日聯軍第七軍》（哈爾濱，黑龍江人民出版社，1986）、葉忠輝等《東北抗日聯軍第八、九、十、十一軍》（同上）、孔令波〈抗日聯軍第十軍－東北抗日聯軍史研究系列文章之八〉（《東北地方史研究》1991年2期）、蔣頌賢等〈東北抗日聯軍第十軍英勇鬥爭初探〉（《北方文物》1987年3期）、溫野《東北抗日聯軍第十一軍史》（哈爾濱，黑龍江人民出版社，1986）、盧連峰〈風雪征途：東北抗聯第十一軍西征記〉（《革命史資料》1983年10輯）、葉忠輝等《東北抗日聯軍第八十一軍》（哈爾濱，黑龍江人民出版社，1986）、紀雲龍編著《楊靖宇和抗日聯軍第一路軍》（東北書店，民35）、封志全主編《抗聯一路軍在濛江》（長春，吉林大學出版社，1990）、呂永華〈頑固的鬥爭，卓絕的鬥爭－東北抗日聯軍第一路軍第二、三方面軍抗戰評述〉(《空軍政治學院學報》1987年3期)、孫繼英譯〈東北抗日聯軍第一路軍主要領導人物的四封書信〉(《學術研究叢刊》1986年4輯)、張太勤、張俐勇〈東北抗聯三路軍朝陽山軍政幹校〉(《龍江黨史》1992年4期)、韓同艷〈東北抗日聯軍第三路軍的〝紅五月紀念運動〞〉(同上,1994年4、5期)、李惠〈關於東北抗日聯軍鬥爭史研究中的幾個問題的探討〉(《黨史研究》1986年3期)、施振興、徐首軍、孫鳳雲〈東北抗日聯軍的建立〉(《北方論叢》1979年2期)及〈東北抗日聯軍的發展〉(同上,1979年4期)、李鴻文〈關於東北抗日聯軍組成決定的考訂〉(《黨史研究》1982年6期)、孔令波〈東北抗日聯軍的建立及英勇鬥爭〉(《東北地方史研究》1986年2期)及〈東北抗日聯軍簡介〉(《黨史研究資料》1986年7期)、宋恩夫〈東北抗日聯軍〉(《歷史知識》1982年5期)、啟祥、頌賢〈東北抗日聯軍〉(《革命文物》1980年1期)、克辛〈東北抗日聯軍與民眾〉(《華美》1卷22期,民27年9月)、淑懿〈〝九一八〞與東北聯軍〉(《時代批評》4卷83期,民30年11月)、彭施魯〈1938年以後的東北抗日聯軍〉(《黨史通訊》1983年10期)、李鴻文〈東北抗聯各路西征述略〉(《革命春秋》1989年1期)、孫繼英〈略論抗聯第一軍第一師西征〉(《東北地方史研究》1986年3期)及〈東北抗聯一軍一師西征初探〉(《學術研究叢刊》、1985年3期)、孟慶亨、徐世杰〈黑龍江〝三肇事件〞始末:記抗聯十二支隊在〝三肇〞地區開展的抗日鬥爭〉(《理論探討》1987年4期)、任希貴〈東北抗聯在三肇地區的抗日鬥爭:〝三肇事件〞始末〉(《龍江黨史》1995年1期)、常好禮〈簡論東北抗日聯軍的戰略戰術〉(《龍江黨史》

1990年3期）、葉忠輝〈對東北抗聯後期戰略轉移問題的質疑〉（同上，1990年5期）、謝文〈東北抗日聯軍的戰略反攻〉（《軍事歷史》1995年6期）、霍燎原〈東北抗日聯軍在北滿西部地區的抗日鬥爭〉（《黑河學刊》1988年2期）、陳遼〈論東北抗日聯軍的失敗〉（《求索》1995年3期）、穆林、戚桂英〈東北抗日聯軍和游擊根據地的教育〉（《北方論叢》1989年3期）、沈濟文〈略論東北抗日聯軍的歷史作用及主要功績〉（《撫順社會科學》1994年10期）、戰辛等〈關於東北抗日聯軍在抗日戰爭中的歷史作用〉（《東北地方史研究》1985年3期）、徐首軍〈東北抗日聯軍在抗日戰爭中的地位和作用〉（《理論探討》1988年6期）、張慶峰、宋海瓊〈東北抗日聯軍在抗日戰爭中的艱苦鬥爭和卓越貢獻〉（《松遼學刊（四平師院學報）》1996年3期）、常好禮〈論東北抗日聯軍的歷史地位〉（《龍江黨史》1995年3、4期）、楊震編《東北抗日聯軍的過去·現在和未來》（漢口，大衆出版社，民27）、旅順民眾報社編印《東北抗日聯軍歷史真相》（民35年出版）、王駒〈東北救亡總會與東北抗日聯軍〉（《社會科學輯刊》1991年5期）、徐學新〈共產國際反法西斯統一戰線與東北抗日聯軍〉（《革命春秋》1989年3期）、蔣頌賢〈東北抗日聯軍〝八女投江〞的英雄事迹〉（《歷史教學》1981年10期）、潘振武〈化干戈為玉帛，開創抗日新局面一憶爭取東北抗日聯軍聯合抗日工作的片斷〉（《星火燎原》1982年4期）、蔣頌賢整理〈周保中回憶抗聯二三事〉（《黑龍江文物叢刊》1981年創刊號）、孔令波〈通輯路破襲戰—東北抗日聯軍戰史研究戰例之二〉（《東北地方史研究》1989年3期）、彭可時〈代馬溝伏擊戰—東北抗日聯軍戰史研究戰例之三〉（同上，

1989年4期）、〈大沙河戰鬥—東北抗日聯軍戰史研究戰例之四〉（同上，1990年2期）、楊金高〈馬家屯大戰鬥—東北抗日聯軍戰史研究戰例之七〉（《東北地方史研究》1991年2期）及〈東北抗日聯軍軍史研究戰例兩則〉（同上，1990年3期）、施彭魯〈在東北抗日聯軍的一段回憶—蘇聯北野營的五年〉（《軍史資料》1984年2期）及〈東北抗聯在蘇聯北部野營五年〉（《春秋》1989年2期）、王明貴〈東北抗聯人員去蘇聯整訓的經歷〉（《軍史資料》1985年7期）、趙國勤〈東北抗聯教導旅在蘇聯組建始末〉（《軍事歷史》1990年5期）、徐學新〈東北抗日聯軍培養幹部的途徑〉（《革命春秋》1993年2期）、孫繼英、呂永華〈東北抗日聯軍中的國際主義戰士福間一夫〉（《社會科學戰線》1987年4期）、袁鋒等〈東北抗日聯軍與少數民族〉（《中央民族學院學報》1985年3期）、劉淑敏〈論黨的抗日民族一戰線策略對東北抗日聯軍發展的歷史作用〉（《長春師院學報》1985年1期）、趙明〈試談小興安嶺抗聯密營的建立與作用〉（《龍江黨史》1994年4、5期）、李祐新〈東北抗日聯軍中的少年營〉（《青運史研究資料》1980年6期）、劉紀生〈東北抗日聯軍後勤保障工作研究〉（《黑龍江史志》1987年3期）、松五等著、夏行編《東北抗日聯軍游擊實錄》（上海，上海雜誌公司，民26）、李偉科〈楊靖宇領導的東北抗聯〉（《歷史教學》1991年9期）、陳遼〈論東北抗日聯軍的失敗〉（《求索》1995年3期）。

羅占元〈鄧鐵梅和他創立的東北民眾自衛軍〉（《遼寧大學學報》1980年5期）、卞直甫、馬淑媛〈抗日英雄鄧鐵梅與東北民眾自衛軍〉（《瀋陽師院學報》1986年3期）、楊尊聖〈東北民眾自衛軍通用鈔票考察散記〉（《中國錢幣》1986年4期）、朱祥豐、羅占元〈苗可秀和他創立的〝少年鐵血軍〞〉（《遼寧大學學報》1983年4期）、溫永錄〈中國共產黨的領導與東北抗日游擊戰爭〉（《社會科學輯刊》1988年3期）及〈中華民族自強自立精神的光芒：東北抗日游擊戰爭啟示錄〉（同上，1991年5期）、黃甲元〈南滿抗日游擊根據地問題的探討〉（《通化師院學報》1982年2期）、霍燎原〈簡述東滿抗日游擊隊的建立與鬥爭〉（《黨史研究》1984年2期）、關靜杰、張廣才〈試述1932-1933年盤石抗日游擊隊的創建〉（《龍江黨史》1996年3期）、孔令波〈東北抗日軍史略論〉（《軍事研究》1987年4期）、趙尺子〈記東北國民救國軍〉（《東北文獻》創刊號，民59年3月）、金大植〈試探〝救日救國軍〞的發展過程（1931-1933年）〉（《延邊大學學報》1985年4期）。吉黑救國義勇軍軍事委員會馬主北平辦事處編印《血染白山黑水記》（民21年出版）、東北民眾救國軍軍政委員會編印《血染白山黑水記（續刊）》（北平，民21）、葛文烈《東北一瞥》（北平，東北民眾抗日救國會，民21）、何新吾《東北現狀》（哈爾濱，撰者印行，民22；南京，東北研究社，民22）、印維廉、管舉先編《東北血痕》（南京，中國社會科學會，民22年5月；南京，中國復興學社，民22年8月增訂再版）、周秉彝《非非救國實踐》（北平，中國鐵血社，民22）；《東北抗日真相（第1卷1-8期，11-14期）》（分訂成3冊，民22年10月—23年1月出版）—內容為東北抗日義勇軍的工作密報；東北民眾救國軍委員會編輯部編《東北民眾救國軍》（北平，東北民眾救國軍委員會，民21）、東北義勇軍總司令部宣傳處編印《國民救國軍抗日血戰史》（民22年出版）、李季《遼寧民眾自衛軍起義救國詳記》（東北民衆抗日救國會，民21）、關彥博《遼寧民眾自衛軍第六路抗日實錄（第1集）》（民21年出版）、曹文奇〈遼東血盟救國軍紀略〉（《東北地方史研究》1985年1期）、張增起、趙繼武〈趙錫九與他的抗日自衛軍〉（同上，1989年3期）。高樂才〈〝九·一八〞事變後東北土匪抗日述略〉（《社會科學戰線》1992年4期）、卞直甫、彭作祿〈關東〝胡匪〞之由來及其抗日活動〉（《黑河學刊》1989年2期）、和田春樹《金日成と滿洲抗戰》（東京，平凡社，1992）、梶村秀樹〈1930年代滿洲における抗日鬥爭にたいする日本帝國主義の諸策動〉（《日本史研究》94號，1967）、小林英夫〈日本の「滿洲」支配と抗日運動〉（載《講座中國近現代史》第6卷，東京大學出版會，1978）、田中恒次郎〈反滿抗日運動〉（載淺田喬二、小林英夫編《日本帝國主義の滿洲支配》，東京，時潮社，1986）、山口和子〈反滿抗日運動について〉（《（創價大學）言語文化研究》第1號，1983）、山田豪一〈反滿抗日武裝鬥爭〉（載安藤彥太郎編《滿鐵》，東京，御茶の水書房，1965）。

關於「滿洲國」有滿洲國國務院總務廳情報處編印《滿洲國大系》（2-13輯，1933-1934），其內容為第2輯—監察、司法，第3輯—法制，第4輯—軍事、治安，第5輯—財政、金融，第6輯—產業，第7輯—交通，第8輯—文化，第9輯—地方，第10輯—都市，第11輯—外交，第12輯—施設網要，第13輯—滿洲帝國組織法；陳彬龢《滿洲偽國》（日本研究社，民22）、張餘生《倭製滿洲國》（南京，外交月報社，民22）、何新吾《偽滿洲國真相》（南京，東北研究會，民22）、李念慈《「滿洲國」紀實》（香港，自由出版社，1954）、姜念東等《偽滿洲國史》（長春，吉林人民出版社，1980）及《偽滿洲國史》（大連，大連出版社，1991）—後者為前者的增補版，章別結構均有改變，各章的記述也較為詳細；張田實改編《偽〝滿洲國〞始末》（南昌，江西人民出版社，1985）、國民黨黨史會編印《革命文獻·第37輯：日本侵華有關史料—偽滿洲國》（臺中，民54）、東亞事局研究會編印《大滿洲國》（2冊，東京，1933）、滿洲國史編集刊行會《滿洲國史》（2冊，東京，國際善鄰協會謙光社，1973）、解學詩《偽滿洲國史新編》（北京，人民出版社，1995）、岡部牧夫《滿洲國》（東京，三省堂，1978）、武田徹《偽滿洲國論》（東京，河出書房新社，1995）、東京開成館編輯所編印《滿洲國紀要》（東京，1933）、鷲田成男《滿洲國史概説》（警察協會刊行，1942）、稲葉岩吉《滿洲國史通論》（東京，日本評論社，1940）、矢野仁一《滿洲國歷史》（東京，目黑書店，1933）、多田商會《滿洲建國正史》（大連，1934）、宮內勇編《滿洲建國側面史》（東京，新經濟社，1942）、片倉衷、古海忠之《挫折した理想國—滿洲國興亡の真相》（東京，現代ブツク社，1967）、星野直樹《見果てぬ夢：滿洲國外史》（東京，ダイヤモンド社，1963）、國際善鄰協會編印《滿洲建國の夢と實現》（東京，謙光社，1975）、山口重次《滿洲建國—滿洲事變正史》（東京，行政通信社，1975）及《滿洲建國と民族協和思想の原點》（大阪，大湊書房，1978）、高橋利治《滿洲建國十年史》（東京，亞細亞婦德顯彰會，1942）、永松淺造《十周年紀念滿洲建國誌》（東京，學友社，1942）、久住悌三《建國十周年の滿洲國》（大阪，朝日新聞社，1942）、滿洲帝國政府編《滿洲建國十年史》（東京，原書房，1969）、山本有造編《「滿洲國」の研究》（京都，京都大學人文科學研究所，1993；東京，綠蔭書房，1995）、滿洲國通信社寫真部編《滿洲國概觀》（新京，國務院總務廳情報部，1934）、滿洲國國務院資政局弘報處編印《滿洲國建國小史》（長春，1932）、山室信一《キメラ—滿洲國の肖像》（東京，中央公論社，1993）、李文龍《偽「滿洲國」前期的政安對策—1931年9月至1937年7月》（臺灣大學政治研究所碩士論文，民77年5月）、Han Suk-jung, Puppet Sovereignty: The State Effect of Manchukuo, From 1932 to 1936.（Ph. D. Dissertation, University of Chicago, 1995）、滿洲國國務院總務廳情報處編印《建國五年小史》（新京，1937）及《滿洲建國の真意義》（同上）、陸軍省調查班編印《滿洲國成立の經緯と其國家機構に就て》（東京，1932）及《滿洲國の承認に就て》（同上）、笠木良明《滿洲國獨立の精神》（東京，白鳳社，1932）、金崎賢《滿洲國經綸の精神》（大連，滿洲文化協會，1932）、田崎仁義《滿洲國建國の理想たる王道》（東京，東亞研究會，1932）、作田莊一《滿洲國建國の原理及び本義》（新京，滿洲富山房，1944）、滿洲國外交部編印《滿洲國民之總意》（新京，1932）、滿洲國國務院統計處編纂《滿洲國年表（第1次）》（長春：1933）及《滿洲帝國年報（第2次）》（同上，1935）、滿洲國史編纂委員會編《滿洲國年表》（東京，滿蒙同胞援護會，1956）、佐藤四郎編《滿洲國年鑑》（大連，滿洲書院，1932）、吉林省政協文史資料委員會編《偽滿洲國大事記》（大連，大連出版社，1990）—原名《日偽統治東北時期大事輯》、滿洲國通信社編印《滿洲國現勢（大同2年、康德2，3，6，9，10年版）》（6冊，新京，1933-1943）、偽滿時期資料重刊編委會編《偽滿洲國政府公報》（120冊，瀋陽，遼寧書社，1990）、片倉衷《回想の滿洲國》（東京，經濟往來社，1978）、秋永芳郎《まぼるしの滿洲國》（東京，國土社，1976）及《滿洲國：虛構の國の徬徨》（東京，光人社，1991）、わず・まさし《現代史の斷面・滿洲帝國の成立》（東京，校倉書房，1990）、日本外事協會編《滿洲帝國總攬》（東京，三省堂，1934）、滿洲國國務院總務廳情報處編印《滿洲帝國概覽》（1937年出版）、太平洋戰爭研究會編《圖説滿洲帝國》（東京，河出書房新社，1996）、國松久彌《新滿洲國地誌》（古今書院，1939）、田中秀作《新滿洲國地誌》（1933年4月印行）、兒島襄《滿洲帝國（第1-3卷）》（3冊，文藝春秋，1975-1976）、滿洲書院編印《滿洲國官制便覽》（大連，1932）及《滿洲國政府職員錄》（同上）、佐藤四郎編《滿洲國政府職員錄》（大連，滿洲書院，1932）、滿洲國國務院總務廳編《滿洲國官吏錄：康德三年十月一日現在》（新京，1936）、藤川宥二《滿洲國と日本海軍》（1977年出版）、東洋文化協會《滿洲建國と滿洲上海大事變史》（前橋，上毛新聞社，1932）、小山貞知編輯《天業・滿洲國の建設：伏臥同土はかく叫ふ》（大連，滿洲評論社，1932）及《滿洲國と協和會》（同上，1935）、陸軍省調查班編印《滿洲國の容相》（東京，1932）及《滿洲國の容相（第1續編）》（東京，1933）、田村幸策譯《滿洲國出現の合理性》（東京，日本國際協會，1933）、田中美濃鄉《滿洲國の現況と將來》（臺中，新聞合同通信支局・無線時事通信支局中部事務所，1934）、國際善鄰俱樂部編印《滿洲建國前後》（東京，1967）、大道弘雄《滿洲國大觀》（大阪，朝日新聞社，1932）、佐藤定勝《最新滿洲帝國大觀》（東京，誠文堂，1937）、東亞文化協會編《最新滿洲國案內》（東京，鐵道研究社，1932）、東亞同文會調查部編印《新滿洲國要覽》（東京，1932）、高橋源太郎《新滿洲國見物》（東京，大阪屋號，1933年再版）、滿洲國國務院總務廳情報處編印《省政彙覽》（4冊，新京，1935-1936）、大同學院編印《滿洲國地方事情》（新京，1934）、河村清編《滿洲國各縣事情》（新京，滿洲事情案內所，1939）、大同學院編印《滿洲國各縣視察報告》（新京，1933）、滿洲國國都建設局編印《國都大新京》（新京，1936）、藤曲政吉《滿洲建國と五省の富源》（奉天，滿洲通信社，1932）、清水國治《滿洲國とはどんな 處か》（東京，大阪屋號，1935）、赤木猛市《滿洲國と臺灣》（臺北，臺北市後所，1933）、淺野利三郎《滿洲國外蒙古併合論：其の歷史地理的研究》（東京，寶文館，1939）、滿洲國文教部禮教司編印《滿洲國禮俗調查彙編》（上海，上海翻譯出版社，1988）、駒井德三《大滿洲國建設錄》（東京，中央公論社，1933）、武藤富男《私と滿洲國》（東京，文藝春秋，1988）、解學詩《歷史的毒瘤：偽滿政權興亡》（桂林，廣西師大出版社，1993）、滕利貴《偽滿經濟統治》（長春，吉林教育出版社，1992）、中央檔案館等編《偽滿憲警統治》（北京，中華書局，1993）及《偽滿傀儡政權》（同上，1994）、浮田和民《滿洲國獨立と國際聯盟》（東京，早稻田大學，1932）、臼井勝美《滿洲國と國際連盟》（東京，吉川弘文館，1995）、小洪繁《滿洲國外交十年史》（東京，大學書房，1942）、越澤明《滿洲國の首都計劃ー東京の現在と未來を問う》（東京，日本經濟評論社，1988）、英修道《滿洲國と門戶開放問題》（東京，日本國際協會，1934）、滿洲評論社編印《滿洲國と協和會》（大連，1935）、小澤親光《秘史滿洲國軍ー日系軍官の役割》（東京，柏書房，1976）、滿洲國軍刊行委員會編《滿洲國軍》（東京，蘭星會，1970）、加藤豐隆《滿洲國警察小史：滿洲國權力の實態について》（松山，滿蒙同胞援護會愛媛縣支部，1970）、幕內滿雄《滿洲國警察外史》（東京，三一書房，1996）、加藤豐隆編《滿洲國警察重要寫真文獻資料集成》（松山，元在外公務員援護會，1982）；《壯絕・一心隊の最期：「滿洲國」日系警察隊員，滿系部下の反亂により全員玉碎す》（〔本書〕出版事務局印行，1996）、滿洲國郵政局《滿洲帝國郵政事業概要》（新京，滿洲遞信協會，1942）、エムライ出版編《復刻「滿洲國」教育資料集成（2期）》（3冊，東京，エムライ出版，1992）、建川有司《滿洲國教育概況》（新京，滿洲教育會，1942）、〔滿洲國國務院〕文教部學務司編印《滿洲國少數民族教育事情》（新京，1934）、滿洲國國務院民生部編印《滿洲帝國文教年鑑（第4次）》（新京，1938）、滿洲國國務院文教部學務司總務科編印《滿洲國學事要覽（康德3年度）》（新京，1936）、駐日滿洲國大使館編印《滿洲國留日學生錄（康德2，3，5-8，10年度）》（7冊，東京，1936-1944）、西順藏《滿洲國の宗教問題》（東京，國民精神文化研究所，1943）、滿洲事情案內所編印《滿洲國の宗教》（新京，1939）、宮地久衛、日高瓊々彥，今里準太郎《滿洲國家理教》（東京，泰山房，1933）、〔滿洲國國務院〕民生部厚生司教化科編印《滿洲國道院紅卍字會の概要》（新京，1943）、近澤弘治《滿洲國の監察制度》（東京，嚴松堂，1944）、第一銀行調查課編印《滿洲國ノ經濟事情ト經濟諸問題》（東京，1934）、五十子卷三《滿洲帝國經濟全集（10，11：農政編）》（2冊，滿洲國通信社出版部，1939-1940）、川西正鑑《滿洲國經濟地理圖說》（1934年7月印行）、京城商工會議所編印《滿洲國經濟調查報告書》（東京，1933）、原口密司《滿洲國の財政・金融・物價》（東京銀行集會所，1942）、南鄉龍音調查、滿鐵經濟調查會第四部編《滿洲國通貨金融制度統一史略》（大連，編者印行，1935）、東洋協會調查部編《滿洲國通貨の現勢》（東京，編者印行，1935）、金融研究會編印《滿洲國幣制と金融》（東京，1932）、川島富丸《滿洲國幣制と大連銀巿場》（大連，滿洲文化協會，1932）、奉天商工公會編印《滿洲國經濟政策上における農業問題》（1940年印行）、滿洲國國務院經濟部編印《滿洲國工場統計（康德1，5-7年）》（4冊，新京，1936-1942）、E. B. Schumpeter, The Industrialization of Japan and Manchukuo, 1930-1940.（New York: MacMillan, 1940）、滿洲史研究會編《日本帝國主義下の滿洲—「滿洲國」成立前後の經濟研究》（東京，御茶の水書房，1972）、川島信太郎述《滿洲國經濟視察雜感》（東京，霞山會館，1935）、神戶正雄《滿洲國の財政經濟》（東京，立命館出版部，1932）、滿鐵經濟調查會編印《滿洲國財政の將來性》（大連，1933）及《滿洲國現行內國稅稅率表：昭和7年12月1日現在》（同上）、滿鐵經濟調查會第五部編印《滿洲國現行租稅制度》（同上）、稅關概史編纂委員會《滿洲國稅關概史》（新京，經濟部關稅科，1944）、滿鐵經濟調查委員編印《滿洲國關稅改正及日滿關稅協定方案》（大連，1935）及《滿洲國保稅倉庫及保稅輸送方案》（同上）》、滿洲國財政部編纂《滿洲國外國貿易統計年報（1932、1935、1936年）》（臺北，文海出版社影印，民82）、中央滿蒙協會編印《新滿洲國と日滿交通問題》（1932年印行）、日滿實業協會編印《滿洲國の交通に就て》（東京，1935）、宇佐美寬爾編印《滿洲國有鐵道の現在及將來》（奉天，鐵路總局，1933）、滿洲事情案內所編印《滿洲國ノ自然》（新京，1934）、《滿洲國ノ產業》（同上）及《滿洲國產業概觀》（同上，1940）、東洋協會調查部編印《滿洲國水產業の現勢》（東京，1936）、沈潔《「滿洲國」社會事業史》（東京，ミボルヴア書房，1996）、片桐裕子《「滿洲國」における合作社政策の史的開展ー「滿洲」支配の二元的性格》（慶應大學法學研究所碩士論文，1978）、滿鐵經濟調查委員會編印《滿洲國國籍站會社國籍及資本方策》（大連，1935）、張鶴立《滿洲國之現階段》（南京，外交部亞洲司研究室，民29）、滿鐵調查會編印《滿洲國度量衡統制方策》（大連，1935）、滿洲國法令輯覽刊行會編印《滿洲國法令輯覽》（東京，1932）、外務省情報部編印《滿洲建國諸法令》（東京，1932）、尾上正男《滿洲國基本法大綱》（東京，郁文社，1942）、高橋貞三《滿洲國基本法》（東京，有斐閣，1943）、柚木馨《滿洲國民法總論》（同上，1942）、帝國地方行政學會編印《滿日對譯滿洲國六法全書》（東京，1933）、雙川喜文《滿洲國改正文官令逐條解說》（東京，東京大學，1941）、澀谷近藏《大滿洲國讀本》（東京，育英書店，1932）、小山勝清《新滿洲國讀本》（東京，實業之日本社，1932）、保保隆矣、米野豐定《新滿洲國讀本》（東京，大乘社東京支部，1932）、德富豬一郎（德富正敬）《滿洲國讀本》（東京，日本電報通信社，1940）、安藤彥太郎《東北地區の旅—「滿洲國」の變貌》（《中國案内（講座中國別卷）》，東京，筑摩書房，1968）、松山常次郎《滿洲國視察餘錄》（東京，1932）、武藤富男《滿洲國の斷面—甘柏正彥の生涯》（東京，近代社，1956）、大同學院史編纂委員會編集《大いなる哉滿洲》（東京，大同學院同窗會，1966）、滿洲日日新聞社編印《滿洲建國烈士遺芳錄》（1942年出版）、內尾直昌編《康德元年版滿洲國名士錄》（東京，人事興信所，1934）、外務省情報部編《現代中華民國滿洲帝國人名鑑》（東京，東亞同文會業務部，1937）、創元社編《滿洲國各民族創作選集：昭和16年版》（東京，撰者印行，1942）、山口重次《消えた帝國滿洲》（東京，每日新聞社，1967）、嘉村滿雄《滿洲國壞滅秘記》（東京，大學書房，1960）、岡本武德《青い焰の記憶—滿洲帝國終戰秘錄》（東京，講談社，1971）、張輔麟《偽滿末日》（長春，吉林教育出版社，1993）及《漢奸秘聞錄》（偽滿史叢書，同上，1990）、王國玉《滿洲國的側影—阮振鐸、金名世兩大臣逆行錄》（同上，1996）、王久榮、王文鋒、劉晚暉編著《偽滿國務總理大臣張景惠》（長春，吉林文史出版社，1991）、黑龍江省政協文史資料研究委員會編《一個偽滿少將的回憶》（哈爾濱，黑龍江人民出版社，1986）。此外孫邦主編《偽滿史料叢書》（長春，吉林人民出版社，1993）其各分冊的編者及書名分別為于海鷹編《〝九一八〞事變》、張輔麟編《殖民政權》、李茂杰編《偽滿軍事》、李作權編《經濟掠奪》、宋梅英編《日偽暴行》、劉海瑛編《偽滿文化》、姜東平編《偽滿社會》、瞿燎原編《偽滿人物》、孫繼英編《抗日救亡》、李少伯編《偽滿覆亡》，共計10冊。

論文方面有松澤哲成〈「滿洲國」の形成－日中關係史の一斷面〉（《社會科學研究》24卷1號，1972年8月）、古屋哲夫〈「滿洲國」の創出〉（山本有造編《「滿洲國」の研究》第2章，京都大學人文科學研究所，1993）、井村哲郎編〈「滿洲國」關係資料解題〉（同上，第13章）、岡部牧夫著、趙長碧摘譯〈應當正確認識偽〝滿洲國〞的歷史〉（《國外社會科學情報》1985年9期）、杜明一〈偽滿洲國成立始末〉（《長春史志》1989年1期）、周興旺〈偽滿洲國始末〉（《百科知識》1992年7期）、董莊敬〈日本在華之傀儡政權〝偽滿洲國〞〉（《日本（研究雜誌）》381期，民85年9月）、王希亮〈試論偽滿傀儡政權的五次調整及其實質〉（《黑河學刊》1991年4期）、張輔麟〈偽滿政權傀儡性再認識〉（《社會科學戰線》1991年2期）、鄭鞏譯〈兩年來之滿洲國〉（《外交月報》6卷1、3期，民24年1、3月）、津崎尚武〈滿洲國問題の根本解決〉（《植民》11卷10號，1932年10月）、駒込武〈〝滿洲國〞における儒教の位相－大同、王道、皇道〉（《思想》841號，1994年7月）、田崎仁義〈滿洲國の王道君主國體〉（《東亞》7卷3號，1934）、高橋源一〈滿洲國政治論〉（《中央公論》57卷9號，1942）、大山彥一〈滿洲國王道政治と皇道政治〉（《關西大學學報》113、114號，1933）、鈴木隆史〈「滿洲國」と王道政治－「滿洲國」の評價をめぐって〉（《歷史評論》170號，1964年10月）及〈日本帝國主義と滿洲（中國東北）－「滿洲國」の成立およびその統治に

ついて〉(《德島大學教養部紀要(人文·社會科學)》第1、2號,1966年3月、1967年2月)、岩井大慧〈歷史上から滿洲國の出現をどう見るか〉(《歷史公論》第6號,1933)、武藤富男〈滿洲國にかけた夢〉(《思想の科學》21號,1963年12月)、松本洪〈滿蒙新國家の成立に就て〉(《東洋文化》9395號,1932)、荒木十郎〈「滿洲國」の成立と「滿蒙」開發〉(《プロレタリア科學》4卷7號,1932)、狄平〈偽滿與偽蒙〉(《三民主義半月刊》5卷5期,民24年5月)、武守富司〈滿洲國の建國と其の現勢〉(《歷史教育》13卷11號,1939)、張忠強〈〝滿洲國〞樹立と中國および西歐世界の反應〉(《大東法政論集》第2號,1994年3月)、武寅〈日本的〝滿洲國〞方案與歐美列強〉(《日本研究》1990年1期)、吳景平〈英國關於解決〝滿洲國〞問題方案的提出與破產〉(《史學集刊》1988年4期)、張水木〈「滿洲國」與中德關係〉(《近代中國》86期,民80年12月)、清水泰次〈滿洲國の成立と蘇露と態度〉(《國際法外交雜誌》32卷5號,1933)、古海忠之〈日本と滿洲國の興亡〉(《ファイナンス》9卷4號,1973年7月)及〈滿洲國政治の展開と終焉〉(《ああ滿洲》,滿洲回顧集刊行會,1965)、俞辛焞〈偽滿的殖民體制與日本外務省〉(《首都師大學報》1995年4、5期)及〈〝滿洲國問題〞與日本的戰時外交〉(《抗日戰爭研究》1995年增刊)、張洪君〈于沖漢與偽滿洲國的建立〉(《社會科學輯刊》1995年3期)、李侃〈鄭孝胥與偽滿洲國初期傀儡政權〉(《抗日戰爭研究》1995年4期)、吳守成〈1932年偽「滿洲國軍」的初建〉(《近代中國》106期,民84年4月;又載《海軍軍官學校學報》第5期,民84年10月)及〈日本軍在偽〝滿洲國〞之〝進出〞與江

上軍〉（《近代中國》109期，民84年10月）、范小秦〈偽滿洲國在黑龍江省推行的兵役制度〉（《黑龍江史志》1987年5期）、山室信一〈「滿洲國」統治過程論〉（《「滿洲國」の研究》之第3章，京都，1993）、副島昭一〈「滿洲國」統治と治外法權撤廢〉（同上之第4章）、西澤泰彥〈「滿洲國」の建設事業〉（同上之第10章）、蘇崇民〈偽滿洲國《北邊振興計劃》初探〉（《現代日本經濟》1988年2期）、土方成美〈滿蒙新國家の建設とその財政並に政について〉（《東亞》5卷3號，1933）、弘田哲一郎〈滿洲國建設戰の現狀〉（《東亞》46卷1號，1943）、魏汝霖〈滿洲建國軍事史〉（《戰史彙刊》10期，民67）、祥雲〈偽滿新京陸軍軍官學校〉（《長春史志》1989年4期）、滕利貴〈偽滿經濟統制概論〉（《社會科學戰線》1991年1期）、菱沼勇〈滿洲國經濟ノ將來〉（《國際知識》15卷3號，1935年3月）、中島久萬吉〈滿洲新國家ト極東經濟「ブロツク」〉（《社會政策時報》140號，1932年5月）、五十子字平〈滿洲國の財政〉（《植民》12卷8號，1933年8月）、岡野鑑記〈滿洲國歲出財政の研究〉（《建國大學研究院研究期報》第1號，1941年5月）、吉原次郎〈滿洲國の貿易及び貿易政策〉（載《アジア問題講座》第4卷—經濟·產業篇，東京，創元社，1939）、高山博〈滿洲國の財政及び財政政策〉（同上）、武內文彬〈滿洲國經濟建設五箇年計畫〉（同上）、大上末廣〈滿洲國計畫經濟の發展〉（《建國大學研究院研究期報》第3號，1942年5月）、風間秀人〈日本帝國主義下における「滿洲」土著流通資本の存在形態—「滿洲國」建國期の「北滿」を中心として〉（《歷史評論》377號，1981年9月）、中西仁三〈舊滿洲國の貨幣金融機構確立の經

緯〉（《同志社大學經濟學論叢》4卷1-4號，1952年10、12月、1953年2月）、劉洪陸〈從偽滿中央銀行看日本對中國東北地區的經濟掠奪〉（《歷史教學》1995年7期）、孫福海〈偽滿時期日本帝國主義對營口港的經濟侵略〉（《營口師專學報》1990年1-2期）、林霽融〈英對偽滿的經濟企圖〉（《外交月報》5卷6期，民23年12月）、張滿飆、張玉英〈濮陽檔案館發現偽滿洲國債券和儲蓄證券〉（《歷史檔案》1995年2期）、井樹薰雄〈滿洲國國幣價值の動搖と日滿通貨統制〉（《東亞》8卷3號，1935）、山本龍〈「滿洲國」をめぐる對外經濟關係の展開－國際收支分析を中心として〉（《「滿洲國」の研究》之第6章，京都，1993）、安富步〈「滿洲國」經濟開發と國內資金流動〉（同上之第7章）、松本俊郎〈滿洲鋼鐵業開發と「滿洲國」經濟—1940年代を中心に〉（同上之第8章）、村野周治〈關税および關税制度から見た「滿洲國」—關税改正の經過と論點〉（同上之第9章）、豬谷善一〈滿洲國關税改正ト日滿「ブロック」經濟〉（《エコノミスト》12卷26號，1934年12月）、安富步〈「滿洲國」の農業金融〉（《人文學報（京都大學人文科學研究所）》78號，1996年3月）、片桐裕子〈滿洲國の農村金融政策と中國農民の對應－合作社・信用事業を中心として〉（《慶應義塾大學法學部研究》55卷4號，1982）及〈「滿洲國」の合作社政策－農產物流通機構からみた農民動員の破綻〉（《アジア經濟》24卷1號，1983）、副島圓照〈「滿洲國」における中國海關の接收〉（同上，47號，1979年3月）、臼井勝美〈「滿洲國」による中國海關接收經緯〉（《外交史料館報》第9號，1996年3月）、清水金二郎〈滿洲國の開拓農場法〉（《東亞問題》3卷11號，1942）、大上末廣〈滿洲國興農合作社の組織〉（《東亞經濟論叢》2卷2號，1942）、長岡新吉著、曹海科譯〈〝滿洲國〞臨時產業調查局的農業實態調查〉（《檔案史料與研究》1991年4期）、小山貞知〈滿洲建國後ノ農村ヲ語ル〉（《滿洲評論》5卷24號，1933年12月）、胡兼善〈滿洲國農業概論〉（《北滿經濟月刊》10卷6號，1934年6月）、渡邊侃〈滿洲國ノ農業問題〉（《東亞》6卷12號，1933年12月）、黨庠周〈滿洲國農業改良問題〉（《振亞》2卷1號，1934年1月）、神戶正雄〈滿洲國農業振興起編〉（《海外》11卷64號，1932年6月）、松島鑑〈滿洲國農業經濟ノ概況〉（《日滿經濟》2卷11號，1933年11月）；〈滿洲國ノ農村經濟狀況〉（《振亞》2卷5號，1934年5月）；〈滿洲國ニ於クル農業經營ニ就イル〉（《農業》629號，1933年4月）、飛田隆〈滿洲國農家經濟ノ實例〉（《全滿朝鮮人民會會報》第2號，1933年4月）；〈滿洲國ニ於ケル主要農產物栽培解說〉（《金融合作月刊》第8號，1934年1月）、田中博〈滿洲國ニ於ケル棉花栽培ニ關スル若干ノ考察〉（《研究ト資料》第3號，1933）；〈滿洲國ノ農事試驗場〉（《大連商工月報》225號，1934年5月）；《滿洲國及關東州內ニ於ケル邦人農業經營ノ實際〉（《植民》12卷8號，1933年8月）；〈滿洲國產米穀ニモ輸入稅賦課〉（《東洋貿易時報》10卷9號，1934年3月）；〈滿洲國ノ柞蠶〉（《通商彙報》323號，1934年6月）、阿部久次〈滿洲國ニ於ケル棉花並ニ羊毛就テ〉（《農工經濟研究》9卷1號，1934年1月）；〈滿洲國ノ緬羊問題〉（《朝鮮》225號，1934年2月）、佐佐木清綱〈滿洲國ニ於ケル牛ノ改良ニ關スル考察〉（《畜產》21卷5號，1935年5月）、澤田莊吉〈滿洲國ノ畜產資源〉（《植民》12卷8號，1933年8月）、張燕鄉〈滿洲國ノ資源ニ就テ〉（《國民時論》17卷10號，1933年10月）；〈滿洲國產業資源ト其開發〉（《滿蒙》15卷4號，1934年4月）；〈滿洲國ノ恒久的農村救濟策〉（《滿洲評論》6卷7號，1934年2月）；〈滿洲國實業部ノ農民救濟策トシテノ 小麥種子配布〉（《滿鐵調查月報》14卷4號，1934年4月）；〈滿洲國が豐作飢饉ニ對策ヲ練ル〉（《滿日調查通報》16號，1933年11月）；〈滿洲國產業資源ト其開發〉（《滿蒙》15卷4號，1934年4月）、蜷川新〈滿洲國ノ產業開發〉（《拓殖公論》7卷71號，1932年4月）；〈滿洲國ノ產業ニ就テ〉（《國通特約通信》21號，1933年8月）；〈滿洲國ノ產業開發機構〉（《東洋貿易研究》13卷9號，1934年9月）、坪井清〈滿洲國政府ノ畜產對策〉（《農業ノ滿洲》7卷1號，1935年1月）、哈爾賓通信〈滿洲國政府ノ北滿大豆對策〉（《東洋貿易時報》9卷44號，1933年11月）、直木倫太郎〈滿洲國治水問題ノ展望〉（《地方行政》42卷11號，1934年11月）、 ウキニアコウスキー〈滿洲國ノ開發ト治水問題〉（《海友》25卷5號，1934年5月）、紀裕昆〈滿洲國「响」ノ研究〉（《經濟統計》1卷2號，1935年2月）、日笠芳太郎〈滿洲國阿片政策〉（《東洋》36卷7號，1933年7月）、小林七〈滿洲國ノ田賦〉（《地方行政》42卷10號，1934年10月）；〈滿洲國ノ一農村ニ於ケル農民ノ租稅負擔〉（《滿鐵調查月報》14卷10號，1934年10月）、判澤弘「滿洲國」の遺產に何か—「滿洲自由國」を培フたもの壞したもの〉（《中央公論》79卷7號，1964年7月）、奧村弘〈〝滿洲國〞街村制に關する基礎的考察〉（《人文學報（京都大學人文科學研究所）》66號，1990年3月）、大森直樹等〈中國人が語〝滿洲國〞教育の實態：元吉林師道大學學生王野平氏へのインタビエー記錄〉（《東京學藝大學教育學部紀要》45卷，1994年3月）、駒込武〈「滿洲國」における儒教の位相—大同・王道・皇道〉（《思想》841號，1994年7月）、熊野正平〈滿洲國の教育〉（《支那研究》34號，1934）、鈴木健一〈滿洲國における教育政策の展開〉（載《中島敏先生古稀記念論集》下卷，1981）、王穎〈偽滿殖民教育方針的演變及其影響〉（《社會科學輯刊》1995年6期）、趙錫麟〈偽滿的奴化教育〉（《教育研究通訊》1983年3期）、劉兆新、林群、趙偉〈論偽滿洲國教育本質與其對東北教育之影響：記念抗日戰爭勝利五十周年〉（《遼寧高等教育研究》1995年4期）、鈴木健一〈滿洲國における日系教員養成問題—國立中央師道院を中心に〉（《教育論叢》6卷2號，1995）、大冢豐〈〝滿洲國〞高等教育への日本の關與—哈爾濱工業大學の事例を中心に〉（《國立教育學研究所紀要》121號，1992年3月）、齋藤利彥〈〝滿洲國〞建國大學の創設と展開—〝總力戰〞下における高等教育の〝革新〞〉（《學習院大學東文研究所調查研究報告》30號，1990年3月）、山根幸夫〈〝滿洲〞建國大學再考〉（《駿臺史學》89號，1993年10月）及（周啟乾譯）〈〝滿洲〞建國大學與日本〉（《抗日戰爭研究》1993年4期）、宮澤惠理子〈滿洲國における青年組織化と建國大學の創設〉（《アジア文化研究》21號，1995）、原正敏等〈〝滿洲國〞における技術員・技術工養成（III）—國民高等學校工科と職業學校〉（《千葉大學教育學部研究紀要（人文・社會）》43號，1995年2月）、一條林治〈滿洲國新學制の精神〉（《日本諸學振興委員會研究報告》17號（歷史學），1942年11月）、西元宗助〈滿洲國に於ける日本人教育に就いて〉(同上)、三谷裕美〈滿洲國における「國語」政策—「新學制」にみる「國語」と「國語」像〉(《東京女大論集》46卷2號，1996年3月)、岡村敬二〈滿洲國立奉天圖書館の歷史〉(《大阪府立圖書館紀要》30號，1994年3月)、江夏由樹〈滿洲國の地籍整理事業について—「蒙地」と「皇產」の問題からみる〉(《一橋大學研究年報經濟學研究》37號，1996年3月)、郭素美〈偽滿的勞動統制政策〉(《學習與探索》1994年2期)、朱海舉〈偽滿洲國勞動法令的制定及其對中國人民的奴役與迫害〉(《東北師大學報》1985年2期)、石方〈偽滿時期黑龍江地區的日本移民〉(《學習與探索》1985年1期)、松村高夫〈日本帝國主義下における「滿洲」への中國人移動について—「滿洲國」成立以降における對中國人移動政策史〉(《三田學會雜誌》64卷9號，1971年9月)及〈滿洲國成立以降における移民·勞働動政策の形成と展開〉(載《日本帝國主義下の滿洲》，東京，御茶の水書房，1972)、岡田英樹〈「滿洲國」文藝の諸相—大連から新京へ〉(《「滿洲國」の研究》之第11章，京都，1993)、村田裕子〈「滿洲國」文學の一側面—文藝盛京賞を中心として〉(同上之第12章)、尾崎秀樹〈「滿洲國」における文學の種種相—ある傳說の時代〉(《文學》31卷2、5、6號，1963年2、5、6月；及34卷2號，1966年2月)、劉邦興〈滿洲建國十年文化建設〉(《新亞》7卷3期，1942年9月)、岡田英樹〈「滿洲國」における「文化交流」の實態〉(《外國文學研究(立命館大學)》62號，1984年7月)、吳慶仁〈偽滿政權機構沿革概述〉(《歷史檔案》1988年4期)、車霽虹〈試論偽滿政權的地方基層統

治機構〉(《齊齊哈爾師院學報》1995年5期)及〈試論偽滿保甲制度的殖民地特點〉(《北方文物》1992年3期)、張磊〈偽滿洲國法律制度概說〉(《學術交流》1987年1期)、村井藤十郎〈滿洲國法學の基礎觀念〉(《建國大學研究院研究期報》第2號,1941)、佐藤義雄〈滿洲國社會法の特質〉(《同志社論叢》70-73號,1940年12月、1941年2、6、10月)及〈滿洲帝國商人通法論評〉(同上,58-60號,1937年12月、1938年2、6月)、郭素美〈偽滿的司法矯正制度〉(《龍江社會科學》1993年4期)、潘玉明〈偽滿洲國時期的文書工作制度〉(《瀋陽檔案》1987年3期)、近澤弘治〈最近の滿洲國特殊團體自體監察制度の概觀〉(《東亞研究》24卷1號,1943)及〈滿洲國強制監察批判〉(同上,24卷2、3號,1943)、申世良〈偽滿政權的檢察制度〉(《長春史志》1987年5期)、王貴勤〈偽滿時期的勤勞奉公制度〉(《博物館研究》1988年2期)、王紹中〈偽滿洲國高級官吏的來源〉(同上,1990年2期)、中野清一〈滿洲國民族政策への諸要請—「滿洲國民族政策論」第1部〉(《建國大學研究院研究期報》第1號,1941年5月)、永井亨〈滿洲國の民族的基礎〉(《東亞》8卷3號,1935)、伊藤博〈滿洲國民の性別構成〉(《建國大學研究院研究期報》第5號,1943)、須永秀彌〈滿洲國の交通組織とその發達〉(同上,第4號,1942)、作田莊一〈滿洲建國の原理〉(同上,第3號,1942)及〈滿洲建國の本義〉(同上,第4號,1942)、大高常彥〈滿洲建國の意義〉(《歷史教育》15卷6號,1940)、小野壽人〈滿洲建國と日本—日本の對滿行動に關する若干の歷史的回顧〉(《建國大學研究院研究期報》第3號,1942)、吳文延〈關於《日滿協議書》〉(《長春史志》1991年2期)、稻葉岩吉〈滿洲國創成の歷史的認識〉(《東亞》6卷11號,1933)、蠟山政道〈滿洲建國問題の理論的考察〉(《國家學會雜誌》46卷6號,1932)、孫麟生〈「滿洲國」承認問題之研討〉(《外交月報》4卷6期,民23年6月)、梁鋆立〈時局中的所謂滿洲國承認問題〉(《時事月報》10卷2期,民28年2月)、周鯁生〈所謂滿洲國之承認問題〉(《武漢大學社會科學季刊》5卷1期,民24)、滌愆〈由國際法立場駁所謂滿洲國承認問題〉(《外交月報》1卷1、2期,民21年7、8月)、趙明高〈承認「滿洲」偽國之獨立不足以解決中日之糾紛〉(同上,2卷2期,民22年2月)、王化成〈國際公法與滿洲國之承認問題〉(《清華學報》9卷4期,民23年9月)、周鯁生〈所謂滿洲國之承認問題〉(《武漢大學社會科學季刊》5卷1期,民24年2月)、青柳篤恒〈滿洲國承認と在支邦人の影響〉(《東亞》5卷12號,1932)、高木富五郎〈滿洲國承認問題と日滿交通政策〉(同上,5卷8號,1932)、河村一夫〈滿洲國承認問題と齋藤首相、內田外相〉(《軍事史學》18卷2號,1982年9月)、陳學溥〈日本承認東北傀儡的檢討〉(《朝暉》第10期,民21)、橋本增吉〈滿洲國領土の回復〉(《歷史公論》第6號,1933)、鷲澤與四二〈國際正義の再建と滿洲國〉(《植民》12卷8號,1933年8月)、崛口九萬一〈滿洲國經營論〉(同上)、大蔵公望〈滿洲國の前途に横はる難關〉(《東亞》6卷1號,1933)、稻葉勝治〈滿洲國における門戶開放問題〉(同上,7卷12號,1934)、武內文彬〈滿洲國と門戶解放問題〉(同上)、中沖壽〈滿洲建國十年史〉(《興亞》3卷3號,1942)、植田捷雄〈滿洲建國十年の回顧〉(《國際法外交雜誌》41卷5號,1942)、三谷道磨

〈滿洲國財政十年史〉（《東亞人文學報》2卷3號，1942）、臼井勝美〈消えた虚構の軍事國家—滿洲國の崩壞〉（《朝日ジヤーナル》7卷14號，1965年4月）、孫玉玲〈偽滿特殊會社剖析〉（《社會科學戰線》1995年6期）、華永正〈在偽〝滿洲國〞的日子裡〉（《黨史縱橫》1996年6期）、蕭夢〈偽滿時期的農村地主階級〉（《社會科學輯刊》1984年3期）、風間秀人〈「滿洲國」における農民層分解動向〉（《アジア經濟》30卷8、9號，1989）、高島平三郎〈滿洲國婦人の動向を語りて—我が女性同胞に望を〉（《植民》12卷12號，1933年12月）、沈潔〈日中戰爭前後における「滿洲國」の婦人活動について〉（《歷史評論》552號，1996）及〈〝滿洲國〞社會事業の殖民地特徵について—中國本土社會事業から見た〝滿洲國〞社會事業〉（《アジア文化研究》第2號，1995年6月）、松崎兼松〈滿洲國に於ける鐵道〉（《植民》12卷8號，1933年8月）、波多野澄雄〈滿洲國建國前後の鐵道問題〉（《軍事史學》12卷2號，1976年9月）；〈滿洲國ノ道路建設ト自動車運輸〉（《露滿蒙時報》176號，1934年6月）、黑松巖〈滿洲鐵鋼業の發展〉（《建國大學研究院期報》第3號，1942年5月）、嚴仁賡〈「一九三二年滿洲國對外貿易之一瞥」闕謬〉（《獨立評論》63、64期，民22年8月）、淺井得一〈滿洲國都市人口の增減について〉（《日本大學人文科學研究所研究紀要》第2號，1960年3月）、中山久四郎〈滿洲建國神廟の敬立と國體奠定の御詔書〉（《歷史教育》15卷5號，1940）、稲葉岩吉〈滿洲國の治安と匪賊の由來〉（《東亞經濟研究》20卷3號，1936）、高山開治郎〈日本民族の決意と滿洲國の將來〉（《東洋文化》105號，1934）、堀光龜〈滿洲

國の重要性と日滿提攜の血族的連鎖〉（《東亞》6卷6號，1933）、沈燕〈偽滿《國本奠定詔書》剖析〉（《社會科學探索》1995年2期）、岡田英樹〈「滿洲國」首都警察の文藝界偵諜活動報告〉（《立命館言語文化研究》6卷2號，1994年9月）、林明德〈偽滿洲國與反滿抗日運動〉（《中央研究院近代史研究所集刊》17期下册，民77年12月）、本國堂〈新滿洲國の四本柱〉（《植民》11卷6號，1932年6月）、紅鬍子〈滿洲國要人の横顏〉（同上，12卷8號，1933年8月）、滿洲帝國協和會《協和運動》（20卷，別冊1；東京，綠蔭書房，1995）、鈴木隆史〈滿洲國協和會史試論〉（《季刊現代史》第2、5號，1973年5月、1974年12月）、平野健一郎〈滿洲國協和會の政治的展開—複數民族國家における政治的安定と國家動員〉（載《〝近衛新體制〞の研究》，東京，岩波書店，1973）、霍燎原〈略論偽滿協和會〉（《社會科學戰線》1994年5期）、張力〈偽滿洲國協和會始末〉（《吉林檔案》1987年1期）、王紹中〈試析偽滿洲國的〝火曜會〞〉（《博物館研究》1986年1期）、王慶實〈偽滿傀儡政權14年〉（《百科知識》1984年12期）、王慶祥〈偽滿小朝廷覆滅記〉（《吉林史志》1985年4期）、仁科悟朗〈幻の帝國「滿洲國」の終焉〉（載《滿洲國と關東軍》，東京，新人物往來社，1994）、鄭廣元〈偽滿末日散記〉（《文史通訊》1983年3期）、嚴寒〈偽滿大臣們的結局〉（《吉林史志》1985年4期）、于本厚〈樹倒猢猻未散：偽滿洲國民勤勞部大臣于鏡清的秘書官徐克成八一五後宦海沉浮錄〉（《長春史志》1989年3期）。

有關滿洲國宮廷紀事及滿洲國執政、皇帝溥儀之論著和資料有吉林省檔案館編《溥儀宮廷生活錄（1932-1945）》（溥儀檔案史料叢書，北京，檔案出版社，1987）、偽滿宮廷陳列館編《偽滿宮廷秘錄》（長春，吉林文史出版社，1993）、周君適《偽滿宮廷雜憶》（成都，四川人民出版社，1981）、王慶祥《偽帝宮內幕》（長春，吉林文史出版社，1986）、秦翰才《滿宮殘照記》（民35年出版，臺北，文海出版社影印，民60；長沙，岳麓書社，1986）、溥儀《我的前半生》（北京，群衆出版社，1964；香港，文通書店，1964；臺北，長歌出版社翻印，易名爲《溥儀自傳》，民64）及《新愛覺羅·溥儀日記》（天津，天津人民出版社，1996）、丁雨譯《末代皇帝—溥儀》（香港，藍天書屋，1963）、孫喆甡《中國末代皇帝愛新覺羅·溥儀傳》（北京，華文出版社，1990），香港出版界翻印之，易名為《愛新覺羅·溥儀傳》（香港，天地圖書公司，1992）、德菱公主《溥儀外傳》（臺北，中華藝林文物出版公司，民65；該書原名《溥儀傳》，係德菱公主用英文所撰寫，由張國藩譯爲中文，上海，良友圖書印刷公司，民21年初版）、劉曉暉、楊照遠編著《溥儀外記》（長春，吉林文史出版社，1987）、李淑賢、王慶祥《愛新覺羅溥儀畫傳》（上海，上海人民出版社，1990）、潘際坰《末代皇帝秘聞》（2册，香港，文宗出版社，1957）、《末代皇帝傳奇》（通俗文藝出版社，1957）及《宣統皇帝秘聞：我的前半生補篇》（林東書局，出版時地不詳）、孫瑞芹譯、陳澤憲編《清帝遜位與列強（1908-1912）—第一次世界大戰前的一段外交插曲》（北京，中華書局，1982）、單士元編著《小朝廷時代的溥儀》（北京，紫禁城出版社，1989）、菅泰正譯編《素顏の皇帝·溥儀》（東京，中央經濟社，1988）、Paul Kramer, ed., The Last Manchu: The Autobiography of Henry PuYi, Last Empire of China.（New York: G. P. Putnanis

Sons,1967）、Edward Behr, The Last Emperor.（London & Sydney: MacDonald & Co.（Publishers）Ltd., 1987），其中譯本為貝爾著、勒革、黃群飛譯《中國末代皇帝》（北京，中國建設出版社，1989）；Brian Power, The Puppet Emperor: The Life of Pu Yi, Last Emperor of China.（London: Peter Owen, 1986; New York: University Books, 1988）、小田切光浩《愛新覺羅溥儀とその時代》（立正大學文學部史學科畢業論文，1995年度）、內山舜《執政溥儀：宣統帝より執政まで》（東京，先進社，1932）、工藤忠《皇帝溥儀：私は日本を裏切つたか》（東京，世界社，1952）、山田清三郎《皇帝溥儀》（東邦出版社，1973）、王鴻憲編《溥儀和偽滿洲國》（鄭州，河南人民出版社，1994）、李淑賢述、王慶祥整理《溥儀與我》（延邊教育出版社，1984）、呂長賦、紀紅民、俞興茂編《溥儀離開紫禁城以後：愛新覺羅家族或成員的回憶》（北京，文史資料出版社，1985）、李國雄述、王慶祥撰寫《伴駕生涯：隨侍溥儀33年紀實》（北京，工人出版社，1989）、北野憲二《滿洲國皇帝の通化落ち》（新京，新人物往來社，1992）、山川曉〈皇帝溥儀と關東軍：滿洲帝國復辟の夢〉（東京，フツトワーク出版社，1992）、朱海舉、呂永華《溥儀和偽滿洲國》（鄭州，河南人民出版社，1987）、遼寧省檔案館編《溥儀私藏偽滿秘檔》（北京，檔案出版社，1990）、滿洲國國務院情報處編印《即位大典紀念寫真冊》（新京，1934）、日本NHK廣播協會編、天津編譯中心譯《皇帝的密約：滿洲國最高的隱秘》（北京，中國文史出版社，1989）、日滿中央協會編印《滿洲帝國皇帝陛下御訪日と建國神廟御創建》（東京，1941）、林出賢次郎《扈從訪日恭紀》

（新京，滿洲國國務院總務廳情報處，1936）、東京市編印《滿洲國皇帝陛下東京市奉迎志》（東京，1936）、溥傑、萬嘉熙、毓嶦著、全國政協文史資料研究委員會編《溥儀在伯力收容所》（北京，文史資料出版社，1980）、王慶祥《法庭上的皇帝一溥儀在遠東國防軍事審判中作證始末》（長春，吉林文史出版社，1985）、撫順市政協文史資料委員會編《偽滿皇帝溥儀暨日本戰犯改造紀實》（北京，中國文史出版社，1990）及《偽滿皇帝群臣改造紀實》（瀋陽，遼寧人民出版社，1992）、Reginald Johnston, Twilight in the Forbidden City.（London: Victor Gollancz, 1934；中譯本爲莊士敦著、陳時偉等譯《紫禁城的黄昏》，北京，求實出版社，1989）、愛新覺羅·毓嵒述、賈英華撰《末代皇帝立嗣紀實一宣統皇帝有否龍種傳世？》（北京，開明出版社，1993）、王慶祥《毛澤東周恩來與溥儀》（北京，人民出版社，1993）、賈英華《末代皇帝的後半生》（北京，群衆及解放軍出版社，1989）、王慶祥《溥儀的後半生》（天津，天津人民出版社，1988）及《皇帝成了公民以後一溥儀後半生軼事錄》（北京，中國建設雜誌出版社，1985）、于友發編《由皇帝到公民》（長春，吉林人民出版社，1980）、丁燕石編《落日殘照：溥儀與他的后妃近臣們》（北京，檔案出版社，1988）及《溥儀和滿清遺老》（臺北，世界文物出版社，民73）、秦國經《遜清皇室軼事》（北京，紫禁城出版社，1985）、楊昭遠〈溥儀簡譜〉（《博物館研究》1982年1期）、馬光復〈末代皇帝一溥儀外傳〉（《名人外傳》1985年1、2期）、王慶祥〈溥儀研究和〝溥儀熱〞〉（《學術研究》1992年4期）、孔祥吉〈溥儀登極大典紀實〉（《傳記文學》64卷6期，民83年6月）、工藤忠〈皇帝溥儀は何を考えていたか一裏切つたのは日本か皇帝か〉（《文藝春秋》34卷9號，1956年9月）、小田嶽夫〈宣統皇帝遺聞〉（《文藝春秋》18卷3號，1940）、杜雲之〈溥儀與太監〉（《東北文獻》20卷3、4期，民79年3、6月）、陳嘉驥〈溥儀在東北〉（《中外雜誌》19卷3期，民65年3月）、蕭燕青〈試分析日本關東軍擁立溥儀〉（《牡丹江師院學報》1991年1期）、梁敬錞〈記偽滿「康德皇帝」〉（《傳記文學》14卷2期，民58年2月）、熊沛彪〈日本公開〝滿洲國最高機密〞：溥儀與日本要人會談秘錄〉（《世界史研究動態》1989年3期）、宋志勇編譯〈溥儀離宮後的活動及與日本的關係史料〉（《歷史檔案》1993年1期）、横崛洋一〈皇帝・溥儀と日本〉（載《滿洲國と關東軍》，東京，新人物往來社，1994）、橋本正博〈清朝廢帝擁立問題〉（《花園史學》14號，1993年11月）、王正己〈溥儀之政治生涯〉（《政治評論》46卷11期，民77年11月）、高興〈溥儀脱出天津紀實〉（《明報月刊》9卷6期，1974年6月）、杜雲之〈溥儀與太監〉（《中外雜誌》45卷2期，民78年2月）、劉太希〈莊士敦、溥儀與胡適〉（同上，46卷3期，民78年9月）、黄艾仁〈胡適與溥儀〉（《藝譚》1987年3期）、沈衛威〈胡適與末代皇帝〉（《風流一代》1989年2期）、張書才〈張宗昌與溥儀來往信函〉（《歷史檔案》1982年1期）、劉百非〈川島芳子與溥儀〉（《中外雜誌》45卷5期，民78年5月）、韓文寧〈周恩來與末代皇帝的後半生〉（《南京史志》1996年1期）、河村一夫〈前清宣統帝を繞る人々一資料〉（《アジア研究》16卷2號，1969年7月）、蕭燕清〈試分析日本關東軍擁立溥儀〉（《牡丹江師院學報》1991年1期）、河村一夫〈宣統帝の著書「わが半生」を讀みて〉（《外交時報》1042-1044號，1967年7-9

月）、山田清三郎〈廢帝溥儀〉（《每日情報》6卷12號，1951年12月）、〈愛新覺羅·溥儀氏と會つて〉（《大安》12卷1號，1966年1月）及〈中國で見た人間革命—愛新覺羅·溥儀氏と會つて〉（《文化評論》52號，1966年2月）、張生〈末代皇帝遠東國際法庭作證記〉（《歷史月刊》104期，民85年9月）、于雷〈龍與人—溥儀獄中生活剪影〉（《紀實文學》1987年6期）、德米特里·利哈諾夫著、陳國權、修臣譯〈被束縛的龍：中國皇帝在內務人民委員會收容所裡〉（《龍江黨史》1996年1期）、葉廣芩〈溥儀先生晚年軼事〉（《延河》1982年2期）。與其相關的尚有陳宗舜《末代皇父載灃》（哈爾濱，北方文藝出版社，1987）、凌冰《愛新覺羅·載灃：清末監國攝政王》（北京，文化藝術出版社，1988）、鄭懷義、張建設《末代皇叔載濤沉浮錄》（北京，群衆出版社，1989）、載明久《中國末代皇弟溥傑》（瀋陽，春風文藝出版社，1987）、船木繁著、戰憲斌譯《末代皇弟—溥傑》（北京，中國卓越出版公司，1990）；〈溥儀及其弟妹們〉（《瞭望》1983年1期）、錢立言《末代皇帝與國舅》（北京，華夏出版社，1994）、安龍禎、孟昭秋、趙瀅《末代皇妃婉容》（同上）、王慶祥、王震中《淑妃文繡》（哈爾濱，黑龍江人民出版社，1987）、李玉琴記述、王慶祥整理《中國最後一個〝皇妃〞：〝福貴人〞李玉琴自述》（北京，婦女兒童出版社，1989）、張一虹《末代皇妃（李玉琴）》（濟南，山東人民出版社，1984）、季強〈末代皇帝生活側記—訪愛新覺羅·溥儀的遺孀〉（《群衆文藝》1983年4期）、河村一夫〈宣統帝の師傅，陳寶琛について〉（載《榎博士還曆記念東洋史論叢》，東京，山川出版社，1975）及〈滿洲事變勃發前後に於ける宣帝侍臣の動を一特に陳寶琛と羅振玉との關係について〉（《外交時報》1120號，1974年11月）、焦靜宜《二十世紀初中國的遺老遺少》（北京，科學出版社，1989）、索予明〈一幕未上演的歷史鬧劇一復辟之文證〉（《故宮文物月刊》1卷2期，民72年5月）、〈紫禁城黃昏過客一復辟文證析述之二〉（同上，1卷3期，民72年6月）、〈博物館事話金梁一復辟文證析述之三〉（同上，1卷4期，民72年7月）、〈故宮文物的浩劫一復辟文證析述之四〉（《故宮文物月刊》1卷5期，民72年8月）、〈清宮殘夢事幾回一復辟文證析述之五〉（同上，1卷6期，民72年9月）及〈乾坤回首亦塵埃一復辟文證析述完結篇〉（同上，1卷7期，民72年10月）。至於民國十三年（1924）溥儀被迫出宮之論著資料，已在前「軍閥政治」單元之北京政變中舉述，可參閱之。

關於一·二八事變（上海事變）有費行簡（沃邱仲子）《淞滬禦侮記·第1集》（上海，國權編輯社，民21）、何天言《上海抗日血戰史》（上海，現代書局，民21）、愛華編《淞滬血戰初集》（香港，聚珍印務書樓，1932）、李劍翁《上海抗日血戰史》（上海，上海軍事新聞社總部，民21）、楊產文編《上海血戰抗日記》（上海，互助出版社，民21）、華東編譯社編印《日本侵略上海戰紀（第1集）》（上海，民21）、范定九《暴日寇滬記》（國際文化學會，民21）、徐怡等編《淞滬禦日戰史》及其續編（2冊，上海，民族教育社，民21）；《淞滬血戰經過》（上海，中國國際宣傳社，民21）、《小朋友》編輯部編《淞滬抗日戰事紀略》（上海，中華書局，民21）、詹寶光編《淞滬抗日之血痕》（上海，傷兵管理委員會，民21）、韋息予、王臻郊著、李尊庸攝影《滬戰紀實》（上海，開明書店，民21）、高中電訊社編《滬案真相（初編．二編、三編）》（3冊，蘇州，小說林書社，民21）、覺民編輯社編印《血染淞滬》（民21年出版）、中國國民黨浙江省黨部編印《滬難與日本》（民21年出版）、江海出版社編印《淞滬抗戰史》（民34年出版）、華白《一二八淞滬抗戰》（上海，大成出版公司，民37）、王文質《一二八》（正中書局，民27）、梁雪清圖畫編輯、徐伯雄文字編輯《淞滬禦日血戰大畫史》（上海，文華美術圖書公司，民21）、中國史事研究社編印《淞滬抗日畫史》（上海，生活書店，民22）、第五軍抗日畫史編纂委員會編印《淞滬抗日畫史》（上海，民21）、賀鐵錚編《我軍血戰抗日的前後》（上海，光華書局，民21）、宋嘉霈編寫《一二八淞滬戰爭》（北京，通俗讀物出版社，1957）、余子道《抵抗與妥協的兩重奏—一二八淞滬抗戰》（桂林，廣西師大出版社，1994）、星野辰男編《上海事變寫真全輯》（東京，朝日新聞社，1932）、上海居留民團編印《上海事變誌》（上海，1933）、帝國在鄉軍人會上海支部編印《上海事變戰記》（上海，1933）、上海日報社編印《上海事變》（上海，1932）、南強編輯部編《上海事變與報告文學》（上海，南強書局，民21）、新光社編輯部《上海事變の經過》（東京，新光社，1932）、前芝確三《日本と支那—上海事變を中心として》（東京，一元社，1932）、村松梢風《上海事變を語る》（東京，平凡社，1932）、中山勤之助《上海事變の裏表》（東京，三友堂，1932）、高橋邦夫《帝國海軍と上海事變：國際都市動亂の真相》（東京，日本評論社，1932）、陸軍省調查班編印《上海事件と國際連盟》（東京，1932）、波多野乾一（榛原茂樹）、柏正彥《上海事件外交史》

（東京，金港堂書籍，1932）、有馬成甫《海軍陸戰隊上海戰鬥記》（東京，海軍研究社，1932）；《淞滬和戰紀事》（民21年出版）、《國軍淞滬抗日記》（民22年出版）、中國國民黨中央執行委員會西南執行部編印《一二八淞滬抗日週年紀念專刊》（廣州，民22年出版）、中國國民黨廣州特別市執行委員會編印《一二八淞滬抗日週年紀念專刊》（民22年出版）、吳履遜《一二八的回憶和教訓》（廣州，光榮出版社，民27）、張覺吾編《淞滬抗日作戰所得之經驗與教訓》（南京，中央陸軍軍官學校圖書館代辦，民22）、沈毅編《淞滬戰事瑣聞》（上海，民族教育社，民21）、上海律師公會編印《國難特刊（第1冊）》（民21年出版）、翁照垣〈一二八淞滬抗戰：翁照垣日記〉（序於1967年）及《淞滬血戰回憶錄》（上海，申報月刊社，民22）、上海社會科學院歷史研究所編《〝九·一八〞〝一·二八〞上海軍民抗日運動史料》（上海，上海社會科學院出版社，1986）、外務省情報部編印《滿洲事變及上海事變關係公表集》（東京，1934）、宮地貫道《對支國策論：滿洲、上海兩事變解説》（1932年出版）、朝日新聞社編印《滿洲·上海事變全記》（東京，1932）、東洋文化協會《滿洲建國と滿洲上海大事變史》（前橋，上毛新聞社，1932）、原康史《激錄·日本大戰爭·第27卷—滿洲建國と上海事變》（東京，スポーツ新聞社，1988）、國民黨黨史會編印《革命文獻·第36輯：日本侵華有關史料—淞滬事變與國難會議》（臺中，民54）、俞濟時《中華民國二十一年「一二八」淞滬抗日戰役經緯回憶》（臺北，國防部史政編譯局，民70）、國防部史政編譯局編印《抗日戰史：一二八淞滬作戰》（臺北，同上，民69年再版）、湯偉康《上海抗戰一一二八·八一三戰役》（香港，商務印書館，民84）、楊紀《滬戰秘話》（上海，黎明書店，民21）、周樂山編《抗日戰爭逸話》（上海，北新書局，民21）、樋山光四郎編《上海問題研究資料》（東京，偕行社編纂部，1932）、抗日急進會編印《十九路軍血戰抗日之真相》（民21年出版）、戰地新聞社編印《十九路軍抗日戰史·第1集》（民21年出版）、夢餘山館主人編印《中華十九路軍血戰史》（民21年印行）、夢蝶《十九路軍殺賊記》（舊金山，世界日報社印刷，民21）、廣東省政協文史資料研究委員會編《淞滬烽火：十九路軍〝一二八〞淞滬抗戰紀實》（廣州，廣東人民出版社，1992）、華振中、朱伯康編《十九路軍抗日血戰史》（上海，神州國光社，民22）、高慎行編《十九路軍血戰全史》（上海，遠東編譯社，民21）、海上熱血男兒編《十九路軍長蔡廷鍇中日戰史》（上海，上海書店，民21）、十九路軍第六十師《十九路軍第六十師抗日戰爭紀》（上海，三川印書館，民21）、張勵編《十九路軍六十一師百廿一旅淞滬抗日戰紀》（該旅司令部印行，民21）、財政部稅警總團步兵第二團編輯委員會輯《財政部稅警總團步兵第二團參加淞滬抗日回顧錄》（上海，倉頡印務公司，民21）、趙星寒編《廟行鎮戰紀（一二八淞滬抗日之役）》（上海，中華書局，民21）、中華民國外交問題研究會編印《中日外交史料叢編㈢－日軍侵犯上海與進攻華北》（臺北，民54）、坂名井深藏編《上海激戰十日間》（東京，揚子江社，1939）、井上銀晴編《步兵第四十三聯隊－創設～上海事變編》（1973年出版）、A. T. Steele, Shanghai and Manchuria, 1932: Recollections of A War Correspondent.（Arizona State University Occasional Paper,

No.10, Tempe: Arizona State University, 1977）、Paul O. Elmquist, The Sino-Japanese Undeclared War of 1932 at Shanghai（Harvard Paper on China, No. 5, Cambridge: Harvard University, May 1951）、Christopher Thorne, "The Shanghai Crisis of 1932: The Basis of British Policy."（American Historical Review, Vol.75, No.6, October 1970）、傅彬甫〈"一·二八"上海抗戰簡記〉（《歷史教學》3卷1期，1952年1月）、馬鴻麟〈"一·二八"上海抗戰始末〉（《歷史教學問題》1959年5期）、只見〈"一·二八"抗戰始末〉（《歷史知識》1986年1期）、李華明等〈"一·二八"上海抗戰大事記（節錄）〉（《社會科學（上海）》1982年1期）、韓信夫〈一二八淞滬抗戰大事記（1932年1月28日—5月5日）〉（《民國檔案》1985年2期）、周本定選編《上海法租界當局有關一二八事變文件選刊》（《檔案與歷史》1985年2期）、Payson Treat, "Shanghai, January 28, 1932."（Pacific Historical Review, Vol.9, No.3, 1940）、羅時實〈上海事件〉（《時事月報》6卷3期，民21）及〈上海事件之擴大〉（同上，6卷4期，民21）、問漁〈記壬申淞滬事件之起因〉（《人文》3卷2期，民21）、米星如〈上海血戰之回顧〉（《時事月報》6卷4期，民21）、簡博〈"一二八"抗日戰爭的幾個教訓〉（《讀書生活》3卷6期，民25）、翁照垣〈淞滬血戰回憶錄〉（《中華月報》1卷3-6期，民21）、中國第二歷史檔案館〈"一·二八"淞滬抗戰史料選〉（《歷史檔案》1984年4期）、顧執中〈一二八上海抗戰目擊記〉（《新聞研究資料》1981年3輯）、鄧志才〈上海閘北抗日戰況〉（《先導》1卷4期，民22年1月）、馬仲廉〈一二八淞滬抗戰述論〉（《抗日戰爭研究》1992年1期）、余

子道〈〝一二八〞淞滬抗戰述論〉（載《上海研究論叢》第6輯，上海社會科學院出版社，1991年9月）、饒景英〈彪炳史冊的〝一二八〞淞滬抗戰〉（《史林》1992年1期）、張銓〈〝一二八〞淞滬抗戰及其意義〉（同上）、譚紹鵬〈充分評價〝一·二八〞淞滬抗戰的歷史意義〉（《羊城今古》1993年5期）、陳麗鳳〈〝一·二八〞淞滬抗戰的歷史啟示〉（《黨政論壇》1995年7期）、陳銘樞〈淞滬抗日戰爭的教訓與中華民族的前途〉（《新中華》1卷2期，民22年1月）、蔣光鼐〈淞滬抗日戰爭的意義〉（同上）、朱志福等〈三友實業社工人的抗日活動和日僧事件—〝一二八〞事變的真相〉（《上海工運史研究資料》1981年6輯）、翁三新〈〝一二八〞事變的導火線—〝日僧事件〞真相〉（《上海黨史》1992年1期）、溫濟澤〈日僧事件〉（《日本侵華研究》第9期，1992年2月）、華永正〈上海〝一·二八〞事變起因新探〉（《安徽省委黨校學報》1987年1期）、田中隆吉〈上海事變はこうして 起こされた〉（《別冊知性》1956年12月號）、中山定義〈第一次上海事變（昭和七年）の裡話など〉（《東鄉》114號，1977）、影山好一郎〈第一次上海事變における第三艦隊の編成と陸軍出兵の決定〉（《軍事史學》28卷2號，1992年9月）及〈第一次上海事變の勃發と第一遣外艦隊〉（《海軍史研究》1990年3月號）、潘湘官、歐陽佑民〈略論淞滬戰爭爆發和十九路軍備戰〉（《福州大學學報》1992年1期）、余子道〈〝一面抵抗，一面交涉〞政策與淞滬抗戰〉（《軍事歷史研究》1992年1期）、韓明華〈一·二八抗戰和不抵抗主義〉（《上海師院學報》1982年4期）、金再及〈南京國民政府對〝一二八〞事變的方針〉（《歷史研究》1992年3期）、楊衛敏〈國民政府與一二八淞滬抗戰〉（《近代史研究》1990年4期）、張駿〈南京政府與一二八淞滬抗戰〉（《軍事歷史研究》1992年4期）、張衡〈略論〝一二八〞抗戰期間國民黨內的和與戰之爭〉（《民國檔案》1992年1期）、曹春麗〈〝一二八〞抗戰與青年義勇軍〉（《南開史學》1990年1期）、韓明華〈〝一二八〞中的群眾抗日團體〉（《上海大學學報》1996年1期）、張義漁〈九一八、一二八事變和上海民族資產階級〉（《史林》1992年1期）、朱華〈〝一·二八〞戰爭後上海民族資產階的政治態度〉（《華東師大學報》1987年4期）及〈一二八戰爭期間上海民族資產階級對國民黨政權態度的轉變〉（《檔案與歷史》1988年2期）、王樹蔭〈評國民黨開闢淞滬戰場之得失〉（《教學與研究》1987年1期）、竇愛芝〈〝一二八〞淞滬抗戰理應連同第五軍一道説〉（《南開學報》1982年5期）、陳麗鳳〈〝一·二八〞淞滬抗戰的歷史啟示〉（《黨政論壇》1995年7期）、姜偉〈一二八戰火與上海金融界的變革〉（《南京師大學報》1995年3期）及〈一二八戰火與上海的金融改革〉（《中國經濟史研究》1995年4期）、袁錫珪〈千秋難忘淞滬血戰〉（《湖南文獻》15卷2期，民76）、何迺黃〈一二八滬變的前後左右〉（《路線半月刊》23、24期合刊，民22）、何鼎新〈一二八滬變的損失總檢閱〉（同上）、程曉〈抗日戰爭初期中國和日本的戰略與淞滬會戰〉（《中共黨史研究》1995年6期）、褚家淵〈論中日雙方在淞滬戰役中的戰略〉（《社會科學（上海）》1995年7期）、黃道炫〈淞滬戰役的戰略問題〉（《抗日戰爭研究》1995年2期）、余子道〈淞滬戰役的戰略企圖和作戰方針論析—兼答馬振犢先生〉（同上）、黃均口述，崔普權整理〈淞滬戰役中的重大洩密

案〉(《縱橫》1993年4期)、宋瑞珂〈淞滬抗戰中的黃埔英烈〉(《黃埔》1992年4期);〈一二八期間上海革命軍事委員會傳單二件〉(《檔案與歷史》1988年2期)、沈立新〈海外華僑與淞滬抗戰〉(《學術月刊》1985年9期)、楊蔭溥〈淞滬抗日戰爭與中國金融業〉(《新中華》1卷2期,民22年1月)、潘公展〈淞滬抗日戰爭與上海的教育〉(同上)、吳醒亞〈淞滬抗日戰爭與上海的產業〉(同上)、方瑛〈上海事變與大眾歌曲〉(《微音》2卷5期,民21)、Jessica Charles DeForest, The American Business Community, the State Department and Shanghai Incident of 1932.(Ph. D. Dissertation, Michigan State University, 1986)、重光葵〈戰爭と外交に關する一つの教訓—第一次上海事變で私たちはいかに戰爭擴大を阻止したか〉(《每日情報》6卷12號,1951年12月)、黑羽清隆〈上海事變おぼえがき—國際連盟脱退前史〉(《歷史學研究》376號,1971年9月)、〈「便衣隊」考—日本側史料による上海事變の一面〉(《思想》586、588號,1973年4、6月)及〈1933年における天皇の歌一首—上海事變をめぐる「付隨的な推定群」〉(同上,579號,1972年9月)、鈴木健一〈上海事變の推移について—とくに政府と軍部の動向〉(《歷史評論》134號,1961)、榛原茂樹〈上海における日本帝國主義の暴虐存殺戮〉(《プロレタリア科學》4卷4號,1932)及〈上海事件と外交〉(《東亞》5卷4號,1932)、周丹(Donald Jordan)著、楊恒生譯〈一九三二年淞滬戰爭中的日本僑民〉(《日本侵華研究》第9期,1992年2月)、周丹〈一九三二年淞滬戰爭中的日本平民〉(載蔣永敬等編《近百年中日關係論文集》,臺北,民81)、高綱博文〈上海事變

と日本人居留民—日本人居留民による中國人民眾虐殺の背景〉（載中央大學人文科學研究所編《日中戰爭—日本·中國·アメリカ》，東京，中央大學出版社，1993）、阿英〈上海事變與鴛鴦蝴蝶派文藝〉（《北斗》2卷2期，民21）、若素〈十九路軍退出上海與反帝運動的前途〉（《東方青年》2卷3期，民21）、蔡廷鍇〈淞滬後的十九路軍〉（《新中華》1卷2期，民22）、劉建武〈一二八事變後國際聯盟調處活動評析〉（《抗日戰爭研究》1994年3期）、王宇博〈英國與〝一·二八〞事變〉（《江蘇社會科學》1993年6期）、遲礫編〈關於紀念一·二八事變學生遊行案〉（《北京檔案史料》1990年1期）、島田俊彥〈上海停戰協定侵犯問題〉（《武藏大學論集》3卷1號，1955年12月）及〈昭和七年上海停戰協定成立の經緯〉（《アジア研究》1卷3、4號，1955年3月）、中國第二歷史檔案館〈〝一二八〞戰役中日停戰談判紀錄〉（《民國檔案》1991年1、2期）、景祥〈滬案協定簽字經過〉（《朝暉》第2期，民21）。

日本對華北、長城、內蒙的侵略行動有張拓編《天津事變》（民21年出版）、天津市政協文史資料研究委員會編《天津便衣隊暴亂》（北京，中國文史出版社，1987）、姚洪卓、楊大辛〈簡論天津事變〉（《中學歷史》1987年4期）、淺野護〈抗日運動と天津事變〉（天津，日光堂書店，1932）、陸軍省調查班編印《天津事件に就て》（東京，1931）、王國華譯〈關於第二次天津事變日本外交文電選譯〉（《北京檔案史料》1992年3期）。佘子道《長城風雲錄：從榆關事變到七七抗戰》（上海，上海書店，1993）、梁敬錞〈日本侵略華北史跡（初稿）—從山海關到蘆溝橋〉（《傳記文學》10卷5期，民56年5月）及《日本侵略華北史述》（臺北，傳記文學出版社，民73）、中國國際宣傳社編印《榆關抗日戰史》（民23年出版）、戴緒恭、饒東輝〈榆關抗戰略論〉（《華中師大學報》1988年2期）、陳兵〈長城抗戰的序幕—榆關之戰〉（《軍事歷史研究》1988年4期）、良友圖書印刷公司編印《榆關戰事畫刊》（上海，民22）、晨光學社編（郝伯珍主編）《從榆關喋血到熱河棄守》（天津，佩文齋，民22）、關邦傑〈榆關抗日戰役與何柱國將軍〉（《傳記文學》29卷5期，民65年11月）、文海〈榆關失守之經過〉（《廣西青年》12期，民22）、傅堅白〈榆關失陷經過與東北抗日現況〉（《時事月報》8卷2期，民22年2月）及〈榆關陷落後之各方情勢〉（同上）、國防部史政編譯局編印《抗日戰史：榆關及熱河作戰》（臺北，民70年再版）。蔣永敬〈〝九一八〞事變後的熱河防守問題〉（《中國歷史學會史學集刊》24期，民81年7月）、內田尚孝〈熱河をめぐる日中關係：「滿洲事變」—熱河侵占を中心に〉（《神戶大學史學年報》11號，1996年5月）、胡曉丁〈〝山海關事件〞與熱河作戰之間存在間歇期的原因淺析〉（《南京師大學報》1995年3期）、「日の出」編輯局編《熱河．長城血戰錄》（東京，新潮社，1933）、關東軍參謀部編印《關東軍最後の聖戰熱河肅清の概況》（1933）、江紹貞〈熱河失陷與長城抗戰〉（《河北學刊》1983年3期）、吳慶君〈東北軍熱河抗戰及其結局〉（《遼寧師大學報》1985年5期）、馬熙祥〈試談熱河抗戰失敗的原因〉（《承德民族師專學報》1996年1期）、陸詒《熱河失陷目擊記》（上海，中外出版公司，民22）、張履賢《熱河從軍紀實》（濟南，撰者印行，民24）、馬國亮編、李元攝影《熱河大戰寫真》（上海，良友圖書印刷公司，民22）、梁雪清、徐伯雄編《熱河血戰畫史（第1集）》（上海，文華美術圖書公司，民22）、東幸一郎等編著〈熱河作戰と國際連盟脱退〉（《日中》7卷12號，1977年11月）、劉元功等〈熱河淪陷之經過〉（《時事月報》8卷4期，民22年4期）、胡逵譯〈熱河之戰與美國態度〉（《前途》1卷4期，民22年4月）、馬熙祥〈何日出關共生死：熱河抗戰與蔣介石北上〉（《黨史縱橫》1995年9期）、余子道〈論熱河抗戰及其歷史教訓〉（《民國檔案》1993年2期）、劉德成、郭貴儒〈國民黨政府與熱河長城抗戰〉（《河北師院學報》1990年1期）；國史館史料處編《第二次中日戰爭各重要戰役史料彙編：長城戰役》（臺北，國史館，民69）、唐人《血肉長城》（香港，文宗出版社，1963）、賀新誠主編《血肉長城：中國抗日戰爭著名戰役紀實》（北京，世界知識出版社，1995）、江紹貞《長城抗戰》（中華民國史叢書，鄭州，河南人民出版社，1995）、竇孝鵬《長城鏖兵—長城抗戰紀實》（北京，團結出版社，1995）、黃杰《長城作戰日記》（臺北，國防部史政編譯局，民72）、黃文煥、蕭前〈長城抗戰始末〉（《天津師大學報》1990年4期）、金以林〈論長城抗戰〉（《抗日戰爭研究》1992年1期）、徐友春〈略論長城抗戰〉（《歷史檔案》1984年4期）、林治波〈對《略論長城抗戰》一文的補正〉（《民國檔案》1986年1期）、國防部史政局編印《陸軍第二師長城抗戰專輯》（臺北，民60）及《抗日戰史：灤東及長城作戰》（同上，民69年再版）、劉鳳翰〈長城抗戰六十週年〉（《近代中國》95期，民82年6月）、王培軍〈淺談長城抗戰〉（《臺州師專學報》1988年2期）、鮑星時等〈長城抗戰古北口鏖戰〉（《北京黨史研究》1990年4期）、王治邦口述、高紅軍、宋曉光整理〈血戰喜峰口〉（《黨史縱橫》1995

年5期）、江紹貞〈簡評喜峰口戰役〉（《歷史檔案》1985年4期）、中國第二歷史檔案館〈喜峰口戰役中宋哲元致國民政府電報選〉（同上，1984年2期）、譚瑛〈黃埔風雲錄外一章：湯恩伯與南口會戰〉（《中外雜誌》58卷6期、59卷1期，民84年12月、85年1月）、張同新〈長城華北抗戰新探〉（《軍事歷史研究》1988年1期）、國民黨黨史會編印《革命文獻·第38輯：日本侵華有關史料—長城戰役與塘沽協定》（臺北，民54）、中國藝術公司編印《二十九軍長城血戰記》（北平，民22）、終南山人《二十九軍血戰長城輯略》（北平，東方學社，民23）、辛質《長城察北的抗戰》（上海，黑白叢書社，民26）、趙熙《長城魂》（西安，陝西人民出版社，1984）、人民出版社編著《長城魂—紀念中國抗日戰爭50周年展覽掛圖》（北京，編著者印行，1995）、劉毓棠譯〈日本佔據長城的歷史意義〉（《獨立評論》61期，民22年7月）、軍事委員會北平分會政治訓練處編印《民族之血（華北抗日紀念冊）》（北平，民22）、黃鳴、李士成〈華北危機與國民政府對日交涉方針：1933-1935年中日停戰協定比較研究〉（《民國檔案》1995年4期）、內田尚孝〈「灤東作戰」と塘沽停戰協定〉（《現代中國》70號，1996年7月）、梁敬錞〈日本侵略華北史述初稿之二—華北停戰秘幕與塘沽協定真相〉（《傳記文學》10卷6期，民56年6月）、謝國興〈塘沽協定的由來及其意義〉（《中央研究院近代史研究所集刊》13期，民73年6月）、蕭前〈塘沽協定簽訂前的中日談判〉（《近代史研究》1990年1期）、張全亮〈試析《塘沽協定》的簽訂〉（《齊魯學刊》1990年3期）、內田尚孝〈塘沽停戰協定の模索と停戰の主要因〉（《中國研究月報》577號，1996年3月）、江紹貞〈喪權辱國的《塘沽協定》〉（《貴州社會科學》1984年2期）、蕭存〈關於塘沽協定的兩種文本〉（《歷史檔案》1991年3期）、吳永在〈中國各方對於塘沽休戰協定之意見與批評〉（《外交月報》2卷6期，民22年6月）、許冠亭〈黃郛與《塘沽協定》的簽訂〉（《民國春秋》1994年6期）、楊天石〈黃郛與塘沽協定善後交涉〉（《歷史研究》1993年3期）、謝國興《黃郛與華北危局（1933-1935）》（臺北，臺灣師大歷史研究所專利之11，民73）、彭蠡〈黃郛氏領導下之華北政治〉（《北方公論》35期，民22）、黎虎答〈〝塘沽協定〞和〝何梅協定〞是怎麼回事？協定的內容和性質如何？〉（《歷史教學》1960年4期）、劉國新〈《塘沽協定》與〝華北自治運動〞〉（《近代史研究》1989年4期）、張楚〈塘沽協定前奏曲〉（《傳記文學》12卷6期，民57年6期）、王健民〈熊斌與塘沽協定〉（同上）、林振鏞〈塘沽協定簽字之前後〉（《時事月報》第9期，民22）、張洪祥〈《塘沽協定》與冀東匪禍〉（《黨史資料與研究》1992年3、4期）、霽融〈塘沽協定的存廢問題〉（《外交月報》5卷4期，民23年10月）；沈雲龍〈塘沽協定後的所謂「北平會談」〉（《傳記文學》12卷1、2期，民57年1、2期）、余子道〈何應欽、黃郛與岡村寧次的北平會談〉（《北京檔案史料》1994年2期）、許育銘〈塘沽協定後における中國の對日外交について—いわゆる「困守待援」の分析〉（《近きに在りて》30號，1996年11月）。邵雲瑞、李文榮〈〝察東事件〞與《大灘口約》〉（《河北師院學報》1981年4期）、林霽融〈察東外交問題與內蒙〉（《外交月報》6卷6期，民24年6月）、國防部史政編譯局編印《抗日戰史：冀東及察東作戰》（臺北，民71年再版）、楊大辛〈《何梅協定》的前奏—天津兩報人被殺事件〉(《民國春秋》1990年5期)、熊宗仁〈「塘沽協定」與「何梅協定」之辨析〉(《貴陽師專學報》1992年1期;亦載《日本侵華研究》10期,1992年5月)、〈〃何梅協定〃之辨析〉(《抗日戰爭研究》1992年3期)及〈一樁六十年未斷的歷史公案〔何梅協定〕〉(《文史天地》1995年2期)、梁敬錞〈日本侵略華北史述初稿之三—所謂何梅協定〉(《傳記文學》11卷5期,民56年11月)及〈日人岡田有關「何梅協定」的一封信〉(同上,12卷1期,民57年1月)、李雲漢〈所謂「何梅協定」—宋哲元與七七抗戰㈤〉(同上,21卷5期,民61年11月)、謝國興〈何梅協定之探討〉(《歷史學報(臺灣師大)》12期,民73年6月)、邵雲瑞、李文榮〈關於〃何梅協定〃的幾個問題〉(《近代史研究》1982年3期)、島田俊彥〈梅津·何應欽協定の成立〉(《日本外交史研究:昭和時代》,東京,日本國際政治學會,1960)、謝國興〈所謂「何梅協定」—兼論「安內攘外」〉(《抗日戰爭研究》1993年3期)、秦郁彥〈梅津·何應欽協定經緯〉(《アジア研究》4卷2號,1957年10月)、李文榮、邵雲瑞〈〃何梅協定〃出籠的前前後後〉(《歷史教學》1980年12期)、佐民〈何梅協定中梅津備忘錄第二部分的內容何時出籠〉(《歷史檔案》1990年1期)、四川檔案館〈何應欽有關〃何梅協定〃電文四件〉(《民國檔案》1988年2期)、中國第二歷史檔案館〈何梅協定前夕汪精衛致孔祥熙密電一件〉(同上,1989年2期)、楊晨〈何應欽與華北交涉(1933-1935)〉(《抗日戰爭研究》1994年2期)、何應欽《北平軍分會三年》(臺北,黎明文化事業出版公司,民73)。邵雲瑞、李文榮〈〃張北事件〃與《秦土協定》〉(《南開學報》1980年4期)、李雲漢〈張北事件與秦土協定－宋哲元與七七抗戰之六〉(《傳記文學》21卷6期，民61年12月)、梁敬錞〈日本侵略華北史述初稿之四－秦土協定〉(同上，11卷6期，民56年12月)。梁敬錞〈日本侵略華北史述初稿之六－華北自治運動〉(《傳記文學》12卷5、6期，民57年5、6月)、岸田英治《北支自治紀要》(大連，滿洲文化協會，1938)、翁久麻《北支における自治運動物語》(1935年印行)、封漢章〈略論〝華北自治運動〞的起點〉(《河北師院學報》1987年2期)、王美秀譯、馬斌校〈華北自治運動的演變〉(《國外中國近代史研究》17輯，北京，中國社會科學出版社，1990)、B. Winston Kahn, Doihara Kenji (土肥原賢二) and the North China Autonomy Movement, 1935-1936. (Tempe: Center for Asian Studies, Arizona State University, 1973)、Chiang Wen-hsien, Doihara Kenji and the Japanese Experience into China, 1931-1937. (Ph. D. Dissertation, University of Pennsylvania, 1969)、封漢章〈試論日本〝華北分治〞策略的形成〉(《抗日戰爭研究》1993年3期)、秦郁彥〈華北分離工作の失敗〉(《アジア研究》5卷4號、6卷1號，1959年5月、10月)、鄭玉純〈從〝華北五省自治〞策劃到〝冀察政務委員會〞成立的始末〉(《北京師大學報》1985年4、5期)、錢震〈從香河事變到冀察政會成立〉(《中外月刊》1卷2期，民25年1月)、常凱、蔡德金〈試論冀察政務委員會〉(《近代史研究》1985年4期)、陳群雄〈對冀察政務委員會的再認識〉(《零陵師專學報》1996年3期)、李雲漢〈冀察政務委員會成立前後的宋哲元〉(《傳記文學》19卷1期，民60年7月)、〈抗戰前支持華北危局的宋哲元〉(《中國現代史專題研究報告》第1輯，民60)及《宋哲元與七七抗戰》（臺北，傳記文學出版社，民62）、劉建武〈宋哲元與抗戰前華北政局〉（《東北師大學報》1988年5期）、安井三吉〈宋哲元・冀察政權をめぐる若干の問題—盧溝橋事件前史〉（《史學年報（神户大學）》第6號，1991年5月）、邵雲瑞、李文榮〈冀東防共自治政府成立的前前後後〉（《南開學報》1986年6期）、何予〈華北五省自治和〝翼東防共自治政府〞是怎麼回事？〉（《歷史教學問題》1958年5期）、鄭玉純〈偽冀東防共自治政府的成立〉（《研究・資料與譯文》1985年1期）、張洪祥等〈略論冀東防共自治政府〉（《南開史學》1986年1期）、北京市通縣檔案館〈偽冀東政府系統表及官員略歷〉（《北京檔案史料》1986年4期）、南開大學歷史系、唐山市檔案館編《冀東日偽政權》（北京，檔案出版社，1992）、殷汝耕《冀東政府は語の》（通縣，冀東防共自治政府，民26）、余真〈殷汝耕論〉（《新知識》1卷6期，民26）、何華國〈略論華北事變的原因〉（《湘潭大學學報》1989年3期）、邵雲瑞、李文榮編著《華北事變》（天津，南開大學出版社，1989）。吳美華〈試論〝七七事變〞前的華北事變〉（《歷史教學》1987年7期）、山本實彥《北支事變：支那の卷》（東京，改造社，1937）、久志本喜代士《北支事變誌：銃後の護り》（東京，溜谷印刷社出版部，1937）、邵雲瑞等主編、南開大學馬列主義教研室中共黨史教研組編《華北事變資料選編》（鄭州，河南人民出版社，1983）、金沖及〈華北事變和抗日救亡高潮的興起〉（《歷史研究》1995年4期）、仲華〈〝華北事變〞經濟原因管窺〉（《南京政治學院學報》1995年5期）、佟冬、解學詩〈華北事變是九一八事變的繼續—評日本軍國主義侵略華北的陰謀〉（《抗日戰爭研究》1991年1

期）、張洪祥〈日本關東軍駐屯軍與華北事變〉（《南開史學》1991年2期）、李代玲、李吉〈閻錫山與華北事變〉（《學術論叢》1994年2期）、田中仁〈華北事變と中國共產黨〉（《現代中國》68號，1994）、田中仁著、鐵鷹譯〈華北事變與中國共產黨在平津地區的組織和活動〉（《北京黨史研究》1994年2期）、程安輝〈試論華北事變對紅軍長征的影響〉（《華中理工大學學報》1996年4期）。另如李雲漢編《抗戰前華北政局史料》（臺北，正中書局，民71）、蕭振瀛遺著《華北危局紀實》（北京，中國國際廣播出版社，1989）、李雲漢〈九一八事變後日本對華北的侵略（1931-1937）〉（載《中華民國建國史討論集》第4冊，臺北，民70）、李彬、陳文秀〈日本侵略華北述論〉（《晉陽學刊》1996年2期）、張健甫〈日本帝國主義侵略華北的透視〉（《中華公論》1卷1期，民26年7月）、小林英夫〈日本帝國主義の華北占領政策ーその展開を中心に〉（《日本研究》146號，1974）、吳本善〈華北外交問題之回顧與前瞻〉（《外交月報》6卷2期，民24年2月）、林霽融〈華北問題與今後之中日關係〉（同上，6卷4期，民24年4月）、方秋葦〈華北問題的今日和明日〉（《中國新論》2卷1期，民25年1月）及〈最近日本侵略華北之急進〉（同上，3卷6期，民22年12月）、徐淑希〈日本增兵華北問題〉（《外交評論》6卷4期，民25年5月）、武月星〈日本華北駐屯軍及其侵華行徑〉（《近代史研究》1990年4期）、古野直也《天津軍司令部，1901-1937》（東京，國書刊行會，1989）、中村隆英〈日本對華北的經濟侵略—從塘沽協定到蘆溝橋事變〉（《國外中國近代史研究》14輯，1989年10月）、林明德〈日本對華北的經濟侵略（1933-1945）〉（《中央研究院近代史研究所集刊》19期，民79年6月）、周啟乾〈九一八事變後日本「開發」華北經濟及其實質〉（載《慶祝抗戰勝利五十週年兩岸學術研討會論文集》下冊，臺北，民85）、王同起〈〝七七〞事變前日本對華北的經濟侵略〉（《天津師大學報》1992年3期）、熊達雲〈七七事變前日本帝國主義對華北的經濟擴張〉（《近代史研究》1985年5期）、居之芬〈日本對華北經濟的統制和掠奪〉（《歷史研究》1995年2期）、張利民〈論日本對華北經濟方針政策的制定〉（《歷史教學》1996年9期）、依田憙家〈日本帝國主義の「華北經濟工作」と「華北開發計畫」－「支那駐屯軍」計畫案を中心に〉（《社會科學討究》19卷2號，1974年3月）、中村隆英〈北支那開發株式會社の成立〉（載井上清、衛藤瀋吉編著《日中戰爭と日中關係》，東京，原書房，1988）、Nakamura Takafusa（中村隆英），"Japan's Economic Thrust into North China, 1933-1938: Formation of the North China Development Corporation."（In Iriye Akira, ed., The Chinese and the Japanese: Essays in Political and Cultural Interactions, Princeton: Princeton University Press, 1980）、居之芬、畢杰〈日本〝北支那開發株式會社〞的經濟活動及其掠奪〉（《近代史研究》1993年3期）、張利民〈華北開發株式會社與日本政府和軍部〉（《歷史研究》1995年1期）及〈日本華北開發會社資金透析〉（《抗日戰爭研究》1994年1期）、居之芬〈日本的〝華北產業開發計劃〞與華北淪陷區經濟史之分期〉（《天津社會科學》1995年4期）、淺田喬二〈日本帝國主義の華北農業資源收奪計劃－日中戰爭直前期〉（《駒澤大學經濟學部研究紀要》35號，1977年3月）、中田昭一〈日中戰爭前夜華北棉花をのぐる日中關係－

1930年代の中國棉花市場〉（《宏島東洋史學報》第1號，1996年11月）、曾業英〈日本侵占華北海關及其後果〉（《近代史研究》1995年4期）、陳慈玉〈日本對山西的煤礦投資（1918-1936）〉（《中央研究院近代史研究所集刊》23期下冊，民83年6月）、黃尊嚴〈七七事變前日本帝國主義在山東的經濟擴張〉（《齊魯學刊》1991年6期）、姚洪卓〈抗日戰爭前夕日本帝國主義對天津紡織工業的兼併〉（《歷史教學》1982年6期）及〈〝七七〞事變前夕日本帝國主義在華北的走私〉（同上，1993年5期）、姚會元〈1933-1936年日本在華北的走私活動〉（《中國社會經濟史研究》1986年1期）、李正華〈〝九·一八事變〞至〝七·七事變〞期間日本在華北走私述略〉（《雲南教育學院學報》1991年1期）、孫準植《戰前日本在華北的走私活動，1933-1937》（政治大學歷史研究所博士論文，民85年6月）、Burke Inlow " Japan's Special Trade in North China"（The Far Eastern Quarterly, No.2, 1947）、鄭會欣〈抗日戰爭前夕日本對華北走私問題初探〉（《南京大學學報》1983年4期）、郭貴儒〈華北事變前後的華北走私述評〉（《河北師院學報》1984年1期）、姚賢鎬〈1934年至37年日本的對華走私政策〉（《社會科學雜誌》10卷1期，民37年7月）、黎銘〈七七事變前夕日本帝國主義在華北的走私〉（《歷史教學》1993年5期）、楊青田〈華北走私問題的剖視〉（《中華月報》4卷7期，民25年7月）、趙蘭坪〈華北走私問題之檢討〉（《外交月報》7卷2期，民25年9月）、駱耕漢〈驚動全球的華北走私問題〉（《世界知識》4卷6號，民25年6月）、魏友棐〈平衡預算聲中的華北走私問題〉（《東方雜誌》33卷13號，民25年7月）、時昭瀛、夏國盛〈華北走私問題〉（《時事月報》15卷1期，民25年7月）、方秋葦〈華北走私問題之透視〉（《新中華》4卷10期，民25年5月）、魏友棐〈華北的漏稅走私問題與經濟上的影響〉（《申報週刊》1卷12期，民25年3月）、原勝著、高璘度譯〈華北走私問題與英日的對立〉（《時事類編》4卷15期，民25年8月）、趙蘭坪〈華北走私之嚴重性〉（《外交評論》6卷4期，民25年5月）、孫懷仁〈中國關稅與華北走私（經濟談話）〉（《新中華》4卷11期，民25年6月）、張素民、溫之英〈華北走私中之中國經濟〉（《文化建設月刊》2卷9期，民25年6月）、斛泉〈華北走私之全貌〉（《東方雜誌》33卷13號，民25年7月）、張天為〈最近華北走私狀況〉（同上，33卷12號，民25年6月）、艾三〈華北走私問題之諦視〉（同上）、姚會元〈華北走私是日本侵華總政策的經濟先導〉（《山西師大學報》1995年3期）、中國第二歷史檔案館〈有關日本策動華北走私情況檔案史料選〉（《民國檔案》1987年4期）、張祖國〈三十年代中期日本在冀東地區的走私貿易〉（《天津社會科學》1987年4期）、熊達雲〈三十年代冀東武裝走私貿易淺析〉（《歷史教學》1985年7期）、丁則勤、王美秀〈論華北事變前後的冀東走私問題〉（《北京大學學報》1987年6期）、中村隆英〈冀東走私的興衰〉（《國外中國近代史研究》第9輯，1988）、今井駿〈いわゆる「冀東密輸」についての一考察：抗日民族統一戰線史研究の視角から〉（《歷史學研究》438號，1976年11月）、簡萍〈冀東密貿易の展開とその影響〉（《近きに在りて》27號，1995年5月）、金京鎬〈冀東の鴉片密輸に關する一考察〉（《東亞經濟研究》50卷1、2號，1986年10月）、齊福霖〈三個日本〝中國通〞與〝華北分治〞〉（《抗日戰爭研究》1992年3期）、常凱〈《華北防共協定》考〉（《歷史教學》1985年11期）、小林英夫〈日本帝國主義の華北占領政策－その展開を中心に〉（《日本史研究》146號，1973年6月）。千檀一仁《關東軍對察、綏省區的侵略》（中國文化學院史學研究所碩士論文，民62年6月）、江毓麟《偽匪犯綏與〝大元帝國〞的密謀》（上海，時事新聞刊行社，民26）及〈日人導演下之蒙綏獨立運動及其企圖〉（《新中華》5卷14期，民26年7月）、單冠初〈日本帝國主義是策劃侵綏事件的主凶〉（《上海師大學報》1988年1期）、倪冏人〈綏遠抗戰與中華國族之前途》（南京，西北導報社，民26）、于思〈綏遠抗戰的全面分析〉（《新世紀》1卷4期，民25）、傅彬然〈綏遠抗戰面面觀〉（《中學生》71期，民26）、張健甫〈綏遠抗戰的全面認識〉（《自修大學》1輯1號，民26）、余子道〈綏遠抗戰述論〉（《抗日戰爭研究》1993年4期）、漢夫〈從經濟上來觀察綏遠抗戰〉（《新認識》1卷6期，民25）、張健甫〈從淞滬抗戰說到綏遠抗戰〉（《現世界》1卷11期，民26）、雒春普〈綏遠抗戰爆發的原因〉（《晉陽學刊》1989年1期）、李丹夫〈試論綏遠抗戰及其歷史意義〉（《內蒙古大學學報》1988年3期）、黃燁、郭貴儒〈南京國民政府與綏遠抗戰〉（《內蒙古師大學報》1991年3期）、李祖順〈綏遠抗戰概說〉（《青海師專學報》1984年1期）、羅宏〈綏蒙抗戰的戰略意義及其對蒙古民族解放運動的促進〉（《內蒙古社會科學》1995年6期）、寺廣映雄〈綏遠事件と西北抗日情勢の新展開〉（《東洋史研究》32卷1號，1973年6月）、宇佐美誠《綏遠事件と蔣介石の「安內攘外」政策について》（立命館大學碩士論文，1992）、秦郁彥〈綏遠事件〉（載《日本外交史研究：日中關係の展開》，東京，日本國際政治學會，1961）、張玉〈國民黨政府與綏遠抗戰〉（《百家論壇》1996年2期）、雒春普〈綏遠抗戰與西安事變〉（《北京檔案史料》1986年4期）、長野廣生〈綏遠事件から西安事件〉（載《昭和日本史》第3卷，曉教育圖書，1977）、單冠初〈日本帝國主義是策劃侵綏事件的主凶〉（《上海師大學報》1988年1期）、中村幸雄《日本大陸政策の敗因·第4卷：綏東事件の教訓》（東京，1954）；《新蒙古月刊·5卷4、5期合刊—綏東戰役專號》（民26年2月出版）、張力〈綏東戰役再討—兼論中共的解釋觀點〉（《現代中國軍事史評論》第5期，民77年4月）、村田孜郎〈綏東戰線と抗日の將來〉（《善鄰協會調查月報》58號，1937）、樊仲雲〈綏遠戰事與國際現勢〉（《文化建設月刊》3卷3期，民25年11月）、劉文鳳〈傅作義綏遠抗戰紀實〉（《名人傳記》1995年8期）、陸治〈綏遠抗戰與傅作義將軍〉（《炎黃世界》1995年4期）、傅尚文〈傅作義收復百靈廟〉（《歷史教學》1986年11期）、陽吉瑪〈百靈廟戰役評述〉（《內蒙古社會科學》1987年1期）、簡笙簧〈百靈廟戰役史料選錄〉（《國史館館刊》復刊第6期，民76年6月）、張鋒富〈晉綏軍收復百靈廟〉（《山西文獻》第8期，民65年7月）、王振坤、張穎〈日本侵略西蒙地區的陰謀活動及其失敗〉（《史學月刊》1987年5期）、密勒氏評論報〈日本在內蒙的陰謀〉（《世界知識》3卷10期，民25年2月）、森久男著、邢玉林譯〈關東軍的內蒙工作和蒙疆政權的形成〉（《中國邊疆史地研究》1995年4期）、劉國新〈七七事變前日本的〝內蒙工作〞及其失敗〉（《近代史研究》1986年2期）、松井忠雄《內蒙三國志》（東京，三陽社，1966）。

其他相關者尚有劉鳳翰〈抗戰前的序幕戰〉（載軍史研究編纂委員會編《抗戰勝利四十周年論文集》上册，臺北，黎明文化出版事業公司，民75）及〈抗戰前的抗戰（九一八至七七）〉（《明道文藝》63期，民70年6月）、藍天照《九一八以來的抗日戰爭》（漢口，光明書店，民26）、祖國社編印《抗戰六年大事記》（上海，民26）、凡夫《九一八以來的抗日戰爭》（漢口，抗戰研究社，民27）、劉庭華《中國局部抗戰史》（北京，軍事科學出版社，1995）、余子道〈中國局部抗戰綜論〉（《抗日戰爭研究》1991年1期）、E·約翰著、高和平譯〈日中〝事件〞（1936年）〉（《蘇聯問題研究資料》1985年2輯）、鄧一民〈簡論抗日戰爭的局部抗戰階段〉（《中共黨史研究》1994年5期）、Sun Youli, China and the Origins of the Pacific War, 1931-1941.（New York: St. Martin's Press, 1993），係其博士論文－Diplomacy of Illusion: China's Quest for Anti Japanese Alliances, 1931-1941.（University of Chicago, 1988）加以修訂易名而出版者、Reginald Bassett, Democracy and Foreign Policy-A Case History-The Sino-Japanese Dispute, 1931-1933.（London: Longmans, Green, 1952）、黃鳴、李士成〈華北危機與國民政府對日交涉方針：1933-1935年中日停戰協定比較研究〉（《民國檔案》1995年4期）、西村成雄〈「中國統一化」論爭の一側面－日中戰爭前夜の中國と日本〉（《歷史學研究》391號，1972年12月）、石島紀之〈國民黨政府的「統一化」政策和抗日戰爭〉（載張憲文等編《民國檔案與民國史學術討論會論文集》，北京，檔案出版社，1988）、Carl L. Gilbert, The Hirota Ministries: An Appraisal, Japan's Relations With China and the U. S. S. R., 1933-

1938.（Ph. D. Dissertation, Georgetown University, 1967）、戶部良一〈日中關係安定化の機會喪失（1933-1937）をめぐって 一最近の研究動向から〉（《國學院雜誌》97卷4號，1996年4月）、林霽融〈冀察問題結束後之中日關係〉（《外交月報》7卷2期，民24年8月）、拙民〈現階段的中日關係〉（同上，8卷6期，民25年6月）、戴爾卿〈中日關係調整會議之展望〉（同上，8卷5期，民25年5月）、丁作韶〈中日關係調整之展望〉（同上）、周開慶〈調整中日關係展望〉（《中心評論》第6期，民25年4期）、羅鴻治〈南京會議與中日關係的前途〉（《中國新論》2卷3期，民25年3月）、家禾〈一年來的中日關係〉（《文化建設月刊》3卷3期，民25年12月）、陳鳴鐘〈試論1935、1936年中日會談〉（《民國檔案》1989年2期）、杜春和〈1935年日本駐華領事會議述評〉（《近代史研究》1993年4期）、徐藍〈1936-1937年英日談判中的對華關係問題〉（《世界歷史》1991年2期）、周開慶《現階段的中日問題》（南京，中心評論社，民25）、《抗戰以前之中日關係》（臺北，自由出版社，民51）及〈抗戰前一年之中日交涉〉（載《百年來中日關係史論文集》，臺北，民57）、臼井勝美〈1937年日中關係瞥見〉（《筑波法政》11卷，1988年3月）及〈「支那事變」前の中日交涉〉（載《日本外交史研究—日中關係の展開》，東京，日本國際政治學會，1961）、任覺五〈抗戰前中日間成都事件的經過〉（載《百年來中日關係論文集》，臺北，民57）、梁星亮〈論華北事變到八一三中日政策的演變〉（《西北大學學報》1988年4期）、鄭學稼《從外交談判到民族戰爭》（漢口，抗戰出版社，民27）、趙冰梅〈從華北事變看國民黨政府對日政策的轉變〉（《遼寧教育學院學報》1989年4期）、文君〈略論華北事變後南京政府政策的轉變〉(《漳州師院學報》1994年1期)、王維宣〈淺論〝華北事變〞後蔣介石對日態度策略轉化的經濟原因〉(《甘肅理論學刊》1991年1期)、王付昌〈1935年後南京政府對日態度轉趨強硬原因探析〉(《廣州師院學報》1993年1期)、黃麗芬〈試析華北事變後國民黨政府內外政策的轉變〉(《吳中學刊》1995年3期)、胡哲峰〈抗戰前國民黨政府對日戰略初探〉(《軍事歷史研究》1990年2期)、矢澤康祐〈1935·6年における國民黨の對日政策と新聞の抗日論調〉(《人文學報(都立大學)》25號,1961年3月)、劉建武〈抗戰前夕國民黨政府對日政策的轉變〉(《湘潭師院學報》1990年4期)、土屋光芳〈蔣汪合作政權の對日政策－不抵抗かぢ一面抵抗、一面交涉べ〉(《政經論叢(明治大學政治經濟研究所)》62卷1號,1993年11月)及〈汪精衛の「刺し違え電報」をめぐって－「一面抵抗·一面交涉」の試練〉(同上,62卷2·3號,1994年1月)、Donald A. Jordan, "Shifts in Wang Ching-Wei's Japan Policy During the KMT Factional Struggle of 1931-1932." (Asian Profile, No.12, 1984)、楊國屏《總統蔣公對日外交政策之研究(民國二十年至二十六年)》(中國文化大學政治研究所碩士論文,民69年12月)、李振民〈全面抗戰爆發前的蔣日矛盾和南京政府的對策〉(《西北大學學報》1989年1期)、吳珍美〈〝一二八〞到〝八一三〞蔣介石對日態度變化之客觀原因〉(《上海師大學報》1996年1期)、曹德貴〈蔣介石對日政策轉變的主觀因素初探〉(《內蒙古師大學報》1993年2期)、李蓓蓓〈1935年前後的蔣日關係〉(《上海大學學報》1988年3期)、李吉奎〈犬養毅的〝和平〞試探與〝五一五〞事變〉(《抗日戰爭研究》1996年1期）、宋志勇《天羽聲明》與日本對華政策〉（《歷史教學》1990年5期）、劉奇甫〈日本「四一七」對華政策宣言之作用〉（《外交月報》5卷1期，民23年7月）、高宗武〈日本對華政策之演化與「四一七」聲明之背景〉（《時事月報》10卷6期，民23年6月）、龔德柏〈日本對華政策聲明之由來〉（同上）、堅白〈日本對華政策聲明之內容〉（同上）、梁鋆立〈日本聲明書的法律觀〉（同上）、李迪俊〈日本對華政策聲明之國際反響〉（同上）、趙自鳴〈暴日「四一七」宣言的動因與各國態度〉（《政治月刊》1卷3期，民23年6月）、鄒魯〈對於四月十七日日本對外聲明應有的認識〉（《三民主義半月判》3卷5期，民23年5月）、蘇振申〈1933-1936日本對華政策之探討－以廣田三原則為中心〉（《中華學報》7卷1期，民69年1月）及〈廣田三原則的探討〉（《中日文化》第4期，民61年6月）、梁敬錞〈日本侵略華北史述初稿之五－廣田三原則〉（《傳記文學》12卷4期，民57年4月）、崔萬秋〈日本廣田外交與中國〉（同上，41卷4-6期，民57年4-6月）、齊福霖〈〝廣田三原則〞與國民政府的對策〉（《近代史研究》1994年3期）、王漢中〈所謂廣田三原則與中日關係〉（《中外月刊》1卷4期，民25年3月）、余子道〈蔣作賓與廣田弘義東京會談述論〉（《江海學刊》1990年6期）、蔣永敬〈張群與川越茂談判〝三原則〞〉（《傳記文學》60卷5期，民81年5月）、島田俊彥〈川越、張群會談の舞臺裏〉（《アジア研究》10卷1、3號，1963年4、10月）、永橋宏价〈排日テロ事件と川越、張群會談〉（《國士館大學政經論叢》67卷，1989年3月）、謝鵬〈張川談判及蔣介石對日妥協政策的破產〉（《外交學院學報》1989年4期）、張群《我與日本七十年》

（臺北，財團法人中日關係研究會發行，民69年再版）、嚴如平〈張群在1936年中日外交談判中的強硬態度〉（《民國春秋》1994年4期）、蔣永敬〈張群與調整中日關係〉（《日本侵華研究》13期，1993年2月；亦載《抗日戰爭研究》1993年2期及《中國現代史專題研究報告》15輯，民82）、袁成亮〈1937年初日本對華〝佐藤外交〞初探〉（《鐵道師院學報》1996年2期）、趙德教、趙文莉〈埃德加·斯諾與中國的局部抗戰（1931-1937）〉（《河南師大學報》1995年4期）、劉鳳翰〈論抗戰前日人對中國之軍事調查〉（《中央研究院近代史研究所集刊》17期下册，民77年12月）、Liu Tzu-Chien（劉子健），Sino-Japanese Diplomacy During the Appeasement Period, 1933-1937.（ph. D. Dissertation, University of Pittsubrgh, 1950）、戶部良一〈日中關係安定化の機會喪失（1933-1937）をめぐって：最近の研究動向から〉（《國學院雜誌》97卷4號，1996年4月）、國防部史政編譯局編印《抗日戰史：戰前世界大勢及中日國勢概況》（臺北，民70年再版）、Barbara Jeanne Brook, The Japanese Foreign Ministry and China Affairs: Lose of Control, 1895-1938.（Ph. D. Dissertation, University of Washington, 1973）、James William Morley, ed., The China Quagmire: Japan's Expansion on the Asian Continent, 1933-1941.（New York: Columbia University Press, 1983）、太田弘毅〈戰前海南島における日本海軍の統治組織〉（《アジア文化》第7號，1982年10月）、每日新聞社編印《二·二六事件と日中戰爭》（東京，1975）、松崎昭一〈支那駐屯軍增強問題—二·二六事件處分と盧溝橋事件への視角〉（《國學院雜誌》96卷2、3號，1995）；孫鳳

瑜《中日戰爭期間日本在華鴉片政策，1931-1945》（政治大學歷史研究所碩士論文，民80）、蔡史君〈戰前日本における〝華僑研究〞及び〝華僑對策〞の背景についての考察〉（《國際關係研究所報（津田塾大）》31號，1996年12月）。

抗戰前十年間中國人民對於日本侵華的反應—抗日救亡運動有李新、陳鐵健主編《中國新民主主義革命史長編：抗日潮流的起伏：1931-1935》（上海，上海人民出版社，1993）、上海市政協文史資料工作委員會編《抗日風雲錄》（2冊，上海，上海人民出版社，1985；即《上海文史資料選輯》第50、51輯）、中國通信社《抗日支那の真相》（東京，平野書房，1937）、姬野德一《支那の抗日記錄：日支の不幸》（東京，日支問題研究會，1936）、長野朗《抗日支那の究明》（東京，坂上書院，1937）、梶原勝三郎《支那抗日運動の思想背景》（東京，教學局，1937）、波多野乾一《支那の排日運動》（東京，東亞研究會，1932）、陸軍省調查班編印《全支排日運動の根源と其歷史的觀察》（東京，1932）、森田明〈中國における抗日運動の展開〉（《史學研究》80號，1961年4月）、石島紀之〈30年代前半期中國都市の抗日民眾運動〉（《成蹊論叢》12號，1973）、橫山英〈抗日大眾運動の展開〉（《中國研究》30-32號，1972）及〈抗日運動と愛國的ジャーナリスト〉（《廣島大學文學部紀要》26卷3號，1966）、T. Akatova, "The Chinese Proletariat in the Struggle Against Japanese Aggression."（Far Eastern Affairs, No.2, 1977）及"China's Patriotic Working-Class Resistance to Japanese Aggression in 1931-1937."（同上，No.1, 1980）、溫濟澤〈九一八和一二八時期抗日運動〉

（《中國社會科學院研究生院學報》1991年6期）、中國現代史資料編輯委員會編《從〝九一八〞到〝七七〞國民黨的投降政策與人民的抗戰運動》（上海，上海人民出版社，1958）、張曉峰〈抗日救亡運動與國共兩黨從對立到合作的政策轉變〉（《寧夏大學學報》1992年4期）、劉維開《國難期間應變圖存問題之研究—從九一八到七七》（政治大學歷史研究所博士論文，民82年6月）、王維禮〈抗日救亡與安內攘外〉（《革命春秋》1992年4期）、平野正〈抗日救國運動における〝國難教育方案〞の意義〉（《西南學院大學文理論集》18卷1號，1978年2月）、彭塞〈三十年代中國人民的抗日救亡運動〉（載《四川省紀念抗日戰爭勝利四十周年學術討論會論文暨史料選》第1輯，成都，四川社會科學院出版社，1985）、胡繩〈略談三十年代救亡運動的歷史意義〉（《求是》1990年22期）、陳麟輝〈三十年代初民族資產階級的抗日動向〉（《社會科學（上海）》1995年5期）及〈試論九一八事變爆發後民族資產階級的抗日動向〉（《上海大學學報》1988年4期）、李雲漢〈抗戰前中國知識分子的救國運動—民國20至26年〉（《中華文化復興月刊》10卷10期，民66年10月）、楊奎松〈〝七七〞事變前部分中間派知識分子抗日救亡主張的異同與變化〉（《抗日戰爭研究》1992年2期）、共青團中央青運史研究室等編《中國青年抗日救亡運動專題論文集（1931-37）》（廣州，廣東人民出版社，1992）、徐立生編《學生救國運動論文集》（上海，現代出版社，民25）、楊晉豪編《學生救亡運動特寫》（上海，北新書局，民25）、丁原英〈〝九・一八〞事變後的學生抗日運動〉（載《第二次國內革命戰爭時期史事論叢》，北京，三聯書店，1956）、王奇生〈留學與救國—三十年代留學生的抗日救亡運動〉(《民國檔案》1989年3期)及〈九一八事變後中國留日學生的抗日救亡活動〉(《抗日戰爭研究》1996年3期)、野澤豐〈一二・九以後中國學生の抗日救國運動〉(《歷史評論》44號,1953年4月)、彭瑞復〈憶全國學生救國聯合會的成立〉(《黨史資料叢刊》1980年4輯)、黃曉瑜〈抗日救亡中的婦女組織〉(《歷史教學》1986年9期)、丁衛平〈國統區婦女救國會和婦女抗日救亡運動〉(《吉林大學社會科學學報》1993年6期)、劉靖〈回憶〝九・一八〞後東北留平學生抗日救亡運動〉(《社會科學戰線》1983年2期)、成漢昌、王美秀〈從〝九・一八〞到〝七七〞北平人民的抗日救國運動〉(《北京黨史研究》1990年4期)、麻星甫〈〝九・一八〞後北平抗日運動的起伏〉(《北京檔案史料》1994年3期)、王汝豐主編《北平人民抗日鬥爭史稿》(北京,北京大學出版社,1994)、劉大成〈九一八後北平人民抗日活動史料選〉(《北京檔案史料》1986年1期)、車雄煥《戰前平津地區知識分子對日本侵華反應之研究(1931-1937)—以《獨立評論》、《大公報》、《國聞週報》為中心之探討》(政治大學歷史研究所博士論文,民85年2月)、姚洪卓〈抗日戰爭前夕天津人民的抗日救亡運動〉(《歷史教學》1985年4期)、Lesley Jean Francis, The Origins and Development of National Salvation Movement in Skanghai, 1931-1937. (Ph. D. Dissertation, Hongkong University, 1991)、孫道同、鄒榮庚等編《上海抗日救亡運動資料選編》(上海,上海市中共黨史學會,1985)、中共上海市委黨史研究室編《上海抗日救亡史》(上海,上海社會科學院出版社,1995)、饒景英等〈〝九・一八〞和〝一・二八〞時期的上海學生運動〉

（《社會科學（上海）》1983年4期）、上海社會科學院歷史研究所編《〝九·一八〞〝一·二八〞上海軍民抗日運動史料》（上海，上海社會科學院出版社，1986）、丁玲〈九一八和一二八期間我在上海參加的12次抗日救亡活動〉（《黨史資料叢刊》1983年4輯）、劉峰〈上海抗日救亡運動片斷〉（同上，1980年1輯）、雍文濤〈回憶上海各界救國會等的抗日救亡活動〉（同上）、李華明等〈上海民眾反日救國聯合會〉（《黨史生活叢刊》1982年1期）、陸治〈上海各界救國聯合會和《救亡情報》〉（《黨史資料叢刊》1982年3輯）、劉敬章等〈上海的救國會大事記（1935年12月-1937年7月）〉（《社會科學（上海）》1983年4期）；〈學生界抗日救亡運動的進步旗幟—上海市學生界救亡協會〉（《上海黨史研究》1992年8期）、張友漁〈抗戰初期上海的救亡協會〉（《社會科學（上海）》1983年1期）、張友漁等〈救亡協會史略〉（《上海文史研究通訊》1983年1輯）、吳馳湘〈上海民眾反日救國聯合會的成立和活動情況〉（《黨史資料叢刊》1981年4輯）、許德良〈抗戰前的上海職業界救亡協會〉（同上，1982年2輯）、韓進〈回憶上海民眾反日救國義勇軍的活動〉（同上，1981年4輯）、倪黑炎〈上海反戰大會的始末〉（同上，1982年1輯）、張新民〈抗日救國運動における上海映畫會の動向とその意義〉（《歷史研究》31號，1994年3月）、田沛澤〈上海抗日救亡歌咏運動縱橫〉（《新文化史料》1993年3期）、沈慧英選編〈1929年上海市總商會與上海國民救國會〉（《檔案與歷史》1988年3期）、馮紹霆〈上海市各界抗敵後援會述評〉（載《民國檔案與民國史學術討論會論文集》，北京，檔案出版社，1988）、張維楨等《上海反日大罷工》（北京，工人出版社，

1988）、崛本尚彥〈上海の抗日運動と日本人居留民〉（《信大史學》14號，1989）、錢玉戡整理〈滬南青年救亡團的成立及其活動〉（《上海工運史研究資料》1983年4期）、陸慶良、蔣曉星〈〝九一八〞後南京的學生抗日救亡運動〉（《群衆》1983年17期）、王衛平〈南京婦女救國會－全國第一個救國會組織的建立與活動探析〉（《長白學刊》1994年5期）、徐永昭、劉重陽編《武漢青年抗日救亡史》（武漢，武漢工業大學出版社，1990）、田中仁〈武漢における抗日高潮と中國共產黨〉（載今永清二編《アジアの地域と社會》，東京，勁草書房，1994）、李欣〈嚴冬過盡綻春雷：憶七七事變前後青島山東大學的抗日救亡活動〉（《山東教育史志資料》1984年1期）、李劍白主編《東北抗日救亡運動資料》（哈爾濱，黑龍江人民出版社，1991）、王洪恩主編《東北軍與民眾抗日救亡運動》（中共東北軍黨史叢書，北京，中共黨史出版社，1995）、李劍白《東北抗日救亡人物傳》（北京，中國大百科全書出版社，1991）、王連捷〈論東北抗日救亡運動的幾個特點〉（《社會科學輯刊》1996年3期）、西村成雄〈東北的殖民地化與〝抗日救亡運動〞〉（《龍江黨史》1994年3期）、章雨〈略述東北人民的抗日鬥爭〉（《內蒙古師院學報》1959年2期）、徐毅鵬〈論東北人民的抗日鬥爭〉（《學術研究叢刊》1992年3期）、孫鳳雲〈東北人民抗日鬥爭砥柱綜述〉（《北方論叢》1992年2期）、孔令波〈我國東北地區抗日鬥爭的歷史意義〉（《中國軍事科學》1991年3期）、楊瑰珍〈〝九一八〞事變及東北人民抗日鬥爭述評〉（《松遼學刊（四平師院學報）》1996年1期）、李曉男〈共產國際蘇聯與中國東北抗日鬥爭關係初探（1931-1936年）〉（《龍江黨史》1993年3期）、高純淑〈東北四省抗敵協會的組織經過〉(《近代中國》81期，民80年2月)、王慶海〈東北地區〝反帝大同盟〞及〝反日會〞初探〉(《社會科學輯刊》1991年5期)、何世芬、康雅麗〈東北人民的第一個抗日救亡組織—東北民眾抗日救國會〉(《吉林大學學報》1985年6期)、邊吉〈東北民眾抗日救國會的成立及其在東北抗戰初期的歷史功績〉(《黨史縱橫》1995年12期)、王駒、邵宇春《東北民眾抗日救國會》(瀋陽，遼寧大學出版社，1991)、謝春服〈東北民眾抗日救國會的抗日救國活動〉(《龍江黨史》1991年5期)、戈福泉、王太金〈東北民眾抗日救國會與中國共產黨〉(《東北地方史研究》1989年3期)、盛雪芳、車樹實〈〝西安事變〞前後的〝東北民眾救亡會〞〉(《瀋陽師院學報》1985年3期)、管平〈憶東北救亡總會〉(《武漢文化史料》1984年4輯)、王駒〈對東總(東北救亡總會)幾個問題的淺見〉(《社會科學輯刊》1990年1期)、趙應〈東北救亡總會、分會和通訊處簡介〉(《社會科學戰線》1986年4期)、李景華〈抗戰中的東北救亡總會及其歷史貢獻〉(同上)、王駒〈東北救亡總會與東北抗日聯軍〉(《社會科學輯刊》1991年5期)、康雅麗、何世芬〈抗日救亡運動中的東北特委〉(《黨史研究資料》1989年6期)、蕭同水〈〝九·一八〞事變後黑龍江工人階級的抗日救亡運動〉(《學術交流》1994年1期)、賈崇智〈甲午風雲之後……：安東人民抗日述略〉(《黨史縱橫》1994年8期)、李振民、趙曉天〈西北抗日救亡運動述略〉(《西北大學學報》1985年3期)、吳小強〈黨領導下的西北青年救國聯合會〉(《延安大學學報》1993年3期)、曹軍〈西北青年救國會的歷史地位：兼談西北青年的抗日救國運動〉(《理論學刊》

1987年4期）、馬偉〈我黨領導下的蘭州抗日救亡運動〉（《西北師院學報》1982年3期）、中共福建省委黨史資料徵集編寫委員會研究室編《福建抗日救亡運動》（福州，福建人民出版社，1985）；〈福建青年的反日愛國鬥爭及其歷史地位〉（《黨史資料與研究》1987年1期）、王命能、高其興〈〝七七〞前福建沿海人民的抗日救亡運動〉（《福建黨史月刊》1988年5期）、陳劍川〈南靖抗日救亡運動的興起〉（《福建黨史月刊》1991年8期）、梁瑞蘭〈抗戰前期湖南人民的抗日救亡運動〉（《湖南師大學報》1986年3期）、范忠程〈九一八事變後的湖南抗日救亡運動〉（《求索》1994年1期）、廣東各界抗日救國大會宣傳組編印《廣東各界抗日救國大會特刊》（廣州，民21）、黃義祥〈〝一二九〞前後廣東的愛國民主運動〉（《學術研究》1983年1期）、〈〝九·一八〞後南粵反日怒潮補志〉（《歷史大觀園》1992年6期）及〈〝九·一八〞事變後潮汕的反日怒潮〉（同上，1992年3期）、楊富凡〈廣西學生抗日救亡運動發展的一些情況〉（《廣西黨史研究通訊》1984年5期）、范同壽、熊宗仁《貴州抗日救亡運動史》（貴陽，貴州人民出版社，1986）、范彩屏〈貴州青年的抗日救亡運動〉（《貴州文史叢刊》1995年5期）、蔡繼聰〈抗日救亡運動在貴陽〉（同上，1995年4期）、高登智〈邊城的怒吼：雲南文藝界抗日救亡爭取民主運動紀實〉（《新文化史料》1993年6期）、楊紹安〈四川抗日救亡運動述評〉（《四川師院學報》1992年2期）；〈三十年代南充抗日救亡運動情況〉（《四川黨史資料》1984年6期）、張昌益〈抗日救亡運動在綦江〉（《重慶史學》1986年2期）、岳建功、劉海〈成都抗日救亡運動的特點〉（《成都大學學報》1995年3期）、中共成都市委黨史辦供稿、葛詩雄、安德才執筆〈試論從〝九·一八〞到〝七·七〞成都抗日救亡運動的曲折發展〉（載《抗日戰爭論叢》，成都，四川大學出版社，1985）、岳建功〈試論成都抗日救亡運動高潮的形成〉（載《四川省紀念抗日戰爭勝利四十周年學術討論會論文暨史料選》第2輯，1985）、向同倫〈涪陵地區人民在抗日救亡中的貢獻〉（同上）、唐敦教〈〝九·一八〞以後達縣地區的抗日救亡運動〉（同上）、郭全、劉邦成〈川北抗日救亡運動與重慶黨組織〉（同上）、張澤友、郭全〈南華藝社的抗日宣傳活動〉（同上）、宋德揚、王西林〈一所讀書不忘救國的革命學校—國立六中羅江四分校抗日救亡運動綜述〉（同上）、姬涌等選編〈四川民眾反日大會檔案〉（《四川檔案史料》1985年3期）、黎永泰〈四川大學抗日救亡運動初探〉（《四川黨史研究資料》1985年9期）、王子健〈宜商會抗敵晨呼隊〉（同上，1984年6期）、王敬〈抗日救亡運動在河南大學〉（《史學月刊》1985年6期）、陳庭苕、蕭文鼎〈抗戰前夕渭河勵行中學的抗日救亡運動〉（《許昌師專學報》1985年3期）。其他相關者有李盈慧《抗戰前三種刊物對中日問題言論之分析—東方雜誌、國聞週報、獨立評論之比較研究》（政治大學歷史研究所碩士論文，民72）、水羽信男〈抗日言論の一潮流—「自由評論」誌上にみえる抗日論〉（《史學研究》178號，1988年1月）、曾瑞炎〈《救國時報》在抗日救亡運動中的作用〉（《黨史研究資料》1989年9期）、呂實強〈民國二十年代中國歌曲中所表現的抗日精神〉（載《第三屆近百年中日關係研討會論文集》下册，臺北，民85年3月）、秦啟明〈救亡名曲《回春之曲》誕生記〉（《民國春秋》1992年1期）、今井駿〈龔德柏における抗日論と抗日戰略〉（載松本七郎、藤井昇三、今井駿《日中關係の相互イメージ》，東京，アジア政經學會，1975）、沈超予〈抗日聲中的文學〉（《北斗（合訂本）》第4期，民25）、張若英〈中日戰爭在文學上的反映〉（《光明（合訂本）》第1期，民25）、東方未明（即沈雁冰，其另一筆名為茅盾）〈評「九一八」以後的反日文學ー三部長篇小說：錢池翰（張天翼）作「齒輪」、林菁（華漢）作「義勇軍」、李輝英作「萬寶山」〉（《文學》1卷2期，民22年8月）、市古宙三〈「抗日救國宣言」について〉（《國學院雜誌》77卷3號，1976）、西村成雄〈概觀ー中國ナシヨナリズムとしての「抗日救亡」論〉（《載池田誠編《抗日戰爭と中國民衆》，東京，法律社，1986）、邱錢牧〈論中國青年黨的抗日救亡主張〉（《抗日戰爭研究》1992年4期）、楊奎松〈七七事變前部分中間派知識分子抗日救亡主張的異同和變化〉（同上，1992年2期）、林原文子〈愛國布の誕生について〉（《神户大學史學年報》第1號，1986）。

至於民國二十四年（1935）十二月發生的一二·九學生救亡運動有林藪編《一二九ー劃時代的青年史詩》（昆明，民主週刊社，民34）、新中華書店編印《「一二九」與青年》（民37年出版）；又華中新華書店總店編《〝一二九〞與青年》（蘇南新華書店鉛印本，1949）；《一二九：劃時代的青年史詩》（學習出版社，民36）、青年出版社編印《紀念〝一二九〞》（北京，1951）；《一二九運動》（北京，人民出版社，1954）、楊述《記一二九》（北京，北京出版社，1955；增訂本，1961）、子方《記一二九（1935.12.9宣言）》（北京，大衆出版社，1955）、李昌等《一二九運動回憶錄》（北京，中國青年出版社，1961）、清華大學、北京大學《一二九運動史》編寫組編寫《一二九運動史》（北京，北京出版社，1961）、清華大學中共黨史教研室《一二九運動史》（同上，1980）、宋黎《中國學生革命運動的來潮—回憶〝一二九〞運動》（瀋陽，遼寧人民出版社，1981）、楊述《一二九漫話》（北京，三聯書店，1981）；孫敦恒等編《一二九運動資料·第1、2輯》（2冊，北京，人民出版社，1981-1982）；楊樹先等編《一二九運動回憶錄·第1集》（同上，1982）、佳木斯各界紀念〝一二九〞籌委會編印《〝一二九〞運動十一週年紀念特刊》（民35年出版）、新民主主義青年團哈爾濱市團部編印《一二九、一二一學生運動資料特輯》（民37年出版）、清華大學校史編研組編《戰鬥在〝一二九〞運動的前列》（北京，清華大學出版社，1985）、中共北京市委黨史徵集委員會、首都博物館編《一二九運動》（北京，北京出版社，1985）、孫思白主編《紅樓風雨：北京大學〝一二九〞歷史回顧》（北京，北京大學出版社，1985）、北京師大校史資料室編《〝一二九〞運動與北平師大》（北京，北京師大出版社，1985）、趙榮聲、周游編《〝一二九〞在未名湖畔》（北京，北京出版社，1985）、中共天津市委黨史資料徵集委員會編《一二九運動在天津》（天津，南開大學出版社，1985）、中共河南省委黨史資料徵編委員會、中國共產主義青年團河南省委員會編《一二九運動在河南》（中共河南黨史資料叢書，鄭州，河南人民出版社，1986）、北京大學《〝一二九〞運動回憶錄》匯編小組編《北京大學〝一二九〞運動回憶錄》（北京，北京大學出版社，1986）、中共中央黨校黨史研究班《一二九運動史要》（北京，中共中央黨校出版社，1986）、中共北京市委黨史資料徵集委員會編《一二九運動》（北京，中黨史共資料出版社，1987）、平野正《北京一二·九學生運動》（東京，研文出版，1988）、劉定一《一二九一七七在北京》（開封，河南大學出版社，1988）、孟英等編《一二九詩選》（北京，中國文聯出版社，1989）、孫鋼編《一二九運動》（中國革命史小叢書，北京，新華出版社，1990）、徐新生《「一二九運動」與「民先隊」一中共利用學生運動之個案研究》（政治大學東亞研究所碩士論文，民64）、中華全國婦女聯合會婦女運動歷史研究室編《從〝一二九〞運動看女性的人生價值》（北京，中國婦女出版社，1988）、張九如《非常時期青年救國之路—為一二·九救國運動而作》（撰者印行，民25）、中國青年出版社編《激流》（北京，編者印行，1981），共收錄〝一二·九〞運動有關的回憶文章13篇。西文著作則極少，John Israel、 Donald W. Klein, Rebels and Bureaucrats: China's December 9ers.（Berkeley and Los Angeles: University of California Press, 1976），論述1935年12月9日至1965年12月9日北京兩次學生運動的三十年間有關中國青年學生的重要活動及其發展演變，為同類著作中的代表之作。John Israel, The Student Movement of December 9, 1935.（Regional Studies Paper, Harvard University, 1957）。

散篇論文（或文章）方面有鄒素〈一二九運動史研究中若干問題綜述〉（《黨史研究》1985年6期）、楊樹先〈一二九運動史若干問題再研究〉（《中共黨史研究》1992年6期）、金楓〈〝一二九〞學生運史簡史〉（《全民抗戰》40期，民27年12月）、John Warren Israel, "The December Ninth Movement: A Case Study in Chinese Communist Historiography."（The China Quarterly, No. 7-9, 1965）、A. Titov, "The 'December 9 Movement' of 1935."（Far Eastern Affairs, No.4, 1976-No.1, 1977）、宋黎〈回憶一二九〉（《青運史研究資料》1980年9、10期）、安法孝〈追憶一二九運動〉（《四川黨史研究資料》1986年5期）、吳時桑〈一二九運動回憶〉（《麗水師專學報》1985年3期）、姚依林〈一二九運動回憶〉（《黨史通訊》1983年6期）、許德珩〈記〝一二九〞運動〉（《新建設》1卷7期，1949年12月）、楊君辰〈〝一二九〞運動的回憶〉（《知識》9卷4期，民37年12月）、子方〈記〝一二九〞〉（《中國青年》53、54期，1950年2月）、禹一寧〈紀念「一二九」運動六十周年〉（《歷史教學》1951年6期）、蕭文蘭〈走過的道路－紀念「一二九」運動十七週年〉（《中國青年》1952年21期）、齊佑〈「一二九」的一個側面〉（同上，1953年23期）；〈「一二九」運動的前前後後〉（同上，1955年11期；《新華月報》1956年1期）、蕭文蘭〈走「一二九」的光榮道路－紀念「一二九」運動二十周年〉（《中國青年》1955年23期；《新華月報》1956年1期）、張東嶺〈在黨的路線的軌道上前進：紀念一二九運動五十年〉（《文史哲》1986年1期）、《中流》評論員〈更加堅定走與工農相結合的道路：紀念一二九運動的六十周年〉（《中流》1995年12月）、竹衍〈〝一二九〞運動記〉（《中學生》62期，民25）、孫思白〈白頭人話一二九〉（《紅旗》1985年23期）、何禮〈我對〝一二九〞運動的回顧〉（《吉林大學學報》1985年6期）、周小舟〈我與一二九運動〉（《黨史資料徵集通訊》1986年12期）、王亞文〈我參加和目睹的一二九運動〉（《社會科學（上海）》1985年12期）、陳其立

〈關於一二九運動的一些情況〉（《黨史資料叢刊》1980年4輯）；〈蔣南翔談一二九〉（《研究資料與譯文》1984年1期）、石西民〈關於一二九運動一段史實〉（《上海黨史資料通訊》1988年6期）、劉昊〈有關一二九運動的檔案史料〉（《北京檔案史料》1986年1期）；〈〝一二九〞運動簡介〉（《中國青年》1965年23期）、栗紋〈偉大的〝一二九〞運動〉（《河北教育》1985年12期）、大石智良編〈一二九運動〉（《中國》59號—特集：占領下の大學と學生運動，1968年10月）、張興亞〈試談〝一二九〞運動的幾個特點〉（《思茅師專學報》1987年2期）、張江明、曹建昭〈一二九運動的愛國主義特點及其現實意義〉（《廣東黨史》1995年6期）、張小滿〈〝一·二九〞運動的思想準備及其現實意義〉（《南都學壇》1987年3期）、楊樹先〈一二九運動的歷史地位和作用〉（《黨史研究》1985年6期）、杜麗容〈一二九運動的歷史啟示〉（《黨史博采》1995年12期）、李維岳〈〝一二九〞運動社會心理探析〉（《遼寧大學學報》1989年3期；亦載《中國青運》1990年5期）、謝蔭明〈文化革命的深入和一二九運動的爆發〉（《北京青運史資料》1988年）、成漢昌〈一二九運動中的北京大學〉（《人民教育》1980年11期）、北京師大校史黨史徵集研究室〈北平師範大學〝一二九〞運動紀實〉（《北京師大學報》1985年6期）、東駿〈一二九運動在清華〉（《革命文物》1979年6期）、張仲碧整理〈記清華靜齋——一二九部分參加者的回憶〉（《革命史資料》1983年10輯）；〈歷史的鏡子——一二九的燕京〉（《民主青年》2卷1期，民35年2月）、王美秀〈〝一二九〞運動時期北平報刊述評〉（《北京黨史研究》1991年5期）、伊勝利、陳書智、崔貴海〈李常清與北平的〝一二九〞運動〉(《龍江黨史》1994年2期)、廖永武〈〝一二九〞運動在天津〉(《歷史教學》1965年12期)、林戩〈福州〝合江慘案與天津一二九〞運動〉(《福建黨史月刊》1989年5期)、柳淑卿等〈一二九運動在上海〉(《上海黨史資料通訊》1985年12期)、胡夏青〈一二九運動中的上海抗日救亡運動〉(《上海黨史》1990年3期)、林倍泰等〈鐵蹄縱橫軍民同仇:一二八事變中的上海學生運動〉(《上海青運史資料》1983年1輯)、胡實聲〈一二九運動中的上海學生運動片斷〉(《黨史資料叢刊》1984年1輯)、陳明〈一二九運動中的上海學生聯合會〉(同上)、柳淑卿〈掀起民族自救的巨浪:一二九運動中的上海學生〉(《上海青運史資料》1982年5輯)、平野正〈一二九運動と上海の知識人〉(《西南學院大學國際文化論集》3卷1號,1988年7月)、陳明〈〝一二九〞運動中的上海中學聯〉(《黨史資料》1980年4期)、史亞璋〈〝一二九〞運動中復旦大學的學生運動〉(《黨史資料》1980年4期)、鄭為民〈一二九運動在復旦〉(《上海黨史資料通訊》1985年12期)、李冰吉〈一二九運動前後上海暨大學生運動的一些情況〉(《上海黨史資料通訊》1985年12期)、胡夏青〈一二九運動以後暨大抗日救亡鬥爭〉(《上海青運史資料》1984年3期)、李欣〈一二九運動在同濟〉(《上海青運史資料》1984年3輯)、劉長蓀〈〝一二九〞運動在武漢〉(《歷史教學》1965年12期)、王永紅、徐永昭〈一二九運動在武漢的特點和作用:紀念一二九運動六十周年〉(《黨史天地》1995年12期)、姚樹森〈一二九時期的武漢學生救國團〉(《湖北方志》1987年6期)、沅湘華等〈講述武漢一二九運動〉(《湖北黨史通訊》1985年1期)、梁嘉〈一二九前後廣東的青年運動〉（《廣東青運史資料》1982年1期）、陳萬安、黃玉強、賓銳光〈〝一二·九〞運動在廣東〉（《廣東黨史》1994年2期）、黃義祥〈一二九前後廣東的愛國民主運動〉（《學術研究》1983年1期）、楊康華〈關於廣州一二九運動及廣東黨組織的恢復問題〉（《廣東黨史通訊》1985年1期）、方彥雄〈一二九青年學生愛國運動在潮汕的影響〉（《汕頭大學學報》1987年4期）、岑淑金〈一二九運動在廣州〉（《中學歷史教學》1982年3期）、黃鶯〈一二九運動在廣西〉（《廣西黨史》1995年6期）、唐榮前等〈一二九運動給長沙青年的影響〉（《湖南黨史通訊》1985年12期）、薛毅〈一二九運動在河南〉（《中州學刊》1982年6期）、謝樹坤〈試論華北事變與一二·九運動在抗日戰爭史上的地位和作用〉（《河南財經學院學報》1987年3期）、王明欽〈〝一二九〞運動在許昌〉（《中州今古》1991年4期）、劉西森〈一二九運動在許昌〉（《許昌師專學報》1985年1期）、王立平〈一二九運動中開封學生的臥軌鬥爭〉（《中州學刊》1983年4期）、王元輔〈昆明學生熱烈響應一二九運動〉（《雲南黨史通訊》1986年2期）、張馥〈一二九運動與東北學生〉（《東北文獻》24卷2期，民82年12月）、Jessie Gregory Lutz, "December 9, 1935, Student Nationalism and the China Christian Colleges."（The Journal of Asian Studies, No.8 1967）、張志卿〈從一二九運動看中國共產黨領導的重要性〉（《革命春秋》1993年4期）、楊承順〈黨領導和一二九運動〉（《華東石油學院學報》1987年4期）、楊樹先〈關於一二九運動黨的領導概要〉（《黨史通訊》1986年2期）、任三平〈黨的領導是一二九運動勝利發展的保證〉（《青運史研究》1985年5期）、丁望〈「一二九」與

「民先隊」——九三五至一九三八年的中共學生運動〉（載《中華民國建國史討論集》第3冊，臺北，民70）、王秦〈黨領導一二九運動和〝民先〞工作之部分史料及其初析〉（《黨史通訊》1985年6、7期）、郭明秋〈回憶一二九運動的黨的領導〉（《青運史研究資料》1980年2期）、谷景生〈〝一二九〞運動與黨的領導〉（《東北之窗》1995年12期）及〈中共北平臨委當年是怎樣領導〝一二九〞運動的　：為紀念〝一二九〞運動六十周年而寫〉（《瞭望》1995年52期）、王炳林〈一二九運動中〝左〞傾偏向之剖析〉（《黨史通訊》1987年12期）、陳學桂〈簡論一二九運動中的〝左〞右傾向〉（《徐州教育學院學報》1989年3期）、福本勝清〈〝一二九〞運動前後の中國左翼〉（《史潮》新27號，1990年5月）、李安葆〈紅軍長征與一二九運動的歷史聯繫〉（《歷史教學》1987年11期）、唐過愚〈一二九運動與全國學聯〉（《黨史資料叢刊》1980年1輯）、袁木林〈一二九運動與當代青年〉（《江西社會科學》1983年6期）、張小滿〈〝一二九〞運動的思想準備及其現實意義〉（《南都學壇》1987年3期）、彭承福等〈一二九運動與抗日民族統一戰線〉（《重慶史學》1985年1期）、孫思白〈〝九一八〞與一二九學生運動比較研究〉（《歷史研究》1985年6期）、何文〈〝一二九〞時代革命學生的光輝道路〉（《歷史教學》1965年12期）、胡夏青〈一二九運動中的抗日救亡運動〉（《上海黨史》1990年3期）、平野正〈一二九運動後の學生運動と統一戰線におけるこっの方向〉（《史學雜誌》85卷12號，1976年12月）、野澤豐〈一二九前後—抗日民族統一戰線の形成過程〉（《歷史評論》41號，1953）、唐寶林〈一二九運動末期的方向之爭〉（《安徽史學》1990年1

期）、李慧庄等〈一二九運動的歷史經驗〉（《北京商學院學報》1986年1期）、王田等〈〝一二九〞紀念特輯〉（《知識》2卷2期，民35年12月）、楊君辰〈〝一二九〞運動的回憶〉（同上，9卷4期，民37年12月）、于友譯〈斯諾夫人筆下的一二九運動〉（《國際新聞界》1986年4期）、張友文〈斯諾與〝一二九〞運動〉（《課外學習》1985年12期）、王靜〈斯諾與一二九運動〉（《北京黨史研究》1992年6期；亦載《社會科學戰線》1993年3期）、李憼〈佩格·斯諾與一二九運動〉（《社會科學（上海）》1985年12期）、姚錫佩〈韋爾斯與〝一二九〞運動〉（《百科知識》1985年11期）、周鴻〈劉少奇與一二九運動成果的鞏固發展〉（《黨史研究》1985年6期）；〈劉少奇鞏固和發展了黨所領導的一二九運動的勝利成果〉（《青運史研究資料》1980年8期）、唐寶林〈劉少奇與一二九運動的轉折〉（《近代史研究》1988年3期）、才樹祥、匡長福〈劉少奇同志與一二·九運動〉（《北京外貿學院學報》1985年4期）、王聯書〈論劉少奇糾正一二九運動的〝左〞右傾錯誤〉（《鹽城師專學報》1987年2期）、郭恒〈《清華周刊》與一二九運動〉（《革命文物》1980年6期）、李安葆〈魯迅與一二九運動〉（《革命春秋》1989年4期）、彭定安〈彭濤同志與一二九運動〉（《遼寧大學學報》1980年4期）、趙晉〈一二九的吶喊與國共合作抗日的實現〉（《北京檔案史料》1995年4期）、趙召〈洪波續曲：一二九運動與國共第二次合作及全民抗戰〉（《黨史縱橫》1995年12期）、陸璀〈一二九運動走向了世界〉（《中流》1995年12期）、謝樹坤〈試論華北事變與一二九運動在抗日戰爭史上的地位和作用〉（《河南財經學院學報》1987年3期）、李玉琦〈略述〝一二九〞時期〝三三一〞游行及其教訓〉（《青運史研究》1983年6期）、尹鋒〈一二九革命種子播在我心中〉（《福建黨史資料通訊》1986年1期）、黃華〈在一二九運動中學會革命〉（《青運史研究》1985年5期）；〈一二九時期部分學運人物現名、筆名、化名輯錄〉（同上，1983年6期）。

關於救國會及其「七君子」（指1936年11月23日在上海被捕的沈鈞儒、章乃器、鄒韜奮、李公樸、沙千里、王造時、史良七位救國會重要人物）事件（稍前已列舉的各地救國會論著和資料，此地不再贅述）有沙千里著、全國政協文史資料研究委員會編、張啟宗、許九星整理《漫話救國會》（北京，文史資料出版社，1984）、周天度編《救國會》（北京，中國社會科學出版社，1981）、Hirabayashi Nicole, Tsou Tao-fen（鄒韜奮）and the National Salvation Association.（New York: Columbia University Press, 1958）、Parks M. Coble, Jr., "Chiang Kai-shek and the Anti-Japanese Movement in China: Zou Tao-fen and the National Salvation Association, 1931-1937."（The Journal of Asian Studies, Vol.44, No.2, Feb.1985）、許九星〈沙千里與救國會〉（《運城師專學報》1984年4期）、周天度〈救國會史略〉（《近代史研究》1980年1期）、孫曉村〈回憶救國會〉（《群言》1986年12期）、中共上海市委黨史資料徵集委員會編《〃一二九〃以後上海救國會史料選輯》（上海，上海社會科學院出版社，1987）、馬福龍〈1936，沸騰的上海一紀念救國會運動60周年〉（《上海黨史研究》1996年6期）、李必勝〈抗戰前夕的救國會〉（《安徽史學》1994年2期）、田福鏗、王玉琛〈淺論救國會的反法西斯鬥爭〉（《淮北煤師院學報》1986年4期）、平野正〈全國各界救國連合會成立の歷史的意義一中間層における統一戰線認識の發展と統一戰線の形成過程について〉（《歷史學研究》417號，1975年2月）及〈1936年10月の抗日救國會の方針轉換の意義について〉（《國際文化論集（西南學院大學）》5卷1號，1990年7月）、水羽信男〈「救國會派知識人」の抗日國際統一戰線論に關する覺書〉（《廣島大學東洋史研究室報告》12號，1990年12月）、時代文獻社編《七君子事件》（上海，編者印行，民26）、胡國臺〈救國會七君子案〉（《歷史月刊》25期，民79年2月）、重慶市檔案館〈〝七君子〞案件檔案選〉（《歷史檔案》1985年3期）、沙千里《七人之獄》（上海，生活書店，民26）及〈我和救國會“七人之獄”〉（《人物》1982年5期）、秦建言〈七君子事件大事記〉（《民國檔案》1988年2期）、申春〈羅青被捕與〝七君子事件〞〉（《炎黃春秋》1996年12期）、中國第二歷史檔案館〈馮玉祥為營救〝七君子〞與蔣介石往來密電〉（《歷史檔案》1981年1期）、羅青〈我與七君子並案受審的經過〉（《黨史資料叢刊》1983年4輯）、李文杰〈我為七君子案辯護〉（同上）、汪保楫〈在著名的救國會七君子冤獄中我為沙千里辯護〉（《民國春秋》1989年5期）、姜平〈救國運動與〝七君子〞蘇州審判案〉（《民國檔案》1995年4期）、趙文庫、沈謙芳〈〝七君子〞事件之後……：可歌可泣的〝救國入獄〞運動〉（《黨史縱橫》1995年9期）、周天度主編《七君子傳》（北京，中國社會科學出版社，1989）、沈謙芳〈激民族主義義憤，發抗戰之先聲：九一八事變後的鄒韜奮〉（《黨史縱橫》1996年12期）、穆欣〈〝永不背叛大眾〞：鄒韜奮在〝七君子〞事件中〉（《黨史文匯》1995年11期）、趙曉恩〈鄒韜奮與抗日救國運動〉（《出版發行研究》1996年6期）、齋藤秋男〈《救國時報》と陶行知・鄒韜奮—〝救亡＝救國〞運動史研究のために〉（《中國研究月報》401號，1981年7月）、穆欣編著《鄒韜奮》（北京，中國青年出版社，1958）、復旦大學新聞系研究室編《鄒韜奮年譜》（上海，復旦大學出版社，1982）、上海韜奮紀念館編《韜奮的道路》（北京，三聯書店，1958）、胡耐秋編《韜奮的流亡生活》（同上，1979）、韜奮《經歷》（同上，1958）及《患難餘生記》（同上）、朱允興、沈謙芳〈論鄒韜奮的抗日救國主張〉（《抗日戰爭研究》1992年2期）、姜平、田玄〈抗日救國鬥爭中的鄒韜奮〉（載《抗日戰爭史事探索》，上海，上海社會科學院出版社，1988）、周好〈論王造時的自由主義思想〉（《湛江師院學報》1995年1期）、羅添時〈略述王造時的愛國抗日〉（《江西大學學報》1990年1期）、姜平、曹峻〈王造時1931-1937年的抗日救亡活動〉（《黨史研究資料》1995年10期）、姜平〈王造時的抗日救國活動〉（《檔案史料與研究》1995年3期）及〈愛國民主人士王造時〉（《黨史研究資料》1995年2期）、水羽信男〈章乃器年譜（初稿）—中國の〝愛國〞と〝民主〞との間に〉（《廣島大學文學部紀要》51號，1992年3月）、平野正〈1930年代における章乃器の思想とその政治的立場〉（《西南學院大學文理論集》18卷1號，1977）、王健主編《李公樸：紀念李公樸先生殉難五十周年》（北京，群言出版社，1996）、青柳純一〈李公樸と民主救國運動の思想—孫文と「連合戰線」論との關連で〉（《東洋史論（東アジア史研》第7號，1989）、周天度〈抗日戰爭時期的史良〉（《近代史研究》1989年3期）、史良《史良自述》（北京，中國文史出版社，1987）、沈淑良《愛國老人沈鈞儒》

（杭州，浙江人民出版社，1981）、沈譜、沈人驊編《沈鈞儒年譜》（北京，中國文史出版社，1992）。

㈤十年間的建設和發展

抗戰前十年，在南京國民政府統治下的中國，其內憂外患並未抒歇，國府一方面從事「安內攘外」，一方面從事各項建設，亦自有其值得稱述之處，特別是在財政、交通的建設方面。綜論此十年間建設的論著非常少（專論某方面施政或建設的卻非常多），除於前通論中列舉者之外，僅有李國祁“Problems of the National Government and A Critique of Its Achievements During the Golden Decade”.（《歷史學報（臺灣師大）》13期，民74年6月）及〈抗戰前「黃金十年」的建設〉（《近代中國》44期，民73年12月）、高華〈關於南京十年（1928-1937）國民政府的若干問題〉（《南京大學學報》1992年2期）、李宇平〈學者對戰前十年中國國家建設的若干論點〉（《中國歷史學會史學集刊》25期，民82年9月）。

1.政治方面

談十年間政治建設的有薩孟武〈十年來的中國治建設〉（載中國文化建設協會編《十年來的中國》，上海，商務印書館，民26）、蒲薛鳳〈中國的政治建設〉（載薛光前主編《艱苦建國的十年（民國16年至民國26年）》，臺北，正中書局，民60）、顧靜弟《訓政時期政治建設對中國政治現代化的影響》（政治作戰學校政治研究所碩士論文，民74）、Robert E. Bedeski, The Politics of National Unification: China, 1928-1936.（Ph. D. Dissertation, University of California-Berkeley, 1969）、栗國成〈中華民國訓政時期的民主建設（1928-1937）〉（《近代中國》19期，民69年10月）。

談南京國民政府及其政治體制、官制、組織的論著有張同新編著《蔣汪合作的國民政府》（哈爾濱，黑龍江人民出版社，1988）、中國現代史學會編《中國國民政府の研究》（東京，汲古書院，1986）為多位學者撰寫的論文集；Tien Hung-mao（田弘茂），Government and Politics in Kuomintang China, 1927-1937.（Stanford, California: Stanford University Press, 1972）全書特別著重訓政時期十年間國民政府各行政機關之間的關係，並在財政和官員的統計上有非常完整的研究；該書與作者博士論文－Political Development in China, 1927-1937.（University of Wiscousin-Madison, 1969）內容近似，當係其博士論文加以修改而成；判澤純太〈南京政權樹立に至るまでの中國國民革命のいくっかの段階への省察－孫文・陳炯明・馮玉祥を中心に〉（《政治經濟史學》197號，1982年10月）、史全生、高維良等《南京政府的建立》（臺北，巴比倫出版社翻印，民81）、P. Gavendish, The Rise of the Chinese Nationalist Party and the Foundation of the Naking Regime, 1924-1929.（Ph. D. Dissertation, Cambridge University, 1968）、朱漢國《南京國民政府紀實》（合肥，安徽人民出版社，1993）、民國法政學會編印《國民政府行政全書》（8冊，民17）、李蘆洲編《南京政府の秕政（增補改訂版）》（天津，庸報社，民26，原題「國民政府的政績」）、蕭阿勤《國民黨政權的文化與道德論述，1934-1991：知識社會學的分析》（臺灣大學社會研究所碩士論文，民

80）、林頌華、劉磊〈國民黨南京政權確立述評〉（《南昌職技師院學報》1990年3期）、中島信一《南京政府の真相》（東京，東亞經濟調查局東亞會，1935）、橫山英〈南京政權の性格について〉（載《中國における權力構造の史的研究》（科研報告書，1982）、土田哲夫〈國民黨政權の性格をめぐって：Republican China 誌上の論爭の紹介〉（《近きに在りて》第8號，1985）、笹川裕史〈戰後日本における中國國民政府（1927-1949）研究〉（《近きに在りて》24號，1993年11月）、高華〈關于南京十年（1928-1937）國民政府的若干問題〉（《南京大學學報》1992年2期）、平野正〈蔣介石政權の成立〉（《歷史教育》9卷2號，1961年2月）、古廄忠夫〈蔣介石政權の評價をめぐって〉（載藤原彰、野澤豐編《日本ファシズムと東アジア》，東京，青木書店，1977）、樹中毅〈南京國民政府統治の制度化とイデオロギーの形骸化一蔣介石在の獨裁統治確立と安內攘外の政策過程（1931-1937）〉（《法學政治學論究（慶應大學）》31號，1996年12月）、朱寶琴〈蔣介石確立全國統治的經濟原因〉（《南京大學學報》1985年增刊）、李林宇〈南京國民政府政治體制沿革〉（《史學月刊》1992年1期）、鄒明德、柳蘊琪〈略論國民政府中央政治體制的演變〉（《貴州大學學報》1987年1期）、久保亨〈國民政府的政治體制和經濟演變〉（載張憲文主編《民國研究》第1輯，南京大學出版社，1994）、苑書鳳〈抗戰前南京國民政府訓政體制述評〉（《文史哲》1994年增刊）、姚誠《訓政時期政治體系之研究（1929-1949）》（政治大學三民主義研究所博士論文，民79年5月）、羅志淵〈國民政府訓政體制之研究〉（《中山學術文化集刊》11集，民62年3月）、王永祥、李國忠〈孫中山的訓

政構想與南京國民政府的訓政體制〉（《南開學報》1995年3期）、李耀新〈蔣介石與孫中山訓政之不同〉（《黃淮學刊》1996年1期）、西村成雄〈中華民國史における"訓政國家"と憲政運動－"國民代表制"をめぐる政治舞臺の形成〉（《近きに在りて》15-18號，1989年5月－1990年11月）、慈鴻飛〈關於1935年國民黨政府體制改革的歷史後果問題辨析〉（《南開經濟研究》1985年5期）、小濱正子〈南京政府に權威主義的コーポラテイズム體制論についての覺書〉（《お茶の水史學》31號，1988）、翁有為〈南京政府政治制度批判研究（1927-1949）〉（《民國檔案》1993年1期）、斯卡拉皮諾（Robert Scalapino）、于子橋〈二三十年代政治制度的困境〉（載《民國檔案與民國史學術討論會論文集》，北京，檔案出版社，1988）、張朋園、沈懷玉編《國民政府職官年表·第1冊》（臺北，中央研究院近代史研究所，民76）、劉國銘主編《中華民國國民政府軍政職官人物志》（北京，春秋出版社，1989）、汪新、劉紅《南京國民政府軍政要員錄》（北京，中共黨史出版社，，1990）、曾濟群〈五權制度之建立〉（《中山學術文化集刊》20集，民71年3月）、張天任〈國民政府實施五權制度中權能關係的發展〉（《近代中國》51期，民75年2月）及〈民國二十一年國民政府行政院之兩次改組〉（《復興崗學報》36期，民75年12月）、張慶元《訓政時期行政院之研究》（政治作戰學校政治研究所碩士論文，民66年8月）、徐矛〈居正與司法院－國民政府五院制度摭述之四〉（《民國春秋》1994年4期）及〈戴季陶與考試院－國民政府五院制度掇要之一〉（同上，1993年6期）、季智洲〈國民政府的考試院〉（《南京史志》1990年4期）、Julia C. Strauss,

"Symbol and Reflection of the Reconstituting State: The Examination Yuan in the 1930 S."（Modern China, Vol. 20, No.2, April 1994）、蕭多〈略說南京國民政府南洋研究所〉（《學海》1994年1期）、經盛鴻、徐俊文〈南京國民政府高等文官考試制度述論〉（《南京師大學報》1994年2期）、李學通〈民國時期文官考試制度初探〉（《南開史學》1988年1期）、歐正旺《國民政府成立後考試用人之研究》（政治大學政治研究所碩士論文，民61年6月）、竇澤秀、王義〈1929-1937年國民黨政府推行公務員制度的特點及其歷史反思〉（《歷史檔案》1996年4期）、董卉〈南京政府公務員制度考析（1930-1937）〉（《近代史研究》1992年2期）、萬仁元〈國民黨政府人事制度概述〉（《民國檔案》1988年4期）、繆全吉〈抗戰前十年行政系統的變革〉（載《抗戰前十年國家建設史研討會論文集（1927-1937）》下冊，臺北，民73）、李國祁〈黃金十年時期國民政府的困境與行政軍事的成就〉（載《臺灣師大校友學術文集》下冊，臺北）、周美華編《國民政府軍政組織史料—軍事委員會㈠》（臺北，國史館，民85）、張建基〈國民政府軍事委員會演變述略〉（《軍事歷史研究》1988年1期）、戚厚杰〈國民黨政府時期的軍事委員會〉（《民國檔案》1989年2期）、陳長河〈國民政府參謀本部組織沿革概述〉（《歷史檔案》1988年1期）、戚厚杰〈國民政府軍政部組織機構簡介〉（《民國檔案》1988年2期）、陳長河〈國民黨政府社會部組織概況〉（同上，1991年2期）、志欽〈國民政府外交部機構設置及沿革〉（《民國春秋》1990年4期）、陳長河〈國民政府鐵道部組織概述〉（《民國檔案》1993年4期）、王衛星〈國防設計委員會活動評述〉（《學海》1994年5期）、中國第二歷史檔案館馬振犢、許茵譯、孫修福校〈國防設計委員會工作概況〉（《民國檔案》1990年2期）、程玉鳳、程玉凰編《資源委員會檔案史料初編》（2冊，臺北，國史館，民73）及《資源委員會技術人員赴美實習史料》（3冊，同上，民77）、鄭友揆等《舊中國的資源委員會—史實與評價》（上海，上海社會科學院出版社，1991）、薛月順編《資源委員會檔案史料彙編—電業部分》（臺北，國史館，民81）、錢昌照〈談談國民黨政府資源委員會〉（《文史通訊》1988年2期）、劉福壽〈資源委員會的性質及歷史作用兩面觀〉（《中國經濟史研究》1993年1期）、William C. Kirby, "Technocracy and Politics in Nationalist China: Weng Wen-hao and the National Resources Commission, 1932-49."（《中國歷史學會史學集刊》17期，民74年5月）、川井悟〈全國經濟委員會の成立とその改組をめぐる一考察〉（《東洋史研究》40卷4號，1982年3月）、菊池一隆〈南京國民政府の華僑行政と僑務委員會—1932年4月—1937年6月〉（《東洋史論》第9號，1996年10月）、謝國富〈僑務委員會組織概況〉（《民國檔案》1992年4期）、朱永坤〈我所知道的蔣政權侍從室及總統府〉（《檔案與歷史》1986年3期）、李祚明〈國民政府中央軍事統御機關設置演變述略〉（《歷史檔案》1993年1期）、曹必宏〈南京國民政府時期中央主管水利機關概述〉（《民國檔案》1990年4期）、韓雷〈南京國民政府成立初期對全國稅務機構的整頓〉（《民國檔案》1991年3期）、楊慶華〈試論國民黨聯勤體制的形成與發展〉（《軍事歷史研究》1994年1期）、金子肇〈國民政府預算策定機構の形成過程（1928-1931）〉（《史學研究》185號，1989）、賴淑卿《國民政府警政制度之建設及其發展（1925-1948）》（政治大學歷史研究所碩士論文，民81）、賴淑卿編《警政史料—整建時期》（2冊，臺北，國史館，民78及79）、常兆儒〈國民黨統治時期的警察制度〉（《中國人民警官大學學報》1985年2期）、陸建洪〈論南京國民黨政府行政督察專員制度之性質〉（《華東師大學報》1988年4期）及〈試論南京國民政府專員制度的演變及其特點〉（《史學月刊》1988年5期）、國民黨黨史會編印《革命文獻·第71輯：抗戰前國家建設史料—內政方面》（臺北，民66）、梅汝璈〈一年來之中國內政〉（《民族》3卷1期，民24年1月）、王新命〈一年來的內政與外交〉（《文化建設月刊》1卷3期，民23年12月）及〈一年來的內政與外交〉（同上，2卷3期，民24年12月）、許性初〈一年來的內政與外交〉（同上，3卷3期，民25年12月）、方新德〈國民黨時期地方政治制度概況〉（《浙江檔案》1987年5-9期）、敖文蔚〈南京國民政府時期行政區劃的演變〉（《武漢大學學報》1992年4期）、陳小京〈國民黨政府時期省級行政體制的演變〉（《江漢論壇》1990年9期）、吳傳國〈國民政府初期「省地位」的演變與發展〉（《復興崗學報》44期，民79年12月）、横木利夫〈國民革命における地方政府：湖南省政府の成立〉（載《中國國民政府史の研究》，東京，汲古書院，1986）、張朋園〈湖南政局演變與人事遞嬗（1912-1937）〉（載《抗戰前十年國家建設史研討會論文集》上冊，臺北，民73）、張玉法〈山東省的政治領導階層（1928-1937）〉（同上）及〈國民政府時期山東省的行政人員與行政效率（民國17年至24年）〉（《中華民國史專題論文集：第一屆討論會》，臺北，國史館，民81）、J. C. S. Hall, The Yunnan Provincial Faction, 1927-1937.（Canberra:

Australian National University Press, 1976）、韓靜蘭《抗戰前後中央政府與四川的軍政關係（1935-1949）》（臺灣師大歷史研究所碩士論文，民82年6月）、Philip James Calvert, Provincial State-Building and Local Elites in Anhui: 1929-1935.（Ph. D. Dissertation, University of Washington, 1991）、David Tsai, "Party Government Relations in Kiangsu Province, 1927-1932."（Select Papers from the Center for Far Eastern Studies, University of Chicago, 1975-1976）、Bradley Kent Geisert, Power and Society: The Kuomintang and Local Elites in Kiangsu Province China, 1924-1937.（Ph. D. Dissertation, University of Virginia, 1979）、王禹廷〈由紛擾到安定一民國二十年前後的甘肅局面〉（《甘肅文獻》第1期，民62年2月）、王淑芳〈〝雷馬事變〞與三十年代甘肅政局〉（《西北民族學院學報》1993年2期）、趙曉燕〈西安事變後的寧、青、新地方實力派〉（《青海師大學報》1996年4期）、蘇雲峰〈抗戰前之湖北政治〉（載《抗戰前十年國家建設史研討會論文集》上册，臺北，民73）、陳小京〈國民政府統治時期湖北省的特別行政建制〉（《地方政治與行政》1990年1期）、崔夏英《訓政時期河南省政之研究（1928-1937）》（政治作戰學校研究所碩士論文，民72年6月）、Christian Henriot（安克強）〈南京國民政府時期市政機構的現代化（1927-1937）〉（載《中華民國建國八十年學術討論集》第1册，民81）及"Municipal Reform in GMD China（1927-1937）: A First Appraisal."（Republican China, Vol. 15, No.1, Nov. 1989）、Maryruth Coleman, Municipal Politics in Nationalist China Nanjing, 1927-1937.（Ph. D. Dissertation, Cambridge, Mass.: Harvard

University, 1984）、安嘉芳《政治都市的發展：抗戰前的南京，1927-1937》（中國文化大學史學研究所博士論文，民77）、趙家萬〈1928年至1938年北京市政府歷任職官表〉（《北京檔案史料1987年1期）、趙家鼎選編〈1928年北平特別市社會局成立職業介紹所經過情形〉（同上，1996年4期）、樂薇〈1928年的北平政局〉（《首都博物館叢刊》1994年9期）、張皓〈1930年10月至1937年7月北平的政治軍事機構－國民黨政府如何統治華北〉（《北京檔案史料》1996年1期）、趙家鼐選編〈北平特別市社會局1929年度施政大綱〉（同上，1992年4期）、簡笙簧〈俞鴻鈞與上海市政（民國16年至26年）〉（《國史館館刊》復刊第5期，民75年12月）、鄭祖安〈二、三十年代上海市政府橫向關係初探〉（《學術月刊》1994年3期）、呂芳上〈對訓政時期江西縣長的一些觀察（1926-1940）〉（載《中華民國建國八十年學術討論集》第1册，臺北，近代中國出版社，民81）、葛啟揚〈民十七年以來中國縣名更置表〉（《地學雜誌》21卷2期，民22年6月）、張益民〈南京國民黨政權的鄉村機構演變特點〉（《南京大學學報》1987年1期）、Lenore Barkan, Nationalists, Communists, and Rural Leaders: Political Dynamics in a Chinese Country, 1927-1937.（Ph. D. Dissertation, University of Washington, 1983）；王肇宏《訓政前期的地方自治（1928-1937）》（政治作戰學校政治研究所碩士論文，民68年7月）及〈訓政時期省市施行地方自治的實況〉（載張玉法主編《中國現代史論集·第8輯：十年建國》，臺北，聯經出版事業公司，民71）、趙小平〈試論國民黨地方自治失敗的原因〉（《貴州社會科學》1992年12期）、崔夏英〈訓政時期河南省地方自治實績研究〉（《中正嶺學術研究集刊》第5集，民75年6月）、沈松僑〈地方精英與國家權力—民國時期的宛西自治，1930-1943〉（《中央研究院近代史研究所集刊》21期，民81年6月）、王萍〈廣東省的地方自治：民國二十年代〉（同上，第7期，民67年6月）、謝增壽〈國民黨南京政府保甲制度述論〉（《南充師院學報》1984年4期）、趙小平〈國民黨保甲制度述論〉（《許昌師專學報》1990年3期）、金世忠《民國保甲制度之研究—以抗戰前後的四川省為例（1935-1949）》（臺灣大學歷史研究所碩士論文，民79）、毛圓芳〈試析國民黨南京政府保甲制度的反動作用〉（《湖州師專學報》1990年2期）、王肇宏〈抗戰前保甲制度的實施—江蘇省推行概況〉（《中正嶺學術研究集（人文社會科學類）》13集，民83年6月）、笹川裕史〈「七七」前夜國民政府の江西省農村統治—保甲制度と「地方自治」推進工作〉（《史學研究》187·188合併號，1990年5月）、朱德新〈試論二十世紀三十年代河南保甲制度的建立〉（《史學月刊》1995年1期）及《二十世紀三四十年代河南冀東保甲制度研究》（北京，中國社會科學出版社，1994）、Hui-Yu Caroline T'sai（蔡慧玉），"The Baojia Movement in China During the 1930s".（《興大歷史學報》第3期，民82年4月）；李守孔〈中國國民黨訓政之實施與憲政之預備〉（載《中華民國歷史與文化討論集》第1册，臺北，民73；亦載《近代中國》53期，民75年6月）、王孟平《訓政時期憲政準備歷程之研究》（政治大學三民主義研究所博士論文，民83年7月）、蕭公權〈施行憲政之準備〉（《獨立評論》234號，民26年5月）、郭文元《訓政時期憲政關係之研究》（中國文化大學政治研究所碩士論文，民65）、胡春惠〈介述我國戰前憲政醞釀之過程〉（《近代中國》74

期，民78年12月）、蔣永敬〈南京國民政府初期實施訓政的背景及挫折—軍權、黨權、民權的較量〉（載《中華民國史專題論文集：第一屆討論會》臺北，國史館，民81；亦載（《近代史研究》1993年5期）、李時友〈中國國民黨訓政的經過與檢討〉（《東方雜誌》44卷2號，民37年2月；亦收入張玉法主編《中國現代史論集·第8輯：十年建國》，臺北，聯經出版事業公司，民71）、味岡徹〈國民黨「訓政」と抗日戰爭〉（載中央大學人文科學研究所編《日中戰爭：日本·中國·アメリカ》，東京，中央大學出版部，1993）、姚誠《國民黨訓政（1929-1947）》（政治大學三民主義研究所博士論文，民79年5月）、張世熒《訓政時期之政策制定與執行—兼論與憲政實施之關聯性》（臺北，正中書局，民78）、西村成雄〈中華民國史における「訓政國家」と憲政運動：「國民代表制」をめぐる政治舞臺の形成〉（《近きに在りて》15-18號，1989年5月、11月、1990年5月、11月）、董霖《戰前的中國憲政制度》（臺北，世界書局，民57）、家近亮子〈南京國民政府の北方への權力浸透について〉（《東方學》87號，1994年1月）、姫田光義、久保亨〈總論：國民政府の歷史的考察〉（載《中國國民政府の研究》，東京，汲古書院，1986）、江一村等〈國民黨政府定都南京經過〉（《南京史志》1987年1期）、經盛鴻〈1928年國民政府建都南京之爭〉（《歷史大觀園》1990年10期）、陳希亮〈一九三二年國民政府遷都洛陽〉（《民國春秋》1996年1期）、王永生、王華巍〈南京國民政府建立初期政治、經濟政策評析〉（《理論與改革》1990年6期）、朱永坤〈我所知道的蔣政權侍從室及總統府〉（《檔案與歷史》1986年3期）、李友仁〈淺談國民黨政權警衛工作的特點〉（《中國人民警官大學學報》

1986年3期）、賓文金〈南京國民政府僑務工作剖析（1927-1949年）〉（《八桂僑史》1996年4期）。

十年間重要的政治性會議如民國二十年（1931）五月五日至十七日在南京召開的國民會議有胡春惠〈國民會議之召集與約法問題〉（載《抗戰前十年國家建設史研討會論文集》下册，民73）、陳之邁〈民國二十年國民會議之選舉〉（《清華學報》11卷2期，民25）、鄭雪美《國民會議之研究》（政治大學三民主義研究所碩士論文，民70年6月）、張天任〈訓政時期召開國民會議與制定約法對我國政治的貢獻〉（《近代中國》75期，民79年2月）及〈國民會議召開與訓政約法制定之研究〉（《復興崗學報》37期，民76年6月）、國民會議實錄編輯委員會編印《國民會議實錄（附政治總報告）》（民20年印行）、坂本義孝〈國民會議と中國の實相〉（《上海時論》6卷6月號，1931年6月）、梧鳳莊主人〈國民會議の收穫〉（同上）；民國二十一年(1932)四月七日至十一日在洛陽召開的國難會議有劉會軍〈國難會議略析〉（《史學集刊》1988年1期）、蔣建農〈簡論國難會議〉（《民國檔案》1989年2期）、沈雲龍〈國難會議之回顧〉（《傳記文學》30卷6期、31卷1期，民66年6、7月）、國難會議編印《國難會議記錄》（南京，民21）、何萍〈民國廿一年國難會議與訓政憲政之爭〉（《歷史學報（臺灣師大）》20期，民81年6月）、莊焜明〈談國難會議及其對憲政的貢獻〉（《文藝復興》27期，民61年3月）、國民黨黨史會編印《革命文獻·第36輯：日本侵華有關史料—淞滬事變與國難會議》（臺中，民54）。

關於國民政府的政策（對日政策前已舉述，可參閱之）有王永生、王華巍〈南京國民政府建立初期政治、經濟政策評析〉（《理論與改革》1990年6期）、山口慎一〈國民政府の對內政策批判〉（《上海時論》4卷10月號，1929年10月）、陳先初〈從安內攘外到聯共抗日—局部抗戰時期國民政府內外政策述評〉（《抗日戰爭研究》1993年2期）、陳存恭〈從美國軍事情報探討〝安內攘外〞政策〉（《現代中國軍事史評論》第5期，民77年4月）及〈從「兩廣事變」的和平解決檢討「安內攘外」政策〉（載《抗戰前十年國家建設史研討會論文集》上册，民73）、宇佐美誠《綏遠事件と蔣介石の「安內攘外」政策について》（立命館大學碩士論文，1992）、蔣永敬〈《徐永昌日記》中有關「安內攘外」史料介述〉（《中華民國史專題論文集：第二屆討論會》，臺北，國史館，民83）、李雲峰、葉揚兵〈蔣介石〝安內攘外〞理論的兩個層次及其關係〉（《史學月刊》1996年3期）、張珉〈論〝安內攘外〞〉（《松遼學刊》1987年4期）、劉培平〈〝安內攘外〞與〝反蔣抗日〞〉（《文史哲》1995年5期）、李松林〈試論〝攘外必先安內〞方針的形成〉（《史學月刊》1989年1期）、蔣曉星等〈試析蔣介石的攘外必先安內政策〉（《華東工學院學報》1990年2期）、蔡建中〈蔣介石〝攘外必先安內〞政策探析〉（《華中師大學報》1992年6期）及〈論國民黨政爭與蔣介石〝攘外必先安內〞政策〉（《臺州師專學報》1994年1期）、伊藤信之〈蔣介石における集權化構想と「安內攘外」政策〉（《法學政治學研究（成蹊大學）》第9號，1990年3月）、周建超〈蔣介石與〝攘外必先安內〞〉（《黨史研究與教學》1994年2期）、吳傳秀〈蔣介石政府〝攘外必先安內〞政策的歷史考察〉（《江漢論壇》1994年3期）、季雲飛〈蔣介石〝攘外必先安內〞政策之剖析〉（《河北學刊》1995年3期）、薛鈺〈蔣介石〝攘外必先安內〞政策研究綜述〉（《民國檔案》1995年2期）、石島紀之〈國民政府の「安內攘外」政策とその破產〉（載池田誠編《抗日戰爭と中國民衆》，東京，法律文化社，1987）、王維禮、程舒偉〈關於南京國民政府〝安內攘外〞政策的評價〉（《中共黨史研究》1993年3期）、陳先初〈局部抗戰時期國民政府〝安內攘外〞政策向〝聯共抗日〞政策的演變〉（《抗日戰爭研究》1992年2期）、李盈慧《現代中國的華僑政策（1912-1949）》（政治大學歷史研究所博士論文，民83年6月）。

關於國府（或國民黨）的特務組織有鄧元忠《三民主義力行社史》（臺北，實踐出版社，民73）、〈三民主義力行社史初稿〉（《傳記文學》39卷4、6期、40卷1、6期，民70年10、12月、71年1、6月）、〈力行社的組織性質與形成〉（《華岡文科學報》15期，民72年12月）、〈力行社內幕傳真〉（《中外雜誌》33卷5、6期，民72年5、6月）及〈三民主義力行社與日本〉（載《孫中山先生與近代中國學術討論集》第3册，民74）、干國勳〈三民主義力行社與民族復興運動〉（臺北，干苓苓發行，民75）、喬家才〈三民主義力行社與中國國民黨〉（《中外雜誌》33卷1、2期，民72年1、2月）、干國勳〈力行社與軍統局〉（《中外雜誌》31卷1期，民71年1月）、王進義《三民主義力行社組織與策略之研究》（政治作戰學校政治研究所碩士論文，民79）、劉慶祥《力行社與安內攘外》（同上，民77）、余子道、徐有威〈力行社述論〉（《近代史研究》1989年6期）、高華〈力行社的成立時間及組織層構考釋〉（《民國檔案》1991年4期）、徐有威〈力行社日本觀研究〉（載胡春惠主編《近代中國與亞洲學術討論會論文集》上册，香港，1995）、何志浩〈力行社與國民軍訓〉（《中外雜誌》31卷6期，民71年6月）、劉廣瑛〈力行社在華北〉（同上，33卷4期，民72年4月）、康澤原稿、董益三整理〈復興社的緣起—《康澤回憶錄》之一〉（《傳記文學》59卷4期，民80年10月）、趙映林〈復興社始末〉（《民國春秋》1987年2期）、干國勳等《藍衣社·復興社·力行社》（臺北，傳記文學出版社，民73）及〈追思劉健群並釋「藍衣社」〉（《傳記文學》21卷3期，民61年9月）、陳敦正〈復興社·藍衣社·青白社——一個復興社參加者的自述與觀察〉（同上，34卷6期、35卷1期，民68年6、7月）、龐鏡塘等《蔣家天下陳家黨：CC和復興社》（香港，中原出版社，1989）、干國勳〈關於所謂「復興社」的真情實況〉（《傳記文學》35卷3-5期，民68年9-11月）、徐有威〈關於"藍衣社"的幾點辨析〉（《檔案與歷史》1989年5期）、今井駿〈抗日ナシヨナリズムと「藍衣社」的イデオロギー：劉健群「復興中國革命之路」についての一考察〉（《中國研究》134號，1982）、Lloyd E. Eastman, "The Rise and Fall of the "Blue Shirt": A Review Article."（Republican China, Vol.13, No. 1, November 1987）、Chang Maria Hsia, The Chinese Blue Shirt Society: Fascism and Development of Nationalism.（Berkeley: University of California Press, 1985）、易勞逸（Lloyd E. Eastman）著、徐有威譯、余子道校〈國民黨中國的法西斯主義：藍衣社〉（《國外中國近代史研究》14輯，1989年10月）—其原义名稱為"Fascism in Kuomintang China: The Blue Shirts."（載The China Quarterly, No. 49, Jan.-March 1972）、陳恭澍《藍衣社內幕》（上海，國民新聞圖書印刷公司，民32）、西南執行部海外黨務組編印《藍衣黨的罪惡》（出版時地不詳）、滿鐵上海事務所編印《支那ファッショの內幕》（上海，1935）、大庭勝一《藍衣社は躍る》（東京，鶴鳴莊出版部，1937）、外務省調查部編印《藍衣社ニ關スル調查：昭和11年3月現在》（東京，1937）、外務省情報部第三課編印《藍衣社關係諸條例規則集》（東京，1938）及《藍衣社ノ防諜工作ニ關スル資料》（東京，1937）、內務省警保局外事課編印《藍衣社防諜及諜報工作》（東京，1940）。與其相關的有Chang Maria Hsia, "Fascism and Modern China."（The China Quarterly, No.79, September 1979）、田克勤〈三十年代國民黨法西斯化原因探析〉（《革命春秋》1992年2期）、劉健清〈國民黨內法西斯主義的泛起與蔣介石獨裁統治的建立〉（《南開學報》1983年5期）、潘國琪〈三十年代國民黨內法西斯主義的泛起及其原因初探〉（《浙江大學學報》1993年2期）、陶鶴山〈關於二三十年代法西斯主義在中國傳播的幾個問題〉（《南京大學學報》1996年2期）、馮啟宏《法西斯主義對中國三〇年代政治的影響》（政治大學歷史研究所碩士論文，民82年6月）、八卷佳子〈中國における法西斯主義をめぐって〉（《季刊社會思想》2卷3號，1972年11月）；柴夫編《CC內幕》（北京，中國文史出版社，1988）、范小方《二陳和CC》（鄭州，河南人民出版社，1993）、在上海日本大使館特別調查班編印《C. C團に關する調查》（上海，1939）、徐恩曾等《細說中統軍統》（臺北，傳記文學出版社，民81）、柴夫編著《中統興亡錄》（北京，中國文史出版社，1989）》及《中統頭子徐恩曾》（同上）、江蘇省政協文史資料研究委員會編《中統內幕》（南京，江蘇古籍出版社，1988）及《中統特工秘錄》（南京，江蘇文史資料編輯部，1991）、張文等《特工總部：中統》（香港，中原出版社，1988）；《我所知道的中統內幕》（同上，1985）、沈醉《軍統內幕》（北京，中國文史出版社，1985；臺北，新銳出版社翻印，民83）、俞興茂編《特工秘聞：軍統活動紀實》（北京，中國文化出版社，1990）、江紹貞《戴笠和軍統》（鄭州，河南人民出版社，1994）、重慶市檔案館〈〝軍統〞十年大事記（1932年—1941年）〉（《檔案史料與研究》1993年4期）、闞夢齡遺稿、李占恒整理《一個軍統上校的自述》（北京，文化藝術出版社，1989）、沈醉口述、沈美娟整理《魔窟生涯：一個軍統少將的自述》（北京，人民文學出版社，1987）、陳雪奇、江峰《軍統教父毛人鳳》（鄭州，河南人民出版社，1996）、李海生、完顏紹元《軍統巨梟—毛人鳳》（上海，上海人民出版社，1995）、福建省政協文史資料編輯室編《軍統在福建》（福州，福建人民出版社，1987）、蔣仁、余奎元〈國民黨軍統組織和戴笠在浦城〉（《福建史志，1989年4期）。

關於各類團體（或階層、勢力）與國民政府的關係有王君等〈江浙財閥與蔣介石的上臺〉（《河北師院學報》1984年2期）、凌宇〈江浙財團和蔣介石反動統治的建立〉（《黨史研究資料》1985年2期）、史全生〈江浙財團與蔣介石政權的建立〉（《江海學刊》1984年4期）、邱松慶〈江浙財團與南京國民政府的建立〉（《黨史研究與教學》1996年5期）、李正華〈江浙財團與南京國民政府的關係〉（《歷史教學》1988年4期）、Parks M. Coble, Jr., The Shanghai Capitalists and the Nationalist Government, 1927-1937.（Cambridge, Mass: Harvard East Asian Monographys, Harvard University, 1980；其中譯本爲蔡靜儀譯、李臻校《江浙財閥與國民政府：1927-1937年》，天津，南開大學出版社，1987；臺灣之翻印本易名爲《金權與政治—江浙財團與國民政府》，臺北，風雲時代出版社，民80；另一中譯本爲楊孟希譯《上海資本家與國民政府，1927—1937》，北京，中國社會科學出版社，1988）、帕克斯·M·小科爾布（Parks M. Coble, Jr.）著、曾學白譯、呂南校〈國民黨政權與上海資本家（1927-1929）〉（《國外中國近代史研究》第1輯，民80年12月）；劉才賦〈論上海幫會對南京國民政府與江浙財閥關係的影響〉（《南京大學學報》1993年1期）、鍾曉光〈〝江浙財閥〞之芻議〉（《民國檔案》1992年1期）、姚會元〈略論江浙財團的形成〉（《江海學刊》1995年1期）、西里喜行〈清末の寧波商人について—「浙江財閥」の成立に關する一考察〉(《東洋史研究》26卷1、2號，1967年6、9月）、郭緒印〈上海幫會與帝國主義、國民黨政權的關係〉（《上海師大學報》1989年1期）、Brian G Martin, "The Green Gang and the Guomindang Polity in Shanghai, 1927-1939."（Papers on Far Eastern History, Vol.42, 1990）及（辛紅譯）〈青幫與國民黨政權：杜月笙對上海政治的作用（1927-1937）〉（《歷史研究》1992年5期）、張曉輝〈民族資產階級與南京國民黨政府〉（《史學集刊》1987年1期）、朱華〈九一八以前上海民族資產階級對國民黨政權的態度〉（《檔案與歷史》1985年2期）、曹必宏〈九一八前民族資產階級與南京國民黨政權關係〉（《史學集刊》1989年1期）及〈九一八後民族資產階級與國民黨政權的關係〉（《民國檔案》1989年4期）、Richard Clarence Bush, Ⅲ, Industry and Politics in Kuomintang China: The Nationalist

Regime and Lower Yangtze Chinese Cotton Mill Owners, 1927-1937.（Ph. D. Dissertation, Columbia University, 1973）、張益民〈1927-1937：南京國民黨政權與浙江地主豪紳〉（《檔案與歷史》1989年2期）。

關於十年間之中國國民黨及其重要組織、活動有宋晞〈自北伐至抗戰期間的中國國民黨〉（《近代中國》102期，民83年8月）、李守孔〈訓政時期的中國國民黨〉（《政治文化》創刊號，民74年4月）、呂士朋〈訓政初期國民黨的憂患及其影響（1928-1931）〉（載《中華民國建國八十年學術討論集》第1冊，臺北，近代中國出版社，民81）、Robert E. Bedeski, State-Building in Modern China: The Kuomintang in the Prewar Period.（Berkeley: University of California Press, 1981）、王賢知〈試論抗戰前國民黨組織發展的幾個基本特點〉（《民國檔案》1990年3期）、Wei William, Counter-revolution in China:The Nationalists in Jiangzi During the Soviet Period.（Ann Arbor:University of Michigan Press, 1985）、Bradley Kent Geisert, "From Conflict to Quiescence: The Kuomintang, Party Factionalism and Local Elites in Jiangsu, 1927-31."（The China Quarterly, No. 108, Dec.1986）、陳慧芬《抗戰前國民黨關於黨治問題的爭議（1928-1937）》（臺灣師大歷史研究所博士論文，民83年7月）、田宏懋（田弘茂）著、朱華譯〈1928-1937年國民黨派系政治闡釋〉（《國外中國近代史研究》24輯，1994）、鄭德榮、田克勤〈國民黨派系的角逐與南京政府在全國統治的建立〉（《中共黨史研究》1988年5期）、So Wai-Chor, "The Organization and Power Base of the Kuomintang Left, 1928-1931."（Papers on Far

Eastern History, No.32, 1985)、山田辰雄《中國國民黨左派の研究》(東京，慶應通信，1980)、Chen Jerome(陳志讓)，"The Left Wing KMT-A Definition." (Bulletin of the School of Oriental and African Studies, Vol.25, No.3, 1962)、Wang Ke-Wen (王克文)，"The Left Guomindang in Opposition, 1927-1931." (Chinese Studides in History, Vol.20, No.2, 1986-87)、Edmund S. K. Fung (馮兆基)， "Anti-Imperialism and the Left Guomindang." (Modern China, Vol.11, No.1, Jan 1985)、John Kenneth Olenik, Left Wing Radicalism in the Kuomintang: Teng Yen-ta and the Genesis of the Third Party Movement in China, 1924-1931. (Ph. D. Dissertation, Cornell University, 1973)、Charles Roy Kitts, An Inside View of the Kuomintang: Chen Li-fu, 1926-1949. (Ph. D. Dissertation, St. John's University, 1978)、Michael Elliot Lestz, The Meaning of Revival: The Kuomintang "New Right" and Party Building in Republican China, 1925-1936. (Ph. D. Dissertation, Yale University, 1982)、趙英蘭〈國民黨再造派與《再造旬刊》〉(《吉林大學社會科學學報》1992年3期)；袁武振、梁月蘭〈國民黨第五次代表大會是其政策轉變的起點〉(《史學月刊》1987年3期)、張忠棟〈第五次全國代表大會〉(《中華學報》4卷1期，民66年1月)、劉貴福〈論五屆三中全會國民黨政策變化的內在機制及實質〉(《遼寧師大學報》1991年4期)、傅建成〈國民黨五屆三中全會述評〉(《史學月刊》1987年3期)、錢端升〈對於六中全會的期望〉(《獨立評論》162號，民24年8月)、中國第二歷史檔案館〈國民黨五屆六中全會財政部財政報告〉(《民

國檔案》1986年4期）；至於國民黨的三大至四大等已在前舉述，可參閱之；關志鋼〈1927至1937年國民黨中政會芻議〉（《近代史研究》1990年2期）及〈國民黨〝中政會〞述評〉（《深圳大學學報》1995年1期）、王勁松〈初析國民黨訓政時期的中政會〉（《益陽師專學報》1992年2期）、斯彥〈國民黨中央政治委員會簡介〉（《歷史教學》1987年4期）、李祚明〈國民黨中央黨部機關演變述略（1919年-1949年）〉（《民國檔案》1986年2期）、陳祖懷〈論國民黨軍政體制的初期建設〉（《史林》1988年1期）、Melville Talbot Kennedy, Jr., The Kuomintang and Chinese Unification, 1928-1931.（Ph. D. Dissertation, Harvard University, 1958）、Harold R. Isaacs, "Five Years of Kuomintang: Reaction."（China Forum, No.1, May 1932）、高純淑〈九一八事變後中國國民黨的東北黨務〉（《中華民國史專題論文集：第一屆討論會》，臺北，國史館，民81）、Christopher Atwood, "Natioanl Party and Local Politics in Ordos, Inner Mongolia（1926-1935）."（Journal of Asian History, Vol.26, No.1, 1992）、David E. Kaplan, Fires of the Dragon: Politics, Murder, and the Kuomintang.（New York: Atheneum, 1992）、John Israel, " Kuomintang Policy and Student Politics, 1927-1937. "（In A. Feuerwerker、R. Murphey & Mary Wright eds., Approach to Modern Chinese History, Berkeley: University of California Press, 1967）、David E. Kaplan, Fires of Dragon: Politics, Murder, and the Kuomintang.（New York: Atheneum: Don Mills, Ontario: Maxwell MacMillan, 1992）。

其他如國民黨黨史會編印《革命文獻·第71輯：抗戰前國家

建設史料—內政方面》（臺北，民66）、吳振漢《國民政府時期的地方派系意識》（臺北，文史哲出版社，民81）、家近亮子〈南京國民政府の北方への權力浸透について〉（《東方學》87號，1994年10月）、高屹〈蔣介石政府與「西北四馬」〉（《戰略與管理》1994年4期）、李隆昌〈國民黨政府的〝禁政〞〉（《貴州文史叢刊》1986年2期）、張克明〈國民黨政府對斯諾著作的查禁〉（《復旦學報》1985年1期）、橫山宏章〈「訓政」獨裁をめぐる國民黨の政爭〉（《明治學院論叢（法學研究）》51號，1994）、趙英蘭〈論南京國民政府時期的新政學系〉（《史學集刊》1995年3期）、王永勤〈試論政學系的興衰及其特點〉（《學術論壇》1993年1期）、趙德教、黃才華〈試論第二次國內革命戰爭時期青年黨與國民黨的關係〉（《河南師大學報》1989年1期）、王元年〈南京國民黨政權建立後各中間黨派對中國出路的探索〉（《遼寧大學學報》1990年3期）、黃道炫、白明高〈三十年代中國政治出路的討論〉（《黨史研究與教學》1992年6期）、Wang Liping, "Creating A National Symbol: The Sun Yatsen Memorial in Nanjing ." (Republican China, Vol.21, No.2, April 1996)、江沛〈南京國民政府意識形態管理剖析〉（《民國檔案》1993年3期）及〈南京政府輿論管理評析〉（《近代史研究》1995年3期）、王淩霄《中國國民黨新聞政策之研究（1928-1945）》（政治大學歷史研究所碩士論文，民81）、T·納拉莫爾〈國民黨與報界：《申報》個案研究（1927-1934）〉（《國外中國近代史研究》23輯，1993）、蔡銘澤〈論三十年代初期中國的輿論環境〉（《中國人民大學學報》1994年3期）、高青山、董偉〈關於三十年代的民主實踐及其評價〉（《天津社會科學》

1995年5期）、橫山宏章〈胡適與三十年代的獨裁、民主論戰〉（載張憲文主編《民國研究》第1輯，1994）、雷頤〈近代中國自由主義的困境—三十年代民主與專制論戰透視〉（《近代史研究》1990年3期）、徐思彥〈要民主憲政，還是要專制獨裁—三十年代關於民主專制的一場大討論〉（《史學集刊》1995年2期）、陳儀深〈三〇年代的民主與獨裁論戰〉（《東吳政治社會學報》10期，民75年12月）、雷頤〈30年代〝新式獨裁〞與〝民主政制〞的論戰〉（《東方》1995年3期）、楊世劍〈第二次國內革命戰爭初期〝人權派〞的反動本質〉（《南開大學學報》1965年1期）、官永康等〈淺論人權派的政治思想〉（《遼寧師大學報》1987年1期）、曹敏華〈二十年代末中國人權派政治主張述論〉（《理論學習月刊》1992年4期）、趙慧峰〈試析人權派政治思想的基本傾向〉（《煙臺師院學報》1994年4期）、周敬青〈論中國共產黨和人權派在人權觀上的區別〉（《淮北煤師院學報》1995年2期）、周振波〈人權派述評〉（《聊城師院學報》1995年2期）、劉健清〈人權派論略〉（《教學與研究》1987年2期）、矢澤康祐〈1930年代における帝國主義と反帝國主義〉（《歷史學研究》279號，1963）、石川禎浩〈南京政府時期の技術官僚の形成と發展—近代中國技術者の系譜〉（《史林》74卷2號，1991年3期）、郭承志〈試論1927年至1937年民族資產階級的政治態度〉（《中共黨史研究》1989年5期）、董偉〈論三十年代中國知識分子的政治抉擇〉（《社會科學戰線》1994年1期）、土田哲夫〈南京政府期の國家統合〉（載《中國國民政府史の研究》，東京，汲古書院，1986）、石島紀之〈國民黨政府「統一化」政策と抗日戰爭〉（《近きに在りて》12號，1987）、野澤豐

《〝中國統一化〞論爭の研究》（東京，アジア經濟研究所，1971）、張巨成〈抗日戰爭前中國是不統一的嗎？—與劉大年先生商榷〉（《抗日戰爭研究》1993年1期）、吉川榮一〈中國民權保障同盟の成立—中國現代知識人の「民權」擁護運動〉（《熊本大學文學部論叢·文學》31號，1990年3月）、陳友雄等〈中國民權保障同盟的成立與活動〉（《社會科學（上海）》1980年1期）、陳漱渝《中國民權保障同盟》（北京，北京出版社，1985）、中國社會科學院近代史研究所中華民國史研究室主編、陳漱渝、陶忻編《中國民權保障同盟》（中華民國史資料叢稿，北京，中國社會科學出版社，1979）、石川照子〈中國民權保障同盟（1932-1933）—宋慶齡の活動を中心として〉（《國際關係學研究（田津塾大學）》11號別冊，1985年7月；亦載《現代中國》59號，1985年7月）、陳友雄〈關於民權保障同盟的若干史實〉（《語文教學研究》1980年1期）及〈中國民權保障同盟活動大事記〉（《藝譚》1981年4期）、陳漱渝〈中國民權保障同盟的主要活動（1-3）〉（《齊齊哈爾師院學報》1984年2-4期）、周天度〈蔡元培與中國民權保障同盟〉（《近代史研究》1980年1期）、關國煊〈蔡元培與中國民權保障同盟〉（《傳記文學》37卷2期，民69年8月）、楊小佛〈楊杏佛與中國民權保障同盟〉（《歷史研究》1978年12期）、陳洪〈魯迅與中國民權保障同盟〉（《文藝報》1956年10期）、林影〈宋慶齡與保衛中國同盟〉（《杭州師院學報》1989年2期）、黃永盛〈宋慶齡與保衛中國同盟〉（《人才與現代化》1993年1期）、丁俊萍〈宋慶齡和保衛中國同盟的國際宣傳工作〉（《武漢大學學報》1993年1期）、Bryna Goodman, “Greating Civic Ground: Public Maneuverings and the State in the Nanjing Decade." (In Gail Hershatter, Emily Honig, Jonathan N. Lipman & Randall Stross, eds., Remapping China: Flssures in Historical Terrain, Stanford, California: Stanford University Press, 1996)、侯明皋〈舊中國的特權機構—蔣介石夫婦與勵志社〉(《南京史志》1989年1-6期) 及〈抗日戰爭前的勵志社〉(《傳記文學》68卷4、5期，民85年4、5月)、樓開炤、李友剛〈蔣介石的內廷供奉機構—勵志社 (之一)〉(同上，1989年1期)、侯明皋〈蔣介石的內廷供奉機構勵志社〉(《南京史志》1989年6期)、林桂圃〈訓政時期的黨政關係及其與蘇聯一黨專政的比較〉(《銘傳學報》16期，民57年3月)、判澤純太〈蔣介石の二次四中全會における決定の陷阱：滿洲事變直前の中國政局〉(《政治經濟史學》212及213號，1984)、胡鳴龍〈兩年來的民族復興運動〉(《中國新論》3卷4、5期，民26年4月)、金子肇〈商民協會と中國國民黨 (1927-30)：上海商民協會を中心に〉(《歷史學研究》598號，1989年10月)、小濱正子〈南京國民政府下における上海ブルジョア團體の再編について〉(《近きに在りて》13號，1988年5月)、小野田攝子〈蔣介石政權における近代化政策とドイツ極東政策〉(《政治經濟史學》344號，1995年2月)、藤井昇三〈1930年代の中國共產黨と三民主義〉(載氏編《1930年代中國の研究》，東京，アジア經濟研究所，1975)。

至於內蒙古自治運動有方範九《蒙古概況與內蒙古自治運動》(上海，商務印書館，民23)、黃奮生《內蒙盟旗自治運動紀實》(上海，中華書局，民24)、黃成垗《內蒙自治問題》(民24年出版)、陳健夫編《內蒙自治史料輯要》(南京，拔提書店，民

23）、胡木鵬《內蒙古百靈廟自治運動之研究》（政治大學邊政研究所碩士論文，民77）、上村淳《內蒙自治運動とそこゴル革命の比較》（關西大學史學地理學科畢業論文，1995年度）、余貽澤〈內蒙古自治運動之經過〉（《新亞細亞》7卷2期，民23年2月）、戴清廉〈蒙古自治之經過〉（《西北問題季刊》1卷3期，民24年5月）、Edwin Pak-wak Leung（梁伯華），“Regional Autonomy Versus Central Authority: The Inner Mongolian Autonomous Movement and the Chinese Response, 1925-1947.〉（Journal of Oriental Studies, Vol.25,No.1, 1987）、村田孜郎《綏遠問題の真相：內蒙自治の動き》（東京，第百書房，1936）及《風雲蒙古》（東京，昭森社，1936）、善鄰協會《新生を步を內蒙古：內蒙自治は斯ラルて確立した》（東京，撰者印行，1934）、方秋葦〈內蒙自治與蒙綏關係〉（《新中華》4卷5期，民25年3月）、余漢華〈內蒙自治運動總檢討〉（《邊事研究》3卷4期—蒙古專號，民25年3月）、後藤富男〈德王の內蒙古自治運動—日本とリ連と中國の間に〉（《民族文化》6卷4號，1971年3月）、內蒙古自治區檔案館編《內蒙古自治運動聯合會檔案史料選編》（北京，檔案出版社，1989）、盧明輝《蒙古〝自治運動〞始末》（北京，中華書局，1980）、多賀萬一著、洪濤譯《德王與內蒙自治》（南京，拔提書店，民23）、森久男〈德王け日本の傀儡であったのか〉（《現代中國》69號，1995年7月）、王章陵《中共與「內蒙古自治政府」》（《臺北，蒙藏委員會，民80）、札奇斯欽〈三十年代的內蒙古—從蒙古人的觀點看蔣中正先生與蒙古〉（載《蔣中正先生與現代中國學術研討會論文集》第2冊，臺北，民75）、張瑞成《蒙政會的成立過程中若干關鍵問題之探討》（臺北，蒙藏委員會，民78）。

2.經濟方面

以十年間經濟建設（或措施）為題的有中國國民黨國民經濟計畫委員會編《十年來之中國經濟建設》（南京，扶輪日報社，民26，臺中，國民黨黨史會影印，民54），全書分上下兩篇，上篇記述中央經濟建設事業，下篇記述地方（各省市）經濟建設事業為國府建都南京以來至民國25年（1936）為止之鐵道、公路、水利、農業、工業、礦業、林墾、漁牧、航業、郵政、電政、鹽業、關稅、貨幣、金融等各建設事業之報告，為史料之推積，少有比較分析；Douglas S. Paaux, "The Kuomintang and Economic Stagnation, 1928-1937."（The Jaurnal of Asian Studies, Vol.16, No.2, Feb. 1957；其中譯文爲劉妮玲譯〈國民黨與經濟停滯，1928-1937〉，收於張玉法主編《中國現代史論集·第8輯：十年建國》，臺北，聯經出版事業公司，民71）、Arthur N. Young, China's Nation-Building Effort, 1927-1937: The Financial and Economic Record.（Stanford, California: Hoover Institution Press, 1971；臺北，虹橋書店翻印，民63），其中譯本為楊格著、陳霞飛等譯《1927-1937年中國財政經濟概況》（北京，中國社會科學出版社，1981），作者曾任南京國民政府財政顧問，實際參與中國的建設工作，他根據其親身體驗，從財政和經濟的觀點來敍述和分析中國當時遭遇的困難，及其因應解決之道，全書中有52個圖表，資料來源較他書為可靠；宗玉梅〈1927-1937年南京國民政府的經濟建設述評〉（《民國檔案》1992年1期）、藤井正夫〈中國國民黨一南京政府の經濟建設の評價〉（《歷史教育》13卷1號，1965年1月）、馬寅初〈十年來的中國經濟建設〉（載中國文化建設協會編《十年來的中國》，上海，商務印書館，民26）、葉春風〈試析抗戰前的國民經濟建設運動〉（《史學月刊》1987年2期）、嚴志才〈評南京國民政府的〝國民經濟建設運動〞〉（《東北師大學報》1996年3期）、石島紀之〈南京政權の經濟建設について—試論〉（《茨城大學人文學部紀要（文學科學論集）》11號，1978年2月）、近代中國雜誌社〈抗戰前十年國民政府的重要財經措施及其成就〉（《近代中國》第3期，民66年9月）。

關於國府的幣制改革（如廢兩改元、法幣政策等）有姚洪卓〈1935年國民政府的幣制改革〉（《歷史教學》1995年9期）、姚能〈1935年國民黨政府的幣制改革〉（同上，1986年5期）、虞寶棠〈1935年國民黨政府幣制改革初探〉（《華東師大學報》1982年4期）、張從恒〈論國民黨政府1935年的幣制改革〉（《江西大學學報》1990年1期）、久保亨〈1935年幣制改革をめぐる研究動向：日本・中國における最近の動向を中心に〉（《近きに在りて》10號，1986年11月）、諸葛達〈國民黨政府1935年的幣制改革〉（《浙江學刊》1995年3期）、于彤〈1935年國民政府幣制改革之我見〉（《徐州師院學報》1991年2期）、佐野健太郎〈1935年中國の幣制改革について—通貨增發の波及效果をめぐって〉（《高知論叢（社會科學）》50、51、53、55號，1994-1996）、高德福〈1935年國民黨政府的幣制改革及其歷史作用〉（《南開學報》1986年3期）、慈鴻飛〈關於1935年國民黨政府幣制改革的歷史後果問題辨析〉（《南開經濟研究》1985年5期）、蔣建平、朱堅真〈用〝一分為二〞觀點看待國民黨政府1935年的幣制改革〉（《社會科學探索》

1990年3期）、前田惠美子〈1930年代の中國の銀恐慌と幣制改革〉（《北陸歷科研會報》10卷11號，1976年10月）、伊予谷登士翁〈世界恐慌下に於ける中國幣制改革—1930年代中米關係の展開〉（《經濟論叢》120卷3·4號，1977年10月）、滿鐵上海事務所編印《恐慌の發展過程における支那幣制改革の研究》（上海，1936）、林維英著、東京銀行集會所譯《支那幣制改革の批判》（東京，東京銀行集會所，1937）、朱鎮華〈重評1935年的〝幣制改革〞〉（《近代史研究》1987年1期）、鄭會欣〈日本帝國主義對1935年幣制改革的破壞〉（《近代史研究》1986年1期）及〈1935年幣制改革的動因及其與帝國主義的關係〉（《史學月刊》1987年1期）、Wang Yeh-Chien（王業鍵），“Economic Depression & China's Nonetary Reform in 1935.”（《香港中文大學中國文化研究所學報》第9卷下册，1978）、李育安〈國民黨政府時期的幣制改革與通貨惡性膨脹〉（《鄭州大學學報》1996年2期）、黃永金〈國民黨政府的〝幣制改革〞與財政經濟的崩潰〉（《昆明師院學報》1983年4期）、卓遵宏〈國民政府與幣制改革（1927-1937）〉（載《中華民國歷史與文化討論集》第4册，臺北，民73）、野澤豐編《中國の幣制改革と國際關係》（東京，東京大學出版會，1981）、吳景平〈英國與1935年的中國幣制改革〉（《歷史研究》1988年6期）、波多野澄雄〈リース、ロスの極東訪問と日本：中國幣制改革をめぐって〉（載日本國際政治學會編《日英關係の史的展開》（季刊《國際政治》第58號），東京，有斐閣，1978）、宋志勇〈戰前中國幣制改革與英日關係〉（《南開史學》1991年2期）、卓遵宏〈中國貨幣金融改造與抗日準備（1932-1937）〉（載胡春惠主編《紀念抗日戰爭勝利五十周年學術討論會論文集》，香港，珠海書院亞洲研究中心，1996）、關公平〈廢兩改元，幣制改革と幣革當時における日本の態度〉（《諸學紀要（亞細亞大學）》第1號，1959年3月）、中島太一〈國民黨下の多ウクラード的國家資本主義の成立：幣制改革を契機とする〉（《社會科學研究（東京大學社會研究所）》33卷4號，1981）、孫宅巍〈對國民黨政府三次幣制改革的綜合考察〉（《蘇州大學學報》1990年2期）及〈試論國民黨政府的三次幣制改革〉（《財政研究資料》77期，1987）、濱下武志〈中國幣制改革と外國銀行〉（《現代中國》58號，1984）、八木慶和〈中國幣制改革と日本銀行〉（《歷史學研究》577號，1988年2月）、王同起〈國民黨政府〝廢兩改元〞述評〉（《歷史教學》1990年9期）、宮下忠雄〈中國の廢兩改元について〉（《商經學叢（近畿大學）》31卷1號，1984）、馬振舉〈民國〝廢兩改元〞的幣制改革〉（《南開學報》1991年1期）、中國第二歷史檔案館〈國民政府〝廢兩改元〞案〉（《歷史檔案》1982年1期）、蘇州市檔案館〈滬蘇兩地廢兩改元檔案資料選〉（《民國檔案》1987年4期）、程挺等〈蕪湖市〝廢兩改元〞前後〉（《安徽金融研究》1987年增刊2期）、高夢旦〈廢兩改元後處理輔幣的小問題〉（《獨立評論》14號，民21年8月）、李宇平〈恐慌之救濟與法幣政策的形成1932-1935，—貨幣改革說與貿易平衡說的對立與消長〉（《中央研究院近代史研究所集刊》23期下册，民83年6月）、張術林〈1935年國民黨政府改行法幣政策原因辨析〉（《內蒙古師大學報》1993年1期）、卓文義〈抗戰前中國法幣政策之探討（1935-1937）〉（《近代中國》12期，民68年8月）、郭崇倫《民國廿四年法幣改革的政治經濟分析》（臺灣大學政治研究所碩士論文，民75年6月）、劉文賓《國民政府的法幣政策及其實施，1935-1948》（政治大學歷史研究所碩士論文，民77）、虞寶棠〈試論國民黨政府的法幣政策〉（《歷史檔案》1983年4期）、董長芝〈試論國民黨政府的法幣政策〉（同上，1985年1期）、黃明儉〈淺論法幣政策〉（《江西財經學院學報》1986年2期）、黃如桐〈1935年國民黨政府法幣政策概述及其評價〉（《近代史研究》1985年6期）、陳克儉〈關於1935年國民黨法幣政策評價的幾個問題—與黃如桐等同志商榷〉（《中國經濟問題》1987年3期）、中國第二歷史檔案館〈國民黨政府的法幣政策〉（《歷史檔案》1982年1期）及〈日本對國民黨政府法幣政策的態度〉（同上，1982年2期）、卓遵宏、陳憶華、董淑賢編《抗戰前十年貨幣史資料㈢—法幣政策》（臺北，國史館，民77）、鍾祥財《法幣政策與前後中國的貨幣理論》（上海，上海社會科學院出版社，1995）、袁遠福〈法幣政策的功過及在中國貨幣史上的地位〉（《財經科學》1987年2期）、郭欣〈析1935年國民黨政府實施的法幣政策〉（《江西社會科學》1986年5期）、尹書博〈論國民黨的法幣政策〉（《許昌師專學報》1987年2期）、姚會元〈法幣政策與抗日戰爭〉（《抗日戰爭研究》1996年1期）、卓遵宏〈國內外對法幣政策的反應〉（《近代中國》51期，民75年2月）及〈法幣政策與中央銀行的發展（民國20年11月至26年6月）〉（載《國父建黨革命一百週年學術討論集》第3冊，臺北，民84）、張全省〈法幣政策與四大家庭官僚資本的形成〉（《寶鷄師院學報》1987年4期）、楊榮紳等〈簡論邊幣與法幣的同時流通〉（《近代史研究》1987年5期）、楊榮坤〈對邊幣和法幣同時流通的歷史回顧〉（《理論月刊》1986年11期）、慈鴻飛〈初期法幣性質弁析〉（《中國社會經濟史研究資料》1985年5輯）；《中國券幣圖錄（第1-6輯）》（6冊，臺北，陽欣實業公司，民72），其中第1輯（冊）為：法幣券（中央銀行：民國24年至民國37年），第2輯為：法幣券（中國銀行、交通銀行、中國農民銀行：民國24年至民國37年），第3輯為：關金券（民國19年至民國37年）；卓遵宏編《抗戰前十年貨幣史資料㈠—幣制改革》（臺北，國史館，民74）、楊志鵬、王梅魁《我國近十年來貨幣政策之演進》（青島書房，民30）、余捷瓊《中國的新貨幣政策》（上海，商務印書館，民26）、顧季高〈論我國新貨幣政策〉（《獨立評論》178號，民24年11月）、林維英著、朱義析譯《中國之新貨幣制度》（重慶，商務印書館，民30年2版）、唐慶永〈近幾年來吾國之紙幣〉（《經濟學季刊》7卷4期，民26年2月）、孫婉敬《民國二十五年中美貨幣協定述略》（香港新亞書院新亞研究所碩士論文，1968）、錢杰〈民國25年、26年銀幣探源〉（《中國錢幣》1984年1期）、蔣碩傑〈中國貨幣與銀行的趨向近代化〉（載薛光前主編《艱苦建國的十年（民國16年至民國26年）》，臺北，正中書局，民60）、越智元治〈中國幣制の近代化について〉（《東京學藝大學紀要》20號，1968年12月）、鍾祥財〈三十年代我國幣制理論述評〉（《中國錢幣》1992年1期）、國民黨黨史會編印《革命文獻·第74輯：抗戰前國家建設史料—貨幣金融》（臺北，民67）、金誠〈試談第二次國內革命戰爭時期的銀幣與銅幣〉（《文物參考資料》1957年12期）。

以國府經濟政策或經濟改革為題的有石柏林〈關於國民黨政府建立初期經濟政策評價的幾個問題〉（《湘潭大學學報》1985年3

期）、日本外務省通商局印《國民政府，經濟政策》（東京，1936）、久保亨〈國民政府期の經濟政策史研究：その成果と課題とめぐって〉（載中國近現代經濟史シンポジウム事務局編《中國經濟政策史〇研究》，東京，汲古書院，1989）及〈南京政府の財政經濟政策：1934-1937年の關稅政策を中心に〉（載《中國國民政府史の研究》，東京，汲古書院，1986）、中島太一〈中國官僚資本主義の形成㈡—30年代に於ける國民黨の經濟政策を中心として〉（《社會科學研究》18卷4號，1967年2月）、邱松慶〈南京國民政府初建時期財經政策述評〉（《中國社會經濟史研究》1996年4期）、川井梧〈國民政府の經濟建設政策における一問題點：全國經濟委員會ラクノ クラートの存在と意義をめぐって〉（載《中國經濟政策史の研究》，東京，汲古書院，1989）、何立〈抗戰前十年間南京政府的財經政策應如何估價—兼評楊格著《1927-1937年中國建國的努力》〉（《南京經濟研究所季刊》1983年2期）。與其相關的金融政策或金融事業則有平野和由〈南京政權の金融政策と三大銀行—1928-35年の動向を中心に〉（《中國近代史研究會通信》第7號，1977年12月）、郭榮生《十年來中國金融史略》（中央銀行經濟研究處叢書，民32）、唐慶永〈近幾年我國金融業之演變〉（《國衡半月刊》1卷6期，民24年7月）、瞿荊洲〈一年來的中國金融〉（《新中華》3卷1期，民24年1月）、張素民〈一年來的中國金融事業〉（《文化建設月刊》1卷3期，民23年12月）、中國第二歷史檔案館〈國民黨政府財政金融動員計畫大綱〉（《民國檔案》1987年1期）、杜恂誠〈抗戰前中國金融業的兩種集中趨勢〉（《南京社會科學》1990年4期）、姚會元〈國民黨政府雙管齊下壟斷全國金融

業〉（《湖南金融職工大學學報》1990年1期）、王業鍵《中國近代貨幣與銀行的演進（1644-1937）》（臺北，中央研究院經濟研究所，民70）及〈近代中國銀行業的發展（1840-1939）〉（《香港中文大學中國文化研究所學報》20卷下冊，1979）、卓遵宏〈中央銀行的籌建及初期發展（1927-1935）〉（《中華民國建國八十年學術討論集》，臺北，民80年12月）及〈金融恐慌與中央銀行的發展（民國二十三、四年）〉（《中華民國史專題論文集：第一屆討論會》，臺北，國史館，民81）、傅志明〈南京國民政府前期的經濟改革〉（《貴州社會科學》1994年1期）。

談國府內外債的有王同起〈評1927年-1937年國民黨政府的內債政策〉（《天津師大學報》1990年3期）、金普森、王國華〈南京國民政府1933-1937年之內債〉（《中國社會經濟史研究》1993年2期）、金普森〈南京國民政府1927-1931年之內債〉（同上，1991年4期）、鄧宜紅〈試析1935年以前中國銀行對待政府內債態度之演變〉（《民國檔案》1993年1期）、戴鞍鋼〈南京國民政府的公債發行〉（《民國春秋》1993年2期）、田匪石〈國民政府發行の內國公債〉（《上海時論》4卷10月號，1929年10月）、徐銳〈略論抗戰前南京國民政府的外債問題〉（《民國檔案》1993年3期）、鄭會欣〈戰前國民政府舉借外債的數額及其特點〉（載張憲文主編《民國研究》第1輯，南京大學出版社，1994）及〈關於戰前十年舉借外債的基本估計〉（《近代中國史研究通訊》第9期，民79年3月）、王方中〈抗戰前十年國民黨政府借過多少外債〉（《近代史研究》1988年1期）、吳景平〈評南京國民政府的整理外債政策〉（同上，1993年6期）、吳首天〈1927-1937年國民黨政府外債政策之研究〉（《史學月刊》1984年6期）、吳太昌〈國民黨政府的易貨償債政策和資源委員會的礦產管理〉（《近代史研究》1983年3期）、王曉華〈國民政府鐵路外債整理述略〉（《民國檔案》1992年2期）、鄭會欣〈戰前國民政府整理鐵路外債的經過及成效〉（《中國文化研究所學報（香港中文大學）》新第2期，1993）、疋田康行〈1930年代前半の日本對中經濟政策の一側面ー債權整理問題を中心に〉（載野澤豐編《中國の幣制改革と國際關係》，東京大學出版會，1981）。

關於國府或地方財政有劉紅〈宋子文與南京政府早期財政〉（《民國春秋》1993年2期）、孔祥熙〈十年來的金融與財政〉（載《十年來的中國》，上海，商務印書館，民26）、楊汝梅〈一年來的中國財政〉（《新中華》3卷1期，民24年1月）、方秋葦〈一年來的中國財政〉（《文化建設月刊》1卷3期，民23年12月）、張素民〈一年來的中國金融與財政〉（同上，3卷3期，民25年12月）、章植〈一年來的中國財政與金融〉（《民族》3卷1期，民24年1月）、李之〈一年來中央財政之回顧〉（《中國經濟》3卷1期，民24年1月）、王先提〈一年來之中央財政〉（《商學院院務半月刊》24期，民24年1月）、楊格（Arthur N. Young）〈中國的財政改革〉（載薛光前主編《艱苦建國的十年（民國16年至26年）》，臺北，正中書局，民60）、董長芝〈論孔祥熙抗戰前的財政金融改革〉（《民國檔案》1992年4期）、國民黨黨史會編印《革命文獻・第73輯：抗戰前國家建設史料ー財政方面》（臺北，民66）、東亞經濟調查局編印《支那國民政府の財政》（東京，1936，書後附：中華民國23年度財政報告）、日本銀行調查局編印《支那政府財政報告（1932-1934年度）》（2册，1935-1936）、中國通信社編印《國府財政を解剖す》（上海，1937）、米里紋吉述《最近支那の財政經濟狀態に就て》（東京，霞山會館，1935，霞山會館講演第28輯）、吉田虎雄《支那財政經濟一斑》（東京，學藝社，1936）、中國銀行調查室《1936年支那の財政經濟報告》（東京，東亞同文會，1937）、東亞研究所編印《蔣政權下地方財政に關する調查》（東京，1942）、Jerome Ch'en （陳志讓），"Local Government Finances in Republican China."（Republican China, Vol.10, NO.2, 1985）、智伯〈一年來之地方財政〉（《文化建設月刊》1卷3期，民23年12月）、孔祥熙〈三年來整理地方財政報告〉（《社會經濟月報》4卷9期，民26年9月）、王樹槐〈北伐後江蘇財政的革新（1929-1937）〉（《中華學報》6卷1期，民68年1月）、李國祁〈民國時期福建省財政的初探（民元至26年）〉（載《抗戰前十年國家建設史研討會論文集》下册，臺北，民73）、張有倫等〈國民黨首都南京的財政〉（《財會角》1987年1期）、李秉忠〈30年代北平市的財政〉（《財政經濟資料》1984年7期）。關於國府各項稅制和稅收有董振平〈試論1927-1937年南京國民政府的統稅政策〉（《齊魯學刊》1992年3期）、劉冰〈1927-1933年南京國民黨政府辦理統稅簡述〉（《民國檔案》1987年3期）、富澤芳亞〈國民政府期中國における綿紗統稅改訂問題と日中紡織資本〉（《アジア經濟》36卷5號，1995年5月）、袁成毅〈評1931年南京國民政府的裁厘改稅〉（《杭州師院學報》1989年4期）、曹必宏〈南京國民政府裁厘改稅述評〉（《學海》1992年6期）、陳錫寶〈南京國民政府裁厘平議〉（《安徽師大學報》1990年4期）、張忠才〈考析抗戰前十年南京國民政府的田賦整理〉（《杭州大學學報》1992年3期）、虞寶棠〈國民黨政府田賦徵實初探〉（《華東師大學報》1985年5期）、莊樹華〈民國以後田賦附加稅的變革（1912-1937）〉（《中國歷史學會史學集刊》18期，民75年7月）、莊強華〈一年來各省田賦之興革〉（《地政月刊》4卷2、3期，民25年3月）、笹川裕史〈1930年代國民政府の江西省統治と土地税制改革〉（《歷史學研究》631號，1992年4月）及〈1930年代浙江省土地税制改革の展開とその意義ー蘭谿自治實驗縣と平湖地政實驗縣〉（《社會經濟史學》59卷3號，1993年8月）、陳克儉〈試論國民黨政府時期工商稅收的特點性質和作用〉（《廈門大學學報》1986年4期）、張生〈論南京政府初期的鹽稅改革〉（《近代史研究》1992年2期）、周長明〈宋子文與南京政府建立初期的鹽稅改革〉（《鹽業史研究》1996年2期）、金普森、董振平〈試論1927-1937南京國民政府對鹽稅的整理〉（《浙江社會科學》1992年3期）、劉雲長〈南京國民政府初期的稅務整頓〉（《歷史教學》1996年8期）、陳勇勤〈所得稅與國民黨政府財政—從崔敬伯的理財理論談起〉（《學術研究》1996年2期）、Christian Henriot, " Fiscal Modernization and Popular Protest: A Study of Tax Reform and Tax Resistance in Nationalist Shanghai（1927-1937）"（載《中國現代化論文集》，臺北，中央研究院近代史研究所，民80）、李真錦〈略論國民黨政府初期進口稅則主權問題〉（《廣東社會科學》1985年1期）、張生〈南京國民政府初期關稅改革述評〉（《近代史研究》1993年2期）、久保亨〈南京政府の關税政策とその歷史的意義〉（《土地制度史學》22卷2號，1980年1月；其中譯文載《經濟學術資料》1983年5期）、〈中國國民政府による關税政策決定過程の分析：1932-34〉（《東洋文化研究所紀要（東京大學）》92冊，1983年7月）、〈國民政府の財政と關税收入，1928-1937〉（載《中國史における社會と民衆—增淵龍夫先生退官記念論集》，東京，1983）及〈1930年代中國の關税政策と資本家階級〉（《社會經濟史學》47卷1號，1981年5月）、黃逸平、葉松年〈1929-1934年〝國定稅則〞與〝關稅自主〞剖析〉（《中國社會經濟史研究》1986年1期）、李正華〈抗戰前南京國民政府關稅自主及關稅政策述評〉（《雲南教育學院學報》1992年1期）、陳詩啟〈南京政府的關稅行政改革〉（《歷史研究》1995年3期）、樊小鋼〈論國民黨南京政府的關稅改革〉（《浙江財經學刊》1987年2期）。

關於海關及其行政等有小瀨一〈南京國民政府成立期の中國海關—アグレン時代の海關運營をめぐって〉（《經濟學論集（龍谷大學）》第2號，1994年8月）、久保亨〈國民政府成立期の海關行政と日・英〉（《東洋史研究》48卷1號，1989年6月）、蔡紅金《圍繞中國海關問題的國際動向（1931-1941）—以英、日勢力的對局為中心》（政治大學歷史研究所碩士論文，民85年6月）、連心豪〈南京國民政府建立初期海關緝私工作述評〉（《中國社會經濟史研究》1989年4期）及〈南京國民政府建立初期海關緝私工作的整頓與加強〉（《廈門大學學報》1989年3期）。

關於土地政策和土地問題有楊元華〈1927-1937年國民政府的土改政策〉（《上海師大學報》1993年2期）、徐暢〈試析1927-1937年國民黨的土地政策〉（《淮北煤師院學報》1995年2期）、郭德宏〈南京政府時期國民黨的土地政策與實踐〉（《近代史研究》1991年5期）、金普森、張忠才〈1927至1937年南京國民政府農村土地政策述評〉（《浙江學刊》1989年4期）、Noel Ray Miner,

Chekiang: The Nationalist's Effort in Agrarian Reform and Construction, 1927-1937.（Ph. D. Dissertation, Stanford University, 1973）及"Agrarian Reform in Nationalist China: The Case of Rent Reduction in Chekiang, 1927-1937."（In F. Gilbert Chan, ed., China at the Crossroad: Nationalists and Communists, 1927-1949, Boulder, Colo.: Westview Press, 1980）、笹川裕史〈南京國民政府成立期の農村土地政策と地主層：浙江省の「二五減租」と「土地陳報」〉（載橫山英、曾田三郎編《中國の近代化と政治的統合》，東京，溪水社，1992）、鄭康模《浙江二五減租之研究》（臺北，成文出版社影印，民66）、王均寅〈浙江"二五減租"與國民黨土地政策〉（《歷史教學》1989年3期）、陳淑銖《浙江省土地問題與二五減租（1927-1937）》（臺灣大學歷史研究所博士論文，民80），該博士論文經修改後，於民國85年，由國史館予以出版；洪瑞堅〈浙江二五減租問題〉（《地政月刊》3卷5期，民24年5月）及〈再論浙江二五減租〉、（同上，4卷4、5期，民25年5月）、萬國鼎〈二五減租述評〉（《中農月刊》7卷2期，民36年2月）、劉難方〈評述「二五減租」〉（《中央週刊》9卷16期，民35年4月）、金德群〈"二五減租"發展初探〉（《教學與研究》1991年6期）、楊振亞〈評國民黨在龍岩縣的土地改革〉（《南京大學學報》1989年3期）、唐文起〈抗戰前江蘇農村土地所有權淺析〉（《民國檔案》1993年3期）、王樹槐〈江蘇省的土地陳報（1933-1936）〉（載《近代中國區域史研討會論文集》，臺北，中央研究院近代史研究所，民75年12月）、森正夫〈1930.40年代の上海平原農村における宅地所有について〉（《名古屋大學文學部研究論集（史學）》38號，1992年3月）、夏井春喜〈1920年代の蘇州における租佃關係—南京國民政府の成立と地主經營〉（《東洋史研究》55卷4號，1996年3月）、陶季邑〈國民黨與〝耕者有其田〞〉（《貴州社會科學》1993年4期）、海野文雄〈1930年代舊中國における土地所有と小作關係について—所有の集中と使用の分散〉（《土地制度史學》66號，1975年1月）、John Lossing Buck, Land Utilization in China: A Study of 16, 786 Farms in 168 Localities, and 38, 256 Farm Families in Twenty-two Provinces in China, 1929-1933.（3 Vols., Naking: University of Naking, Chicago: University of Chicago Press, 1937; 2 nd. Printing, New York: Paragon Book Reprint, 1964）、金德群〈試論國民黨統治初期（1927-1936年）農村土地關係的惡化〉（《歷史學刊》1986年3期）；〈一年來中國土地行政之進展（內政部）〉（《地政月刊》3卷3期，民24年3月）、鄭震宇〈一年來全國土地行政之進展〉（同上，4卷6期，民25年6月）、王祺〈一年來我國土地行政之推行〉（同上，4卷4、5期，民25年5月）、李樹青〈中國國民黨的土地理論與現行土地政策〉（《民族》5卷2期，民26年2月）、笹川裕史〈「七・七」前夜國民政府の江西省農村統治〉（《史學研究》187、188號，1990）；侯坤宏編《土地改革史料》（臺北，國史館，民77）、中國資料微縮中心編輯部《民國20-30年代中國經濟農業土地水利問題資料篇目分類索引》（臺北，成文出版社，民69），係根據中國地政研究所所藏資料30037篇編製而成，全書共分經濟類、農業類、土地類、水利類、其他類五大類，為研究二、三十年代中國經濟不可或缺的工具書。

農業方面有朱羲農〈十年來的中國農業〉（載《十年來的中

國》，上海，商務印書館，民26）、章有義編《中國近代農業史資料·第3輯（1927-1937）》（北京，三聯書店，1957）、飯塚靖〈南京國民政府の農業政策と農業技術専門家〉（《近きに在りて》22號，1992年11月）、華北產業科學研究所編印《國民政府，農業政策》（北京，1937）、東亞研究所編印《中國國民黨農業政策序説》（東京，1941）、中國通信社編印《國府の農村政策と農本局の役割》（上海，1937）、陳梅芳〈試論十年內戰時期國民黨政府的農村經濟政策〉（《中國經濟史研究》1991年4期）、弁納才一〈1930年代南京政府の農業政策に關する研究について：江西建設の事例を中心として〉（《中國近代史研究會通信》19號，1986）、吉田浤一〈1930年代中國農村經濟研究の一整理〉（《東洋史研究》33卷2號，1974年9月）、田尻利〈舊中國農村經濟研究の批判性檢討〉（載芝池靖夫編《中國社會經濟史研究》，東京，ミネルヴァ書房，1972）、孔繁堅〈三十年代關於我國農村經濟性質的一場論戰〉（《中國社會科學》1987年2期）、劉河北〈民國二十年代中國農村經濟危機初探〉（《空大人文學報》第4期，民84年1月）、何均〈舊中國農村中的幾種經濟關係—抗日戰爭前中國農村經濟概述之一〉（《近代史研究》1983年2期）及〈舊中國的地方官僚與地方軍閥是怎樣進行橫徵暴斂的—抗日戰爭前中國農村經濟概述之二〉（《人文雜志》1983年3期）、張培剛〈民國二十三年的中國農業經濟〉（《東方雜誌》32卷13號，民24年7月）、唐文起〈三十年代江蘇農業經濟發展淺析〉（《中國農史》1983年1期）、Terry Michael Weidner, Rural Economy and Local Government in Nationalist China: Chekiang Province, 1927-1937.（Ph. D. Dissertation, University of California-Davis, 1980）、李國祁〈民國時期福建產茶區的農村經濟—以閩北閩西為例〉（載中央研究院近代史研究所編《近代中國農業經濟史論文集》，臺北，民78）、徐西農〈寧夏農村經濟之現狀〉（《文化建設月刊》1卷2期，民23年11月）、于治民〈十年內戰期間中國農村金融狀況〉（《民國檔案》1992年2期）、飯塚靖〈1930年代中國における農業金融政策と地域金融—浙江省の事例を中心に〉（《社會經濟史學》60卷6號，1995）、劉河北〈江蘇省傳統式金融的調劑方式（1912-1937）〉（載《近代中國農業經濟史論文集》，臺北，民78）、〈江蘇省新式農業金融機構農村業務之檢討（民國17年-26年）〉（《中國歷史學會史學集刊》17期，民74年5月）及《江蘇省農村金融之調劑，民國元年—廿六年》（政治大學歷史研究所碩士論文，民74）、陳淑銖《現代華中六省之農業金融（1927-37）》（臺灣大學歷史研究所碩士論文，民73）及〈華中六省傳統農業金融機構（1927-1937）〉（《史原》14期，民74年1月）、姚會元〈國民黨政府〝改進農村金融〞的措施與結局〉（《江漢論壇》1987年3期）、弁納才一〈中國における商業銀行の對農業投資—1931～36年〉（《アジア經濟》35卷3號，1994）、Charles Robert Roll, Jr., The Distribution of Rural Incomes in China: A Comparion of the 1930s and 1950s.（Ph. D. Dissertation, Harvard University, 1974）、Dwight H. Perkins; Agriclutural Development in China, 1368-1968.（Chichago: Aldine Press, 1969）、Randall E. Stross, The Stubborn Earth: American Agriculturalists on Chinese Soil, 1898-1937.（Berkeley: University of California Press, 1986）從1890年代美國政府農業部開始重視亞洲及向其伸張影響力述起，至抗戰前夕沈宗瀚致力於中美農業技術合作為止，尤詳於20世紀2、30年代之中國農業教育、農業經濟及農業改良之經緯；行政院農村復興委員會編印《中國農業之改進》（上海，商務印書館，民24年3版）、沈宗瀚〈中國農業科學化之開始〉（載薛光前主編《艱苦建國的十年（民國16年至26年）》，臺北，正中書局，民60）、卜凱（John L. Buck）〈中國的農業經濟：金陵大學工作的例證〉（同上）、侯坤宏〈「農技派」與戰前的糧食生產〉（載《中華民國史專題論文集：第二屆討論會》，臺北，國史館，民83）、侯坤宏編《糧政史料》（5冊，同上，民77-78）第1冊為「糧政機構與組織」，第2冊為「糧食生產」，第3冊為「糧食貿易、撙節糧食消費」，第4冊為「糧食管理、物價與糧價」，第5冊為「田賦徵實」、劉河北〈抗戰前我國農業倉庫之研究〉（《聯合學報》第5期，民77年11月；亦載《中國歷史學會史學集刊》23期，民80年7月）、王方中〈本世紀三十年代（抗戰前）農村地價下跌問題初探〉（《近代史研究》1993年3期）、姜楓〈抗戰前國民黨的農村合作運動〉（同上，1990年3期）、Chen Yixin, The Guomindang's Approach to Rural Socioeconomic Problems: China Rural Cooperative Movement, 1918-1949.（Ph. D. Dissertation, Washington University, 1995）、陳果夫〈十年來的中國合作運動〉（載《十年來的中國》，上海，商務印書館，民26）、國民黨黨史會編印《革命文獻·第84-87輯：抗戰前國家建設史料—合作運動㈠—㈣》（臺北，民69-70）、卜國群〈中國三十年代的合作運動及鄉村改良潮〉（《中國經濟史研究》1995年4期）、范崇山、周為號〈抗戰前我國農村信用合作社之考察〉（《學海》1992年2

期）、弁納才一〈南京國民政府の合作社政策－農業政策一環として〉（《東洋學報》71卷1、2號，1989年12月）及〈1930年代南京政府の合作社政策：江蘇省と江西省の例を中心として〉（載《中國經濟政策史の研究》，東京，汲古書院，1989）、陳秀卿《華北農村信用合作運動（1919-1937）》（臺灣師大歷史研究所碩士論文，民75）、賴建誠〈國民政府的合作經濟運動：1928-1949〉（《清華學報》新18卷1期，民77年6月）、吉田惠子〈恐慌下における南京國民政府の原棉政策〉（《廣島大學東洋史研究室報告（廣島大學）》第5號，1983年9月）、飯塚靖〈南京政府の原綿政策に關する覺書〉（載《中國國民政府史の研究》，東京，汲古書院，1986）、Richard A. Kraus, Cotton and Cotton Goods in China, 1918-1936.（New York: Garland, 1980）、飯塚靖〈南京政府期における棉作改良事業の展開：湖南省を中心に〉（《日本植民地研究》12號，1989）及〈南京政府期・浙江省　における　棉作改良事業〉（同上，第5號，1993）、中田昭一〈南京國民政府期の河北省における綿作改良と金城銀行〉（《史學研究》207號，1995年1月）、上野章〈1930年代の中國棉花生產：棉花生產者についてのニフの理解を中心として〉（《中國近代史研究會通信》19號，1987年4月）、沈松僑〈經濟作物與近代河南省農村經濟（1906-1937）－以棉花與菸草業為中心〉（載中央研究院近代史研究所編《近代中國農業經濟史論文集》，臺北，民78）、姚恩榮、鄒迎曦〈1927年-1937年大豐等六鹽懇公司植棉簡況〉（《歷史檔案》1983年3期）、陶誠〈三十年代前後的中國農村調查〉（《中國社會經濟史研究》1990年3期）、符長泉〈三十年代中國農業危機及其影響〉（同上，1993年2期）、河地

重藏〈1930年代中國の農業生產力構造と最近の動向〉(《經濟學雜誌(大阪市立大學)》49卷6號,1962年12月)、劉克祥〈二十世紀二三十年代中國農業雇佣勞動數量研究〉(《中國經濟史研究》1988年3期)、李力庸《中央農業實驗所與中國的農業科學化,1931-1950》(政治大學歷史研究所碩士論文,民79年6月)、陳慈玉〈1930年代的中國農家副業—以蠶絲業和織布業為例〉(載中央研究院近代史研究所編《近代中國農業經濟史論文集》,臺北,民78年12月)、張玉法〈山東的農政與農業(1916-1937)〉(同上)、呂芳上〈抗戰前江西的農業改良與農村改進事業(1933-1937)〉(同上)、王樹槐〈江蘇省的田價(1912-1937)〉(同上)、郭曉潔《江蘇省農村經濟之研究:1930年代》(中山大學中山學術研究所碩士論文,民75)、Randall Stross, A Hard Row to Hoe: The Political Economy of Chinese Agriculture in Western Jiangsu, 1911-1937.(Ph D. Dissertation, Stanford University, 1982)、陳祥雲《近代四川農村經濟,1891-1935》(政治大學歷史研究所碩士論文,民79)、王樹槐〈江蘇淮南鹽墾公司的墾殖事業(1901-1937)〉(《中央研究院近代史研究所集刊》14期,民74年6月)、吉田浤一〈20世紀前半中國の山東省における葉煙草栽培について〉(《靜岡大學教育學部研究報告》28號,1978年3月)、謝國興〈政府角色:1930年代的祁門紅茶產銷問題〉(載《中國現代化論文集》,臺北,中央研究院近代史研究所,民80)、川井悟〈日中戰爭前中國安徽省における茶統制政策—祁紅運銷委員會設立案の分析〉(《經濟論叢(京都大學)》136卷4號,1986)及〈日中戰爭前,中國安徽省における紅茶生產合作社育成政策の展開〉(《福山大學經濟學論集》12卷1、2號，1988）、張力〈江西農村服務事業（1934-1945）〉（載《抗戰建國史研討會論文集》，臺北，中央研究院近代史研究所，民74）、弁納才一〈抗日戰争前における浙江省の稻麥改良事業について〉（《史學研究》214號，1996年10月）、唐文起〈抗戰前江蘇稻米初級市場淺析〉（《學海》1996年6期）、王振勳《江蘇太湖地區小農耕作與農村社會變遷（1895-1937）》（中國文化大學史學研究所博士論文，民83年10月）。

工業方面有羅敦偉〈十年來的中國工業〉（載《十年來的中國》，上海，商務印書館，民26）、彭士彤〈一年來的中國工業〉（《新中華》3卷1期，民24年1月）、呂玲玲《國民政府工業政策之探討（1928-1937）》（政治大學歷史研究所碩士論文，民83年6月）、宗玉梅、林乘東〈1927-1937年南京國民政府工業政策初探〉（《洛陽師專學報》1993年4期：亦載《民國檔案》1994年2期）、莊焜明〈備戰與工業—論抗戰前中國工業政策及其推動機構（1931-1937）〉（《近代中國》99、100期，民83年2、4月）、蒂姆·賴特（Tim Wright）〈南京時期的國民黨政府對中國工業的管制—煤礦業中的競爭和統制〉（丁日初主編《近代中國》第1輯，上海，1991年4月）、熊永榮〈論抗戰前國統區民族工業發展的原因〉（《史學集刊》1987年3期）、巫寶三〈戰前中國的工業生產與就業〉（《經濟評論》1卷4期，民36年4月）、湯宜庄〈1927-1937年民族工業命運淺探〉（《蘇州大學學報》1988年2期）及〈1927-1936年民族工業命途再探〉（同上，1991年4期）、汪敬虞〈第二次國內革命戰爭時期中國的民族工業〉（《新建設》1953年12月號）、奧村哲〈抗日戰争前中國工業の研究をめぐって〉（《東洋史研究》35卷

2號，1976年9月）、Tim Wright, "Coping with the World Depression: The Nationalist Government's Relations With Chinese Industry and Commerce, 1932-1936."（Modern Asian Studies, Vol. 25, Part4, October 1991）、石島紀之〈國民黨政權の對日抗戰力一重工業建設を中心に〉（載野澤豐、田中正俊等編《講座中國近現代史》第6卷，東京大學出版會，1978）、Chung An-min, The Development of Modern Manufacturing Industry in China, 1928-1949.（Ph. D. Dissertation, University of Pennsylvania, 1953）、孔繁浩〈1927-1942年國統區內地工業的發展〉（《上海師大學報》1988年4期）、鄭大希〈三十年代中國民族工業破產與半破產原因淺析〉（《中國社會經濟史研究》1994年2期）、程麟蓀〈論抗日戰爭前資源委員會的重工業建設計劃〉（《近代史研究》1986年2期）、柯偉林（William C. Kirby）〈資源委員會與中國工業建設〉（《中國現代史專題研究報告》12輯，民79）、季榮臣〈論三十年代知識界關於中國工業化道路之爭〉（《廣西民族學院學報》1994年3期）、孔繁浩〈二十至三十年代中國民族資本主義工業的曲折發展〉（《上海師大學報》1987年4期）、王方中〈1927-1937年間的中國民族工業〉（《近代史研究》1990年6期）及〈1925-1937年間民族工礦業與航運業的聯營活動〉（同上，1992年1期）、汝仁〈1932-1937年日本向我國大量走私對民族手工業的嚴重影響〉（《經濟學術資料》1982年10期）、萩原充〈國民政府の鐵鋼產業政策〉（載《中國經濟政策史の研究》，東京，汲古書院，1989；其中譯文爲秦勝譯，文載《史林》1992年2期）、阿部聖〈1930年代中國における日系石油企業の活動〉（《常葉學園濱松大學·經營情報論集》第8號一特別號，1996

年3月）、〈中國における製鐵業の展開過程：南京政權期の經濟建設の一側面〉（《經濟學研究（北海道大學）》37卷2號，1987）及〈南京國民政府の中央鋼鐵廠建設計畫をめぐって〉（同上，43卷4號，1994年3月）、中國第二歷史檔案館〈國民黨政府的中央機器廠〉（《歷史檔案》1982年2期）、林剛、唐文起〈1927-1937年江蘇機器工業的特徵及其運行概況〉（《中國經濟史研究》1990年1期）、王樹槐〈張人傑與淮南煤礦，1928-1937〉（《中央研究院近代史研究所集刊》17期下冊，民77年12月）、王方中〈1930-1937年間中國手工棉織業的衰落〉（《中國人民大學學報》1988年5期）、菊池敏夫〈南京政府期中國綿業の研究をめぐって〉（《歷史學研究》549號，1985年12月）、島一郎〈中國における民族棉工業の發展と衰退ー第一次大戰中から日中戰爭直前まで〉（《經濟學論叢》17卷2號，1967年11月）、Richard C. Bush, The Politics of Cotton Textiles in Kuomintang China, 1927-1937.（New York: Garland Publishing, 1982）、王樹槐〈棉業統制委員會的工作成效（1933-1937）〉（載《抗戰前十年國家建設史研討會論文集》下冊，民73）、清川雪彥〈戰前中國の蠶絲業に關する若干の考察(1)ー製絲技術の停滯性〉（《經濟研究》26卷3號，1975年8月）、Theodore Herman, An Analysis of China's Export Handicraft Industries to 1930.（Ph. D. Dissertation, University of Washington, 1954）、弁納才一〈中國農村工業の一軌跡ー1920～30年代浙江省蕭山東鄉合作絲廠を倒として〉（《史潮》新35號，1994）、富澤芳亞〈1930年代の陝西省における紡織工場の創始について〉（《廣島大學東洋史研究室報告》10號，1988）、唐文起〈試析〝黃金時代〞的江蘇棉

紡工業〉（《學海》1992年1期）及〈試析〝黃金時代〞的江蘇麵粉工業〉（同上，1992年5期）、陳慈玉〈抗戰前夕廣東省的機械製絲業〉（載《抗戰前十年國家建設史研討會論文集》下册，民73）、牛兆英〈1912-1933年的山東民族資本主義工業〉（《山東師大學報》1983年4期）、姜抮亞〈1930年代廣東陳濟棠政權の製糖業建設〉（《近きに在りて》30號，1996年11月）、張力〈陝甘地區的石油工業，1903-1949〉（載《中國現代化論文集》，臺北，中央研究院近代史研究所，民80）、張偉保《華北煤炭的生產、運輸與銷售，1870-1937》（香港新亞研究所博士論文，1994年7月）、王樹槐〈振亨電燈公司發展史（1915-1937）〉（載《中華民國建國八十年學術討論集》第4册，臺北，民81）、〈建設委員會對電氣事業的規劃〉（載《國父建黨革命一百周年學術討論集》第3册，臺北，近代中國出版社，民84）、〈首都電廠的成長，1928-1937〉（《中央研究院近代史研究所集刊》20期，民80年6月）、〈上海閘北水電公司的電氣事業（1910-1937）〉（載《中華民國史專題論文集：第二屆討論會》，臺北，國史館，民83）及〈江蘇省第一家民營電氣事業—鎮江大照電氣公司，1904-1937〉（《中央研究院近代史研究所集刊》24期下册，民84年6月）、唐文起等編《江蘇省工業調查統計資料（1927-1937）》（南京，南京工業學院出版社，1987）、Chang J. K.（章長基）, Industrial Development in Pre-Communist China.（Chicago: Aldine Press, 1969）、吳元黎〈工業發展與經濟政策〉（載薛光前主編《艱苦建國的十年（民國16年至26年）》，臺北，正中書局，民60）。

商業貿易方面有久保亨〈國民政府の輸出促進政策と中華工業國外貿易協會：1930年代中國における輸出志向工業化の摸

索〉（《東洋文化研究所紀要》103號，1987）、武堉幹〈一年來的中國商業〉（《新中華》3卷1期，民24年1月）及〈十年來的中國國際貿易〉（載《十年來的中國》，上海，商務印書館，民26）、蔡謙等〈民國二十年來中國對外貿易的性質和趨勢〉（《社會科學雜誌》4卷3期，民22年9月）、鄭友揆〈我國近十年來（1925-1934）國際貿易平衡之研究〉（同上，6卷4期，民24年12月）、汪洪法〈三年來中國對外貿易之管窺〉（《前途》5卷3期，民26年3月）、何炳賢〈民國二十三年我國對外貿易的回顧〉（《民族》3卷3期，民24年3月）、李振院〈民國二十三年份中國對外貿易的真相〉（《三民主義半月刊》5卷4期，民24年4月）、陳佳〈一九三四年中國對外貿易分析〉（《香港華商總會月刊》1卷8期，民24年7月）、何炳賢〈一九三五年上半年我國對外貿易的剖析〉（《民族》3卷11期，民24年11月）、鄒升愷〈一九三五年我國對外貿易之分析〉（《新中華》4卷6期，民25年4月）、何炳賢〈一九三六年我國對外貿易的透視〉（《民族》5卷4期，民26年4月）、陳城〈廿五年吾國對外貿易之研究〉（《廣東經濟建設月刊》第2期，民26年2月）、武堉幹〈一年來的中國對外貿易〉（《文化建設月刊》2卷3期，民24年12月）及〈一年來的國際貿易〉（同上，3卷3期，民25年12月）、蕭大鑄〈中國國際貿易之現狀及其發展方策〉（《華僑週報》第7、8期，民21年8、9月）、王方中〈1927-1937年間的中國對外貿易〉（載《近代中國》第3輯，1993年5月）及〈本世紀三十年代初期地方進出口貿易嚴重入超的情況、原因和後果〉（同上，第1輯，1991年4月）、M. N. 斯拉德科夫斯基著、王真譯〈1928-1936年的蘇中貿易〉（《國外中國近代史研究》19輯，1992年1月）、素因〈中俄復交後之中俄貿易〉

（《先導》1卷6、7期，民22年3、4月）、何炳賢〈中俄復交後中俄貿易的前途〉（《民族》1卷2期，民22年2月）、施次晨〈復交後的中蘇貿易〉（《外交月報》6卷1期，民24年1月）、王鎮中〈大戰前日本棉紡業在華貿易之發展〉（《社會科學雜誌》4卷4期，民22年12月）、Louis Beale and Pelham G. Clinton, Trade and Economic in China, 1931-33.（London, 1933）、Willian C. Kirby, "Joint Ventures: Technology Transfer and Technocratic Organization in Nationalist China, 1928-1949."（Republican China, Vol.12, No.2, 1987）、陳鈞〈1929-1933年世界資本主義經濟危機與武漢的對外貿易〉（《武漢師院學報》1983年2期）、王乃棟、方才英〈民國二十二年之中國貿易〉（《政治經濟學報》3卷 2期，民24）、王方中〈本世紀三十年代初期地方進口貿易嚴重入超的情況、原因和後果〉（《近代中國》第1輯，1991）、杜恂誠〈二十世紀三十年代中國國內市場商品流通量的一個估計〉（《中國社會經濟史研究》1989年4期）、彭書全〈抗戰以前四川的桐油貿易〉（《四川師大學報》1988年1期）、鄭恩卿〈最近寧夏商業金融概況〉（《中行月刊》1卷3期，民24年9月）、中田昭一〈日中戰爭前夜華北棉花をめぐる日中關係—1930年代の中國綿花市場〉（《廣島東洋史學報》創刊號，1996）、大野三德〈南京國民政府成立時期の榮家企業〉（《高知工業高專學術紀要》24號，1986）、芝池靖夫〈1930年代の經濟危機下における中國民族資本主企業の實態—南洋兄弟煙草公司についてのノート〉（《商大論集》24卷1·2·3號，1972年6月）、Lillian M. Li, China's Silk Trade: Traditional Industry in the Modern World, 1842-1937.（Cambridge, Mass.: Council on East Asian Studies,

Harvard University, 1981）、中國第二歷史檔案館〈1927-1936年帝國主義國家在華傾銷石油史料〉（《歷史檔案》1983年1期）、孔慶泰〈國民黨政府時期的石油進口初探〉（同上）、羅志平《兩次大戰期間美國在華企業投資》（中國文化大學史學研究所博士論文，民82）、阿部聖〈1930年代中國における日系企業活動〉（《常葉學園濱松大學論集》第8特別號，1996年3月）、武育宣〈中日貿易之現狀〉（《新中華》4卷6期，民25年4月）、佐藤秀夫〈戰前日本對の中國投資ー日本の資本輸入を念頭において〉（《研究年報經濟學（東北大學）》39卷1號，1977年7月）、實業部統計處編印《民國廿五年全國實業概況》（南京，民26）、吳鼎昌〈一年中實業建設之回顧〉（《廣東經濟建設月刊》第2期，民26年2月）。

交通方面有國民黨史會編印《革命文獻·第78輯：抗戰前國家建設史性ー交通建設》（臺北，民68）、陳謙平〈試論抗戰以前南京國民政府的交通建設〉（載《民國檔案與民國史學術討論會論文集》，北京，檔案出版社，1988）、江波〈一年來交通事業的回顧〉（《交通雜誌》3卷4期，民24年2月）、洪瑞濤〈一年來我國交通事業進展之動向〉（同上，2卷5期，民23年3月）、內田知行〈抗戰前中國國民政府の鐵道建設〉（《近代中國研究彙編》10號，1988年3月）、張嘉璈〈十年來的中國鐵道建設〉（載《十年來的中國》，上海，商務印書館，民26）、張嘉璈著、楊湘年譯《中國鐵道建設》（上海，商務印書館，民35）、Ralph William Huenemann, The Dragon and the Iron Horse: The Economics of Railroads in China, 1876-1937.（Ph. D. Dissertation, Harvard University, 1982）、凌鴻勛〈中國鐵路之建設〉（載薛光前主編《艱苦建國的十年（民國16

年至26年）》（臺北，正中書局，民60）、張競立〈最近一年之鐵路財務〉（《文化建設月刊》3卷7期，民26年4月）、陳清文〈最近一年之鐵路業務〉（同上）、薩福均〈一年來之鐵路工程〉（《交通雜誌》3卷5期，民24年3月）、曾仲鳴〈最近一年來中國路政之鳥瞰〉（同上，1卷6、7期，民22年4月），其他關於中國鐵路史的論著（如曾鯤化、謝彬、李國祁、凌鴻勛等所撰之專書）尚有一些，其內容多述1928年以前（或清季）的鐵路史，此處不擬贅述；萩原充〈南京政權の鐵道建設と對外關係(上)(下)—粵漢鐵道への日本の對應〉（《經濟學研究（北海道大學）》34卷4號·35卷1號，1985年6月）及〈1930年代の山東權益をめぐる日中關係—膠濟鐵道の諸利權を中心〉（《土地制度史學》142號，1994年1月）、簡笙簧〈浙江省築杭江鐵道的歷史意義〉（《中國歷史學會史學集刊》13期，民70年5月）及〈浙贛鐵路展築與全線總整理（1934-1937）〉（載《中華民國建國八十年學術討論集》第4冊，民81）、張瑞德〈平漢鐵路與華北的經濟發展（1905-1937）〉（臺北，中央研究院近代史研究所，民76）、〈平漢鐵路與華北的商業發展（1905-1937）〉（《史學評論》第4期，民71年7月）及〈平漢鐵路營運狀況分析（1906-1937）—中國現代公營企業研究之一〉（《中央研究院近代史研究所集刊》12期，民72年6月）、簡笙簧《粵漢鐵路全線通車與抗戰的關係》（中國文化學院史學研究所碩士論文，民66年6月）及〈凌鴻勛與抗戰前中國鐵路建設〉（載《近代中國歷史人物論文集》，臺北，中央研究院近代史研究所，民82）、王國君〈抗戰前南京政府公路建設評述〉（《松遼學刊（四平師院學報）》1995年4期）、那紹彬、趙守仁〈抗戰前南京國民政府公路建設及其軍事性質述論〉（《社會科學輯刊》1994年2期）、劉漢儒〈一年來的公路建設〉（《文化建設月刊》2卷3期，民24年12月）、中國第二歷史檔案館〈全國經濟委員會發展公路建設計畫書〉（《民國檔案》1992年4期）、金泳信《抗戰前全國經濟委員會的公路建設，1931-1937》（政治大學歷史研究所碩士論文，民81年1月）、劉小琴〈九一八事變以後西北公路建設發展概況〉（《開發研究》1988年1期）、唐仁郭、張榮炳〈二三十年代廣西公路交通建設述評〉（《廣西師大學報》1996年3期）；〈抗日戰爭前的廣東汽車運輸業〉（《公路交通編史研究》1984年增刊）、陳長河〈1927-1949年招商局組織概況〉（《歷史檔案》1983年2期）、施志汶《抗戰前十年中國民營航運業，1928-1937》（臺灣師大歷史研究所碩士論文，民76）、蔡增基〈十年來的中國航運〉（載《十年來的中國》，上海，商務印書館，民26）、施志汶〈抗戰前中國民營航運業的個案研究－四川民生公司的發展〉（《歷史學報（臺灣師大）》18期，民79年6月）、周至柔〈十年來的航空建設〉（同上）、吳明毓〈中國的航空〉（《文化建設月刊》2卷9期，民25年6月）、葉健青〈中國航空公司的創辦－中國民航的開端（民國十八至三十五年）〉（《中華民國史專題論文集：第一屆討論會》，臺北，國史館，民81）、陳長河〈中央航空公司組織概述〉（《北京檔案史料》1994年1期）、李景樅〈歐亞航空公司近況〉（《社會經濟月報》4卷2期，民26年2月）、查鎮湖〈歐亞航空公司概況〉（《交通雜誌》3卷4期，民24年2月）、葉健青編《航政史料》（中華民國交通史料㈠，臺北，國史館，民78）、《航空史料》（同上㈢，民80）及《電信史料》（同上㈡，民79）、William M. Leary, Jr., The Dragon's Wings: The China

National Aviation Corporation and the Development of Commercial Aviation in China.（The Georgia Press, 1983）、俞飛鵬〈十年來的中國電信事業〉（載《十年來的中國》，上海，商務印書館，民26）。

治河及水利方面有王樹槐〈全國水利局對外資導淮的籌議〉（《第二屆國際漢學會議論文集》第3册，民75）、康復聖〈國民黨政府時期的導淮委員會和導淮工程〉（《民國檔案》1989年3期）、黃麗生《淮河流域的水利事業（1912-1937）》（臺灣師大歷史研究所專刊之15，民75）、川井悟〈中華民國時期における涇惠渠建設〉（《福山大學經濟學論集》20卷1、2號合併號，1996）、中田昭一〈南京國民政府時期陝西關中における灌漑事業について—考察〉（《東洋史研究報告（廣島大學文學部）》13號，1991年10月）、森田明〈民國期、湖南沅江における垸田地域の水利紛爭〉（《社會文化史學》35號，1996）、國民黨黨史會編印《革命文獻·第81-83輯：抗戰前國家建設史料—水利建設㈠㈡㈢》（臺北，民68-69）、李儀祉〈十年來的中國水利建設〉（載《十年來的中國》，上海，商務印書館，民26）、中央統計處編印《中國水利問題與二十四年之水利建設》（南京，民24）、全國經濟委員會編印《民國二十四年江河修防紀要》（民25年印行；臺北，傳記文學出版社影印，民60）。

其他相關者尚有吳景平〈抗戰前國民黨當局爭取外援述評〉（《檔案與歷史》1988年2期）、鄭會欣〈1933年中美棉麥借款〉（《歷史研究》1988年5期）、〈〝中美航空密約〞新析〉（《民國檔案》1988年4期）及〈〝中美白銀協定〞述評〉（同上，1986年2

期）、Michael Blaine Russell, American Silver Policy and China, 1933-1936.（Ph. D. Dissertation, University of Illinois-Urbana-Champaign, 1972）、朱寶琴〈蔣介石確立全國統治的經濟原因初探〉（《南京大學學報》1985年增刊）、孔經緯、張奎燕〈關於十年內戰時期國民黨統治區經濟〉（《學術研究》1989年1期）、馬功成〈十年內戰時期的民族資本主義經濟〉（《四川師大學報》1988年4期）、王玉茹〈論兩次世界大戰之間之中國經濟的發展〉（《中國社會經濟史研究》1987年2期）、Thomas G. Rawski, Economic Growth in Prewar China.（Berkeley: University of California Press, 1989）及、"Economics Growth in China Before World War Ⅱ."（載《第二次中國近代經濟史會議》，臺北，中央研究院經濟研究所，民78）、Douglas S. Paauw, "The Kuomintang and Economic Stagnation, 1928-1937."（In Albert Feuerwerker, ed., Modern China, Englewood Cliffs, N. J., 1964）、盛俊〈近十年來中國物價指數之回顧〉（《新中華》3卷14期，民24年7月）、岩武照彥《近代中國通貨統一史：15年戰爭期における通貨鬥爭》（2冊，東京，みすず書房，1990）、川井梧〈全國經濟委員會の成立とその改組をめぐる一考察〉（《東洋史研究》40卷4號，1982）、戚如高、周媛〈資源委員會的《三年計劃》及其實施〉（《民國檔案》1996年2期）、吳太昌〈國民黨政府資源委員會壟斷活動述評〉（《中國經濟史研究》1986年3期）、林蘭芳〈資源委員會的特種礦產統制與各地之反應〉（《國史館館刊》復刊第7期，民76年12月）、程麟蓀〈試論資源委員會的對外經濟技術合作〉（《上海社會科學院術季刊》1988年4期）、名畑恒〈1930年代初頭〇中國資本主義論爭〉

（《東亞經濟研究》42卷3·4號，1969年9月）、中の太一〈中國革命における官僚資本主義の評價ーとくに1930年代を中心として〉（《アジア研究》11卷3號，1964年10月）、〈中國革命の物質的前提についてー30年代における官僚資本主義の萌芽〉（《國際關係論研究》第1號，1966年4期）、〈中國官僚資本主義の形成ー30年代に於ける國民黨の經濟政策を中心として〉（《社會科學研究》18卷3、4號，1966年11月、1967年2月）、〈國民黨政權の官僚資本について〉（《中國研究》27號，1972年6月）、〈國民黨政權の官僚資本について〉（《中國研究》27號，1972年6月）、〈國民黨政權の官僚資本について ー若干の經濟的側面の問題〉（《現代中國》48、49號，1974年1月）、〈國民黨官僚資本に關する若干の理論的問題〉（載《1930年代中國の研究》東京，アジア經濟研究所，1975）、〈1936年前後に於ける「中國銀行」の生產投資について〉（《彥根論叢》132·133號，1968年12月）及〈轉型期における「中國銀行」の綿業投資の構造〉（《社會科學研究》20卷5·6號，1969年3月）、Koo Y. C., "China's Silver Problem."（The China Critic, Vol.7, March 1934）、鄭會欣〈試論1935年白銀風潮的原因及其後果〉（《歷史檔案》1984年2期）、謝菊曾〈1935年上海白銀風潮概述〉（《歷史研究》1965年2期）、卓遵宏、陳憶華、董淑賢編《抗戰前十年貨幣史資料㈡ー白銀問題》（臺北，國史館，民76）、馬德舫〈30年代前期美國白銀政策對中國經濟的影響〉（《財經研究》1989年5期）、李立俠〈美國白銀政策與中國〉（《文化建設月刊》1卷9期，民24年6月）、毛起周〈美國白銀政策與中國〉（《東方雜誌》31卷8號，民23年4月）、顧寶衡〈美國白銀政策及對於我國

之影響〉（《外交評論》3卷6期，民23年6月）、李權時〈美國白銀政策之變更與中國〉（《時事月報》14卷3期，民25年3月）、張素民〈最近美國白銀政策與我國新幣制〉（《文化建設月刊》2卷7期，民25年4月）、馬寅初〈美國白銀政策與我國之利害〉（《時事月報》10卷4期，民23年4月）及〈美國之吸收黃金白銀政策與我國之關係〉（《東方雜誌》31卷8號，民23年4月）、楊蔭溥〈美國白銀政策與我國之影響〉（《申報月刊》3卷9期，民23年9月）、顧季高〈美國抬高銀價運動與我國〉（《民族》2卷4期，民23年4月）、徐鴻馭〈美國提高銀價與我國之關係〉（《黑白》1卷10期，民23年3月）、陶鎔〈美國白銀與我國影響〉（《國民外交雜誌》4卷1期，民23）、楊端六〈白銀協定與中國幣制問題〉（《武漢大學社會科學季刊》4卷3期，民23年3月）、Liu Ta-chung（劉大中）&Yeh Kuug-Chia（葉孔嘉），The Economy of the Chinese Mainland National Income and Economic Development, 1933-1959.（Rand Corporation, 1963; Princeton: Princeton University Press, 1965）其中文節譯文為楊錦科等節譯、趙凌雲等審校〈中國大陸的經濟：1933-1959年國民收入和經濟發展〉（載《近代中國》第3輯，1993年5月）、巫寶山等編《中國國民所得：一九三三年》（2册，上海，中華書局，民36）、巫寶山〈中國國民所得：1933、1936、1946〉（《社會科學雜誌》9卷2期，民36年12月）及〈中國國民所得：對1933年之修正〉（同上）、Liu Ta-chung（劉大中），China's National Income, 1931-1933: An Exploratory Study.（Washington, D. C.: Brookings Institution, 1946）、Charles Robert Roll, Jr., The Distribution of Rural Incomes in China: A Comparison of the

1930s and 1950s.（New York Garland, 1980）、Hou Chi-ming（侯繼明），Foreign Investment and Economic Development in China, 1840-1937.（Cambridge, Mass: Harvard University Press, 1956）、高平叔等〈戰前外人在華之投資〉（《經濟建設季刊》2卷1期，民32年7月）、Cheryl Ann Payer, Western Economic Assistance to Nationalist China, 1927-1937.（Ph. D. Dissertation, Harvard University, 1971）、邱慶松〈關於第二次國內革命戰爭時期經濟問題的討論〉（《中國社會經濟史研究》1983年1期）、謝華瞻〈土地革命時期的金融戰線〉（《江西師院南昌分院學報》1982年3期）、中國第二歷史檔案館〈國民政府行政院有關〝華北經濟開發〞致實業部函令三件〉（《民國檔案》1986年4期）、國民黨黨史會編印《革命文獻·第75輯：抗戰前國家建設史料—實業方面》（臺北，民67）、張力〈1930年代中國與國聯的技術合作〉（《中央研究院近代史研究所集刊》15期下冊，民75年12月）、Jürgen Osterhammel, "'Technical Cooperation' Between the League of National and China."（Modern Asian Studies, Vol. 13, Part 4, October 1979）、周子亞〈中國與國聯技術合作之瞻顧〉（《外交月報》4卷4期，民23年4月）、宋選銓〈中國與國聯技術合作之現況與將來〉（同上，5卷1期，民23年7月）、達生〈國聯技術合作與中國經濟之前途〉（《東方雜誌》31卷14期，民23年7月）、劉重明〈論國聯與中國技術合作〉（《三民主義半月刊》2卷4期，民22年10月）、王德輝〈五年來中國與國聯之技術合作〉（《外交評論》9卷1期，民26年7月）、吳頌皋〈國聯與中國技術合作問題〉（同上，2卷9期，民22年9月）、吳秀峰〈中國與國聯技術合作之經過〉（《時代公論》96

號，民26年6月）、威廉馬丁（William Martin）〈中國與國聯技術合作之意義〉（《時事月報》9卷3期，民22年9月）、樹〈國聯與中國技術合作之懷疑〉（《先導》1卷11期，民22年8月）、鑱然〈與國聯技術合作諸問題〉（《錢業月報》13卷11期，民22年11月）、因明〈中國經濟的出路問題〉（同上）、劉蘆隱〈全國經濟委員會與國聯技術合作〉（《三民主義半月刊》2卷4期，民22年10月）、周伊武〈日本反對國聯與我技術合作之面面觀〉（《日本評論》4卷5期，民23年6月）、Kuo Tze-hsiung（郭子雄），“Technical Co-operation Between China and Geneva.”（Information Bulletin, Vol.1, No.6, July 1936, Naking, China）、朱偰〈所謂統制經濟與國聯技術合作問題〉（《東方雜誌》31卷5號，民23年3月）、拉西曼〈國聯技術合作代表報告書〉（《農村經濟》1卷9期，民23年7月）、歐陽執無〈拉西曼報告之檢討〉（《申報月刊》3卷6號，民23年6月）；〈拉西曼報告書發表〉（同上）、錢亦石〈拉西曼報告書之研究〉（《新中華》2卷11期，民23年6月）、李紫翔〈拉西曼報告書之農業部份的批評〉（收於千家駒、李紫翔編《鄉村建設批判》，上海，新知書店，民26）、葉飛鴻〈國民政府的災時救濟措施（民國17年至26年）〉（《國史館館刊》復刊第3期，民76年12月）、Chang Ying-hwa（章英華），The Internal Structure of Chinese Cities, 1920's and 1930's: An Ecological Approach.（Ph. D. Dissertation, Princeton University, 1982）、唐文起、張剛〈試論1927-1937年南京城市經濟發展與農村腹地之關係〉（《民國檔案》1987年2期）、李蔭南〈從一九三二年的世界貿易看到我國經濟的危機〉（《華僑週報》41、42期，民22年8月）、吳大業〈近六年中國經濟之變遷〉（《政治經濟學報》3卷1期，民23年10月）、漆琪生〈一年來的中國經濟〉（《文化建設月刊》2卷3期，民24年12月）、武堉幹〈一年來中國國內市場〉（同上，1卷3號，民23年12月）、Douglas S. Paauw, "The Kuomintang and Economic Stagnation, 1928-1937."（The Journal of Asian Studies, Vol.16, No.2, February 1967）、李宇平《1930年代中國的經濟恐慌論：分岐與演變》（臺灣師大歷史研究所博士論文，民85年7月）、〈試析三〇年代中國的經濟恐慌論〉（《中央研究院近代史研究所集刊》22期上册，民82年6月）、〈1930年代世界經濟大恐慌對中國經濟之衝擊（1931-1935）〉（《歷史學報（臺灣師大）》22期，民83）及〈1930年代中國城鄉問題的思想淵源—所得全面低減說與所得分配不均說的爭議〉（《中央研究院近代史研究所集刊》24期下册，民84年6月）、橋本雄一〈方法としての都市—1930年代なかばのハルビンはなんであったか？〉（《野草》58號，1996年8月）、葉坦〈1920-30年代中國經濟思想史研究之分析〉（《中國研究》1卷9、10期，1995年12月—1996年1月）、莊志齡選編〈1928年全國經濟會議史料〉（《檔案與史學》1996年3期）、全國經濟委員會編印《全國經濟委員會會議紀要（1-9集）》（9册，南京，民22-25）、江鳳蘭編《國民政府時期的鹽政史料》（臺北，國史館，民82）、上野章〈經濟建設と技術導入：江蘇省蠶絲業への一代交雜種法の導入を例に〉（載《中國國民政府の研究》，東京，汲古書院，1986）、沈社榮〈國民政府與〝開發西北〞〉（《固原師專學報》1994年3期）及〈九一八事變後〝開發西北〞思潮的興起〉（《寧夏大學學報》1995年4期）、閻沁恒〈抗戰前建設西北輿論之分析〉（《中國現代史專題研究報告》12

輯，民79）、張力〈全國經濟委員會與西北開發〉（載《羅香林教授紀念論文集》，臺北，新文豐出版公司，民79）、張人鑑《開發西北實業計畫》（北平，著者書店，民23）、張嘉選〈三四十年代開發青海述論〉（《青海師大學報》1987年4期）、國民黨黨史會編印《革命文獻·第88-90輯：抗戰前國家建設史料－西北建設㈠㈡㈢》（臺北，民70-71）及《革命文獻·第91-93輯：抗戰前國家建設史料－首都建設㈠㈡㈢》（臺北，民71）。王文成〈30年代初雲南整理財政金融述評〉（《研究集刊》1988年1期）、陳志明〈九一八以前東北地區四次整頓金融活動〉（《遼寧金融》1986年7期）及〈九一八前東北地區整頓金融活動述評〉（《北方文物》1986年4期）、劉大成選編〈西安事變期間上海銀行商業情報〉（《北京檔案史料》1986年4期）、唐學鋒〈抗戰前的重慶銀行〉（《重慶社會科學》1990年1期）及〈抗戰前的重慶錢莊〉（同上，1989年3期）、吳藻溪〈抗戰前夜的四川經濟〉（《四川經濟季刊》1卷2期，民33年3月）、蕭以和〈1929年版廣西省銀行紙幣初探〉（《廣西金融研究》1988年增刊）、潘峻山〈遼寧各地抗日義勇軍印刷發行鈔票的史況〉（《中國錢幣》1988年1期）、曾濤〈30年代廣東省統一幣制前後〉（《廣東金融》1990年10期）。

3.社會方面

通論性的僅有張靜如《國民政府統治時期社會之變遷（1928-1949）》（北京，中國人民大學出版社，1993）。關於社會性質問題及中國社會史的論戰有何幹之《中國社會性質問題論戰》（上海，生活書店，民28）、高軍編《中國社會性質問題論戰：資料選輯》（2冊，北京，人民出版社，1984）、胡汶本〈中國社會性質論戰芻議〉（《聊城師院學報》1986年3期）、馬功成〈三十年代關於中國社會性質的論戰〉（《四川師院學報》1982年4期）、周子東等編著《三十年代中國社會性質論戰》（上海，知識出版社，1987）、曾景忠〈重新審視三十年代的中國社會性質問題的論戰〉（《社會科學（上海）》1988年6期）、謝本書〈中國社會性質問題論戰的回顧及啟示〉（《思想戰線》1987年6期）、饒良倫〈第二次國內革命戰爭時期關於中國社會性質問題的論戰〉（《求是學刊》1983年4期）、黃德淵〈社會主義是中國現代社會運動的必然一析三十年代中國社會性質問題論戰的實質〉（《安徽師大學報》1989年4期）、左用章〈三十年代中國農村社會性質之論戰〉（《南京師大學報》1990年1期）、范毅軍〈三十年代中國農村社會性質論戰〉（《中國歷史學會史學集刊》14期，民71年5月）、神州國光社編印《中國社會史的論戰》（4冊，上海，民20-22）、王禮錫、陸晶清編《讀書雜誌·中國社會史論戰專號》（4冊，東京，龍溪書舍影印，1973，爲民21年刊本之影印版）、李季《中國社會史論戰批判》（上海，神州國光社，民25）、戴國煇〈中國〝社會史論戰〞紹介にみられる若干の問題一紹介と研究の間〉（《アジア經濟》13卷1號，1972年1月）及〈中國〝社會史論戰〞と「讀書雜誌」の周邊〉（同上，13卷12號，1972年12月）、趙慶河《讀書雜誌與中國社會史論戰（1931-1933）》（臺北，稻禾出版社，民84）及〈讀書雜誌與亞細亞社會的討論〉（《世界新聞傳播學院學報》第3期，民82年10月）、鄭學稼《「社會史論戰」的起因和內容》（臺北，中華雜誌社，民54）、吳安家《中國社會史論戰之研究（1931-

1933）》（政治大學東亞研究所博士論文，民75）、里井彥七郎〈中國社會史論戰〉（載《世界歷史事典·第6卷》，東京，平凡社，1956）、Wu An-Chia（吳安家）“Revolution and History:On the Causes of the Controversy over the Social History of China（1931-1933）.”（Chinese Studies in History, Vol.21, NO.3, 1988）、吳明〈中國社會史論戰底檢討〉（《中山文化教育館季刊》2卷1期，民24年1月）、大招〈〝中國社會史論戰批判〞的批判〉（《現代史學》2卷3、4期，民24年1、10月）、羅敦偉〈中國社會史論戰總評及中國社會結構的新分析〉（《中國社會》1卷1期，民23年7月）、啟元〈中國社會史論戰史〉（《微音》3卷2期，民22年4月）、Arif Dirlik, Revolution and History: Debates on Chinese Social History, 1928-1933.（Ph. D. Dissertation, University of Rochester, 1973）、謝謀〈日本 における 中國社會史研究—1930年代の社會史論爭を中心に〉（《社會文化史學》31號，1993年9月）、尾崎庄太郎〈中國社會史論爭の回顧と展望〉（《新中國》15號，1947年8月）。

關於國府大力推動的新生活運動（1934年2月19日，蔣中正在南昌成立新生活運動促進會，由其任會長，同年7月1日，復於南昌成立新生活運動促進總會，蔣任總會會長，大力推行此一運動於各地、各界）有蔣中正講《新生活運動》（南京，正中書局，民23），該書係為葉楚傖主編之新生活叢書中的一冊，且列為第一冊，該叢書（共31冊，均由正中書局民23年發行）的出版係配合國府大力推行新生活運動而為之，其他各冊的著（編）者及書名為朱元懋編《新生活運動章則》、陳立夫《中國國民黨黨員與新生活運動》、范苑聲《農民的新生活》、王漢良《店員的新生活》、張公權《銀行行員的新生活》、胡樸安《校長的新生活》、周代殷《警察的新生活》、朱培德《軍官的新生活》、王平陵《文藝家的新生活》、唐槐秋《戲劇家的新生活》、洪深《電影界的新生活》、蕭友梅《音樂家的新生活》、溥岩《婦女的新生活》、束世澂《新生活與舊社會》、葉楚傖《新生活與情操》、陳劍翛《新生活與心理建設》、徐慶譽《新生活與哲學思潮》、章淵若《新生活與政治改革》、陳立夫《新生活與民生史觀》、汪兆銘《新生活與民族復興》、鄒樹文《新生活與鄉村建設》、陳衡哲《新生活與婦女解放》、唐學詠《新生活與禮樂》、劉瑞恒《新生活與健康》、林風眠《藝術與新生活運動》、胡叔異《兒童的新生活》、劉振東《新生活與國民經濟》、潘公展《學生的新生活》、沈鍾靈《新生活與娛樂》、沈介人《各國青年訓練與新生活運動》。新生活叢書社編印《新生活運動叢書》(南京,民24)、國民黨中央執行委員會宣傳委員會編印《新生活運動言論集》(南京,民24);《新生活運動須知目錄》(共304頁,出版時地不詳)、國民政府軍事委員會委員長南昌行營第二廳編《新生活運動進行概況報告》(南昌行營,民23)、新生活運動促進總會編印《民國二十三年新生活運動總報告》(南昌,民24)及《民國二十四年全國新生活運動》(2冊,臺北,文海出版社影印,民78)、陳又新、楊瑞謇編《新生活運動之理論與實際》(北京,警官高等學校,民24)、貝警華編《新生活論叢》(南京,青年出版社,民25)及《新生活運動須知》(同上)、中央訓練委員會編印《新生活運動要義》(重慶,民29)、中央新生活運動委員會印行《新生活運動綱要(附新生活運動須知）》（出版時地不詳）、行政院新聞局編印《新生活運動與國家總動員》（南京，民26）、新生活運動促進會編《新生活之實施》（重慶，國民圖書出版社，民33）、洪子良《新生活初步》（上海，新生活書社，民23）、中支建設資料整備事務所編印《新生活運動概觀》（上海，1941）、大塚令三編著《支那の新生活運動》（東京，畝傍書房，1942）、張其昀《新生活運動》（臺北，中央文物供應社，民57）、施家順《新生活運動之初步研究》（中國文化學院史學研究所碩士論文，民62年6月）、謝早金《新生活運動之研究（1934-1937）》（政治作戰學校政治研究所碩士論文，民66年8月）、新生活運動促進會編印《新運十年》（民33年出版）、首都新生活運動促進會編印《首都新生活運動概況》（南京，民24）、秉約〈新生活運動之史的發展〉（《前途》33卷3期，民24年3月）、國民黨黨史會編印《革命文獻．第68輯：新生活運動史料》（臺北，民64）、趙鳳珍〈論新生活運動〉（《北京大學研究生學刊》1990年1期）、劉紅〈蔣介石發動的新生活運動〉（《民國春秋》1996年6期）、左玉河〈論蔣介石發動的新生活運動〉（《史學月刊》1990年4期）、顧曉英〈評蔣介石的新生活運動（1934-1949）〉（《上海大學學報》1994年3期）、太田宇之助〈新生活運動の意義〉（《アジア問題講座》第1卷，東京，創元社，1939）、鄧元忠〈新生活運動之政治意義闡釋〉（載《抗戰前十年國家建設史研討會論文集》上册，民73）、林澤震《新生活運動理論與實踐之分析（1934-1937）》（政治大學歷史研究所碩士論文，民75年6月）、謝早金〈新生活運動的推行〉（載張玉法主編《中國現代史論集．第8輯：十年建國》，臺北，聯經出版事業公司，民71）、關志鋼、趙哲〈試論新生活運動的緣起〉(《深圳大學學報》1994年2期)、Samuel Chu(朱昌崚)"The New Life Movement, 1934-1937."(In John E. Lane, ed., Researchs in the Social Sciences in China, New York: Columbia University East Asian Institute Studies No. 3, 1957)、趙新民〈淺談新生活運動〉(《東疆學刊》1991年3期)、關志鋼〈新生活運動述略〉(《黨史研究資料》1990年9期)及〈論抗日戰爭時期的新生活運動〉(《抗日戰爭研究》1992年3期)、仇晨〈國民黨統治區的新生活運動〉(《歷史教學》1990年3期)、卓心美《新生活運動與倫理教育之研究》(政治大學教育研究所碩士論文,民71年6月)、何友良〈論新生活運動與復興文化問題〉(《江西社會科學》1993年4期)、Arif Dirlik, "The Idelogical Foundations of the New Life Movement."(The Journal of Asian Studies, Vol.34, No.4, August 1975)、芝池靖夫〈支配者倫理の一形態—「新生活運動」の本質について〉(《中國研究》第4號,1956年12月)、木下半治〈新國民運動と新生活運動〉(載和田清編《近代支那社會》,東京,光風館,1943)、楊昌宴〈關於新生活運動初期的評價〉(《湘潭大學學報》1986年2期)及〈評舊道德與新生活運動〉(同上,1991年2期)、林頌平〈試論新生活運動的特點與效用〉(《江西師大學報》1995年2期)、酒井忠夫〈新生活運動與現代化中國的新儒教文化〉(載《蔣中正先生與現代中國學術研討會論文集》第3冊,臺北,民75)、王壽南〈訓政時期的民族文化復興運動—以新生活運動為例〉(載《中華民國建國八十年學術討論集》第3冊,臺北,民81)、卓心美〈新生活運動在倫理教育上的意義與價值〉(《近代中國》54期,民75年8月)、蔣宋美齡〈基督教與新生活運動〉

(《新運導報》第7期，民26年5月)、朱學範〈新生活運動中之青年訓練問題〉(《中華郵工》1卷7期，民24年9月)、雷香庭〈新生活運動教育學觀〉(《社會科學》第3期，民25年12月)、李熙寰〈新生活運動與國民經濟〉(《新運會刊》第1期，民25年12月)、劉維熾〈新生活運動與國民經濟建設〉(《新生活月刊》4卷1期，民27年1月)、奥間一輝〈世界華僑と新生活運動について〉(《東洋史論》第9號—華僑·華人特集，1996)、梁作民〈新生活運動與華僑〉(《海外月刊》20期，民23年5月)、何思瞇〈新生活運動促進總會婦女指導委員會之研究(民國25年至34年)〉(《國史館館刊》復刊第9期，民77年12月)、Li Jinyu, The Politics of Propriety: A Comparative Study of the New Life Movement and the Five Stresses and Four Beautifications Compaign in Twentieth Century China.(M. A. Thesis, Rice University, 1987)。

關於鄉村建設運動有晏陽初〈十年來的中國鄉村建設〉(載《十年來的中國》，上海，商務印書館，民26)、徐震〈我國鄉村建設運動之淵源及影響〉(載《中華民國歷史與文化討論集》第4冊，民73)、魯振祥〈三十年代鄉村建設運動的初步考察〉(《政治學研究》1987年4期)、郭美蘭《近代中國鄉村建設運動之研究》(臺灣大學社會研究所碩士論文，民77)、陳序經《鄉村建設運動》(上海，大東書局，民35)、毛起鵕〈鄉村建設運動之檢討〉(《東方雜誌》33卷13號，民25年7月)、李孝悌〈河北定縣的鄉村建設運動—四大教育〉(《中央研究院近代史研究所集刊》11期，民71年6月)、〈平教會在河北定縣的鄉村建設運動—三大方式〉(《大陸雜誌》65卷1期，民71年7月)及《平教會與河北定縣的鄉村建設運動》（臺灣大學歷史研究所碩士論文，民68年6月）；其精要內容載於張玉法主編《中國現代史論集·第8輯：十年建國》（臺北，聯經出版事業公司，民71）、陳重光《我國鄉村建設實驗工作之比較研究（1926-1936）》（中國文化大學史學研究所博士論文，民70年10月）、盧孝齊《中國基督教鄉村建設運動—以華北地區為例（1922-1937）》（同上，碩士論文，民74年6月）、Lee Byung Joo, Rural Reconstruction Movement in Kiangsu Province, 1917-1937.（Ph. D. Dissertation, University of Hawaii, 1978）、梁漱溟《鄉村建設論文集（第1集）》（山東鄉村建設研究院出版股，民25）、《鄉村建設理論（一名《中國民族之前途》）》（鄒平，鄉村書店，民26）及《鄉村建設大意》（同上，民25）、Guy Salvatore Alitto, Chinese Curtural Conservatism and Rural Reconstruction: A Biography of Liang Shu-ming.（Ph. D. Dissertation, Harvard University, 1975）、新保敦子〈梁漱溟と鄉村建設運動—山東省鄒平縣における實踐を中心として〉（《日本の教育史學》28集，1985）、趙慶河《梁漱溟與中國鄉村建設運動（1929-1937）》（政治大學歷史研究所碩士論文，民69）、〈梁漱溟與鄉村建設運動〉（《歷史月刊》第7期，民77年8月）及〈梁漱溟的鄉村建設思想研究〉（《世新傳播學院學報》第2期，民81年10月）、朱振強《梁漱溟的鄉村建設理論》（香港大學博士論文，1985）、龔喜春〈評梁漱溟的鄉村建設理論〉（《湖北師院學報》1992年1期）、佘科杰〈重評梁漱溟的鄉村建設理論與實踐〉（《信陽師院學報》1994年2期）、唐存禮、謝寶生〈梁漱溟〝鄉農建設〞理論淺析〉（《吉安師專學報》1987年2期）、劉一民〈梁漱溟鄉村建設模式述論〉（《成都大學學報》

1994年3期）、Lin Huei-Ching, Adult Education and Liang Shu-ming's Rural Reconstruction.（Ed. D. Dissertation, Northern Illinois University, 1989）、Lyman P. Van Slyke "Liang Sou-ming and the Rural Reconstruction Movement."（The Journal of Asian Studies, Vol. 18, No.1, November 1958；No.3, August 1959）、朱漢國〈梁漱溟鄉村建設性質新論〉（《史學月刊》1995年6期）、劉江船〈梁漱溟鄉村建設理論的主要特徵〉（《江西師大學報》1996年2期）、朱漢國〈一份可資借鑒的遺產—論梁漱溟鄉村建設的現實意義〉（《北京師大學報》1996年6期）、菊池貴晴〈梁漱溟の鄉村建設運動をめぐて諸問題〉（載氏著《中國第三勢力史論—中國革命における第三勢力の總合的研究》，汲古書院，1987）、家近亮子〈梁漱溟における鄉村建設運動論の成立過程〉（載山田辰雄編《近代中國人物研究》，東京，慶應義塾大學地域研究センター，1988）、彭淑楣〈近代中國における國民教育觀の底流㈥—梁漱溟と鄉村建設教育論についての一考察〉（《フイロンフィア》78號，1991年3月）、上原淳道〈鄉村建設運動〉（載《講座近代アジア思想史·中國篇1》，東京，弘文堂，1960）、千家駒、李紫翔編《中國鄉村建設批判》（上海，新知書店，民25）、余科杰〈山東鄉村建設運動述評〉（《山東師大學報》1995年5期）、吳相湘《晏陽初傳—為全球鄉村改造奮鬥60年》（臺北，時報文化事業公司，民70）、Charles W. Hayford, To the People: James Yen and Village China.（New York: Columbia University Press, 1990）；係由其博士論文—Rural Reconstruction in China: Y. C. James Yen and the Mass Educatin Movement.（Harvard University, 1973）加以修訂而成；

齋藤秋男〈晏陽初Y. C. James Yenという人物—中國鄉村建設指導者とその仕事〉（《專修大學社會科學研究所月報》112號，1973年1月）、加々美光行〈中國鄉村建設運動の本質—30年代國民黨官僚資本下における〉（《アジア經濟》11卷1號，1970年1月）、小林善文〈鄉村建設運動と中華職業教育社〉（《明石短大研究紀要》11號，1982年9月）、許瑩漣、李競西、段繼李編著《全國鄉村建設運動概況·第1輯》（2冊，民24印行，附：鄉村工作討論會詳紀）、鄉村工作討論會編《鄉村建設實驗（第1、2集）》（2冊，上海，中華書局，民24）。

關於十年間的災害有范力沛〈Lyman P. Van Slyke〉〈天災人禍：1931年長江大水災〉（載《中華民國建國八十年學術討論集》第4冊，臺北，民81）、楊明哲《民國二十年（1931）長江大水災之研究》（政治大學歷史研究所碩士論文，民76）、徐思敬〈1933年黃河下游堤防的決溢〉（《黃河史志資料》1984年2期）、邵養民〈1933年小龐庄決口考略〉（同上，1984年3期）、席家治〈黃河下游1933、1935、1938年決口災害資料淺析〉（同上，1983年2期）、林現海〈1933年黃河決口的真相〉（《鄭州大學學報》1989年3期）、王方中〈1931年江淮大水災及其後果〉（《近代史研究》1990年1期）、姜觀吾〈國民黨統治時期的淮河災難〉（《鹽城師專學報》1984年3期）、王之堃〈1932年哈爾濱水災紀實〉（《哈爾濱史志叢刊》1983年1期）、許世英《二十四年江河水災勘察記》（民25年序，出版時地不詳）、名揚〈民國以來之水災〉（《人文月刊》6卷4期，民24年5月）及〈民國以來之旱災〉（同上，6卷6期，民24年8月）、陳存恭〈山西省的災荒（1860-1937）〉（載《近代中國農業經濟史論文集》，台北，民78）、江沛〈三、四十年代的災荒與華北農村社會〉（《北京檔案史料》1992年2期）、張水良《中國災荒史（1927-1937）》（廈門，廈門大學出版社，1990）、〈二戰時期國統區的三次大災荒及其對社會經濟的影響〉（《中國社會經濟史研究》1990年4期）及〈第二次國內戰革命戰爭時期國民黨統治區的災荒問題〉（《廈門大學學報》1964年1期）、曹峻、翟偉〈試論1927-1937年間國統區的災荒〉（《學海》1996年2期）、連浩鋈〈二十世紀三十年代廣東米荒問題的研究〉（《中國經濟史研究》1996年4期）。

關於工運及學運有葉梅蘭《南京國民政府時期的上海勞工運動（1927-1936）》（政治大學歷史研究所碩士論文，民81）、Edward Roy Hammond, Ⅲ., Organized Labor in Shanghai, 1927-1937.（Ph. D. Dissertation, University of California－Berkeley, 1978）、金應熙〈從〝四一二〞到〝九一八〞的上海工人運動〉（《中山大學學報》1957年2期）、鄭慶聲〈1928年的上海工人運動新探〉（《史林》1990年2期）、Walter E. Gourlay, "Yellow Unionism in Shanghai: A Study of Kuomintang Techniques in Labor Control, 1927-1937."（In Harvard Papers on China, Feb. 1953）、張祺〈回憶1934年美亞工人大罷工〉（《上海黨史》1990年5期）、劉紹康、張艷華〈1930年哈爾濱工人大罷工的歷史經驗〉（《北方論叢》1989年6期）、久保亨〈國民政府期の中國勞働運動－郵務工會の活動を中心にして〉（《中國勞働運動史研究》15號，1986）、賴澤涵〈戰前我國的勞工運動〉（載《抗戰前十年國家建設史研討會論文集》上冊，民73）、Tim Wright, "Industrial Labour and Labour

Relations in China During the 1930s World Depression: A Preliminary Study."（In Lee Yung-san and Liu Ts'ui-jung, eds., China's Market Economy in Transition, Taipei, Academia Sinica, 1990）、栗國成《中國抗戰前的學生運動（1931-1936）》（中國文化學院史學研究所碩士論文，民63年6月）、John Israel, Student Nationalism in China, 1927-1937.（Stanford, California: Stanford University Press, 1960）全書以「一二・九」運動為其重點，對之有獨到的見解；John Israel, ed., The Chinese Student Movement, 1927-1937: A Bibliographical Eassy.（Based on the Resources of the Hoover Institution, Stanford, 1959）、John Warren Israel, The Chinese Student Movement, 1927-1937.（Ph. D. Dissertation, Harvard University, 1963）、Wales Nym, Notes on the Chinese Student Movement, 1935-1936.（Stanford, Calif.: Stanford University Press,1959）、呂芳上《從學生運動到運動學生－民國8年至18年》（台北，中央研究院近代史研究所，民83）、紀彌〈五年來學潮的研究〉（《社會研究季刊》1卷2期，民25年6月）、沈雲龍〈九一八事變後的上海學生請願潮〉（《傳記文學》30卷4期，民66年4月）、高田幸男〈南京國民政府下の教職員運動－上海市教聯を中心に〉（《駿臺史學》71號，1987）。

其他如彭國亮〈抗戰前十年國民政府之禁煙拒毒〉（《近代中國》18期，民69年8月）、笠原陽子〈中華民國拒毒會についての一考察—1920年代より30年代初頭に至る中國の阿片問題〉（《近きに在りて》29號，1996年5月）、Alan Baumler, "Playing With Fire: The Nationalist Government and Popular Anti-

Opium Agitation in 1927-1928."（Republican China, Vol.21, No.1, Nov. 1995）、王金香〈南京國民政府初期的禁煙政策〉（《民國檔案》1994年2期）及〈南京國民政府初期的禁煙〉（同上，1996年2期）、賴淑卿編撰《國民政府六年禁煙計畫及其成效—民國二十四年至民國二十九年》（臺北，國史館，民75）、周斌〈抗戰前南京國民政府禁毒政策述評〉（《學海》1996年5期）、蔣順興〈華僑中的煙毒和南京國民政府的查禁〉（《學海》1993年3期）、王金香〈二、三十年代國內鴉片問題〉（《民國檔案》1992年2期）、林頓〈〝殺人哉〞鴉片：西南軍閥與三十年代的鴉片泛濫〉（《歷史知識》1988年2期）、林秋敏〈抗戰前十年間的放足運動〉（載《中華民國史專題論文集：第二屆討論會》，臺北，國史館，民83）及《近代中國的不纏足運動，1895-1937》（政治大學歷史研究所碩士論文，民79）、前山加奈子〈〝家を出た娜拉〞をめぐる論爭について—1930年代中國のエミニズム論〉（《近きに在りて》23號，1993年5月）、〈林語堂と「婦女回家」論爭—1930年代に於ける女性論〉（載《柳田節子先生古稀記念中國の傳統社會と家族》，東京，汲古書院，1993）及〈「婦女園地」とその〝園丁〞たち—1930年代中國のフェミニズム論〉（《駿河臺大學論叢》第7號，1993）、蕭孝嶸〈八年來中國兒童心理之研究〉（《教育研究》65期，民25年2月）、三谷孝〈南京政權と「迷信打破運動」（1928-1929）〉（《歷史學研究》455號，1978年4月）、向山寬夫〈國民政府初期の勞働協約〉（《國學院法學》14卷4號，1977年2月）、慈鴻飛〈二、三十年代教師、公務員工資及生活狀況考〉（《近代史研究》1994年3期）、何友良〈十年內戰期間國共兩黨對農民的認識與政策的異同〉（載張憲文主編《民國研究》第3輯，南京大學出版社，1996年1月）、王文昌〈二十世紀三十年代前期農民離村問題〉（《歷史研究》1993年2期）、張書廷〈論1928-1936年中國農民離鄉問題〉（《四川師大學報》1995年2期）、河地重藏〈1930年代中國の農民層分解の把握のために〉（《歷史學研究》290號，1964年7月）、矢澤康祐〈民國中期の中國における農民層分解とその性格〉（《社會經濟史學》27卷3號，1961年12月）、蔡樹邦〈近十年來中國佃農風潮的研究〉（《東方雜誌》30卷10號，民22年5月）、山本澄子〈1930年代中國における農村傳道〉（《アジア文化研究（國際基督教大學）》第4號，1967年8月）、Yip Ka-che（葉嘉熾），"Health and Nationalist Reconstruction: Rural Health in Nationalist China, 1928-1937."（Modern Asian Studies, Vol. 26, Part 2, 1992）、B.維什尼亞科娃著、吳永清節譯〈1929年中國的農民運動與秘密農民團體〉（《國外中國近代史研究》21輯，1992年12月）、孔雪雄編著《中國今日之農村運動（修正重訂版）》（上海，中山文化教育館，民23）、行政院農村復興委員會秘書處編印《一年來復興農村政策之實施狀況》（南京，民23）、金輪海編著《農村復興與鄉教運動》（上海，商務印書館，民23）、Lucian Bianco, "Peasant Uprisings Against Poppy Tax Collection in Suxian and Lingbi（Anhui） in 1932."（Republican China, Vol.21, No.1, November 1995）、畢仰高（Lucian Bianco）〈安徽宿縣、靈壁縣農民抗煙稅鬥爭（1932）〉（載《民國檔案與民國史討論會論文集》，北京，檔案出版社，1988）、喬培華〈三十年代初天門會運動沉寂的原因〉（《史學月刊》1994年3期）、張水良〈土地革命戰爭時期國民黨統治區的搶米風潮〉（《中國社會經濟史研究》1989年4期）、Lucien Bianco, " Two Different Kinds of " Food Riots ", Kiangsu, 1910 and 1932. "（Newsletter for Modern Chinese History, No.11, 1991）、錢小明等〈略論二、三十年代中國的〝國貨運動〞〉（《上海經濟科學》1984年10期）、呂建云〈論中國三十年代的國貨運動〉（《浙江社會科學》1991年6期）、黃嶺峻〈從大眾語運動看30年代中國知識分子的主體意識〉（《近代史研究》1994年6期）、Hung Chang-tai（洪長泰），Chinese Intellectuals and Folk Literature, 1918-1937.（Ph. D. Dissertation, Harvard University, 1980-81）、Maria Douw Leonardus, The Representation of China's Rural Backwardness, 1932-1937: A Tentative Analysis of Intellectual Chice in China, Base on the Lives, and Writings on Rural Society of Selected Liberal, Marxist, and Nationalist Intellectuals.（Ph. D. Dissertation, Leiden University, 1991）、Thomas D. Lutze, New Democracy: Chinese Communist Relation with Urban Middle Forces, 1931-1952.（Ph. D. Dissertation, University of Wisconsin-Madison, 1996）、伍野春、謝世誠、華國梁〈民國時期的集團結婚〉（《民國檔案》1996年2期）、久保亨〈1920年代末中國の「黃色工會」—「上海郵務工會」の事例分析〉（《中國勞働運動史研究》第2號，1978年1月）、小濱正子〈南京國民政府の民眾掌握—上海の工會と工商同業公會〉（《お茶の水女大人間文化研究所研究年報》14號，1991年3月）及〈南京國民政府期上海の勞働人口〉（《お茶の水史學》34號，1991年4月）、Walter E. Gourly, "Yellow Unionism in Shanghai: A Study of Kuomintang

Techinques in Labor Control, 1927-1937."（In Harvard Paper on China, No.1, Feb.1953）、黃漢民〈試析1927-1936年上海工人工資水平變動趨勢及其原因〉（《學術月刊》1987年7期）、羅蘇文〈20至30年代上海產業工人隊伍構成的特點及生活狀況〉（《史林》1989年增刊）、笠原十九司〈上海市政府の成立基盤－上海全浙公會の活動を中心に〉（載中國現代史學會編《中國國民政府史の研究》，東京，汲古書院，1986）、饒惠英〈三十年代上海的幫會與工會〉（《史林》1993年3期）、郭緒印〈國民黨統治時期的上海幫會勢力〉（《民國檔案》1989年3期）、Brian G. Martin, "The Pact With the Devil: The Relationship Between the Green Gang and the French Concession Authorities 1925-1935."（Papers on Far Eastern History, No. 39, 1989）、滿鐵上海事務所編印《浙江財閥》（上海，1929）、山上金男《浙江財閥論：その基本的考察》（東京，日本評論社，1938）、渡邊龍策〈浙江財閥に關する序論的考察〉（《中京商學論叢》10卷1號，1963年7月），其他江浙財閥與南京國府關係的論著已在稍前「政治方面」中舉述，可參閱之；李國祁〈民國元年至27年福建的人口問題〉（載《中華民國歷史與文化討論集》第4册，民73）、斯波義信〈1930年代寧波の都鄙人口〉（《東洋文化》69號，1989）、田中仁〈1930年代における華北·東北の「地域的連繫」に關する一考察〉（載《中華民國期における華北地域と東北地域の政治的·社會的統合狀態に關する實證的研究》，大阪外國語大學，1993）、徐有禮〈三十年代初冀豫邊的鹽民鬥爭〉（《河南黨史研究》1987年2期）、徐仁瑤〈1933年桂北瑤民起義〉（載《民族研究論文集》第1輯，北京，中央民族學院民族研究所，

1981）、鄧元忠〈民族復興運動在民國史中的意義〉（載《中華民國建國史討論集》第3冊，民70）、John Fitzgerald, ed., The Nationalists and Chinese Society 1927-1937: A Symposium.（Parkville: University of Melbourne Press, 1989）、Romon H. Myers（馬若孟）"State and Society in the Nanking Decade"（載《抗戰前十年國家建設史研討會論文集，1928-1937》下冊，臺北，中央研究院近代史研究所，民73）、夏仲冬〈第二次國內革命戰爭期間階級關係和社會主要矛盾的變化〉（《歷史教學問題》1958年3期）、卞直甫〈試論從〝九一八〞到〝七七"中國社會的主要矛盾：兼談抗日戰爭的起點〉（《遼寧師大學報》1988年5期）、何景春〈二、三十年代的中國正在形成資本主義發展的大氣候嗎—與李偉同志商榷〉（《華中師大學報》1996年4期）、Peter Singleton, "Defining Piracy: The Chung Tam-Kwong Case and British Piracy Suppression in China in the Early 1930s."（Great Circle, Vol.5, No.1, 1983）。上海市哲學社會科學學會聯合會編《中國社會科學家聯盟成立五十周年紀念專輯》（上海，上海社會科學院出版社，1986）、史先民編著《中國社會科學家聯盟資料選編》（北京，中國展望出版社，1986）。

4.教育方面

有呂士朋〈抗戰前十年我國的教育建設〉（載《中華民國歷史與文化討論集》第3冊，民73）、國民黨黨史會編印《革命文獻·第55輯：抗戰前教育概況與檢討》（臺北，民60）、《革命文獻·第54輯：抗戰前教育政策與改革》（同上）及《革命文獻·第53

輯：抗戰前教育與學術》（同上，民59）、陳錫恩〈中國的教育〉（載薛光前主編《艱苦建國的十年（民國16年至26年）》，臺北，正中書局，民60）、陳進金〈抗戰前國民政府的教育管理〉（《近代中國》94、97期，民82年4、10月）、吳家瑩《中華民國教育政策發展史：國民政府時期（1925-1940）》（臺北，五南圖書出版公司，民79）及《國民政府的教育政策及其內外形勢，1925-1940》（臺灣師大教育研究所博士論文，民78）、陳進金《抗戰前教育政策之研究（1928-1937）》（政治大學歷史研究所碩士論文，民81）、鍾魯齋〈八年來的中國教育方法之研究〉（《教育研究》65期，民25年2月）、國民黨黨史會編印《革命文獻·第56輯：抗戰前之高等教育》（臺北，民60）、梁尚勇〈國府成立後十年間對高等教育的整頓與輔導〉（載陳治世等撰《人文社會科學論文集－文教社會類》，臺北，民72）、呂士朋〈訓政時期的高等教育〉（《抗戰前十年國家建設史研討會論文集》上冊，民73）、呂芳上〈訓政時期高等教育的重要措施〉（《近代中國》第7期，民67年9月）、黃建中〈十年來的中國高等教育〉（載《十年來的中國》，上海，商務印書館，民26）、黃龍先〈兩年來之高等教育〉（《中國新論》3卷4、5期，民26年4月）、陶英惠〈國民政府成立初期教育行政組織的變革〉（《近代中國》第7期，民67年9月）、戚如高、張慶軍〈中國教育行政體制改革的嘗試－關於大學院和大學區制〉（《歷史檔案》1989年3期）、陳哲三《中華民國大學院之研究》（臺北，臺灣商務印書館，民65）、〈試行大學院大學區所遭遇的困難〉（《中國歷史學會史學集刊》16期，民73年7月）及〈中華民國大學院與大學區之研究〉（《中華民國史專題論文集：第一屆討論會》，臺北，國史館，民

81）、Allen B. Linden, "Politics and Education in Nationalist China: The Case of the University Council, 1927-1928."（The Journal of Asian Studies, Vol.27, No.4, Aug. 1968）、葉淑幸〈中華民國期における大學院制に關する一考察一蔡元培の教育獨立論をめぐって〉（《名古屋大學教育學部紀要·教育學科》31號，1985）、高田幸男〈南京國民政府の教育政策一中央大學區試行を中心に〉（載《中國國民政府史の研究》，東京，汲古書院，1986）、趙啟祥《抗戰前中國大學教育的新方向（1927-1937）》（中國文化學院史學研究所碩士論文，民62年5月）、陳能治《戰前十年中國的大學教育（1927-1937）》（臺北，臺灣商務印書館，民79）及〈戰前十年中國大學教育經費問題（1927-1937）〉（《歷史學報（臺灣師大）》11期，民72年6月）、李俚人〈今日中國的大學教育〉（《文化建設月刊》1卷11期，民24年8月）、國民黨黨史會編印《革命文獻·第57輯：抗戰前之中等教育》（臺北，民60）、葉健馨《抗戰前中國中等教育之研究（民國17年至26年）》（臺北，文史哲出版社，民71）、汪懋祖〈三年來中等教育之檢討與學制問題〉（《中華教育界》22卷9期，民24年3月）、周佛海〈十年來的中國中等教育〉（載《十年來的中國》，上海，商務印書館，民26）、顧樹森〈十年來的中國初等教育〉（同上）、蔡杏芬《抗戰前十年的中國小學教育（1928-1937）一魯青地區個案研究》（臺灣師大歷史研究所碩士論文，民82年6月）、吳家瑩〈1926-1945年國民政府整頓民國教育之經過〉（《花蓮師專學報》16期，民74年10月）、周憲文〈一年來之留學教育〉（《文化建設月刊》1卷3期，民23年12月）、卓文義〈抗戰前我國的國民軍事教育〉（《近代中國》42期，民73

年8月）、趙洪寶〈抗戰前南京國民政府軍事教育述略〉（《教育評論》1993年4期）、華路〈南京中央軍校初探〉（《史林》1996年4期）、華中興〈抗戰前中央航校的飛行教育（1932-1937）〉（《中華民國史專題論文集：第三屆討論會》，臺北，國史館，民85）、張鈺〈國民黨馬尾海軍學校〉（《縱橫》1987年2期）、謝蕙風〈抗戰前社會教育的實驗活動（1912-1937）〉（《聯合學報》10期，民82年7月）、蔣建白〈十年來的中國社會教育〉（載《十年來的中國》，上海，商務印書館，民26）、沈嗣良〈十年來的中國體育〉（同上）、郝更生〈十年來之中國體育〉（《文化建設月刊》3卷10期，民26年7月）、蘇瑞陽《國民政府初期（1925-1937）學校體育軍事化之研究》（國立體育學院體育研究所碩士論文，民81年6月）、陳禮江〈八年來中國民眾教育之研究〉（《教育研究》65期，民25年2月）、羅中典、舒傑〈一年來的民教運動〉（《北碚月刊》1卷9、10期，民26年6月）、吳美華《中美鄉村教育之比較研究（1930年-1940年）》（中國文化大學中美關係研究所碩士論文，民73年6月）、蔣舜年〈兩年來之鄉村教育〉（《中國新論》3卷4、5期，民26年4月）、呂士朋〈國民政府收回教育權的成就〉（《珠海學報》16期，1988年10月）、羅裴孫〈國民黨時期的警官教育概況〉（《中國人民警官大學學報》1987年1期）、陳進金〈抗戰前「三民主義教育」的實施與成效〉（載《中華民國史專題論文集：第二屆討論會》，臺北，國史館，民83）及〈抗戰前國民黨的教育政策（民國13年至26年）〉（《國史館館刊》復刊13期，民81年12月）、Kawai Shingo（川井），Kuomintang China's Educational Policy with Special Reference to Its Nationalistic Orientation.（Tokyo, 1941）、李傑泉《中國二、三十年代的黨化教育（1927-37）》（香港中文大學中國文史研究所碩士論文，1988）、房列曙〈論南京國民政府的高中學生畢業會考制度〉（《安徽師大學報》1993年1期）、鱒澤彰夫〈1930年代の中國語教育への視點—新しき路に見えしもの〉（《中國文學研究》18號，1992年12月）、Lee Hsiang-po, Rural-Mass Education Movement in China, 1923-1937.（Ph. D. Dissertation, Ohio State University, 1970）、張海英、田淵五十生〈近現代の中國における識字教育—晏陽初の平民教育運動を中心として〉（《奈良教育大學紀要（人文、社會科學）》41卷1號，1992年11月）、徐錫齡〈一年來成人文字教育的試驗〉（《教育研究》26期，民20年3月）、陳耀章〈一年來之華僑教育〉（《僑務月報》26卷1期，民26年1月）、莊義芳《蔣夢麟與抗戰前之中國教育（1917-1937）》（政治大學歷史研究所碩士論文，民69年6月）、楊翠華〈蔣夢麟與北京大學，1930-1937〉（《中央研究院近代史研究所集刊》17期下册，民77年12月）、蘇雲峰〈清華校長人選和繼承風波，1918-1931〉（同上，22期下册，民82年6月）及〈戰前清華大學之學生及其校園生活，1928-1938〉（《國立中央圖書館臺灣分館建館七十八週年暨改隸中央二十週年紀念論文集》，臺北，民82）、黃福慶《近代中國高等教育研究：國立中山大學（1927-1937）》（臺北，中央研究院近代史研究所，民77）、Chan Ming K.（陳明銶）& Arif Dirlik, School into Field and Factories: Anarchists, the Guomindang and the National Labor University in Shanghai, 1927-1932.（London: Duke University Press, 1991）、胡昌智〈歷史主義的救育制度與中國知識分子—國聯中國教育考察團報告書的社會思想及其影響〉（《東海學報》28卷，民76）、李建勛〈國聯教育考察團報告之批評〉（《師大月刊》第4期，民22年5月）、叔永（任鴻雋）〈評國聯教育考察團報告〉（《獨立評論》73號，民22年10月）、羅廷光〈評國聯教育考察團報告書〉（《中華教育界》20卷11期，民22年5月）、蔣夢麟〈國聯中國教育考察團報告書中幾個基本問題的討論〉（《獨立評論》40、41號，民22年3月）、文宙〈美國教育界評國聯專家之中國教育計畫〉（《中華教育界》20卷11期，民22年5月）、阿部洋編《日中教育文化交流と摩擦ー戰前日本の在華教育事業》（東京，第一書房，1983）、一見真理子〈陳鶴琴と中華兒童教育社1930年代中國における兒童中心主義をめぐる一考察〉（《國立教育研究所研究集錄》26號，1993年3月）。

5.法制司法方面

有孫科〈十年來的中國法制改革〉（載《十年來的中國》，上海，商務印書館，民26）、居正〈十年來的中國司法界〉（同上）、Coiwrn S. Edward著、王贛愚譯〈對於國民政府組織法的觀察〉（《國聞週報》6卷3期，民18年1月）、周小鵬〈1927年3月《修正中華民國國民政府組織法》不是國民黨二屆三中全會通過的〉（《近代史研究》1992年2期）、陳瑞雲〈南京政府組織法變更淺議〉（《歷史檔案》1991年1期）、薩師炯〈國民政府組織法之演變及其特質〉（《東方雜誌》41卷5號，民34年3月）、張溯崇〈國民政府時期中央行政組織法概述〉（《華岡法科學報》第2期，民68年5月）、阮毅成《中華民國訓政時期約法》（臺北，臺灣商務印書館，民65）、謝剛〈論《中華民國訓政時期約法》的理論來源〉

(《華東師大學報》1984年6期)、石川忠雄〈中華民國訓政時期約法の制定と蔣介石〉(《法學研究》37卷7號,1964年7月)、張天任〈訓政時期召開國民會議與制定約法對我國政治的貢獻〉(《近代中國》75期,民79年2月)、李黎明〈蔣胡約法之爭初探〉(《史學月刊》1996年2期)、羅隆基〈對訓政時期約法的批評〉(《新月》3卷8期,民19年10月)、王守法〈評《中華民國訓政時期約法》〉(《山東師大學報》1988年2期)、郭威白〈訓政時期的約法〉(《中央導報》21期,民20年11月)、胡漢民〈論所謂「立憲」附對憲法草案初稿之談話〉(《三民主義半月刊》3卷4期,民23年4月)、劉蘆隱〈對於憲法草案初稿之批判〉(同上,3卷5期,民23年5月)、周鯁生〈憲法草案的修正與實施〉(《武漢大學社會科學季刊》6卷1期,民25年1月)、劉士篤〈對中華民國憲法草案修正案之批判〉(《中央週刊》8卷47、48期,民35年11月)、陳之邁〈評憲法草案〉(《民族》4卷8期,民25年8月)、吳經熊〈中華民國憲法草案的特色〉(《東方雜誌》33卷13號,民25年7月)、侯玉坤〈憲法草案上之緊急命令權問題〉(《文化建設月刊》2卷8期,民25年5月)、金鳴盛〈修正憲法草案之草案之管見〉(《民族》4卷11期,民25年11月)、孔繁霖編《五五憲草之評議》(臺北,時代出版社,民67)、荊知仁〈「五五憲草」制訂經過及其特點〉(《近代中國》53期,民75年6月)、喬寶泰〈五五憲章的制定及其述評〉(同上,19期,民69年10月)、高旭輝〈從「五五憲草」到中華民國憲法〉(《三民主義學報(臺灣師大)》第7期,民72年6月)、侯樾仁《五五憲草與現行憲法之比較研究》(中國文化學院政治研究所碩士論文,民54)、余學海〈我國現行憲法與五五憲草之比較研究〉（收入張其昀主編《中華民國憲法研究論文集》，臺北，國防研究院，民60）、鍾泰德〈憲法中的「前言」和「總鋼」—五五憲草與現行憲法比較研究〉（《臺北護專學報》第3期，民75年3月）、韓伯勤《五五憲草與現行憲法中行政立法兩權關係之比較》（中國文化大學三民主義研究所碩士論文，民56）、馬文林《五五憲草與現行憲法中國民大會之比較研究》（臺灣師範大學三民主義研究所碩士論文，民83）、李俠文〈五五憲草與現代國防建設〉（《國防月刊》1卷1期，民35年9月）、吳經熊〈過去立憲運動的回顧及此次制憲的意義〉（載《張菊生先生七十生日紀念論文集》，民25）、黃正銘〈我國制憲與行憲的回顧〉（《政治大學學報》第1期，民49年5月）、石川忠雄〈中國憲法の基本的諸問題に關する一考察—1933年以降の制憲論爭を中心として〉（《法學研究（慶應大學）》21卷4、5號，1948年4、5月）、張家洋〈我國訓政時期行政法制發展的理論與實際〉（《中國行政月刊》45期，臺北，民78年1月）、廣田寬治〈南京政府工場法研究序説〉（《中國勞働運動史研究》10-12號，1981-1983）、楊振亞〈試析國民政府十年內戰時期的土地法〉（《南京大學學報》1984年3期）、左用章〈評國民黨政府1930年頒布的《土地法》〉（《教學與研究》1989年4期）、潘國琪〈1927-1937年間南京國民政府的教育立法芻議〉（《浙江社會科學》1996年5期）、徐思彥〈三十年代的冤獄賠償運動淺論〉（《史學月刊》1995年3期）。

6.外交方面

有國民黨黨史會編印《革命文獻·第72輯：抗戰前國家建設

史料—外交方面》（臺北，民66）、洪鈞培《國民政府外交史》（上海，華通書局，民19；臺北，文海出版社影印，民57）、張秀哲《國民政府の外交及外交行政》（東京，日支問題研究會，1935）、王偉彬〈淺析南京國民政府成立初期的外交〉（《北京大學研究生學刊》1989年1期）、任重〈南京國民政府建立初期的對外政策〉（《石油大學學報》1996年1期）、吳頌皋〈十年來的中國外交〉（載《十年來的中國》，上海，商務印書館，民26）、紫英〈一九三三年之中國外交〉（《外交月報》4卷1期，民23年1月）、陸俊〈一九三四年之中國外交〉（《時勢月報》1卷12期，民23年12月）、郭威白〈一年來之中國外交〉（《民族》3卷1期，民24年1月）、雁秋〈一年來之中國外交〉（《行健月刊》6卷1期，民24年1月）、崔書琴〈二十四年之外交〉（《時事月報》14卷1期，民25年1月）、程道德〈試述南京國民政府建立初期爭取關稅自主權的對外交涉〉（《近代史研究》1992年6期）、陸仰淵〈中國海關自主權的挽回〉（《民國春秋》1993年5期）、久保亨〈國民政府にする關稅自主權の回復過程〉（東洋文化研究所紀要（東京大學）》98卷，1985年10月）、趙淑敏〈厘金與關稅自主〉（載《中華民國歷史與文化討論集》第3册，民73）、李佩良〈評南京國民政府的關稅自主活動〉（《江海學刊》1987年5期）、李正華〈抗戰前南京國民政府關稅自主及關稅政策述評〉（《雲南教育學院學報》1992年1期）、何剛〈評南京國民政府時期的〝關稅自主〞〉（《東南文化》1994年3期）、黃逸平、葉松年〈1929-1934年〝國定稅則〞與〝關稅自主〞剖析〉（《中國社會經濟史研究》1986年1期）、劉有春〈中國近代史上關於不平等條約中關稅協定的形成及其廢除〉（《屏中學報》第2期，民81年6

月）、仇華飛〈試論1928年中美新關稅條約得失〉（《復旦學報》1996年5期）、李恩涵〈九一八事變前南京政府撤廢不平等條約的成就〉（載《蔣中正先生與現代中國學術研討會論文集》，民75）、程德道〈試述中華民國政府廢除列強在華領事裁判權的對外交涉〉（《民國檔案》1986年1期）、李恩涵〈九一八事變前中美撤廢領事裁判權的交涉－北伐後中國「革命外交」的研究之三〉（《中央研究院近代史研究所集刊》15期上冊，民75年6月）及〈九一八事變（1931）前中英撤廢領事裁判權的交涉－北伐後中國「革命外交」的研究之四〉（同上，17期上冊，民77年6月）、藍旭男〈收回旅大與抵制日貨運動〉（同上）、楊麗祝〈領土與主權及其開發經營－以中日東沙交涉為例（1907-1937）〉（《臺北工專學報》26之1期，民82年3月）、楊靜〈南京國民政府的新訂新約運動〉（《歷史教學》1995年12期）、張曉峰、王亮〈改訂新約運動初探〉（《齊齊哈爾師院學報》1989年4期）、王玉玲、張曉峰〈改訂新約運動新評〉（《北方論叢》1995年1期）、李光一〈論國民黨政府的改訂新約運動〉（《齊魯學刊》1984年4期）、張秀哲《國民政府の外交及外交行政》（東京，日支問題研究會，1935）及《國民政付重要政治外交表》（同上）、李恩涵〈論王正廷的〝革命外交〞（1928-1931）〉（《抗日戰爭研究》1992年1期）及〈北伐前後（民國十四年至二十年）廣州、武漢、南京國民政府的「革命外交」〉（《國父建黨一百週年學術討論集》第2冊，民84）、彭重威〈南京國民政府時期引水事權親歷記〉（《檔案與歷史》1990年1期）、郭恒鈺、羅梅君（Mechthild Leutner）主編、許琳菲、孫書豪譯《中德外交檔案：1928-1938年之中德關係》（臺北，中央研究院近代史研究所，民80）、William C. Kirby, Germany and Republican China, 1928-1938.（Stanford, California: Stanford University Press, 1984；其中譯本一柯偉林著、陳謙平等譯《蔣介石政府與納粹德國》，北京，中國青年出版社，1993）、馬振犢主編《中德外交密檔（1927-1947年）》（桂林，廣西師大出版社，1994）、碧野〈中國第二歷史檔案館館藏中德關係秘檔簡介〉（《民國檔案》1994年3期）、李蘭琴〈試論二十世紀三十年代德國對華政策〉（《歷史研究》1989年1期）、張北根〈1933-1941年的中德關係〉（同上；1995年2期）、辛達謨〈南京國民政府時期中德外交關係之研究（民國17年至22年）〉（《近代中國》39期，民73年2月）、〈德國外交檔案中的中德關係一民國17年至27年〉（《傳記文學》41卷4-6期、42卷2、3、5期，民71年10-12月、72年2、3、5月）及〈南京國民政府時期德國顧問之貢獻〉（《近代中國》45期，民74年2月）、傅寶真〈對「德國顧問團在中國」任務研究的認識一從馬丁博士（Prof. Dr. Bernd Martin）一篇演講引發的省思〉（同上，67期，民77年10月）、〈對「德國顧問團在中國」任務研究的再認識〉（同上，68期，民77年12月）及〈外籍顧問組織與中國之現代化㈠：民國12年至27年德俄顧問團之比較研究〉（《逢甲學報》19期，民75年11月）、Bernd Martin, The German Advisory Group in China: Military, Economic, and Political Issues in Sino-German Relations, 1927-1938.（Droste Verlag Dusseldorf, 1981）、重慶市檔案館〈德國顧問團在華活動史料一組〉（《檔案史料與研究》1992年2期）、張水木《兩次世界大戰之間中德外交關係的轉變（1919-1939）》（臺灣大學歷史研究所博士論文，民74）、張憲文

〈三十年代中德關係初探〉（《歷史檔案》1990年2期）、《近代中國》資料室「抗戰前的中德關係」史料選輯〉（《近代中國》45期，民74年2月）、武菁〈從德國公布的外交檔案看三十年代的中德關係〉（載張憲文主編《民國研究》第2輯，1995）、雷霆《三十年代中德關係及其對抗戰的影響》（吉林大學歷史研究所碩士論文，1990）、王益〈1935年德國對〝調解〞中日關係的態度〉（《近代史研究》1984年5期）、吳景平〈抗戰前夕中德關於德日反共協定的秘密交涉〉（《民國春秋》1993年5期）、傅寶真〈德國與我國抗戰前南方內陸工業區發展及其背景之分析〉（《逢甲學報》21期，民77年11月）、周允隆〈關於在1924-1933年期間德國人民支援中國革命的一些事實〉（《歷史研究》1959年9期）、吳景平〈漢斯·克蘭與抗日戰前的中德關係〉（《近代史研究》1992年6期）、John P. Fox, Germany and the Far Eastern Crisis, 1931-1938: A Study in Diplomacy and Ideology.（Oxford: Clarendon Press, 1982）、周惠民《德國對華政策研究》（臺北，撰者印行，民84）論述1941年及其以前近百年間中德關係暨德國對華政策，對於抗戰前十年中德間的史事著墨甚多，Guido Samarani, "The Nanjing Government and the Chinese and Far Eastern Policy of Fascist Intaly."（載張憲文主編《民國研究》第1輯，1994）、周拙民〈德國退盟與中日問題〉（《外交月報》3卷5期，民22年11月）。中國第二歷史檔案館〈1937年國民政府聘請意大利高等顧問斯坦法尼訪華的有關史料〉（《民國檔案》1995年1、2期）。守川正道〈1930年代アメリカの中國政策〉（載《1930年代中國の研究》，東京，アジア經濟研究所，1975）、李慶餘〈三十年代美國對華政策新論〉（《近代史研究》1989年6期）、Russell Devere Buhite, Nelson T. Johnson and American Policy Toward China, 1925-1941.（Ph. D. Dissertation, Michigan state University, 1995）、Daniel P. starr, Nelson Trusler Johnson: The United States and the Vise of Natinalist China, 1925-1937.（Ph. D. Dissertation, Rutgers University, 1967）、辛志敏〈三十年代美在華與日矛盾的發展及其對日政策的演變〉（《遼寧師院學報》1983年4期）、秦興洪〈評三十年代後期美國對華對日政策的演變〉（《汕頭大學學報》1989年2期）、曹勝強〈三十年代美國綏靖日本侵華的戰略動因〉（《聊城師院學報》1992年3期）、章百家〈抗日戰爭前國民政府對美政策初探〉（載中美關係史叢書編輯委員會主編《中美關係史論文集》第2輯，重慶出版社，1985）、赤木完爾《中國問題をめぐる英米協調の起源—1932-1935年》（慶應大學法學研究所碩士論文，1979）、James Claude Thompson, Jr., Americans as Refomers in Kuomintang China, 1928-1936.（Ph. D. Dissertation, Harvard University, 1961；該論文於1965年由Harvard University出版，易名爲While China Faced West: American Reformers in Nationalist China,, 1928-1937.）、Warren Wilson Tozer, Response to Nationalism and Disunity: United States Relations with the Chinese Nationalist, 1925-1938.（Ph. D. Dissertation, University of Oregon, 1972）、Frederick Bernard Hoyt, Americans in China and the Formation of American Policy, 1925-1937.（Ph. D. Dissertation, University of Wisconsin-Madison, 1971）、秦興洪〈從〝九·一八〞到〝七·七〞事變前美國對華政策的演變〉（《哲學社會科學通訊》1983年3期）、范之江《由九一八事變到珍珠港事變美國對華

政策》（中國文化學院中美關係研究所碩士論文，民67年6月）、李士崇《第二次世界大戰前後的中美關係（1931-52）》（臺灣大學政治研究所碩士論文，民55）、Stephen L. Endicott, Diplomacy and Enterprise: British China Policy, 1933-1937.（Manchester: Manchester University Press, Vancouver: University of British Columbia Press, 1975）及"British Financial Diplomacy in China: The Leith-Ross Mission, 1935-1937."（Pacific Affairs, Vol.46, No.4, Winter 1973-74）、Edmund S. K. Feng（馮兆基）, "The Sino-British Rapprochment, 1927-1931."（Modern Asian Studies, Vol.17, Part l, Feb.1983），其中譯文為〈國民黨政權與英國的和解（1927-1931）〉（載《國外中國近代史研究》第7輯，1985）、杭立武《國民政府時代之中英關係（1927-1950）》（臺北，臺灣商務印書館，民72）、李仕德《英國與中國的外交關係（1929-1937）》（中國文化大學史學研究所博士論文，民85年6月）、谷廣泉《中英外交關係（1931-1939）》（政治大學外交研究所碩士論文，民45年6月）、閻沁恒〈北伐統一後的中英關係—英國對法權、威海衛及庚款交涉的反應〉（《中華學報》5卷1期，民67年1月）及〈日本侵華初期英國的反應—1931至1933年的中英關係〉（《幼獅月刊》43卷5期，民65年5月）、R. A. Bickers, " Death of A Young Shanghailander: The Thorburn Case and the Defence of the British Treaty Ports in China in 1931. "（Modern Asian Studies, Vol.30, No.2, 1996）、吳景平譯〈李滋羅斯遠東之行和1935-1936年的中英日關係：英國外交檔案選譯〉（《民國檔案》1989年3、4期、1990年1期）、Irving Friedman, British Relations with China, 1931-1939.（New York,

1940）、徐藍〈1936-1937年英日談判中的對華關係問題〉（《世界歷史》1991年2期）、丁寧〈中國大革命高潮時期的英國對華政策〉（《近代史研究》1989年1期）、鄭全備〈英國在1927至1937年中國軍閥戰爭中的多邊操縱政策〉（《廈門大學學報》1986年2期）、許振榮《中蘇外交關係研究（民國二十一年－民國四十二年）》（中國文化大學政治研究所碩士論文，民70年1月）、新島淳良〈戰前の中ソ關係〉（《社會科學》第4號，1964年9月）及〈「戰前の中ソ關係」の自己批判〉（《歷史評論》191號，1966年7月）、馬寶華〈1935-1936年間蘇聯與南京政府談判情況簡介〉（《蘇聯問題研究資料》1985年6輯）、賀軍〈九一八事變與中蘇復交〉（《南京大學學報》1987年1期）、陳彬龢《中蘇復交問題》（上海，良友圖書出版公司，民22）、張沖〈中俄復交問題〉（《時事月報》8卷2期，民22年1月）、蔣廷黻〈中俄復交〉（《獨立評論》32期，民21年12月）、徐逸樵〈從中日糾紛到中俄復交〉（《日本評論》1卷1期，民21年7月）、非非〈中俄復交後的今昔觀〉（《國民外交雜誌》3卷5期，民23年2月）、韋玉〈中俄復交程序之商榷〉（《外交月報》2卷1期，民22年1月）、印永法〈中俄復交與幾個重要問題〉（同上）、王之相〈論中俄之關係及中蘇復交之前途〉（同上）、張忠紱〈中俄復交與今後中國外交政策〉（同上）、胡效韞〈中俄復交與外蒙現狀〉（《外交月報》4卷3期，民23年3月）、陳言〈中俄復交與互不侵犯條約〉（同上，1卷2期，民21年8月）、何璟〈一九三三年之中俄關係〉（同上，4卷2期，民23年2月）；至於以九一八事變後中蘇關係及中俄復交為題的論著，已在「日本的侵略」中舉述，可參閱之；賀軍〈抗戰前的中蘇秘密商談〉（《南京大學學報》1989年3期）、楊奎松〈抗戰前夕陳立夫赴蘇秘密使命失敗及原因〉（載《慶祝抗戰勝利五十週年兩岸學術研討會論文集》下冊，臺北，民85）、中國第二歷史檔案館〈駐蘇大使蔣廷黻與蘇聯外交官員會議紀錄（1936年11月-1937年10月）〉（《民國檔案》1989年4期）、胡校〈抗日戰爭開始之前國際國內形勢述略〉（《棗庄師專學報》1985年2期）、樊仲雲〈三十年頭之國際形勢與中國革命〉（《新生命月刊》3卷2期，民19年2月）、魯善平〈收回天津比租界之經過〉（《社會雜誌》1卷3期，民20年3月）、徐有威〈1931-1937年間國民政府與朝鮮獨立運動〉（《抗日戰爭研究》1994年2期）、韓相禱〈南京與韓國獨立運動〉（《南京大學學報》1996年3期）、中央研究院近史研究所編印《國民政府與韓國獨立運動史料》（臺北，民77）、胡春惠《韓國獨立運動在中國》（臺北，中華民國史料研究中心，民65）、楊昭全〈九一八事變後期朝鮮民族主義團體與我國人民的聯合鬥爭〉（《學術研究叢刊》1987年5期）、吳景平〈抗戰前國民黨當局爭取外援述評〉（《檔案與歷史》1983年2期）、洪桂己〈國際間諜在中國（1928-1937）〉（載《抗戰前十年國家建設史研討會論文集》上冊，臺北，民73年12月）、矢澤康祐〈1930年代中國における帝國主義と反帝國主義〉（《歷史學研究》279號，1963年8月）、Quan Lau-King, China's Relations With the League of Nation, 1919-1936.（Ph. D. Dissertation, New York University, 1939）；至於十年間的中日外交（或關係），已在「蘇日的侵略」中舉述，可參閱之。

7.軍事方面

有忻平〈南京國民政府軍制述略〉(《歷史教學問題》1989年5期)、姬田光義〈抗日戰爭前、南京國民政府の軍事政策:蔣介石の軍事思想·軍事指導を中心に〉(載《中國國民政府の研究》,東京,汲古書院,1986)、李祚明〈中國第二歷史檔案館館藏國民黨政府軍事檔案簡介〉(《民國檔案》1988年1期)、中國第二歷史檔案館〈國民黨政府1937年度國防作戰計劃(乙案)〉(同上)、馬振犢〈1936-1937國民黨政府國防作戰計畫剖析〉(載《民國檔案與民國史學術討論會論文集》,北京,檔案出版社,1988)、陳謙平〈試論抗戰前國民黨政府的國防建設〉(《南京大學學報》1987年1期)、張明凱〈訓政時期的國防建設〉(載《中華民國歷史與文化討論集》第1冊,民73)、國民黨黨史會編印《革命文獻·第26-30輯:抗戰前有關國防建設史料(一)—(五)》(臺中,民52)、卓文義《艱苦建國時期的國防軍事建設—對日抗戰前的軍事整備》(臺北,臺灣育英社文化事業公司,民73)、〈抗戰前的國防區劃與工事、要塞之整建〉(《近代中國》47期,民74年6月)及〈抗戰前中國徵兵動員徵兵制度的建立〉(同上,25期,民70年10月)、侯坤宏編《役政史料》(2冊,臺北,國史館,民79)、劉鳳翰〈戰前的陸軍整編(民國17年7月至26年4月)〉(載《抗戰前十年國家建設史研討會論文集》下冊,民73)及〈整編陸軍抗日禦侮〉(《近代中國》47期,民74年6月)、高曉星〈南京政府〝統一〞全國海軍及其軍事行動〉(《軍事歷史研究》1993年1期)、柯雲〈國民黨政府海軍組織機構述略(1927-1949)〉(《軍事歷史》1992年6期)、高曉星〈抗戰前國民政府海軍的軍費問題〉（《軍事歷史研究》1992年1期）、張力〈中國海軍的整合與外援，1928-1938〉（載《國父建黨革命一百週年學術討論集》第2冊，民84）、文輝〈抗戰前中國海軍陸戰隊簡況〉（《歷史教學》1986年4期）、劉維開〈蔣公與中國空軍的建立（民國17年至26年）〉（收入《先總統蔣公百年誕辰紀念論文集》下冊，臺北，國防部史政編譯局，民75）、魏大慶〈南京國民政府時期軍官制度述評〉（《民國檔案》1996年3期）、Zhang Xiaoming, Toward Arming China: United States Arms Sales and Military Assistance, 1921-1941.（Ph. D. Dissertation, University of Iowa, 1994）、Gordon K. Pickler, United States Aid to the Chinese Nationalist Air Force, 1931-1949.（Ph. D. Dissertation, Florida State University, 1971）、Dennis Laviere Noble, China Hands: the United States Military in China, 1901-1937.（Ph. D. Dissertation, Purdue University, 1988），該博士論文稍後出版，易名為The Eagle and the Dragon: The United States Military in China, 1901-1937.（Contributions in Military Studies, No.2, Westport, Conn.: Greenwood, 1990）、Frederic Wakeman, Jr., "American Police Advisers and the Nationalist Chinese Secret Service, 1930-1937."（Modern China, Vol.18, No.2, April 1992）、傅寶真〈國民政府時期外籍軍事顧問團產生之背景與意義〉（《近代中國》83、85、88、89期，民80年6、10月、81年4、6月）、〈駐華俄、德軍事顧問團產生的歷史背景與歷史意義（民國12年至27年）〉（《興大歷史學報》第1期，民80年2月）、〈德國軍事顧問與抗戰前的中德合作之背景分析〉（載胡春惠主編《紀念抗日戰爭勝利五十周年學術討論

會論文集》，香港，珠海書院亞洲研究中心，1996）、〈抗戰前及初期之德國駐華軍事顧問〉（《近代中國》47、51-54、57、60、64期，民74年6月、75年2、4、6、8、12月、76年6月、77年4月）、卓文義〈南京時期德國軍事顧問之延聘及其貢獻〉（《文藝復興》133期，民71年6月）、傅寶真〈德國顧問對中國抗戰前戰爭準備工作所做之貢獻—經濟重建與軍火工業〉（《逢甲學報》20期—文史類，民76年11月）、朱景鵬《德國駐華軍事顧問團之研究：民國17年至27年》（淡江大學歐洲研究所碩士論文，民77）、Fu Pao-jen（傅寶真），The German Military Mission in Naking, 1928-1938.（Ph. D. Dissertation, Syracuse University, 1989）、黃慶秋《德國駐華軍事顧問團工作紀要》（臺北，國防部史政局，民58）、馬文英〈德國軍事顧問團與中德軍火貿易關係的推展〉（《中央研究院近代史研究所集刊》23期下冊，民83年6月）、Martin Bernd著、孫若怡譯〈駐華德國軍事顧問團（1929-1938）〉（《思與言》26卷4期，民77年11月）、傅寶真〈抗戰前在華之德國軍事顧問團與中德經濟及軍事合作之分析〉（《近代中國》45期，民74年2月）、吳景平〈德國軍事顧問塞克特的中國之行述評〉（《民國檔案》1994年2期）、李樂曾譯、趙其昌校〈關於賽克特給蔣介石的一封信〉（《近代史研究》1993年3期）、李樂曾〈賽克特在華活動述評〉（《世界歷史》1994年12期）、何友良〈賽克特並未為蔣介石制定碉堡戰術〉（《近代史研究》1990年3期）、傅寶真〈色克特將軍第二次使華〉（《傳記文學》28卷1期、30卷2期，民65年1月、66年2月）及〈法爾克豪森與中德軍事合作高潮〉（同上，33卷6期，民67年12月）、中國第二歷史檔案館〈德國總顧問法爾肯豪森關於中國抗日戰備之兩份建議書〉

（《民國檔案》1991年2期）、陳存恭〈蔣公與德籍軍事顧問〉（載《先總統蔣公百年誕辰紀念論文集》下冊，民75）、馬振犢〈蔣介石身邊的德國軍事顧問〉（《民國春秋》1996年1期）、費路（Roland Felber）著、陳謙平譯〈國民黨中國的德國軍事顧問〉（《民國檔案》1994年1期）、吳首天〈德國軍事顧問與蔣介石政權〉（同上，1988年1期）、辛達謨〈德國軍事顧問在華工作的探討〉（載《蔣中正先生與現代中國學術研討會論文集》第3冊，臺北，民75）、傅應川〈德國駐華軍事顧問對我國抗日作戰影響之研究〉（載《國父建黨革命一百週年學術討論集》第2冊，民84）、馬振犢〈抗戰爆發前德國軍火輸華述評〉（《民國檔案》1996年3期）、Donald Sutton, "Nationalist China's Soviet Russian and German Military Advisers: A Comparative Essay."（《中華民國初期歷史研討會論文集，1912-1927》，臺北，民73年4月）、宋東寧〈俄國對華軍售問題之探討（1923-1941）〉（《復興崗學報》47期，民81年6月）、華路〈南京中央軍校初探〉（《史林》1996年4期）、閻少軍〈國民黨廬山軍官訓練團創辦紀實〉（《軍事史林》1994年6期）、賀偉〈國民黨廬山軍官訓練團的成立〉（《民國春秋》1994年6期）、周鑾書、廖信春〈評廬山軍官訓練團〉（《爭鳴》1983年1期）、羅檢有〈廬山軍官訓練團述評〉（《軍事歷史研究》1988年1期）、陳長河〈1926-1943年國民政府的兵站組織〉（同上，1993年2期）、Chia Soon Joo, Dai Li and the Nationalist Military Secret Service, 1927-1946.（M. A. Thesis, University of Alberta, 1990）、洪桂己〈國際間諜在中國（1928-1937）〉（《抗戰前十年國家建設史研討會論文集》下冊，臺北，中央研究院近代史研究所，民73）、蘇啟明《近代中國軍事主義的興起及發展（1924-1932）》（政治大學歷史研究所博士論文，民83年6月）、松永慎也〈中國國民黨政府初期における「軍權」をめぐる諸問題〉（《早稻田大學大學院法研論集》70、71及73號，1994及1995）、王志國、陳貴洲〈〝九·一八〞事變後國民黨政府對抗戰的軍事準備〉（《淮陰師專學報》1994年2期）、張明凱〈抗戰前之軍事整備〉（《中國歷史學會史學集刊》19期，民76年5月）、袁振武、梁月蘭〈1935-1937：南京國民政府抗日準備述論〉（《史學月刊》1995年3期）、樂嘉慶、姜天鷹〈評抗戰前夕國民黨南京政府的抗日準備〉（《復旦學報》1987年5期）、袁素蓮〈略論南京國民政府和抗戰準備〉（《齊魯學刊》1996年6期）、許今強〈西安事變前國民政府對日備戰工作述評〉（《青海師大學報》1993年2期）、熊宗仁〈國民政府準備抗戰之策略與何應欽—對「親日派」之我見〉（載《慶祝抗戰勝利五十週年兩岸學術研討會論文集》上冊，臺北，民85）、石島紀之〈國民黨政權と對日抗戰力〉（載《講座中國近現代史》第6卷，東京大學出版會，1978）。

8.學術文化及其他

有陶英惠〈抗戰前十年的學術研究〉（載《抗戰前十年國家建設史研討會論文集》上冊，民73）、杜維運〈民國以來的學風〉（載《中華民國建國史討論集》第3冊，民70）、戴知賢《十年內戰時期的革命文化運動》（北京，中國人民大學出版社，1988）及〈談談十年內戰時期的革命文化運動〉（《北京電大通訊》1983年4期）、黃享〈由五四到一二八之民族文化運動〉（《前途》1卷5期，民22年5月）、蔡淵洯《抗戰前國民黨之中國本位的文化建設運動（1928-

1937）》（臺灣師大歷史研究所博士論文，民80年7月）、鄧元忠〈抗戰前六年政府之文化建設〉（載《史政學術講演專輯㈢》，臺北，國防部史政編譯局，民78）、鄭學稼〈三十年代「中國本位」與「全盤西化」的論爭〉（《中華雜誌》4卷7、8號，民55年7、8月）、張儁《中國本位文化與全盤西化論戰的研究（1934-1935）》（臺灣大學歷史研究所碩士論文，民75）、〈三十年代中國本位化建設運動發生的原因背景〉（《史原》16期，民76年11月）及〈試論三十年代全盤西化思想的理論基礎〉（《中國歷史學會史學集刊》19期，民76年5月）、關海庭〈1935年〝中國本位文化建設〞問題的論戰〉（《中學月刊》1989年6期）、馬克鋒〈試論30年代中期的中國本位文化建設運動〉（《寶鷄師院學報》1987年4期）、山田厚〈中國本位文化建設運動の成立とその反響ー支那近代文化思想史の一齣〉（《東亞研究》24卷4號，1944）、楊林書〈30年代初中國現代化問題討論探要〉（《浙江師大學報》1996年6期）、關海庭、陳夕〈1933年中國現代化問題討論述評〉（《史學月刊》1993年1期）、黃海燕〈三十年代的文化論爭與中國現代化的理論探索〉（《吉林大學社會科學學報》1996年1期）、俞可平〈〝西化與中化〞之辨一評30年代前後關於中國現代化模式的兩種觀點〉（《經濟社會體制比較》1995年1期）、施微〈三十年代〝全盤西化論〞初探〉（《清華大學學報》1987年1期）、鄭韶〈對三十年代〝全盤西化論〞的反思〉（《社會科學（上海）》1987年5期）、江秀平〈三十年代〝全盤西化〞論和〝中國本位文化〞論之爭〉（《理論學習月刊》1992年4期）、郭建寧〈三十年代全盤西化與中國本位的文化論爭探析〉（《中州學刊》1996年5期）、吳瑞武〈所謂〝東西文化問題〞的爭論—第二次國內革命戰爭時期的一股反動文化逆流〉(《學術月刊》1962年5期)、柳敬〈第二次國內革命戰爭時期文化戰線上的〝圍剿〞與反〝圍剿〞〉(《歷史教學》1953年3期)、饒良倫《土地革命戰爭時期的左翼文化運動》(哈爾濱，黑龍江人民出版社，1986)、馬千里〈歷史的整合—論〝九一八〞事變後的中西文化融合〉(《蘇州大學學報》1996年4期)及〈三十年代文化論戰透視〉(《江海學刊》1996年3期)、田澤沛〈略談30年代的文化鬥爭〉(《戲劇》1988年4期)、Zhang Xudong, The Politics of Aestheticization: Zhou Zuoren and the Crisis of the Chinese New Culture (1927-1937). (Ph. D. Dissertation, Duke University, 1995)、Eugene Lubot, Liberalism in an Illiberal Age: New Culture Liberals in Republican China, 1919-1937. (Westport, Conn.: Greenwood Press, 1982)、姜文榮〈淺析新啟蒙運動〉(《學海》1994年4期)、黃嶺峻〈新啟蒙運動述評〉(《近代史研究》1991年5期)、阿部洋〈戰前における日中兩國間の學術交流と摩擦—上海自然科學研究所の場合〉(載齋藤真等主編《國際關係における文化交流》，東京，日本國際問題研究所，1984)、朱曉進〈三十年代鄉土小說的文化意識〉(《中國社會科學》1993年5期)、王壽南〈抗戰前的中國出版事業(民國17年-26年)〉(載《國父建黨革命一百週年學術討論集》第2冊，民84)、王雲五〈十年來的中國出版事業〉(載《十年來的中國》，上海，商務印書館，民26)、今崛誠二〈中國における出版と檢閱についてのノート—1930年代を主として〉(《東洋文化》44號，1968年2月)、吳福澤〈三十年代人文期刊的品類與操作〉(《東方》1995年6期)、范爭淇〈一九三二年中國出版的定期刊物情報〉(《中法大學月刊》2卷5期,民22年2月)、陳訓慈〈民國廿四年之我國圖書館事業〉(《文化建設月刊》2卷4期,民25年1月)、郭正昭〈中國科學社」與中國近代科學化運動(1915-1935)〉(《中國現代史專題研究報告》第1輯,民60)、Sheng Jia, The Origins of the Science Society of China, 1914-1937.(Ph. D. Dissertation, Cornell University, 1995)、David C. Reynolds, The Advancement of Knowledge and the Enrichment of Life: The Science Society of China and the Understanding of Science in the Early Republic, 1914-1930.(Ph. D. Dissertation, University of Wisconsin-Madison, 1986)、陶英惠〈任鴻雋與中國科學社〉(《傳記文學》24卷6期,民63年6月)、蔡淵洯〈陳立夫與「中國科學化運動」(1932-1937)〉(載《中華民國史專題論文集:第二屆討論會》,臺北,國史館,民83)、鄧元忠〈科學主義在中國一從九一八一七七〉(《中國現代史專題研究報告》13輯,民80)及〈科學主義在中國(民國20年—26年)〉(《歷史學報(臺灣師大)》17期,民78年6月)、Peter Buck, American Science and Modern China, 1876-1935.(Cambridge: Cambridge University Press, 1980)、胡敦復〈十年來的中國科學界〉(載《十年來的中國》,上海,商務印書館,民26)、全增嘏〈十年來的中國哲學界〉(同上)、衛聚賢〈十年來的中國考古學〉(同上)、魯子惠〈抗戰前中國生理學研究的概況〉(《文訊月刊》7卷3期,民36年9月)、傅東華〈十年來的中國文藝〉(載《十年來的中國》,上海,商務印書館,民26)、葉恭綽〈十年來的中國美術〉(同上)、洪深〈十年來的中國戲劇〉(同上)、蕭友梅〈十年來的中國音樂研究〉(同上)、夏嵐

〈話劇史における翻譯劇とその上演—1930年までの場合〉（《中國文學報（京都大學文學部）》51號，1995年10月）、孫慶升〈為中國話劇的黎明而呼喊—二、三十年代的話劇研究概述〉（《中國現代文學研究叢刊》1984年4輯）、邵煜〈〝劇協〞成立時間考〉（同上，1984年3輯）、張世珍〈抗戰前新文學發展研析〉（《警專學報》1卷3期，民79年6月）、王愛松〈論三十年代的諷諭文學〉（《江海學刊》1996年2期）、筧文生〈「中國現代文學史」と30年代文藝の評價〉（《東方學報（京都）》41冊，1970年3月）及〈最近のわが國における〝30年代中國文學研究〞をめぐって〉（《立命館文學》373·374號，1976年8月）、李俊國〈三十年代〝京派〞文學思想辨析〉（《中國社會科學》1988年1期）、杜運通〈三十年代浪漫文學的母題範式和審美特徵〉（《河南大學學報》1991年5期）、胡有清〈論左翼創作理論對三十年代文學的影響〉（《中國現代文學研究叢刊》1985年1輯）、封世輝〈三十年代前中期北平左翼文學刊物鈎沉〉（同上，1992年1、2期）、黃愛君〈左翼文學創作方法問題略議〉（同上，1985年2輯）、林偉民〈左翼文學：〝五四〞現實主義傳統的背離與超越〉（《華東師大學報》1992年1期）、王純平〈論三十年代東北文學的崛起〉（《遼寧師大學報》1989年3期）、奎曾〈三十年代塞北文學簡述〉（《中國現代文學研究叢刊》1992年3期）、秦家琪〈略論三十年代江蘇新文學主流〉（同上，1988年3期）、吳曉東〈象徵主義在三十年代中國文壇的傳播〉（《南京師大學報》1996年2期）、陳長坤〈對三十年代一次重大文藝論爭的重新檢視〉（《內蒙古師大學報》1995年2期）、那安國〈談談三十年代文藝的問題〉（《齊齊哈爾師院學報》1978年3

期）、佐治俊彥〈三十年代文藝に思う〉（《野草》第4號，1971年7月）及〈胡秋原覺え書き－胡秋原における1930年代文藝〉（《東洋文化》56號，1976年3月）、小谷一郎〈「上海藝大」のことども－「1930年代文藝」の一側面〉（《東洋文化》65號，1985年3月）、新村徹〈三十年代における報告文學について〉（《野草》第8號，1972年8月）、蘇雪林《中國二三十年代作家》（臺北，純文學出版社，民75）、陳紀瀅《三十年代作家直接印象記》（臺北，臺灣商務印書館，民75）、姜穆《三十年代作家論》（臺北，東大圖書公司，民75）及〈三〇年代作家臉譜〉（臺北，九歌出版社，民83）、丁望《中國三十年代作家評介》（香港，明報月刊社，1978）、黃侯興等《三十年代作家作品論集》（成都，四川人民出版社，1980）、陳紀瀅《三十年代作家記》（臺北，成文出版社，民69）、尾上兼英編《1930年代中國文藝雜誌(1)》（東京，東京大學東洋文化研究所附屬東洋文獻センター刊行委員會，1971）、Hsia Tsian, The Gate of Darkness: Studies on the Leftist Movement.（Seattle: University of Washington Press, 1968）、上海社會科學院文學研究所編《三十年代在上海的〝左聯〞作家》（2冊，上海，上海社會科學院出版社，1988）、蔣明玳〈論三十年代左翼青年作家群崛起的社會歷史原因〉（《揚州師院學報》1992年1期）、馬良春、張大明編輯《三十年代左翼文藝資料選編》（成都，四川人民出版社，1980）、蕭笛〈精神分析學說與三十年代非左翼文學〉（《江淮論壇》1996年1期）、伊藤敬一〈30年代文藝と文藝講話〉（《文學界》20卷11號，1966年11月）、李牧《三十年代文藝論》（臺北，黎明文化事業公司，民62）、李超宗《三十年代文藝論》（政治作戰學校政治研究所碩士論文，民61）、吉明學、孫露茜編《三十年代〝文藝自由論〞資料》（上海，上海文藝出版社，1990）、丁易（葉彝）〈1930-32年關於大眾文藝的討論〉（《新中華》14卷15期，1951年8月）、王愛松〈〝大眾化〞與〝化大眾〞：三十年代一個文學話題的反思〉（《南京大學學報》1996年2期）、周海波〈論三十年代文學批評的兩種趨勢〉（《遼寧教育學院學報》1996年3期）、謝六逸〈二十年來的中國文學〉（《新大夏月刊》1卷3期，民27年11月）、中野重治〈「三十年代」の文學〉（《展望》94號，1966年10月）、馬俊山〈〝反差不多運動〞：三十年代自由主義文學思潮的尾聲〉（《遼寧師大學報》1996年6期）、Sylvia Chan, "Realism or Socialist Realism?: The 'Proletrian' Episode in Modern Chinese Literature 1927-1932."（The Australian of Chinese Affairs, Issue No.9, January 1983）、陳敬之《三十年代文壇與左翼作家聯盟》（臺北，成文出版社，民69）、周玉山《「中國左翼作家聯盟」研究》（政治大學東亞研究所碩士論文，民64年6月）、丁易（葉彝）〈中國左翼作家聯盟的成立及其和反動政治的鬥爭〉（《新中華》14卷14期，1951年7月）及〈「左聯」和反動文藝的鬥爭〉（同上，14卷19期，1951年10月）、王爾齡〈〝左聯〞與文學新人〉（《西北師大學報》1992年3期）、潘頌德〈〝左聯〞與詩歌建設〉（《上海社會科學院學術季刊》1992年2期）、劉珏〈〝左聯〞戲劇與外來影響〉（《社會科學（上海）》1992年7期）、施建偉〈〝左聯〞與論語派〉（同上，1991年8期）、吳家榮〈〝左聯〞與胡秋原的論爭及其歷史反思〉（《社會科學戰線》1992年4期）、涪村〈中國左翼作家聯盟〉（《中國現代文學研究叢刊》1980年2輯）、張大明

〈關于左聯時期幾個理論問題〉（同上，1990年1期）、陳瘦竹主編《左聯時期文學論文集》（南京，南京大學學報編輯部，1980）、中國社會科學院文學研究所《左聯回憶錄》編輯組編《左聯回憶錄》（2册，北京，中國社會科學出版社，1982）、胡從經〈鐵律的豐碑，血鐫的銘篆—紀念中國左翼作家聯盟成立60周年〉（《上海社會科學院學術季刊》1990年2期）、鄭擇魁〈要充分肯定〝左聯〞的歷史功績〉（《中國現代文學研究叢刊》1985年2輯）、林志浩〈關于左聯對〝自由人〞與〝第三種人〞論爭中的幾個問題〉（同上）、艾曉明〈三十年代蘇聯〝拉普〞的演變與中國〝左聯〞〉（同上，1991年1期）、蒙樹宏〈簡談〝左聯〞和三十年代的雲南文學〉（同上，1991年3期）、柯文溥〈〝左聯〞創作題材的新開拓—論三十年代的反映蘇區的作品〉（《廈門大學學報》1991年2期）、吉世〈〝左聯〞對傳播馬克思主義文藝理論的貢獻〉（《中國現代文學研究叢刊》1980年1輯）、王紀人〈〝左聯〞革命精神長存〉（《文藝理論研究》1990年2期）、王宏志《魯迅與左聯》（臺北，風雲時代出版公司，民80）、周行之《魯迅與「左聯」》（臺北，文史哲出版社，民80）、丸山昇〈問題としての1930年代—左連研究·魯迅研究の角度から〉（載《1930年代中國の研究》，東京，アジア經濟研究所，1975）、葉楠〈論瞿秋白與〝左聯〞〉（《寧夏教育學院學報》1986年1期）、魯海等〈王統照與〝左聯〞〉（《東岳論叢》1985年6期）、張炳隅〈論胡世頻在〝左聯〞時期的地位和貢獻〉（《上海教育學院學報》1991年3期）、譚一青〈瞿秋白和三十年代左翼文藝運動的策略轉變〉（《中共黨史研究》1988年3期）、Wong Wang-chi, Politics and Literature in Shanghai: The Chinese

League of Left-Wing Writers, 1930-36.（Manchester and N. Y.: Manchester University Press, 1991; New York: St. Martin's, 1991）、Anthony James Kane, The League of Left Wing Writers and Chinese Literary Policy.（Ph. D. Dissertation, University of Michigan-Ann Arbor, 1982）、姜振昌〈雜文家的窘迫和尷尬－三十年代反雜文作家的〝塞〞與〝行〞〉（《中國現代文學研究叢刊》1990年3期）、王澤龍〈論三十年代中國現代主義詩本〉（同上，1994年1期）、范培松〈論三十年代散文的〝返祖〞現象〉（同上，1994年4期）、蔡清富〈臧克家與三十年代的詩歌流派〉（《中國現代文學研究叢刊》1986年4期）、賀堅〈試論丁鈴三十年代農村題材小說〉（同上，1986年3期）、王愛松〈都市的五光十色－三十年代都市題材小說之比較〉（《文學評論》1995年4期）、胡勉〈三十年代的鄉土文學是什麼東西？〉（《革新》28期，民67年6月）、小野忍〈1930年代の上海文壇〉（《東洋文化》52號，1972年3月）、莊啟東輯〈關于三十年代爭論「中國目前為什麼沒有偉大的作品產生」的前前後後〉（《新文學史料》1991年3期）、伊藤德也〈白話歐化論議中の三つの類型的理想像—1932年の視點より〉（《日本中國學會報》43號，1991年10月）、金家詩〈受命危艱展現輝煌—對中國三、四十年代馬克斯主義史學之回顧〉（《青島大學青島師院學報》12卷1期，1995年3月）、江勇振〈現代化、美國基金會與1930年代的社會科學〉（載中央研究院近代史研究所編《中國現代化論文集》，臺北，民80）、王聿均〈中央研究院之初創與抗戰期間的播遷〉（《國父建黨革命一百周年學術討論集》第3冊，民84年3月）、樊洪業〈前中央研究院的創立及首屆院士選舉〉（《近代史研究》

1990年3期)、周寧輯〈國立中央研究院概況(1928-1948年)〉(《民國檔案》1990年4期)、中央研究院編印《國立中央研究院(十七年至廿一年度)總報告書》(4冊,南京,民18-24)、行政院新聞局編印《北平研究院與中央研究院》(南京,民37)、北平研究院編印《國立北平研究院概況》(北平,民22)、陶英惠〈國立北平研究院初探(1929-1949)〉(《近代中國》16期,民69年4月)、李書華〈二十年北平研究院〉(《傳記文學》7卷4-6期,民54年10-12月)、瀧下彩子〈1930·40年代における日本研究團體へのアプローチ 一南京日本研究會の活動概況〉(《近きに在りて》23號,1993年5月)。邵力子〈十年來的中國新聞事業〉(載《十年來的中國》,上海,商務印書館,民26)、吳保豐〈十年來的中國廣播事業〉(同上)、劉瑞恒〈十年來的中國醫藥衛生〉(同上)、Yip Ka-Che(葉嘉熾),Health and National Reconstruction in Nationalist China: The Development of Modern Health Serices, 1928-1937.(Ann Arbor, Michigan: Assaciation for Asian Studies, Inc., 1995)、葉嘉熾〈國民黨與中國醫療衛生現代化(1928-1937)〉(載《國父建黨革命一百周年學術討論集》第2冊,臺北,近代中國出版社,民84);徐元民《戰前十年中國體育思想之研究(1928-1937)》(臺灣師範大學體育研究所碩士論文,民79)、蘇競存〈三十年代的體育軍事化思想〉(《體育文史》1987年4期)。張新民〈國民政府の初期映畫統制について—1930年代を中心に〉(《歷史研究》33號,1996)、洪深〈1933年的中國電影〉(《文學》2卷1期,民23年1月)、胡克〈三十年代中國電影社會理論〉(《電影藝術》1996年2期)、Paul G. Pickowicz, "The Theme of Spiritual Pollution in Chinese Films of the 1930s."（Modern China, Vol. 17, No.1, January 1991）、Shen Nai-huei, "Women in Chinese Cinema of the 1930s: A Critical Appraisal."（International Journal of the Humanities，國際人文年刊，No.3, 民83年6月）、Kristine Harris, " The New Woman: Image, Subject, and Dissent in 1930s Shanghai Film Culture. "（Republican China, Vol.20, Issue 2, 1995）、晏妮〈戰前日本における中國映畫に關する一考察〉（《演劇學》35號，1994年3月）及〈戰前の中國映畫理論：1920年代から1930年代にかけて〉（同上，38號，1996年12月）、陳山〈略論三、四十年代中國電影的文化傳統〉（《北京電影學院學報》1995年1期）、鍾大豐〈作為藝術運動的三十年代電影〉（同上，1993年2期及1994年1期）、孫瑜〈回憶〝五四〞運動影響下的三十年代電影〉（《電影藝術》1979年3期）、羅藝軍〈三十年代電影的民族風格〉（同上，1984年8期）、陳衛平〈但開風氣不為師一論三十年代左翼電影評論〉（《北京電影學院學報》1990年1期）、靳鳳蘭〈左翼電影的藝術創新〉（同上，1988年1期）、孫東鋼〈左翼電影作品對人性〝負面〞的把握〉（同上，1993年2期）、劉詩兵〈左翼電影運動對我國電影表演觀念的推進〉（同上）、凌振元〈中國左翼電影與意大利新現實主義電影比較論〉（《上海師大學報》1992年1期）、司徒慧敏〈往事不已，後有來者一散記〝左聯〞的旗幟下進步電影的飛躍〉（《電影藝術》1985年4期）、凌鶴〈左翼劇聯的影評小組及其他〉（同上，1980年9期）、許南明〈繼承和發展三十年代革命電影的傳統一兼駁丁學雷對《中國電影發展史》的誣蔑〉（同上，1979年3期）、藤森猛〈中國映畫用語の形成—1920～1930年代 にみられる中國語映畫關連語彙〉（《愛知論叢》60號，1996）、白水紀子〈中國左翼戲連盟下における活報劇と藍衫劇團〉（《東洋文化》74號，1994年3月）、張世傑〈一九三二年之國內音樂界〉（《讀書雜誌》3卷1期，民22年3月）。近藤邦康〈新啟蒙運動について—1930年代における傳統思想の批判〉（《東洋文化》44號，1968年2月）、菊池一隆〈中國トロツキー派の生成、動態、及びその主張—1927年から34年を中心に〉（《史林》79卷2號，1996）、名畑恒〈1930年代初頭の中國資本主義論爭〉（《季刊東亞》42卷3·4號，1969年9月）、M·N·斯拉戈夫斯基〈二、三十年代之交的中國〉（《寧德師專學報》1993年2期）、Werner Meissner, Philosophy and Politics in China: The Controversy over Dialectical Materialism in the 1930s.（Stanford, California: Stanford University Press, 1990）、徐鼎新〈二十至三十年代上海國貨廣告促銷及其文化特色〉（《上海社會科學院學術季刊》1995年2期）、賀越明〈試析三四十年代報刊評論文體的嬗變〉（《新聞研究資料》38輯，1987年6月）、伊藤信之〈中國知識人と雜誌「獨立評論」（1932-37年）〉（《成蹊大學法學政治學研究》10號，1991）、陳儀深《「獨立評論」的民主思想》（臺北，聯經出版事業公司，民78）及〈《獨立評論》中有關三民主義的討論〉（《人文及社會科學集刊（中央研究院社會科學研究所）》1卷1期，民77年11月）、邵銘煌〈抗戰前「獨立評論」關於建設問題的討論〉（《近代中國》74期，民78年12月）及《抗戰前北方學人與「獨立評論」》（政治大學歷史研究所碩士論文，民65年6月）、徐素貞《「食貨半月刊」研究，一九三四～一九三七》

（臺灣師大歷史研究所碩士論文，民78）、巴彥〈三十年代的大型文學雜誌—《現代》月刊〉（《新文學史料》1992年2期）、潘少梅〈《現代》雜誌對西方文學的介紹〉（《中國現代文學研究叢刊》1991年1期）、Constantine Tung, The Crescent Moon Society and the Litrary Movement of Modern China, 1928-1933.（Ph. D. Dissertation, Claremont Graduate School and University Center, 1971）、王孫〈風飄雲逸話〝新月〞〉（《瀋陽師院學報》1990年3期）、張玲霞〈早期新月派是純浪漫主義團體嗎？—英美浪漫主義與新月派之三〉（《揚州師院學報》1991年3期）、湯逸中〈新月派的政治傾向〉（《華東師大學報》1980年6期）、王強〈關于〝新月派〞的形成和發展〉（《中國現代文學研究叢刊》1983年3輯）、藍棣之〈論新月派詩歌的思想特徵〉（同上，1982年1輯）、陳山〈論新月詩派在新詩發展中的歷史地位〉（同上）、彭耀春〈試論新月派的國劇理論〉（《文藝研究》1991年2期）、葉文心〈從《生活周刊》看三十年代的上海小市民〉（載《上海研究論叢》第4輯，1989年3月）、倪墨炎〈三十年代大公報文藝副刊的啟示〉（《新文學史料》1991年3期）、李延〈三十年代的《申報・自由談》〉（《上海師大學報》1991年1期）、倪心正《政治控制與新聞媒體之關係—上海《申報》社論研究（1931-1949）》（臺灣師範大學歷史研究所碩士論文，民82年6月）、小島正巳編《戰前の中國時論誌研究》（東京，アジア經濟研究所，1978）、鄭靜敏《九一八事變後張季鸞的社評一三〇年代文人論政研究之一》（政治大學歷史研究所碩士論文，民85年6月）、伊藤信之〈抗日前夜の思想潮流〉（載宇野重昭、天兒慧編《20世紀の中國—政治變動と國際契機》，東京大學出版會，1994）、溫儒敏〈三十年代現實主義思潮所受外來影響及其流變〉（《中國現代文學研究叢刊》1988年1期）、陳漢楚〈三十年代馬克思主義在中國的傳播〉（《社會科學（上海）》1982年8期）、Ulrich Vogel, "K. A. Wittfogel's Marxist Studies on China, 1926-1939."（Bulletin of Concerned Asian Scholars, Vol.11, No.4, 1974）。

國家圖書館出版品預行編目資料

中國現代史書籍論文資料舉要(三)

胡平生編著. – 初版. – 臺北市：臺灣學生，
2000[民 89]

ISBN 957-15-1031-9(第三冊；精裝)
ISBN 957-15-1032-7(第三冊；平裝)

1. 中國 – 歷史 – 現代(1900 –) – 目錄
2. 中國 – 歷史 – 現代(1900 –) – 專題研究

016.628 88000805

中國現代史書籍論文資料舉要(三)

編著者：胡平生
出版者：臺灣學生書局
發行人：孫善治
發行所：臺灣學生書局
臺北市和平東路一段一九八號
郵政劃撥帳號 00024668 號
電話：(02)23634156
傳真：(02)23636334
本書局登記證字號：行政院新聞局局版北市業字第玖捌壹號
印刷所：宏輝彩色印刷公司
中和市永和路三六三巷四二號
電話：(02)22268853

定價：精裝新臺幣七二〇元
平裝新臺幣六四〇元

西元二〇〇〇年九月初版

01609

ISBN 957-15-1031-9 (精裝)
ISBN 957-15-1032-7 (平裝)